OOG IN OOG

D1096544

JONATHAN KELLERMAN

OOG IN OOG

POEMA
POCKET

Voor meer informatie: kijk op **www.boekenwereld.com**

POEMA-POCKET is een onderdeel van Luitingh ~ Sijthoff

Derde druk
© 1992 Jonathan Kellerman
© 1991, 2004 Uitgeverij Luitingh ~ Sijthoff B.V., Amsterdam
Alle rechten voorbehouden
Published by agreement with Lennart Sane Agency AB
Oorspronkelijke titel: *Private Eyes*
Vertaling: Mariëlla Snel
Omslagontwerp: Pete Teboskins
Omslagfotografie: Photonica

ISBN 90 245 5209 5

Voor mijn kinderen, die alles in perspectief hebben geplaatst.

Ik ben in het bijzonder dank verschuldigd aan Beverly Lewis, wier scherpe ogen en zachte stem heel veel betekenen.

Aan Gerald Petievich, vanwege zijn standpunten als insider en nog vele andere dingen.

En aan Terri Turner van de Californische reclassering, vanwege haar efficiëntie en bemoedigende woorden.

Voor ons allen ligt ons eigen bijzondere wezen in een hinderlaag.
HUGH WALPOLE

1

Aan het werk van een therapeut komt nooit een einde.

Wat niet wil zeggen dat patiënten niet beter worden.

Maar de band die ontstaat tijdens de sessies die gedurende drie kwartier achter gesloten deuren plaatsvinden − de relatie die zich ontwikkelt wanneer de ogen van één bepaalde persoon blikken in het privéleven van een andere persoon − kan een zekere onsterfelijkheid krijgen.

Sommige patiënten gaan weg en komen nooit meer terug. Sommigen gaan nooit weg. Zeer velen bevinden zich ergens in het midden en halen af en toe de banden weer aan wanneer ze zich trots of verdrietig voelen.

Het is moeilijk te voorspellen wie tot welke groep zal gaan behoren; dat is even onzeker als gokken in Vegas of op de aandelenbeurs. Nadat ik een paar jaar praktijk had uitgeoefend, ben ik daar al mee opgehouden.

Dus was ik niet echt verbaasd toen ik op een juli-avond na het hardlopen thuiskwam en hoorde dat Melissa Dickinson een boodschap voor me had achtergelaten.

Dat was de eerste keer dat ik iets van haar hoorde in... hoeveel tijd?

Het moest bijna tien jaar geleden zijn sinds ze me niet meer had bezocht in het kantoor dat ik eens had gehad in een kil, hoog flatgebouw in het oostelijke deel van Beverly Hills.

Een van de patiënten die ik lange tijd had behandeld.

Alleen al daardoor zou ik me haar zijn blijven herinneren, maar er was nog zoveel meer geweest...

Kinderpsychologie is een ideaal vakgebied voor diegenen die zich graag heldhaftig voelen. Kinderen zijn geneigd relatief snel beter te worden en hebben een minder uitgebreide behandeling nodig dan volwassenen. Zelfs toen mijn praktijk op zijn hoogtepunt was, kwam het zelden voor dat ik met een patiënt meer dan één sessie per week afsprak. Maar met Melissa was ik begonnen met drie sessies per week. Vanwege de grootte van haar problemen. Haar unieke situatie. Na acht maanden zag ik haar nog tweemaal per week en na een jaar één keer.

Na drieëntwintig maanden was de therapie beëindigd.

Toen was ze een heel ander meisje geworden. Ik had het mezelf destijds toegestaan me daar een beetje mee te feliciteren, maar ik had geweten dat het niet verstandig was te gaan juichen. Omdat de familiestructuur die haar problemen had veroorzaakt en gevoed, nooit was veranderd. Er was niet eens aan het oppervlak daarvan gekrabbeld.

Desondanks had ik geen reden gehad haar tegen haar zin te blijven behandelen.

Ik ben negen jaar oud, meneer Delaware. Ik ben zover dat ik de dingen zelf aankan.

Ik had haar de wereld ingestuurd, in de verwachting snel weer iets van haar te horen. Enige weken lang gebeurde dat niet. Ik belde haar op en kreeg van de negenjarige beleefd maar vastberaden te horen dat het prima met haar ging, dank voor uw belangstelling, en dat ze míj zou bellen als ze me nodig had.

Nu had ze dat gedaan.

Lange tijd om in de wacht te staan.

Tien jaar, dus moest ze nu negentien zijn. Wis de geheugenbank en bereid je voor op een onbekende.

Ik keek even naar het telefoonnummer dat ze bij de telefoniste had achtergelaten.

Kengetal 818. Telefooncentrale van San Labrador.

Ik liep mijn bibliotheek in, zocht enige tijd tussen mijn afgesloten dossiers en vond uiteindelijk het hare.

Hetzelfde kengetal als haar oorspronkelijke telefoonnummer thuis, maar de laatste vier cijfers waren anders.

Ander telefoonnummer, of woonde ze niet meer thuis? Als ze ergens anders was gaan wonen, had ze een plek niet ver uit de buurt uitgekozen.

Ik keek naar de datum van de laatste sessie. Négen jaar geleden. Jarig in juni. Een maand geleden was ze achttien geworden.

Ik vroeg me af in welke opzichten ze was veranderd en in welke ze de oude was gebleven.

Ik vroeg me af waarom ik niet eerder iets van haar had gehoord.

2

De telefoon werd opgenomen nadat hij twee keer had gerinkeld.

'Hallo?' De stem van een onbekende, jong, vrouwelijk.

'Melissa?'

'Ja?'

'Je spreekt met doctor Alex Delaware.'

'O! Hallo! Ik dacht niet... Hartelijk dank voor het terugbellen, meneer Delaware. Ik had verwacht morgen pas iets van u te horen. Eigenlijk wist ik niet eens of u terug zou bellen.'

'Waarom?'

'Uw nummer in de telefoongids... Sorry. Wilt u even aan de lijn blijven?'

Hand op de hoorn. Gedempte conversatie.

Even later was ze er weer. 'In de telefoongids staat geen nummer van uw praktijk. Zelfs geen adres. Alleen uw naam, geen academische graad. Ik was er niet zeker van dat u die A. Delaware was. Dus wist ik niet of u nog praktijk uitoefende. De antwoorddienst zei dat u dat wel deed, maar dat u nu voornamelijk samenwerkte met advocaten en rechters.'

'In wezen is dat ook zo.'

'O. Dan neem ik aan...'

'Maar ik ben altijd beschikbaar voor ex-patiënten van me. Ik ben blij dat je hebt gebeld. Hoe gaat het met je, Melissa?'

'Goed,' zei ze snel. Kort lachje. 'Nu ik dat heb gezegd, is de logische vraag waarom ik u na al die jaren opbel, nietwaar? Het antwoord luidt dat ik niet voor mezelf opbel, meneer Delaware, maar voor mijn moeder.'

'Aha.'

'Niet dat er iets vreselijks aan de hand is... O, verdorie, wilt u nog even wachten?' Opnieuw een hand op de hoorn. Opnieuw conversatie op de achtergrond. 'Meneer Delaware, het spijt me echt heel erg, maar dit is niet het juiste moment om te praten. Kan ik naar u toe komen?'

'Natuurlijk. Wanneer zou het jou schikken?'

'Hoe eerder hoe beter. Ik kan bijna altijd, want ik ben inmiddels klaar met de middelbare school.'

'Gefeliciteerd.'

'Dank u. Het is een fijn gevoel.'

'Dat zal best.' Ik keek in mijn agenda. 'Wat zou je zeggen van morgenmiddag twaalf uur?'

'Prima. Ik waardeer dit echt.'

Ik vertelde haar hoe ze bij mijn huis moest komen. Ze bedankte me en hing op voordat ik haar fatsoenlijk gedag had kunnen zeggen.

Ik was veel minder te weten gekomen dan gewoonlijk het geval was wanneer iemand me opbelde om een afspraak te maken.

Een intelligente jonge vrouw. Goed gebekt, gespannen. Hield ze iets achter?

Ik herinnerde me het kind dat ze was geweest en vond niets daarvan verbazingwekkend.

Voor mijn moeder.

Dat opende een scala van mogelijkheden.

De meest waarschijnlijke: ze had eindelijk de ziekte van haar moeder kunnen aanvaarden – wat die voor háár betekende. Ze had er behoefte aan haar gevoelens op een rij te zetten, en misschien wilde ze ook dat ik haar moeder een keer sprak.

Het bezoekje van morgen zou dus waarschijnlijk een éénmalige aangelegenheid zijn. Tot we weer negen jaar verder waren.

Ik deed haar dossier dicht en vond mezelf redelijk goed in het voorspellen.

Ik had net zo goed in de weer kunnen zijn met een gokautomaat in Vegas. Of aandeeltjes kunnen kopen op Wall Street.

De eerste uren daarna was ik bezig met mijn nieuwste project: een monografie voor een van de psychologische tijdschriften over mijn ervaringen met kinderen van een school die de vorige herfst met z'n allen het slachtoffer waren geworden van een sluipschutter. Het schrijven was veel lastiger dan ik had verwacht; het viel niet mee om de ervaring tot leven te wekken binnen de grenzen van een wetenschappelijke benadering.

Ik staarde naar mijn vierde poging – tweeënvijftig bladzijden onhandig proza – en was er zeker van dat ik nooit enige menselijkheid zou kunnen injecteren in het moeras van wetenschappelijk jargon, geleerde verwijzingen en voetnoten waarvan ik me de oorsprong niet duidelijk meer kon herinneren.

Om half twaalf legde ik mijn pen neer en leunde achterover in mijn stoel, omdat ik de magische toon nog altijd niet had gevonden. Mijn aandacht werd getrokken door het dossier van Melissa. Ik maakte het open en begon te lezen.

18 oktober 1978.

De herfst van 1978. Ik herinnerde me die als heet en onaangenaam. Hollywood was al lange tijd onprettig in de herfst, door de smerige straten en de septische lucht. Ik had een referaat gehouden in het Western Pediatric Hospital en verlangde ernaar terug te gaan naar het westelijke deel van de stad en de zes afspraken af te werken die de rest van mijn werkdag zouden vullen.

Het referaat was naar mijn idee goed gegaan. *Gedragstherapeutische benaderingswijzen voor kinderen die kampen met diverse angstverschijnselen.* Feiten en getallen, dia's – in die tijd vond ik dat alles heel indrukwekkend. Een zaal vol kinderartsen van wie de meesten praktijk uitoefenden. Mensen die nieuwsgierig en praktisch ingesteld waren, die wilden horen welke behandelingsmethoden werkten en weinig geduld hadden met academische haarkloverij.

Een kwartier lang had ik vragen beantwoord en net toen ik de gang op was gelopen, werd ik staande gehouden door een jonge vrouw. Ik herkende haar als een van diegenen die veel vragen hadden gesteld, hoewel ik haar ooit ook elders had gezien.

'Doctor Delaware? Ik ben Eileen Wagner.'

Ze had een leuk, rond gezicht onder kort geknipt kastanjebruin haar. Goede gelaatstrekken, vrij brede heupen, ietwat samengeknepen ogen. Haar witte blouse was vrij mannelijk en tot aan haar hals dichtgeknoopt. De tweed rok reikte tot haar knie en ze droeg verstandige schoenen. Ze had een zwarte dokterstas bij zich, die splinternieuw oogde. Ik herinnerde me waar ik haar al eens eerder had gezien. Ze had het jaar daarvoor haar co-schappen in het ziekenhuis gelopen. Arts, afgestudeerd aan een van de universiteiten in het noordoosten van Amerika.

'Dokter Wagner?' zei ik.

We gaven elkaar een hand. De hare was zacht en mollig, geen juwelen.

Ze zei: 'U hebt vorig jaar voor de staf een college gegeven over angsten. Dat vond ik behoorlijk goed.'

'Dank u.'

'Vandaag heb ik ook genoten. Als u er belangstelling voor hebt, zou ik graag iemand naar u verwijzen.'

'Daar heb ik zeker belangstelling voor.'

Ze pakte de tas over in haar andere hand. 'Ik heb nu een eigen praktijk in Pasadena en kan gebruik maken van de faciliteiten van het Cathcart Memorial. Maar het kind dat ik in gedachten heb, is niet een van mijn vaste patiënten, maar iemand die zich via de telefonische hulpdienst van het Cathcart heeft aangemeld. Ze wisten niet wat ze met haar moesten doen en hebben haar boodschap doorgegeven aan mij, omdat het bekend is dat ik belangstelling heb voor de gedragstherapie. Toen ik hoorde wat het probleem was, herinnerde ik me dat college van vorig jaar en vond dat het echt een geval voor u was. Dus ben ik naar dit referaat gekomen.'

'Ik zou graag willen helpen, maar mijn praktijk is aan de andere kant van de stad.'

'Dat doet er niet toe. Ze komen wel naar u toe, want dat kunnen ze zich financieel veroorloven. Dat weet ik omdat ik een paar dagen geleden naar haar toe ben gegaan. We hebben het over een klein meisje. Zeven jaar oud. Ik ben vanmorgen hierheen gekomen in de hoop iets te horen dat mij zou kunnen helpen haar te helpen. Maar nu ik naar u heb geluisterd, is het me duidelijk dat haar problemen de behandeling van een echte specialist vereisen.'

'Angst?'

Nadrukkelijke knik. 'Het meisje is door angst in een wrak veranderd. Meerdere fobieën, gekoppeld aan een extreem algemeen angstgevoel. Alles doordringend.'

'U zei dat u naar haar toe bent gegaan. Bedoelt u naar haar huis?'
Ze lachte. 'Dacht u dat er tegenwoordig geen huisbezoeken meer werden afgelegd? Dat gebeurt wel, al maak ik er zelf geen gewoonte van. Ik wilde dat ze naar mijn praktijk zou komen, maar dat is een deel van het probleem. Ze gaan de deur niet uit. Of liever gezegd gaat haar moeder de deur nooit uit. Zij heeft pleinvrees en is al in jaren niet meer buiten geweest.'

'Hoeveel jaar?'

'Ze heeft het alleen over "jaren" gehad en ik merkte dat die mededeling haar al moeite kostte, dus heb ik niet verder aangedrongen. Ze was in feite helemaal niet voorbereid op het beantwoorden van vragen, dus heb ik het gesprek kort gehouden en me op het meisje geconcentreerd.'

'Lijkt me zinnig,' zei ik. 'Wat heeft ze u over het kind verteld?'

'Alleen dat Melissa − zo heet ze − bang is van alles. Het donker. Harde geluiden en felle lichten. Alleen zijn. Nieuwe situaties. Ze lijkt vaak gespannen en zenuwachtig. Dat moet zeker gedeeltelijk genetisch zijn bepaald, of misschien is ze alleen haar moeder aan het imiteren. Toch ben ik er zeker van dat het deels ook komt door de manier waarop ze leeft. Het is een heel vreemde situatie. Groot huis − immens groot. Een van die ongelooflijke landhuizen aan de noordzijde van Cathcart Boulevard in San Labrador. Het klassieke Labrador. Vele hectaren grond, zeer grote kamers, plichtsgetrouwe bedienden, allen bijzonder op hun privacy gesteld. De moeder blijft in haar kamer als een depressieve Victoriaanse dame.'

Ze zweeg en drukte een vingertop tegen haar mond. 'Misschien zou ik beter kunnen spreken over een Victoriaanse prinses. Ze is heel erg mooi. Ondanks het feit dat een deel van haar gezicht vol littekens zit en ze last lijkt te hebben van een milde vorm van halfzijdige gezichtsverlamming, die voornamelijk te zien is wanneer ze spreekt. Maar als ze niet zo mooi was − als haar gezicht niet zo symmetrisch was − zou het je wellicht nooit opvallen. Geen hard littekenweefsel. Alleen een heleboel fijne littekens. Ik durf erom te wedden dat ze enige jaren geleden wegens ernstige verwondingen is behandeld door een eersteklas plastisch chirurg. Ik denk in dat verband aan een brandwond of een diepe vleeswond. Misschien is dat de wortel van háár probleem. Ik weet het niet.'

'Wat is het voor een kind?'

'Ik heb van haar alleen een glimp opgevangen toen ik het huis binnenkwam. Klein, slank en leuk om te zien, heel goed gekleed. Het prototype van een jong, rijk meisje. Toen ik probeerde met haar te praten, liep ze weg. Ik vermoed dat ze zich ergens in de kamer van haar moeder heeft verstopt. De kamers, zou ik moeten zeggen, want het geheel heeft wel iets van een suite. Terwijl de moeder en ik met elkaar spraken, bleef ik op de achtergrond geritsel horen. Als ik zweeg om ernaar te luisteren, hield het op. De moeder heeft er geen enkele opmerking over gemaakt, dus heb ik dat ook niet gedaan. Ik vond al dat ik geluk genoeg had met het feit dat ik erheen had kunnen gaan om haar te zien.'

'Het lijkt wel een onderdeel van een griezelroman,' zei ik.

'Ja, dat was het precies. Het had iets griezeligs. Niet dat de moeder zelf griezelig was. Integendeel. Die was charmant. Lief. Op een kwetsbare manier.'

'Het prototype van een Victoriaanse prinses,' zei ik. 'Komt ze echt helemaal nooit het huis uit?'

'Dat zei ze. Dat bekende ze. Ze schaamt zich er nogal voor. Niet dat die schaamte haar ervan heeft overtuigd dat ze moet proberen het huis uit te gaan. Toen ik haar voorstelde eens te zien of ze naar mijn kantoor kon komen, raakte ze echt gespannen. Haar handen begonnen zelfs te trillen. Dus heb ik gas teruggenomen. Ze stemde er echter wel in toe Melissa met een psycholoog te laten spreken.'

'Vreemd.'

'Het vreemde is toch uw vakgebied?'

Ik glimlachte.

'Heb ik uw belangstelling gewekt?' vroeg ze.

'Denkt u dat de moeder echt hulp wil hebben?'

'Voor het meisje? Ze zegt van wel. Belangrijker is echter dat die kleine zelf gemotiveerd is. Zij is degene die het nummer van de hulptelefoon heeft gedraaid.'

'Zeven jaar oud en ze heeft zelf opgebeld?'

'De vrijwilligster die opnam, kon dat ook niet geloven. Die telefoon is niet voor kinderen bedoeld. Af en toe belt er wel eens een tiener, die ze dan naar een ander nummer doorverwijzen. Maar Melissa moet een van hun reclamespotjes op de televisie hebben gezien, waarna ze het nummer heeft opgeschreven en dat heeft gedraaid. Ze was nog laat op. Het gesprek kwam even na tien uur 's avonds binnen.'

Ze hield de tas omhoog, maakte hem open en haalde er een cassette uit.

'Ik weet dat het bizar klinkt, maar hier heb ik het bewijs. Ze nemen alle gesprekken op band op en ik heb om een kopie gevraagd.'

'Ze moet behoorlijk vroegrijp zijn,' zei ik.

'Dat moet inderdaad wel zo zijn. Ik wou dat ik de kans had gehad enige tijd met haar samen te zijn. Zij heeft het initiatief genomen.'

Ze zweeg even. 'Ze moet veel verdriet hebben gehad. Nadat ik naar die band had geluisterd, heb ik het nummer gevraagd dat ze aan die vrijwilligster had gegeven en kreeg de moeder aan de lijn. Ze had er geen idee van dat Melissa had gebeld. Toen ik het haar vertelde, stortte ze in en begon te huilen. Maar toen ik haar vroeg naar me toe te komen, zei ze dat ze dat niet kon, omdat ze ziek was. Ik dacht dat het iets lichamelijks was, dus bood ik aan naar haar toe te komen. Vandaar mijn vreemde huisbezoek.'

Ze stak me het bandje toe. 'Als u dat wilt, kunt u het afluisteren. Het is echt iets bijzonders. Ik heb tegen de moeder gezegd dat ik met een psycholoog zou spreken en ben zo vrij geweest uw naam te noemen. U moet echter niet het idee hebben onder druk te worden gezet.'

Ik pakte het bandje van haar aan. 'Dank dat u aan mij hebt gedacht, maar ik weet echt niet of ik op huisbezoek kan gaan in San Labrador.'

'Melissa kan naar u toe komen. Een van de bedienden kan haar brengen.'

Ik schudde mijn hoofd. 'Bij een casus als deze moet de moeder actief betrokken worden.'

Ze fronste haar wenkbrauwen. 'Ik weet dat dit geen optimale oplossing is. Maar kent u technieken waarmee u het meisje enigermate zou kunnen helpen zonder de moeder erbij te betrekken? Zou u haar wat minder angstig kunnen maken? Alles wat u kunt doen, zou het risico dat ze totaal verknipt raakt, doen afnemen. Het zou echt een goede daad zijn.'

'Misschien,' zei ik. 'Mits de moeder de therapie niet saboteert.'

'Ik denk niet dat ze dat zal doen. Ze lijkt echt van het kind te houden. Het schuldgevoel zal ons van pas komen. Ze moet zich een heel inadequate moeder voelen, nu het meisje ons zelf heeft opgebeld. Ze weet dat dit de verkeerde manier is om een kind groot te brengen, maar kan haar eigen ziektebeeld niet doorbreken. Ze moet dat afschuwelijk vinden. Ik denk dat het moment daar is om in te spelen op die schuldgevoelens. Als het kind beter wordt, komt de moeder misschien voor zichzelf om hulp vragen.'

'Is er een vader in beeld?'

'Nee, ze is weduwe, denk ik. Is ze geworden toen Melissa nog een baby was. Hartaanval. Ik heb de indruk gekregen dat hij een veel oudere man was.'

'U lijkt tijdens dat korte bezoek veel aan de weet te zijn gekomen.'

Ze bloosde. 'Je doet je best. Luister. Ik verwacht niet van u dat u uw leven laat ontregelen door daar regelmatig naar toe te gaan. Ik zou er echter niets wijzer van worden te gaan zoeken naar een psycholoog die dichter bij hen in de buurt woont. De moeder gaat nooit ergens heen. Mars is voor haar even ver weg als een huis zeshonderd meter verderop. Wanneer iemand anders een therapie probeert en die wordt geen succes, zullen ze het misschien nooit meer proberen. Dus wil ik iemand hebben die competent is. Nu ik u heb gehoord, ben ik ervan overtuigd dat u de juiste man bent. Ik zou het bijzonder waarderen wanneer u bereid bent genoegen te nemen met minder dan het optimale. Ik zal het goedmaken door in de toekomst een paar makkelijkere patiënten naar u te verwijzen. Oké?'

'Oké.'

'Ik weet dat ik hier te sterk bij betrokken lijk te zijn en misschien is dat ook wel zo. Maar het idee dat een zevenjarig kind zo opbelt... En dan dat huis.' Ze trok haar wenkbrauwen op. 'Verder ben ik bang dat ik het straks in mijn eigen praktijk zo druk krijg dat ik de tijd niet meer heb om iemand zoveel individuele aandacht te geven. Dus moet ik er gebruik van maken zolang ik dat kan.'

Ze stak weer een hand in haar dokterstas. 'Hier zijn de relevante gegevens.' Ze gaf me een velletje papier, voorzien van het logo van een farmaceutisch bedrijf. Daarop had ze geschreven:

Patiënte: Melissa Dickinson, geboortedatum: 21-06-71
Moeder: Gina Dickinson

En een telefoonnummer.

Ik pakte het papier aan en stopte het in mijn zak.

'Dank u,' zei ze. 'In elk geval zal uw honorarium geen probleem zijn. Ze zijn beslist geen fondspatiënten.'

'Bent u de enige arts die ze kennen, of is er nog een andere?'

'Volgens de moeder hebben ze een huisarts in Sierra Madre bij wie Melissa in het verleden af en toe is geweest voor inentingen en routine-onderzoek, maar nooit voor iets bijzonders. Lichamelijk is ze een heel gezond meisje. Die andere arts hebben ze al in jaren niet meer gezien. Ze wilde niet dat er contact met hem werd opgenomen.'

'Waarom niet?'

'Omdat een therapie in haar ogen een soort stigma is. Om helemaal eerlijk te zijn heb ik haar lang moeten bepraten. We spreken over San Labrador, waar ze zich nog altijd verzetten tegen de twintigste eeuw. Maar ze heeft me medewerking beloofd. Ik weet niet of ik op een gegeven moment hun vaste arts zal worden. Maar als u me een rapport wilt sturen, kan ik u verzekeren dat ik graag wil weten hoe het verder met haar gaat.'

'Natuurlijk,' zei ik. 'U had het daarnet over routine-onderzoek. Voor school, neem ik aan. Gaat ze ondanks die angsten wel regelmatig naar school?'

'Tot voor kort heeft ze dat wel gedaan. Bedienden brachten en haalden haar. Als er met een van de leerkrachten iets te bespreken viel, gebeurde dat over de telefoon. Misschien is dat daar in die rimboe niet zo vreemd, maar het moet niet prettig zijn geweest voor het kind dat de moeder zich nergens liet zien. Ondanks dat is Melissa een prima leerlinge. De moeder heeft me haar rapporten nadrukkelijk laten zien.'

'Wat bedoelt u met "tot voor kort"?' vroeg ik.

'De laatste tijd begint ze duidelijke tekenen te vertonen van schoolangst. Vage lichamelijke klachten, 's morgens huilen, zeggen dat ze te bang is om naar school te gaan. De moeder houdt haar thuis. Voor mij duidt dat overduidelijk op gevaar.'

'Dat is zeker zo, vooral gezien haar voorbeeld,' zei ik.

'Klopt. De bekende biopsychische cyclus. Wanneer je genoeg casussen bestudeert, zie je niets anders dan dergelijke cycli.'

'Een moeilijk te doorbreken wapenrusting.'

Ze knikte. 'Misschien lukt het ons nu wel erdoorheen te komen. Zou dat geen opkikker zijn?'

Ik ontving die middag patiënten, rondde een stapel dossiers af. Terwijl ik mijn bureau opruimde, luisterde ik naar de band.

VROUWELIJKE VOLWASSEN STEM: Cathcart hulptelefoon.

KINDERSTEM (*Nauwelijks hoorbaar*): Hallo.

VOLWASSEN STEM: Hulptelefoon. Waar kan ik je mee helpen?

Stilte.

KINDERSTEM: Is dit (*Onverstaanbaar*)...ziekenhuis?

VS: Dit is de hulptelefoon van het Cathcart Ziekenhuis. Wat kan ik voor je doen?

KS: Ik heb hulp nodig. Ik ben...

VS: Ja?

Stilte.

VS: Hallo? Ben je daar nog?

KS: Ik... ik ben bang.

VS: Bang waarvoor, schatje?

KS: Voor alles.

Stilte.

VS: Is er iets of iemand bij je, die je bang maakt?

KS: ... Nee.

VS: Helemaal niemand?

KS: Nee.

VS: Schatje, ben je op de een of andere manier in gevaar?

Stilte.
vs: Schatje?
ks: Nee.
vs: Echt niet?
ks: Nee.
vs: Kun je me zeggen hoe je heet, schatje?
ks: Melissa.
vs: Melissa hoe?
ks: Melissa Anne Dickinson (*Begint te spellen*).
vs: (*Onderbreekt haar*) Hoe oud ben je, Melissa?
ks : Zeven.
vs: Bel je van huis uit, Melissa?
ks: Ja.
vs: Weet je waar je woont, Melissa?
Gehuil.
vs: Het hindert niet, Melissa. Zit je op dit moment ergens mee? Valt iemand je op dit moment lastig?
ks: Nee, ik ben alleen bang. Altijd.
vs: Maar *op dit moment* word je door niets of niemand lastig gevallen? Niets of niemand bij je thuis?
ks: Nee.
vs: Is er iets?
ks: Nee. Niet hier. Ik... (*Tranen*)
vs: Wat is er, schatje?
Stilte.
vs: Valt iemand bij je thuis je op andere momenten wel lastig?
ks: (*Fluisterend*) Nee.
vs: Weet je mamma dat je opbelt, Melissa?
ks: Nee. (*Tranen*)
vs: Zou ze heel erg boos worden als ze wist dat je opbelt?
ks: Nee. Ze is...
vs: Ja, Melissa?
ks: ... aardig.
vs: Je mamma is aardig?
ks: Ja.
vs: Dus je bent niet bang voor je mamma?
ks: Nee.
vs: En je vader?
ks: Ik heb geen vader.
Stilte.
vs: Ben je bang van iemand anders?
ks: Nee.

vs: Weet je waar je bang van bent?

Stilte.

vs: Melissa?

ks: Het donker... inbrekers... dingen.

vs: Het donker en inbrekers. En dingen. Schatje, kun je me vertellen wat voor dingen?

ks: Eh... dingen. Allerlei dingen! (*Tranen*)

vs: Oké, schatje, aan de lijn blijven. We zullen hulp voor je halen. Niet ophangen. Oké?

Gesnuf.

vs: Alles met je in orde, Melissa? Ben je daar nog?

ks: Ja.

vs: Braaf meisje. Melissa, weet je het adres? De straat waarin je woont?

ks: (*Heel snel*) Sussex Knoll nummer tien.

vs: Wil je dat nog eens herhalen, Melissa?

ks: Sussex Knoll. Nummer tien. San Labrador. Californië. Negen-een-een-nul-acht.

vs: Heel goed. Je woont dus in San Labrador. Dat is echt dicht bij ons – het ziekenhuis – in de buurt.

Stilte.

vs: Melissa?

ks: Is daar een dokter die me kan helpen? Zonder injecties?

vs: Natuurlijk, Melissa, en ik ga die dokter voor je zoeken.

ks: (*Onverstaanbaar*)

vs: Wat zei je, Melissa?

ks: Dank u.

Veel statische geluiden, toen stilte. Ik zette de bandrecorder uit en draaide het nummer dat Eileen Wagner had getypt. Een piepende mannenstem zei: 'Huis van de Dickinsons.'

'Mevrouw Dickinson, alstublieft. U spreekt met doctor Delaware en het gaat over Melissa.'

Keelgeschraap. 'Mevrouw Dickinson is op dit moment niet bereikbaar. Ze heeft me echter wel opdracht gegeven u te zeggen dat Melissa op elke normale dag van de week tussen drie uur en half vijf naar u toe kan komen.'

'Kunt u me zeggen wanneer ik haar wel kan spreken?'

'Ik ben bang van niet, meneer Delaware, maar ik zal haar zeggen dat u hebt gebeld. Schikt de genoemde tijd u?'

Ik keek in mijn agenda. 'Woensdag vier uur?'

'Uitstekend.' Hij noemde mijn adres. 'Klopt dat?'

'Ja. Maar ik zou vóór die afspraak graag met mevrouw Dickinson willen spreken.'
'Dat zal ik haar meedelen.'
'Wie brengt Melissa naar me toe?'
'Ik, meneer Delaware.'
'En u bent?'
'Dutchy. Jacob Dutchy.'
'En uw relatie tot...'
'Ik werk voor mevrouw Dickinson, meneer. Geeft u ten aanzien van uw honorarium de voorkeur aan een bepaalde manier van betalen?'
'Een cheque is prima, meneer Dutchy.'
'En het honorarium bedraagt?'
Ik zei hem wat ik per uur in rekening bracht.
'Uitstekend, meneer Delaware. Tot ziens.'

De volgende morgen werd door een boodschappenjongen een grote bruine envelop bij me thuis afgeleverd. Daarin zat een kleinere, roze envelop en daarin een klein roze velletje papier, dat om een cheque heen gevouwen was.
De cheque was uitgeschreven voor een bedrag van $3000, met daarbij de vermelding *Medische behandeling van Melissa*. Voor het honorarium dat ik in 1978 berekende, was dat voldoende voor veertig sessies. Het geld was gehaald van een spaarrekening bij de First Fiduciary Trust Bank in San Labrador. Linksboven op de cheque stond gedrukt:

R.P. DICKINSON, BEHEERDER
DICKINSON-FONDS, OD 5-11-71
SUSSEX KNOLL 10
SAN LABRADOR, CALIFORNIË 91108

Het briefpapier was dik, had een Crane-watermerk en was in tweeën gevouwen. Ik vouwde het open.
Bovenaan stond, in zwarte drukletters:

REGINA PADDOCK DICKINSON

Daaronder, in een fraai, gratievol handschrift:

Geachte doctor Delaware,
Dank u voor het behandelen van Melissa.
Ik zal contact met u opnemen.

Met vriendelijke groet,
Gina Dickinson.

Geparfumeerd papier. Een mengeling van oude rozen en berglucht. Maar de boodschap werd er niet door verzacht.

Bel ons niet, plebs. Wij bellen jou wel. Hier is een vette cheque om protesten in de kiem te smoren.

Ik draaide het nummer van het huis van de Dickinsons. Nu nam een vrouw op. Middelbare leeftijd, Frans accent, lagere stem dan die van Dutchy.

Andere woorden, zelfde melodie. Madame was niet bereikbaar. Nee, ze had er geen idee van wanneer madame wèl bereikbaar zou zijn.

Ik gaf mijn naam door, legde de hoorn op de haak, keek naar de cheque. Al die cijfers. De behandeling was nog niet eens begonnen en ik had die al niet meer in eigen hand. Zo mochten er geen zaken worden gedaan, zo werd het belang van de patiënt niet op de beste manier gediend. Maar ik had Eileen Wagner een belofte gedaan. De band had mij hieraan gebonden.

...een dokter die me kan helpen. Zonder injecties.

Ik dacht er lange tijd over na en besloot uiteindelijk dat ik in elk geval moest doorgaan tot ik een eerste gesprek met het meisje had gevoerd. Ik moest zien of ik echt contact met haar kon krijgen en enige voortgang kon boeken – voldoende om indruk te maken op de Victoriaanse prinses.

Doctor Heiland.

Daarna zou ik eisen gaan stellen.

Tijdens mijn lunchpauze inde ik de cheque.

3

Dutchy was een man van een jaar of vijftig, normale lengte, gezet, met gladgekamd, te zwart haar met een scheiding rechts, appelwangen en lippen als scheermessen. Hij had een goed gesneden, maar ouderwets double-breasted blauw kostuum aan, een gesteven wit overhemd, een linnen pochetje, een marinedas met een Windsorknoop en als spiegels gepoetste zwarte halve laarzen met verhoogde hakken. Toen ik mijn spreekkamer uit kwam, stonden hij en het meisje midden in de wacht-kamer. Zij keek naar het tapijt, hij bekeek de kunstwerken. Aan zijn gezicht was te zien dat de prenten die ik daar had hangen, zijn goed-keuring niet konden wegdragen. Toen hij zich omdraaide om me aan te kijken, veranderde zijn gezichtsuitdrukking niet.

Alle warmte van een hagelbui. Maar het meisje hield zijn hand vast alsof hij de kerstman was.

Ze was klein voor haar leeftijd, maar had een rijp, goedgevormd gezichtje: een van die kinderen die waren begiftigd met het uiterlijk waarmee ze oud zouden worden. Een ovaal gezicht, net niet aantrekkelijk om te zien, omringd door kastanjebruine krullen. De rest van het haar was lang, reikte bijna tot haar middel. Een band erin, met roze bloemen. Ze had grote, ronde, grijsgroene ogen met blonde wimpers, een wipneusje met een paar sproeten erop en een puntige kin onder een smalle, timide mond. Haar kleren waren te formeel voor schoolkleding: jurk met roze stippen en pofmouwen, een witsatijnen ceintuur, die op de rug was gestrikt, roze sokken met een kanten randje en witte lakschoenen met gespen. Ik moest denken aan Carrolls Alice, die de Hartenkoningin ontmoette.

Het tweetal stond daar, onbeweeglijk. Een cello en een piccolo, naast elkaar gezet voor een eigenaardig duet.

Ik stelde me voor, boog me glimlachend naar het meisje toe. Ze staarde terug. Tot mijn verbazing zag ik geen grote angst.

Helemaal geen reactie. Ik werd alleen neutraal opgenomen. Gezien de reden waarom ze naar me toe was gekomen, ging het me tot nu toe geweldig af.

Haar rechterhand werd opgeslokt door de vlezige linkerhand van Dutchy. Ik deed geen poging haar een hand te geven, glimlachte nogmaals en stak een hand uit naar Dutchy. Hij leek verbaasd te zijn door dat gebaar en reageerde aarzelend. Hij liet mijn hand op hetzelfde moment los als het handje van het kind.

'Ik ga nu,' zei hij tegen ons beiden. 'Drie kwartier. Dat klopt toch, dokter?'

'Ja.'

Hij zette een stap in de richting van de deur.

Ik keek naar het meisje en zette mezelf schrap voor verzet van haar kant. Maar ze stond daar, starend naar het tapijt, met haar handen langs haar lichaam.

Dutchy zette nog een stap en bleef toen staan. Hij kauwde op zijn wang, draaide zich om en gaf het meisje een aai over haar bol. Ze gaf hem een in mijn ogen geruststellende glimlach.

'Tot straks, Jacob,' zei ze. Hoge stem, met ademgeruis. Net als op de band.

Dutchy's hele gezicht werd nu roze. Hij kauwde nog eens op zijn wang, liet zijn arm stijf zakken en mompelde iets. Nog een felle blik mijn kant op, toen was hij vertrokken.

Nadat de deur was gesloten, zei ik: 'Jacob is zo te zien een goede

vriend van je.'
'Hij is de bediende van mijn moeder,' zei ze.
'Maar hij zorgt ook voor jou.'
'Hij zorgt voor alles.'
'Alles?'
'Ons huis.' Ze tikte ongeduldig met een voet op de grond. 'Ik heb geen vader en mijn moeder komt het huis nooit uit, dus doet Jacob heel veel dingen voor ons.'
'Wat voor dingen?'
'Dingen die met het huis te maken hebben. Tegen Madeleine en Sabino en Carmela en reparateurs en boodschappenjongens zeggen wat ze moeten doen. Soms maakt hij eten klaar; kleine hapjes. Als hij het niet te druk heeft. Madeleine maakt de grote warme maaltijden klaar. En hij chauffeert alle auto's. Sabino rijdt alleen in de vrachtwagen.'
'Alle auto's? Hebben jullie er veel?'
Ze knikte. 'Ja. Mijn vader hield van auto's en heeft ze gekocht voor zijn dood. Moeder heeft ze in de grote garage staan, al rijdt ze er zelf niet mee. Dus moet Jacob ze starten en ermee rijden, om de motoren goed te houden. Ze worden elke week gewassen door mensen van een bedrijf. Jacob kijkt dan toe, om zeker te weten dat ze het goed doen.'
'Ik heb de indruk dat Jacob het voortdurend erg druk heeft.'
'Inderdaad. Hoeveel auto's hebt u?'
'Ik heb er maar één.'
'Wat voor een?'
'Een Dodge Dart.'
'Dodge Dart,' zei ze, terwijl ze haar lippen tuitte en nadacht. 'Zo een hebben wij er niet.'
'Geen echt mooie auto. Nogal oud, in feite.'
'Zo hebben we er ook een. Een Cadillac Knockabout.'
'Cadillac Knockabout,' herhaalde ik. 'Ik geloof niet dat ik ooit wel eens van dat model heb gehoord.'
'Die auto hebben we vandaag genomen. Hierheen. Een Cadillac Fleetwood Knockabout uit 1962. Hij is zwart en oud. Jacob zegt dat het een werkpaard is.'
'Houd je van auto's, Melissa?'
Schouderophalen. 'Niet echt.'
'En speelgoed? Heb je lievelingsspeelgoed?'
Schouderophalen. 'Niet echt.'
'Ik heb speelgoed in mijn spreekkamer. Zullen we daar eens naar gaan kijken?'
Ze haalde voor de derde keer haar schouders op, maar liet zich wel

door mij meenemen naar de spreekkamer. Toen ze daar was, keek ze razendsnel om zich heen, naar het bureau, de boekenplanken, de speelgoedkast, weer naar het bureau. Voortdurend onrustig. Ze vouwde haar handen, haalde ze weer uit elkaar, maakte een merkwaardige, knedende beweging, waarbij de ene reeks kleine vingertjes over de andere heen draaide.

Ik liep naar de speelgoedkast, maakte die open en wees. 'Ik heb hier van alles. Spelletjes, poppen, klei, Play-Doh. Ook tekenpapier en potloden. En kleurpotloden, als je die wilt gebruiken.'

'Waarom zou ik dat doen?' vroeg ze.

'Wat doen, Melissa?'

'Spelen of tekenen. Moeder zei dat we zouden praten.'

'Je moeder had gelijk. We zullen ook praten,' zei ik. 'Maar sommige kinderen die hier komen, willen eerst spelen of tekenen voordat we gaan praten. Om aan deze kamer te wennen.'

De handen kneedden sneller. Ze keek omlaag.

'Spelen en tekenen kan kinderen ook helpen om hun gevoelens uit te drukken.'

'Dat kan ik doen door te praten,' zei ze.

'Geweldig,' zei ik. 'Laten we dan maar praten.'

Ze ging op de leren bank zitten en ik nam plaats tegenover haar, in mijn eigen stoel. Ze keek nog even om zich heen, legde haar handen toen in haar schoot en staarde me recht aan.

Ik zei: 'Oké. Laten we maar beginnen met te praten over wie ik ben en waarom jij hier bent. Ik ben psycholoog. Weet je wat dat betekent?'

Ze kneedde haar vingers en trapte met haar hak tegen de bank. 'Ik heb een probleem en u bent een dokter die kinderen helpt die problemen hebben en u geeft geen injecties.'

'Heel goed. Heeft Jacob je dat allemaal verteld?'

Ze schudde haar hoofd. 'Mijn moeder. Dokter Wagner heeft haar over u verteld. Zij is een vriendin van mijn moeder.'

Ik herinnerde me wat Eileen Wagner had gezegd over een kort gesprek, over een klein meisje dat in een groot, spookachtig huis rondzwierf en zich daar verstopte, en vroeg me af wat vriendschap voor dit kind betekende. 'Maar dokter Wagner heeft je moeder ontmoet vanwege jou, nietwaar, Melissa? Omdat jij de hulptelefoon hebt gebeld.'

Haar lichaam spande zich en de kleine handen kneedden sneller. Ik zag dat haar vingertoppen roze waren, ietwat geïrriteerd.

'Ja, maar ze vindt mijn moeder aardig.'

Ze keek me niet langer aan, staarde naar het tapijt.

Ik liet dat onderwerp rusten. 'Dokter Wagner had gelijk. Over die

injecties. Ik geef nóóit injecties. Ik kàn het niet eens.'
Ze was er niet van onder de indruk en keek naar haar schoenen. Ze
strekte haar benen en begon met haar voeten te wiebelen.
'Toch kan ook een dokter die geen injecties geeft, angstaanjagend
zijn,' ging ik verder. 'Dit is een voor jou nieuwe situatie en je weet
niet wat er gaat gebeuren.'
Haar hoofd schoot omhoog en de groene ogen keken me tartend aan.
'Ik ben niet bang van ú.'
'Goed.' Ik glimlachte. 'Ik ben ook niet bang van jou.'
Ze keek me deels verbaasd, maar voornamelijk smalend aan. De bekende Delaware-humor was bij haar kennelijk geen succes.
'Ik geef geen injecties,' zei ik, 'en ik doe de kinderen die hier komen,
verder ook niets aan. Ik werk met hen sámen. Als een team. Zij ver-
tellen me over henzelf en wanneer ik genoeg over hen weet, laat ik
zien hoe ze hun angst kwijt kunnen raken. Want bang zijn is iets dat
we leren. We kunnen het dus ook weer afleren.'
Interesse in haar ogen. Haar benen ontspanden zich. Maar wel nog
meer kneedwerk, sneller.
'Hoeveel andere kinderen komen hier?' vroeg ze.
'Heel veel.'
'Hoeveel?'
'Tussen de vier en de acht per dag.'
'Hoe heten ze?'
'Dat kan ik je niet vertellen, Melissa.'
'Waarom niet?'
'Dat is een geheim. Net zoals ik niemand mag vertellen dat jij hier
vandaag bent geweest zonder dat je me daar toestemming voor hebt
gegeven.'
'Waarom?'
'Omdat kinderen die hier komen, praten over dingen die privé zijn.
Zij hebben behoefte aan privacy. Weet je wat dat woord betekent?'
'Privacy is als een jongedame naar het toilet gaan, helemaal alleen,
met de deur dicht.'
'Inderdaad. Wanneer kinderen over zichzelf praten, vertellen ze me
soms dingen die ze nog nooit aan iemand anders hebben verteld. Mijn
werk brengt met zich mee dat ik een geheim moet kunnen bewaren.
Dus is alles wat er in deze kamer gebeurt, geheim. Zelfs de namen
van de mensen die hier komen, zijn dat. Daarom is er een tweede
deur, die op de gang uitkomt.' Ik wees. 'Zo kunnen mensen weggaan
zonder de wachtkamer door te moeten en anderen te zien. Wil je daar
even naar kijken?'
'Nee, dank u.' Meer spanning.

'Zit je op dit moment iets dwars, Melissa?' vroeg ik.

'Nee.'

'Zou je graag willen praten over wat je bang maakt?'

Stilte.

'Melissa?'

'Alles.'

'Maakt alles je bang?'

Beschaamde blik.

'Laten we eens met één ding beginnen.'

'Inbrekers en binnendringers.' Snel, zonder aarzelen, alsof ze een lesje opzegde.

'Heeft iemand je verteld welke vragen ik je vandaag zou stellen?'

Stilte.

'Jacob?'

Knikje.

'En je moeder?'

'Nee, alleen Jacob.'

'Heeft Jacob je ook gezegd hoe je die vragen moest beantwoorden?'

Weer een aarzeling.

'Als hij dat heeft gedaan, is het niet erg,' zei ik. 'Hij probeert te helpen. Ik wil alleen zeker weten dat je me vertelt wat jíj voelt. Jij bent de ster van deze show, Melissa.'

'Hij heeft me gezegd dat ik rechtop moet zitten, duidelijk moet spreken en de waarheid moet vertellen.'

'De waarheid over wat je bang maakt?'

'Hmmm. En dat u me misschien dan zou kunnen helpen.'

Accent op het misschíen. Ik kon Dutchy's stem bijna horen.

'Dat is prima,' zei ik. 'Jacob is duidelijk een heel slimme man en hij zorgt goed voor je. Maar als je hier komt, ben jij de baas. Je kunt over alles praten als je daar zin in hebt.'

'Ik wil praten over inbrekers en binnendringers.'

'Oké, dat zullen we dan doen.'

Ik wachtte. Ze zei niets.

'Hoe zien die inbrekers en binnendringers eruit?' vroeg ik.

'Het zijn geen echte inbrekers. Ze bestaan in mijn verbeelding. Ik doe alsof.' Weer dat smadelijke toontje.

'Hoe zien ze er in je verbeelding uit?'

Opnieuw een stilte. Ze deed haar ogen dicht. De handen kneedden woest, haar lichaam begon licht te wiegen en haar gezicht was verwrongen. Ze leek op het punt te staan in tranen uit te barsten.

Ik boog me dichter naar haar toe en zei: 'Melissa, we hoeven er nu niet per se over te praten.'

'Geweldig,' zei ze. Ze hield haar ogen nog altijd dicht, maar ze waren droog. Ik besefte dat het gespannen gezicht geen voorbode van tranen was, maar een teken van intense concentratie. Onder de oogleden bewogen haar ogen zich heel actief.

Beelden najagend.

Ze zei: 'Hij is groot... met die grote hoed op...'

Opeens rust onder de oogleden.

Haar handen gingen omhoog, beschreven grote cirkels.

'... en een lange jas en...'

'En wat?'

De handen maakten geen cirkels meer, maar bleven in de lucht. Haar mond stond iets open. Toch kwam er geen geluid over haar lippen. Haar gezicht ontspande zich. Dromerig.

Hypnotisch.

Spontane zelfhypnose?

Niet ongewoon bij kinderen van haar leeftijd. Jonge kinderen gaan snel de grens over tussen werkelijkheid en fantasie; de slimsten zijn vaak het makkelijkst te hypnotiseren. Wanneer ik dat combineerde met het eenzame bestaan dat Eileen Wagner had beschreven, kon ik me voorstellen dat ze in gedachten regelmatig naar de bioscoop ging. Soms werd er echter een horrorfilm gedraaid...

De handen vielen weer terug op haar schoot, vonden elkaar, begonnen te draaien en te kneden. De trance-achtige gezichtsuitdrukking was er nog. Ze bleef zwijgen.

'De inbreker draagt een grote hoed en een lange jas,' zei ik. Onbewust was ik lager en langzamer gaan spreken, liet ik me door haar leiden. De dans van de therapie.

Nog meer spanning. Geen antwoord.

'Verder nog iets?' vroeg ik zacht.

Ze bleef zwijgen.

Ik gaf gevolg aan een ingeving. Een redelijke gok, geboren uit zoveel andere sessies van drie kwartier. 'Hij heeft nog iets anders behalve die hoed en die jas, hè, Melissa? Hij heeft iets in zijn hand.'

'Een tas.' Nauwelijks verstaanbaar.

Ik zei: 'Ja. De inbreker heeft een tas bij zich. Waarvoor?'

Geen antwoord.

'Om dingen in te doen?'

Haar ogen vlogen open en haar handen pakten haar knieën stevig vast. Ze begon opnieuw te wiegen, harder en sneller, haar hoofd stijf, alsof haar nek zich niet kon bewegen.

Ik boog me weer naar haar toe en raakte haar schouder aan. Vogelbeenderen onder katoen.

'Melissa, wil je praten over wat er in de tas gaat?'
Ze deed haar ogen dicht en bleef wiegen. Ze trilde, sloeg haar armen om zichzelf heen. Er rolde een traan over haar wang.
Ik pakte een papieren zakdoekje, veegde haar ogen droog, verwachtte half dat ze achteruit zou schieten. Maar ze stond het me toe haar tranen te drogen.
Dramatische eerste sessie, perfect als de beste film van de week. Maar te veel en te snel; de therapie kon erdoor in gevaar worden gebracht. Ik droogde nog meer tranen en zocht naar een manier om dit proces te vertragen.
Ze bracht dat idee met één enkel woord om zeep.
'Kinderen.'
'De inbreker stopt kinderen in de tas?'
'Hmmm.'
'Dus is de inbreker eigenlijk een kidnapper?'
Ze deed haar ogen open, ging recht tegenover me staan en hield haar handen omhoog, alsof ze aan het bidden was. 'Hij is een moordenaar!' riep ze uit en legde met een knikje de nadruk op elk woord.
'Een Mikoksi met zuur.'
'Een Mikòksi?'
'Een Mikoksi met *zuurdatvergifbetekent*! Bràndend vergif! Mikoksi heeft het op haar gegooid en hij zal terugkomen om haar nog eens te verbranden, en mij ook!'
'Op wie heeft hij vergif gegooid, Melissa?'
'Op móeder! En nu zal hij terugkomen!'
'Waar is die Mikoksi nu?'
'In de gevangenis. Maar hij zal vrijkomen en ons dan weer pijn doen!'
'Waarom zou hij dat doen?'
'Omdat hij ons niet aardig vindt. Hij vond moeder aardig, maar toen vond hij haar niet meer aardig en toen heeft hij zuur vergif naar haar gegooid en geprobeerd haar te doden, maar het heeft alleen op haar gezicht gebrand en ze was nog steeds mooi en ze kon trouwen en mij krijgen.'
Ze begon door de spreekkamer te ijsberen, met haar handen tegen haar slapen gedrukt, gebogen en mompelend als een kleine oude vrouw.
'Wanneer is dat alles gebeurd, Melissa?'
'Voordat ik was geboren.' Wiegend, gezicht naar de muur.
'Heeft Jacob je erover verteld?'
Knikje.
'Heeft je moeder er ook over verteld?'
Aarzeling. Hoofdschudden. 'Dat vindt ze niet prettig.'

'Waarom?'
'Het maakt haar verdrietig. Ze was vroeger gelukkig en mooi. Mensen namen foto's van haar. Toen heeft Mikoksi haar gezicht verbrand en moest ze operaties ondergaan.'
'Heeft Mikoksi nog een andere naam? Een voornaam?'
Ze keek me aan, oprecht verbaasd. 'Dat weet ik niet.'
'Maar je weet wel dat hij in de gevangenis zit.'
'Ja, maar hij komt vrij en dat is niet eerlijk en er is geen gerechtigheid.'
'Komt hij spoedig vrij?'
Nog meer verwarring.
'Heeft Jacob je verteld dat hij snel vrijkomt?'
'Nee.'
'Maar hij heeft het wel over gerechtigheid gehad?'
'Ja!'
'Wat betekent gerechtigheid volgens jou?'
'Eerlijkheid!'
Ze keek me uitdagend aan en zette haar handen op de vlakke plaatsen waar op een dag haar heupen zouden zijn. Haar voorhoofd was gespannen gefronst. Haar lippen krulden zich en ze zwaaide met een vinger door de lucht. 'Het was oneerlijk en stom! Ze hadden rechtvaardig moeten zijn! Ze hadden hèm met dat zuur moeten doden!'
'Je bent heel boos op die Mikoksi.'
Weer een ongelovige blik in de richting van die idioot in de stoel.
'Dat is goed,' zei ik. 'Heel boos op hem worden. Als je boos op hem bent, ben je niet bang van hem.'
Beide handen tot vuisten gebald. Ze ontspande ze, liet ze langs haar lichaam hangen, zuchtte en keek naar de grond. Meer gekneed.
Ik liep naar haar toe en knielde voor haar neer, zodat we elkaar recht in de ogen konden kijken wanneer ze haar ogen opsloeg. 'Melissa, je bent een heel slim meisje, en je hebt me erg goed geholpen door dapper te zijn en over angstaanjagende dingen te praten. Ik weet hoe graag je niet meer bang wilt zijn. Ik heb heel veel andere kinderen geholpen en ik zal jou ook kunnen helpen.'
Stilte.
'Als je nog verder wilt praten over Mikoksi of inbrekers of wat dan ook, mag dat. Maar als je dat niet wilt, is het ook goed. Het duurt nog even voordat Jacob terugkomt. Hoe we die tijd besteden, mag jij zeggen.'
Geen beweging en geen geluid. De grote wijzer van de klok had een halve cirkel voltooid. Eindelijk tilde ze haar hoofd op. Ze keek alle kanten op, behalve naar mij, keek me toen plotseling wel aan, met

samengeknepen ogen, alsof ze probeerde me scherp in beeld te krijgen.

'Ik zal tekenen,' zei ze. 'Maar alleen met potloden. Krijt maakt te veel rommel.'

Ze was langzaam met het potlood in de weer en het puntje van haar tong kwam uit een van haar mondhoeken te voorschijn. Haar artistieke vaardigheid was hoger dan het gemiddelde, maar het voltooide produkt maakte me alleen duidelijk dat ze voor één dag genoeg had gehad: meisje met blij gezicht naast kat met blije kop voor een rood huis en een boom met een dikke stam vol appels. Alles onder een immense gouden zon met zichtbare stralen.

Toen ze klaar was, schoof ze de tekening over het bureau naar me toe en zei: 'Die mag u hebben.'

'Dank je. Hij is mooi.'

'Wanneer kom ik weer terug?'

'Over twee dagen? Vrijdag?'

'Waarom morgen niet?'

'Soms is het voor kinderen goed even na te denken over wat er is gebeurd voordat ze weer naar me toe komen.'

'Ik denk snel,' zei ze, 'en er zijn dingen die ik u nog niet heb verteld.'

'Wil je echt morgen alweer komen?'

'Ik wil beter worden.'

'Oké. Morgen om vijf uur dan. Als Jacob je kan brengen.'

'Dat zal hij doen, want hij wil ook dat ik beter word.'

Ik liet haar de gang op via de andere deur en zag Dutchy langzaam aan komen lopen, met een papieren zak in zijn hand. Toen hij ons zag, fronste hij zijn wenkbrauwen en keek op zijn horloge.

'Morgen om vijf uur gaan we weer naar hem toe, Jacob,' zei Melissa. Dutchy trok zijn wenkbrauwen op en zei: 'Ik geloof dat ik precies op tijd ben.'

'Dat bent u ook,' zei ik. 'Ik liet Melissa net de aparte uitgang zien.'

'Zodat andere kinderen me niet zien of niet te weten komen wie ik ben,' zei ze. 'Dat heet privacy.'

'O.' Dutchy keek de gang langs. 'Ik heb iets voor je meegenomen, jongedame, zodat je het kunt volhouden tot het avondeten.' De bovenste helft van de zak was keurig gevouwen, als een accordeon. Hij maakte die met zijn vingertoppen open en haalde er een tarwekoekje uit.

Melissa slaakte een kreet van vreugde, pakte het van hem aan en wilde er een hap van nemen.

Dutchy schraapte zijn keel.

Het koekje bleef even in de lucht hangen. 'Dank je, Jacob.'

'Graag gedaan, jongedame.'

Ze draaide zich naar mij toe. 'Wilt u er ook een, meneer Delaware?'

'Nee, dank je, Melissa.' In mijn eigen oren klonk ik als een eersteklas charmeur.

Ze likte haar lippen en begon het koekje op te eten.

'Meneer Dutchy, ik zou u graag even willen spreken,' zei ik.

Hij keek weer op zijn horloge. 'De hoofdweg... Hoe langer we wachten...'

'Er zijn tijdens de sessie een paar dingen ter sprake gekomen die belangrijk zijn.'

'Het is echt heel...'

Ik dwong mezelf geduldig te glimlachen en zei: 'Meneer Dutchy, om mijn werk naar behoren te kunnen doen, heb ik hulp nodig.'

Te oordelen naar zijn gezichtsuitdrukking leek ik een wind te hebben gelaten tijdens een ambassade-diner. Hij schraapte nogmaals zijn keel en zei: 'Een ogenblikje, Melissa.' Toen liep hij de gang een eindje verder op. Melissa volgde hem met haar ogen en een mond vol koek. Ik glimlachte haar toe. 'We zijn zo klaar, schatje.' Toen liep ik achter hem aan.

Hij liet zijn ogen door de gang dwalen en sloeg zijn armen voor zijn borstkas over elkaar. 'Wat is er, meneer Delaware?'

Hij was heel glad geschoren, zag ik van zo dichtbij, en rook naar pimentawater en pas gewassen kleren.

'Ze heeft gesproken over wat er met haar moeder is gebeurd,' zei ik. 'Iemand die Mikoksi heet.'

Hij schrok. 'Het is werkelijk niet aan mij om daarover te praten.'

'Meneer Dutchy, het is belangrijk, want het heeft duidelijk te maken met haar angsten.'

'Het zou veel beter zijn wanneer haar moeder...'

'Dat is ook zo, maar het probleem is dat ik al verscheidene boodschappen voor haar moeder heb achtergelaten waar niet op is gereageerd. Normaal gesproken zou ik een kind niet eens behandelen wanneer de ouders er niet rechtstreeks bij betrokken zijn. Melissa heeft echter duidelijk hulp nodig. Veel hulp. Die kan ik haar geven, maar daar heb ik informatie voor nodig.'

Hij kauwde zo lang en hard op zijn wang dat ik bang was dat hij erdoorheen zou knagen. Verderop in de gang zat Melissa haar koekje te eten en staarde onze kant op.

'Wat er is gebeurd, is gebeurd voordat het kind was geboren,' zei hij.

'In chronologisch opzicht misschien wel, maar psychisch zeker niet.'
Hij staarde me lange tijd aan. Er verscheen iets vochtigs in de hoek
van zijn linkeroog, niet groter dan de diamant van een goedkope
verlovingsring. Hij knipperde. Het verdween. 'Het is echt heel vervelend. Ik ben een werknemer en...'
'Oké. Ik wil u niet in een lastig parket brengen. Wilt u alstublieft wel
de boodschap doorgeven dat iemand op heel korte termijn met mij
moet praten?'
Melissa stond te schuifelen. Het koekje was op. Dutchy keek ernstig
maar teder haar kant op.
'Ik wil haar morgen om vijf uur weer zien,' zei ik.
Hij knikte, deed een stap mijn kant op, waardoor we elkaar bijna
raakten en fluisterde in mijn oor: 'Ze spreekt de naam van die ellen-
deling uit als Mikoksi, maar het was McClòskey. Joèl McCloskey.'
Hij bracht zijn hoofd omlaag en naar voren, als een schildpad die
onder zijn schild uit kijkt. Wachtend op een reactie.
Verwachtend dat ik iets wist...
'Dat doet bij mij geen enkele bel rinkelen,' zei ik.
Het hoofd werd teruggetrokken. 'Woonde u tien jaar geleden in Los
Angeles?'
Ik knikte.
'Het heeft in de kranten gestaan.'
'Ik was aan het studeren en concentreerde me daar volledig op.'
'Maart 1969,' zei hij. 'De derde maart.' Een gekwelde blik op zijn
gezicht. 'Dat... dat is alles wat ik op dit moment kan zeggen. Mis-
schien een andere keer.'
'Oké,' zei ik. 'Tot morgen.'
'Vijf uur.' Hij ademde uit en ging rechtop staan, trok aan zijn revers
en schraapte zijn keel. 'Ik neem aan dat alles vandaag is gegaan zoals
het was gepland?'
'Alles is prima gegaan.'
Melissa kwam onze kant op. De witsatijnen ceintuur was losgeraakt
en hing aan een enkel lusje, sleepte over de grond. Dutchy liep snel
naar haar toe om hem vast te maken. Hij veegde kruimeltjes van
haar jurk, rechtte haar schoudertjes en zei haar dat ze rechtop moest
staan, omdat een kromme rug niet bij een jongedame paste.
Ze keek hem glimlachend aan.
Ze hielden elkaars hand vast toen ze naar buiten liepen.
Een paar minuten later kwam er een andere patiënt bij me, die in
staat was de cello en de piccolo drie kwartier lang uit mijn gedachten
te verbannen. Om zeven uur ging ik weg en reed in vijf minuten naar
de bibliotheek van Beverly Hills. In de leeszaal zaten veel gepensio-

neerden die de laatste beursberichten bekeken, en tieners die hun huiswerk aan het maken waren of net deden alsof. Om kwart over zeven zat ik de microfilm te bekijken van de *Times* van maart 1969. De vierde maart werd zichtbaar. Wat ik zocht, stond links bovenaan.

ACTRICE HET SLACHTOFFER VAN EEN AANVAL MET ZUUR

(HOLLYWOOD) Een rustige wijk op een heuvel boven de Hollywood Boulevard is het toneel geweest van een afschuwelijke aanval die vroeg in de morgen is gepleegd op een ex-fotomodel, dat tegenwoordig onder contract staat bij Apex Motion Picture Studios. Buren van het slachtoffer zijn diep geschokt en vragen zich af waarom dit is gebeurd.

Regina Marie Paddock, 23 jaar oud en woonachtig in appartement nummer 2 aan Beachwood Drive nummer 2103, werd thuis om half vijf 's morgens gewekt door een man die aanbelde. Hij beweerde een boodschappenjongen van Western Union te zijn.

Toen ze de deur opende, zwaaide de man een fles door de lucht en smeet de inhoud ervan in haar gezicht. Gillend viel ze op de grond en de aanvaller, die wordt beschreven als een neger met een lengte van rond de één meter tachtig en een gewicht van rond de honderd kilo, vluchtte te voet.

Het slachtoffer werd overgebracht naar het Hollywood Presbyterian Hospital, waar ze wordt behandeld voor derdegraads brandwonden in haar gezicht. Een woordvoerder van het ziekenhuis heeft haar conditie als 'ernstig maar stabiel' beschreven. Ze verkeert niet in levensgevaar, maar heeft wel veel pijn. De linkerkant van haar gezicht heeft ernstige weefselschade opgelopen. Om een wonderbaarlijke reden is er niets met haar ogen gebeurd.

Een woordvoerder van Apex heeft verklaard dat de studio diep geschokt is en de afschuwelijke, niet uitgelokte aanval op de getalenteerde Gina Prince (de toneelnaam van mevrouw Paddock) heel erg betreurt. 'We zullen alles doen wat we kunnen om met de autoriteiten samen te werken, zodat de dader van deze afschuwelijke misdaad snel kan worden gepakt,' zei hij.

Het slachtoffer is in 1946 geboren in Denver, Colorado, en op negentienjarige leeftijd naar Los Angeles verhuisd. Daar werd ze door het beroemde Flax Agency aangenomen als fotomodel en mannequin, waarna er al snel foto's van haar verschenen in *Glamour* en *Vogue*. Van Flax stapte ze over naar het nu niet meer bestaande Belle Vue Agency, stopte op een gegeven moment met werken als model en tekende een contract met het William Morris Agency en vervolgens met Apex.

Hoewel ze nog geen filmrol heeft gespeeld, deelde de woordvoerder van de studio mee dat ze in aanmerking kwam voor verscheidene belangrijke rollen. 'Ze is een heel getalenteerde en mooie vrouw. We zullen alles doen om ervoor te zorgen dat haar carrière geen schade ondervindt van dit tragische voorval.'

De politie is druk op zoek naar de aanvaller en verzoekt mensen die informatie kunnen verschaffen, contact op te nemen met de rechercheurs Savage of Flores van de politie van Los Angeles, afdeling Hollywood.

In het midden van het artikel stond een foto van haar gezicht, die, nu verkleind, van een omslag van *Vogue* kon zijn gehaald. Ovaal gezicht boven een lange zwanehals, omgeven door steil, licht haar dat ingewikkeld was gekapt. Gebogen wenkbrauwen, hoge jukbeenderen, immens grote, lichte ogen, pruilende mond. Een perfecte foto, die door Avedon kon zijn gemaakt of door iemand die bijna even goed was.

Ik bedacht me wat zuur met perfectie kon doen, schrok daarvan terug en probeerde naar de foto te kijken alsof het alleen een foto was.

De gelaatstrekken waren, elk afzonderlijk, vrijwel identiek aan die van Melissa, maar het totaal was heel wat mooier dan alleen aantrekkelijk. Ik vroeg me af of de puberteit Melissa even mooi zou maken als haar moeder.

Ik draaide aan de knop van het apparaat. In de krant van de volgende dag stond een kort medisch bulletin over Gina Prince. Conditie nu stabiel. Geen hoofdartikelen. Weer een woord van medeleven van de studio, met daaraan toegevoegd een beloning van $5000 voor informatie die tot arrestatie van de dader zou leiden. Geen beloften meer over een glanzende carrière.

Ik bleef draaien. Twee weken later:

VERDACHTE VAN AANVAL MET ZUUR GEPAKT
In hechtenis genomen na anonieme tip die bij de politie was binnengekomen

(LOS ANGELES) De politie heeft bekend gemaakt dat een man

is gearresteerd die wordt verdacht van de aanval met zuur die op 3 maart vroeg in de morgen op Gina Prince (Regina Marie Paddock) is gepleegd en waardoor zij blijvend misvormd is geraakt.

De arrestatie, in het zuidelijke deel van Los Angeles, van de achtentwintigjarige Melvin Louis Findlay werd om elf uur 's avonds bekend gemaakt tijdens een persconferentie in het Park Center door hoofdinspecteur Bryce Donnemeister, die Findlay beschreef als een bekende crimineel die net voorwaardelijk was vrijgelaten uit de mannengevangenis van Chino, waar hij achttien maanden had uitgezeten van een gevangenisstraf van drie jaar die hem was opgelegd wegens afpersing. Findlay is verder al eerder gearresteerd en veroordeeld wegens het toebrengen van zwaar lichamelijk letsel, beroving en autodiefstal.

'Fysiek bewijsmateriaal waarover wij beschikken doet ons vermoeden dat we ten aanzien van dit individu sterk in onze schoenen staan,' zei Donnemeister. Hij weigerde te vertellen of het slachtoffer Findlay had geïdentificeerd en deelde ten aanzien van de arrestatie alleen mee dat een anonieme telefonische tip de politie naar Findlay had geleid en dat 'daaropvolgend onderzoek heeft bevestigd dat de informatie die ons was verstrekt, valide was'.

Mevrouw Prince ligt nog in het Hollywood Presbyterian Hospital, waar haar conditie als 'goed' wordt beschreven. Plastische chirurgen zijn geraadpleegd in verband met de reconstructie van haar gezicht.

Drie dagen daarna:

EX-WERKGEVER GEARRESTEERD WEGENS AANVAL MET ZUUR OP ACTRICE

(LAS VEGAS) De oud-werkgever en oud-metgezel van Gina Prince (Regina Marie Paddock), het ex-fotomodel dat op 3 maart met zuur is aangevallen en daar ernstige misvormingen in haar gezicht aan heeft overgehouden, is gisteravond door de politie van Las Vegas gearresteerd als hoofdverdachte.

Joel Henry McCloskey, 34 jaar oud, werd gearresteerd in zijn kamer in het Flamingo Hotel, waar hij zich onder een valse naam had ingeschreven, en gevangengezet op grond van een aanhoudingsbevel van het hooggerechtshof van Los Angeles.

Hoofdinspecteur Bryce Donnemeister, van de politie van Los Angeles, afdeling Hollywood, heeft verklaard dat informatie van een andere verdachte, Melvin Findlay, 28 jaar oud, gearresteerd op 18 maart, in de richting van McCloskey wees. 'Op dit moment lijkt het zo te zijn dat Findlay een door McCloskey ingehuurd hulpje was.'

Donnemeister voegde daaraan toe dat Findlay in 1967 voor McCloskey had gewerkt als 'conciërge', maar wilde daar, hangende het onderzoek, geen nader commentaar op leveren.

McCloskey, geboren in New Jersey en als zanger werkzaam geweest in nachtclubs, is in 1962 naar Los Angeles gekomen, in de hoop acteur te worden. Toen dat niet lukte, startte hij het Belle Vue Modeling Agency. Nadat hij mevrouw Prince had weggelokt bij het grotere en bekendere Flax Agency, probeerde hij haar filmagent te worden, zo zeggen bronnen in Hollywood.

McCloskey en mevrouw Prince lijken ook een privé-relatie te hebben onderhouden, waaraan een einde kwam toen mevrouw Prince bij Belle Vue vertrok en een contract tekende met het William Morris Agency in een poging een bekende filmster te worden. Kort daarna ging het bergafwaarts met Belle Vue en op 9 februari van dit jaar werd McCloskey failliet verklaard.

Toen Donnemeister werd gevraagd of wraak een beweegreden voor de aanval was geweest, antwoordde hij: 'We onthouden ons van commentaar tot de verdachte volledig is ondervraagd.'

Mevrouw Prince ligt nog altijd in het Hollywood Presbyterian Hospital, waar zij uitgebreide plastische chirurgie zal moeten ondergaan.

Ook hier stond een foto bij: een kleine, donkere, slanke man die werd weggeleid door twee rechercheurs naast wie hij wel een dwerg leek. Hij had een sportief jasje aan, een pantalon en een wit shirt met open kraag. Hij hield zijn hoofd omlaag en zijn vrij lange haar hing over de bovenste helft van zijn gezicht. Wat van de onderste helft zichtbaar was, zag er hoekig en grimmig uit en moest nodig worden geschoren. Hij deed me denken aan James Dean.

Het duurde een tijdje voordat ik een artikel had gevonden waarin de afronding van de zaak werd beschreven. McCloskey werd uitgeleverd en in staat van beschuldiging gesteld, Melvin Findlay stemde erin toe schuld te bekennen en tegen McCloskey te getuigen om in ruil daarvoor slechts veroordeeld te worden wegens lichamelijke geweldpleging. McCloskey werd aangeklaagd wegens poging tot moord en samenzwering tot moord, waarna het drie maanden duurde tot het proces begon.

Dat proces ging snel. De openbaar aanklager liet de leden van de jury foto's zien uit de portefeuille van Gina Prince als fotomodel, gevolgd door close-ups van haar verwoeste gezicht die in de polikliniek waren gemaakt. Het slachtoffer verscheen even, in het verband en huilend. Medische experts verklaarden dat haar gezicht blijvend was geschonden.

Melvin Findlay verklaarde dat McCloskey hem had ingehuurd om 'moes te maken van het gezicht van die (obsceen woord) vrouw, ervoor te zorgen dat ze voor niemand (obsceen woord) meer iets kon betekenen en haar desnoods te doden, omdat hij daar (obsceen woord) ook geen enkel probleem mee zou hebben'.

De openbaar aanklager draaide een op de band opgenomen bekentenis af, die door de verdediging tevergeefs in twijfel werd getrokken. McCloskey bekende onder tranen dat hij Findlay had ingehuurd om Gina Prince te verminken, maar weigerde te zeggen waarom.

De verdediging probeerde de feiten niet in twijfel te trekken, maar trachtte wel de man krankzinnig verklaard te krijgen, wat werd bemoeilijkt omdat McCloskey weigerde met de aangetrokken psychiaters te spreken. De psychiater die door de openbaar aanklager in de arm was genomen, verklaarde McCloskey in de gevangenis te hebben geobserveerd. Hij was 'niet tot medewerking bereid en depressief' geweest, 'maar wel volledig bij zijn gezonde verstand en niet lijdend aan een ernstige geestesziekte'. De jury had twee uur nodig om de beklaagde schuldig te verklaren aan alle tenlasteleggingen.

Bij het uitspreken van het vonnis noemde de rechter McCloskey 'een afschuwwekkend monster, een van de meest verachtelijke aangeklaagden die ik tot mijn ongenoegen heb moeten ontmoeten gedurende de twintig jaar dat ik als rechter werkzaam ben'. Hij veroordeelde de man alles bij elkaar tot drieëntwintig jaar gevangenisstraf in San Quentin. Iedereen leek tevreden. Zelfs McCloskey, die zijn advocaten ontsloeg en weigerde in hoger beroep te gaan.

Na het proces probeerde de pers de juryleden te interviewen. Zij kozen hun voorzitter als woordvoerder en die vatte het bondig samen:

'We hebben alleen een zweem van gerechtigheid kunnen

doen geschieden,' verklaarde Jacob P. Dutchy, 46 jaar oud, die werkzaam is bij Dickinson Industries in Pasadena. 'Het leven van deze jonge vrouw zal nooit meer hetzelfde zijn. Maar we hebben gedaan wat we konden om er zeker van te zijn dat McCloskey de zwaarste straf krijgt die onder deze wetgeving mogelijk is.'

Een Mikoksi met zuur.
Drieëntwintig jaar in San Q.
Wegens goed gedrag de helft daarvan. Alsnog in hoger beroep gaan kon de straftijd nog verder bekorten. Wat betekende dat McCloskey nu elk moment vrij kon komen, als hij dat niet al was.
Dutchy zou ongetwijfeld precies weten wanneer de man vrijkwam. Hij was het type om dergelijke dingen zeer nauwkeurig in de gaten te houden. Ik vroeg me af hoe hij en Melissa's moeder het haar allemaal hadden uitgelegd.
Dutchy. Interessante vent. Uit een andere eeuw afkomstig.
Van jurylid tot bediende. Ik was nieuwsgierig naar die ontwikkeling, maar had weinig hoop dat die nieuwsgierigheid zou worden bevredigd. Ik zou al van geluk mogen spreken als ik een accuraat verhaal over de levensgeschiedenis van mijn patiënte kreeg.
Ik dacht aan Dutchy's geslotenheid en toewijding. Gina Dickinson kon mensen kennelijk langdurig en loyaal aan zich binden. Had Eileen Wagner zich tot een huisbezoek laten verlokken door die hulpeloosheid, het gevoel te maken te hebben met een prinses die in moeilijkheden verkeert?
Wat had het opgroeien met zo'n moeder voor een kind voor gevolgen?
Mannen met tassen...
Dezelfde droom die ik van zoveel kinderen had gehoord, bijna een archetype. Kinderen die ik had genezen.
Maar ik voelde aan dat dit kind anders zou zijn. Geen gemakkelijk verkregen heldendom in haar geval.
Ik at een hapje in de delicatessenzaak Van Nate 'n Al aan Beverly Drive, cornedbeef met roggebrood, reed naar huis en belde een telefoonnummer in San Labrador dat ik had onthouden.
Ditmaal hoorde ik op het antwoordapparaat de stem van Jacob Dutchy, die me meedeelde dat niemand bereikbaar was en me halfhartig uitnodigde een boodschap achter te laten.
Ik herhaalde mijn dringende verzoek om te spreken met de vrouw des huizes van Sussex Knoll nummer 10.

4

Geen telefoontje terug die avond, noch de volgende dag, en toen het bijna vijf uur was, legde ik me neer bij het feit dat ik Dutchy weer om informatie zou moeten vragen, of hij daardoor nu in een lastig parket kwam of niet.

Maar hij kwam niet. Melissa werd gebracht door een Mexicaanse man van ergens in de zestig — breedgebouwd, hard en gespierd, ondanks zijn leeftijd, met een kleine grijze snor, een scherpe neus en handen die even ruw en bruin waren als de bast van een ceder. Hij droeg een kakiwerkpak en schoenen met rubberzolen en hield een beige canvas hoed met zweetplekken voor zijn kruis.

'Dit is Sabino,' zei Melissa. 'Hij zorgt voor onze planten.'

Ik begroette de man en stelde me voor. De tuinman glimlachte ongemakkelijk en mompelde: 'Hernandez, Sabino.'

'Vandaag zijn we met de vrachtwagen gekomen en hebben op iedereen neer kunnen kijken,' zei Melissa.

'Waar is Jacob?' vroeg ik.

Ze haalde haar schouders op. 'Dingen aan het doen.'

Toen Dutchy's naam werd genoemd, ging Hernandez meer rechtop staan.

Ik bedankte hem en zei dat Melissa over drie kwartier klaar zou zijn.

Ik zag dat hij geen horloge om had.

'U kunt hier gaan zitten, of weggaan en over drie kwartier terugkomen,' zei ik.

'Oké.' Hij bleef staan.

Ik wees op een stoel.

'O,' zei hij en ging zitten, nog steeds met zijn hoed in zijn hand.

Ik nam Melissa mee, de spreekkamer in.

Uitdaging voor de genezer: de ergernis van me afzetten over de manier waarop de volwassenen om me heen aan het dansen waren en me concentreren op het kind.

Veel om me vandaag op te concentreren.

Ze begon te praten zodra ze was gaan zitten, vertelde zonder me aan te kijken aan één stuk door over haar doodsangsten, met een eentonig stemgeluid, alsof ze mondeling verslag aan het doen was, waardoor het me duidelijk was dat ze omwille van de therapie diep moest hebben nagedacht. Op een gegeven moment deed ze haar ogen dicht, ging steeds sneller en hoger praten, tot ze bijna aan het schreeuwen was. Toen zweeg ze, rillend van angst, alsof ze opeens een overweldigend beeld voor ogen had gekregen.

Voordat ik iets kon zeggen, ging ze echter al weer verder. Afwisselend tussen luid spreken en fluisteren, als een radio waarvan de volumeknop stuk is.

'Monsters... grote, slechte dingen.'

'Wat voor grote, slechte dingen, Melissa?'

'Dat weet ik niet... gewoon slecht.'

Ze zweeg weer, beet op haar onderlip, begon te wiegen.

Ik legde een hand op haar schouder.

Ze deed haar ogen open en zei: 'Ik weet dat ze alleen in mijn verbeelding bestaan, maar toch maken ze me bang.'

'Dingen die je je verbeeldt, kunnen heel angstaanjagend zijn.'

Ik zei het met een geruststellende stem, maar ze had me haar wereld ingetrokken en ik zag zelf ook bepaalde beelden: kakelende horden vaag zichtbare dingen, met scherpe nagels en kappen op, die in het donker van de nacht op de loer lagen. Valluiken die opengingen wanneer er geen licht meer was. Bomen die in heksen veranderden, struiken in gebochelde, slijmerige wezens; de maan een dreigend, alles verslindend vuur.

De kracht van empathie. En meer. Herinneringen aan andere nachten, zo lang geleden, een jongetje in bed, luisterend naar de wind die de vlakten van Missouri geselde... Ik maakte me van die beelden los en concentreerde me op wat zij zei.

'... daardoor haat ik het slapengaan. Als ik ga slapen, krijg ik die dromen.'

'Wat voor dromen?'

Ze rilde weer en schudde haar hoofd. 'Ik zorg ervoor dat ik wakker blijf, maar dan lukt me dat niet meer en val ik toch in slaap en dan komen de dromen.'

Ik nam haar vingers in de mijne en bracht ze tot rust door die aanraking en therapeutisch gemompel.

Ze zweeg.

'Heb je elke nacht nare dromen?' vroeg ik.

'Ja. En meerdere. Moeder zei dat ik er een keer zeven heb gehad.'

'Zeven nare dromen in één nacht?'

'Ja.'

'Kun je je die herinneren?'

Ze maakte haar hand los, deed haar ogen dicht en begon op een afstandelijke toon te spreken. Een clinica van zeven jaar, die een presentatie houdt tijdens een casusbespreking. De casus van een zeker naamloos meisje, dat koud en transpirerend wakker werd op de plaats waar ze had geslapen: op het voeteneinde van het bed van haar moeder. Wakker schròk, met bonzend hart, klauwend aan de lakens om te voorkomen dat ze eindeloos, onstuitbaar in een immens grote zwarte muil zou vallen. Klauwend, maar haar greep verliezend, van alles wegzwevend, als een vlieger met een kapot touw. Huilend in het donker en rollend, snel rollend, naar het warme lichaam van haar moeder, een liefde zoekende raket. De moeder die onbewust haar arm uitstak, om haar dichter naar zich toe te trekken.

Liggend, doodstil, starend naar het plafond, trachtend zichzelf ervan te overtuigen dat het alleen een plafond was, dat de dingen die daar boven kropen niet echt waren, niet echt kònden zijn. Moeders parfum, luisteren naar het lichte gesnurk van de moeder. Zeker weten dat de moeder diep in slaap was voordat een hand werd uitgestoken om satijn en kant aan te raken, de zachte huid van de arm. Daarna door naar het gezicht. De goede kant... op de een of andere manier raakte ze altijd de goede kant aan.

Weer bevriezend, toen ze de tweede keer *de goede kant* zei.

Haar ogen gingen open. Ze keek paniekerig naar de tweede deur naar de gang.

Een veroordeelde die nadenkt over de risico's van een ontsnapping uit de gevangenis.

Te veel, te snel.

Ik boog me dicht naar haar toe en zei dat ze het goed had gedaan, dat we de rest van de sessie weer konden tekenen, of een spelletje konden spelen.

Ze zei: 'Ik ben bang van mijn kamer.'

'Waarom?'

'Die is groot.'

'Te groot voor jou?'

Er verscheen een schuldige blik in haar ogen. Schuldig, verward.

Ik vroeg haar meer te vertellen over haar kamer. Ze riep nieuwe beelden op.

Hoog plafond met afbeeldingen van dames in mooie jurken. Roze tapijten, roze en grijs behang met lammetjes en poesjes, dat moeder speciaal voor haar had uitgezocht toen ze nog als een baby in de wieg lag. Speeltjes. Muziekdoosjes en een klein serviesje en glazen beeldjes, drie poppenhuizen, een dierentuin vol speelgoedbeesten. Een hemelbed dat ergens ver weg was gekocht, waar was ze vergeten, met kussens en een dekbed gevuld met ganzeveren. Ramen met kanten vitrage, die van boven rond waren en vrijwel tot het plafond reikten. Ruiten met stukjes gekleurd glas erin, die voor gekleurde plaatjes op je huid zorgden. Een bankje voor een van de ramen, met uitzicht op het gras en de bloemen waar Sabino de hele dag mee in de weer was. Ze wilde hem roepen en gedag zeggen, maar ze was bang te dicht bij het raam in de buurt te komen.

'Klinkt als een immens grote kamer,' zei ik.

'Meer dan één kamer. Een stel kamers. Een slaapkamer en een bad-kamer en een kleedkamer met spiegels met lampjes eromheen, vlak naast mijn klerenkast. En een speelkamer. Daar zijn de meeste speel-tjes, maar de speelgoedbeesten zijn in de slaapkamer. Jacob noemt de slaapkamer de kinderkamer, de babykamer.'

Frons.

'Behandelt Jacob je als een baby?'

'Nee. Vanaf mijn derde jaar slaap ik al in een groot bed.'

'Vind je het fijn zo'n grote kamer te hebben?'

'Nee! Ik haat het! Ik ga er nooit naar binnen.'

Ze keek weer schuldig.

Twee minuten nog, dan was de sessie voorbij. Sinds ze was gaan zitten, was ze niet meer uit haar stoel gekomen.

'Je doet het geweldig, Melissa,' zei ik. 'Ik ben echt veel te weten gekomen. Zullen we er nu mee ophouden?'

'Ik vind het niet prettig alleen te zijn. Wanneer dan ook,' zei ze.

'Niemand vindt het prettig lange tijd alleen te zijn. Zelfs volwassenen worden daar bang van.'

'Ik vind het nóóit prettig. Ik heb tot mijn verjaardag, tot mijn zé-vende verjaardag gewacht met alleen naar de wc gaan. Met de deur dicht en privacy.'

Ze leunde achterover, daagde me uit een afkeurende opmerking te maken.

'Wie ging er tot je zevende jaar met je mee?' vroeg ik.

'Jacob en mijn moeder en Madeleine en Carmela hebben me gezel-schap gehouden tot ik vier was. Toen zei Jacob dat ik nu een jonge-dame was en er alleen dames met me mee mochten gaan. Hij deed dat niet meer. Toen ik zeven was, besloot ik er alleen naar toe te gaan. Dat maakte me aan het huilen en ik kreeg er buikpijn van en ik heb een keer overgegeven, maar het is me wel gelukt. Eerst met de deur een beetje dicht en toen helemaal. Maar ik doe hem nog steeds niet op slòt. Geen sprake van.'

'Dat was knap van je,' zei ik.

Frons. 'Soms maakt het me nog zenuwachtig. Ik vind het nog altijd prettig iemand bij me te hebben, zonder te kijken, gewoon bij me in de buurt om me gezelschap te houden. Maar ik vraag er niet meer om.'

'Goed van je,' zei ik. 'Je hebt tegen je angst gevochten en die over-wonnen.'

'Ja,' zei ze. Verbaasd. Ogenschijnlijk voor het eerst een beproeving in een overwinning vertalend.

'Hebben je moeder en Jacob tegen je gezegd dat het knap van je was?'

'Hmmm.' Nonchalant handgebaar. 'Ze zeggen altijd aardige dingen.'

'Je hebt het goed gedaan. Je hebt een hard gevecht gewonnen. Dat betekent dat je andere gevechten ook kunt winnen – andere angsten kunt verslaan. We kunnen samenwerken en de angsten uitzoeken waartegen je wilt vechten. Een voor een. Dan bespreken we hoe we dat moeten doen, stap voor stap. Langzaam. Zodat het voor jou nooit angstaanjagend is. Als je dat wilt, kunnen we er de volgende keer dat je hier bent mee beginnen. Aanstaande maandag.'

Ik stond op.

Zij bleef in haar stoel zitten. 'Ik wil nog meer praten.'

'Dat zou ik ook graag willen, Melissa, maar de tijd is om.'

'Eventjes nog.' Lichtelijk jammerend.

'We moeten er nu echt een eind aan maken. Ik zie je maandag weer en dat is maar...'

Ik raakte haar schouder aan. Ze maakte zich los en haar ogen werden nat.

Ik zei: 'Het spijt me, Melissa. Ik wou...'

Ze ging staan en schudde een vinger voor me heen en weer. 'Als het uw taak is me te hèlpen, waarom helpt u me dan nú niet?' Stampen met haar voet.

'Omdat er op een bepaald moment een einde moet komen aan onze sessies.'

'Waaròm?'

'Ik denk dat je dat wel weet.'

'Omdat u andere kinderen moet ontvangen?'

'Ja.'

'Hoe heten zij?'

'Dat kan ik je niet vertellen, Melissa. Weet je nog wel?'

'Waarom zijn zíj belangrijker dan ìk?'

Voordat ik iets kon zeggen, barstte ze in tranen uit en liep naar de deur van de wachtkamer. Ik liep achter haar aan en vroeg me voor de duizendste keer af waarom die drie kwartier zo heilig moesten zijn, waarom de klok als een afgod werd aanbeden. Maar ik wist ook dat grenzen belangrijk waren. Voor elk kind, maar vooral voor dit kind, dat er zo weinig leek te hebben. Dat was veroordeeld om haar vormende jaren door te brengen in de afschuwelijke, onbegrensde pracht van een sprookjeswereld.

Niets is angstaanjagender dan sprookjes...

Toen ik de wachtkamer inkwam, trok ze aan de hand van Hernandez, huilde en bleef zeggen: 'Kom mee, Sabino.' Hij stond daar, angstig en verbaasd. Toen hij mij zag, moest verbazing voor achterdocht wijken.

'Ze is een beetje van streek,' zei ik. 'Vraagt u haar moeder alstublieft me zo snel mogelijk te bellen.'

Nietszeggende blik.

'*Su madre. El teléfono,*' zei ik. 'Ik zie haar maandag weer, om vijf uur. *Lunes. Cinco.*'

'Oké.' Hij keek boos en kneep in zijn hoed.

Melissa stampte twee keer met haar voet en zei: 'Geen sprake van. Ik kom hier nooit meer terug. Nóóit meer.'

Getrek aan de ruwe, bruine hand. Hernandez bleef me bestuderen. Zijn ogen waren waterig en donker en de blik erin was harder geworden, alsof hij erover dacht tegenmaatregelen te nemen.

Ik dacht aan alle beschermende lagen die dit kind omgaven, constateerde hoe weinig effect die hadden.

'Tot ziens, Melissa. Ik zie je maandag weer.'

'Geen sprake van!' Ze rende naar buiten.

Hernandez zette zijn hoed op en ging achter haar aan.

Aan het einde van de dag nam ik contact op met de mensen die mijn telefoon aannamen als ik er niet was. Geen boodschappen uit San Labrador.

Ik vroeg me af hoe Hernandez verslag had gedaan van wat hij had gezien. Ik bereidde me voor op een annulering van de afspraak voor die maandag. Maar die avond kwam zo'n boodschap niet binnen, evenmin als de volgende dag. Misschien waren ze niet bereid iemand uit het plebs zo hoffelijk te bejegenen.

Zaterdag belde ik het huis van de Dickinsons en na drie keer rinkelen nam Dutchy op. 'Hallo, meneer Delaware.' Dezelfde formaliteit, maar geen irritatie.

'Ik bel om de afspraak voor aanstaande maandag te bevestigen.'

'Maandag. Ja, dat weet ik. Vijf uur. Klopt dat?'

'Ja.'

'Zou het misschien eerder kunnen? Het verkeer is vanaf deze kant...'

'Een ander tijdstip kan niet, meneer Dutchy.'

'Dan houden we het op vijf uur. Dank voor uw telefoontje en een goede a...'

'Eén seconde nog,' zei ik. 'Er is iets dat u moet weten. Melissa is de vorige keer in tranen weggegaan, omdat ze van streek was.'

'O? Toen ze thuiskwam, leek ze heel opgewekt.'

'Heeft ze tegen u gezegd dat ze maandag niet meer terug wil komen?'
'Nee. Wat was het probleem?'
'Niets ernstigs. Ze wilde langer blijven dan de afgesproken drie kwartier en toen ik zei dat dat niet kon, barstte ze in tranen uit.'
'O.'
'Ze is eraan gewend haar zin te krijgen, nietwaar, meneer Dutchy?'
Stilte.
'Ik maak er melding van omdat het een deel van het probleem kan zijn: het ontbreken van grenzen. Voor een kind kan dat net zoiets zijn als op de oceaan drijven zonder anker. Het is mogelijk dat bepaalde wijzigingen in de gronddiscipline gewenst zijn.'
'Meneer Delaware, ik verkeer niet in een positie om...'
'Natuurlijk. Dat was ik even vergeten. Wilt u mevrouw Dickinson aan de telefoon roepen, zodat ik het nu meteen met haar kan bespreken?'
'Ik ben bang dat mevrouw Dickinson niet bereikbaar is.'
'Ik kan wachten, of terugbellen wanneer ze wel bereikbaar is.'
Zucht. 'Ik ben niet in staat bergen te verzetten.'
'Ik was me er niet van bewust dat ik u dat heb gevraagd.'
Stilte. Keel die werd geschraapt.
'Kunt u een boodschap doorgeven?' vroeg ik.
'Zeker.'
'Zegt u dan tegen mevrouw Dickinson dat dit een onhoudbare situatie is. Ik heb begrip voor haar situatie, maar ze zal moeten ophouden met mij te vermijden wanneer ze wil dat ik Melissa behandel.'
'Meneer Delaware, alstublieft... Dit is... U moet het kind niet opgeven. Ze is zo... zo'n goed, slim meisje. Het zou vreselijk zonde zijn wanneer...'
'Wanneer wat?'
'Meneer Delaware, alstublieft.'
'Meneer Dutchy, ik probeer geduldig te zijn, maar het kost me echt moeite te begrijpen waarom dit zo moeilijk is. Ik vraag mevrouw Dickinson niet het huis uit te gaan. Ik wil alleen práten. Ik begrijp haar situatie. Ik heb het nagekeken. 3 maart 1969. Heeft ze ook telefoonangst?'
Pauze. 'Het gaat om artsen. Ze is zo vaak geopereerd en heeft erg veel pijn gehad. Ze hebben haar telkens als een legpuzzel uit elkaar gehaald en dan weer in elkaar gezet. Ik wil niet denigrerend doen over medici. Haar chirurg was een tovenaar. Hij heeft haar bijna weer helemaal in orde gemaakt. Uitwendig. Maar van binnen... Ze heeft tijd nodig, meneer Delaware. U moet míj de tijd geven. Ik zal haar duidelijk maken hoe belangrijk het is dat ze contact met u zoekt.

Maar hebt u alstublieft geduld.'

Mijn beurt om te zuchten.

'Ze heeft best enig inzicht in haar... in de situatie,' ging hij verder.

'Maar na alles wat die vrouw heeft meegemaakt...'

'Ze is bang van artsen,' zei ik. 'Toch heeft ze dokter Wagner ontvangen.'

'Ja. Dat was... een verrassing en verrassingen kan ze niet goed aan.'

'Wilt u zeggen dat het gesprek met dokter Wagner bij haar een negatieve reactie heeft opgeroepen?'

'Laat ik volstaan met te zeggen dat het moeilijk voor haar was.'

'Maar het is wel gebeurd, meneer Dutchy, en ze heeft het overleefd. Dat zou op zich al therapeutisch kunnen werken.'

'Doctor...'

'Komt het omdat ik een man ben? Zou ze minder problemen hebben met een therapeute?'

'Nee, absoluut niet! Dat is het helemaal niet!'

'Alle artsen. Mannelijke zowel als vrouwelijke,' zei ik.

'Inderdaad.' Pauze. 'Alstublieft, hebt u geduld.' Zijn stem was zachter geworden.

'Oké. Maar in die tussentijd zal iemand me feiten moeten meedelen. Details. De ontwikkelingsgeschiedenis van Melissa. De familiestructuur.'

'Acht u dat absoluut noodzakelijk?'

'Ja, en het moet snel gebeuren ook.'

'Oké, dan zal ìk u die feiten meedelen. Binnen de grenzen die mijn situatie me stelt.'

'Wat betekent dat?' vroeg ik.

'Niets. Helemaal niets. Ik zal u een beknopt overzicht geven.'

'Morgen om twaalf uur,' zei ik. 'Dan gaan we lunchen.'

'Gewoonlijk lunch ik niet.'

'Dan kunt u kijken hoe ik eet, meneer Dutchy. U zult trouwens toch voornamelijk het woord moeten doen.'

Ik zocht een etablissement uit halverwege West Side en zijn deel van de stad, een zaak die naar mijn idee voor hem voldoende conservatief zou zijn: de Pacific Dining Car aan Six, bij Witmer, vlak bij het centrum. Vaag verlichte kamers, mahoniehouten lambrizeringen, rood leer, linnen servetten. Veel mensen uit de financiële wereld, juristen en politici die biefstuk aten en over zaken spraken.

Hij was al vroeg gearriveerd en zat op me te wachten bij een van de tafeltjes achterin, gekleed in hetzelfde blauwe pak of de tweelingbroer daarvan. Toen ik zijn kant op kwam, ging hij half staan en maakte een hoffelijke buiging.

Ik ging zitten, riep een ober en bestelde een Chivas. Dutchy vroeg om thee. Zonder iets te zeggen wachtten we op de bestellingen. Ondanks zijn uiterst koele houding leek hij niet in zijn element en vond ik hem ietwat deerniswekkend: een negentiende-eeuwse man die was overgebracht naar een verre, vulgaire toekomst die hij nooit zou kunnen begrijpen.

Gevangen in een ongemakkelijke positie.

Sinds gisteren was mijn woede gezakt en ik had me plechtig voorgenomen een echte confrontatie te vermijden. Dus begon ik met hem te zeggen dat ik het bijzonder waardeerde dat hij tijd had vrijgemaakt om me te spreken. Hij zei niets en leek zich heel slecht op zijn gemak te voelen. Een gesprekje over koetjes en kalfjes behoorde volstrekt tot de onmogelijkheden. Ik vroeg me af of iemand hem ooit bij zijn voornaam had aangesproken.

De ober bracht de drankjes. Dutchy bekeek zijn thee even afkeurend als een Engelse edelman, bracht het kopje uiteindelijk toch naar zijn lippen, nam een slokje en zette het snel weer neer.

'Niet heet genoeg?' vroeg ik.

'Nee, hij smaakt prima, meneer.'

'Hoe lang werkt u al voor de familie Dickinson?'

'Twintig jaar.'

'Dus al lang voor het proces?'

Hij knikte, pakte het kopje weer op, maar bracht het niet naar zijn lippen. 'Het feit dat ik tot jurylid werd benoemd, was een gril van het lot. In eerste instantie was ik er niet blij mee en wilde vragen om ontheffing, maar meneer Dickinson wilde dat ik wel jurylid werd. Hij zei dat het mijn burgerplicht was. Burgerzaken vond hij heel belangrijk.' Zijn lip trilde.

'Wanneer is hij gestorven?'

'Zeveneneenhalf jaar geleden.'

Verbaasd zei ik: 'Voordat Melissa was geboren?'

'Mevrouw Dickinson was in verwachting van Melissa toen het...' Hij keek geschrokken op en draaide zijn hoofd snel naar rechts. De ober kwam vanaf die kant aangelopen, met een bord waarop het menu stond. Goed van de tongriem gesneden en zwart als kool. De Afrikaanse neef van Dutchy.

Ik koos een т-bone steak, heel licht gebakken. Dutchy vroeg of de garnalen vers waren en bestelde een garnalensalade toen hem was verzekerd dat die zéker vers waren.

Toen de ober weg was, zei ik: 'Hoe oud was meneer Dickinson toen hij stierf?'

'Tweeënzestig.'
'Hoe is hij gestorven?'
'Op de tennisbaan.'
De lip trilde weer even, maar de rest van zijn gezicht bleef passief.
Hij frunnikte aan zijn theekop en perste zijn lippen op elkaar.
'Heeft uw jurylidmaatschap iets te maken met het feit dat zij bij elkaar kwamen, meneer Dutchy?'
Knikje. 'Dat bedoelde ik toen ik het over het lot had. Meneer Dickinson ging met me mee naar de rechtszaal. Hij heeft de zittingen bijgewoond en raakte... betoverd door haar. Hij had de zaak al in de kranten gevolgd voordat ik voor de jury werd aangewezen. Tijdens het lezen van de ochtendkrant had hij al vaak gezegd wat een grote tragedie het was.'
'Kende hij mevrouw Dickinson al voor die tijd?'
'Nee, beslist niet. In het begin was zijn bezorgdheid zuiver... thematisch. Hij was een vriendelijke man.'
'Ik weet niet zeker of ik begrijp wat u met thematisch bedoelt.'
'Verdriet om verloren gegane schoonheid,' zei hij als een leraar die een onderwerp voor een essay toelicht. 'Meneer Dickinson was een groot estheet. Conservatief, behoudend. Een groot deel van zijn leven was gewijd aan het mooier maken van zijn wereld en hij vond het verschrikkelijk wanneer schoonheid werd gedegradeerd. Toen ik tot jurylid was benoemd, zei hij dat hij met me mee zou gaan naar de rechtszaal, maar dat we er beiden terdege voor moesten zorgen de zaak niet te bespreken. Hij was ook een eerlijke man, meneer Delaware. Diogenes zou zich over hem hebben verheugd.'
'Wat voor zaken deed hij?'
Hij keek me neerbuigend aan. 'Ik heb het over meneer *Arthur* Dickinson, meneer.'
Weer gingen er geen belletjes bij me rinkelen. Deze kerel had er slag van me het gevoel te geven een heel slechte leerling te zijn. Ik wilde niet overkomen als een volledige cultuurbarbaar en zei: 'Natuurlijk. De filantroop.'
Hij bleef me aanstaren.
'Hoe hebben die twee elkaar uiteindelijk ontmoet?' vroeg ik.
'Door het proces begon meneer Dickinson zich steeds meer zorgen te maken. Door het luisteren naar haar verklaring, het zien van het verband. Hij heeft haar in het ziekenhuis opgezocht. Het toeval wilde dat hij de vleugel waar zij lag, aan het ziekenhuis had geschonken. Hij pleegde overleg met de artsen en zorgde ervoor dat zij een uitstekende behandeling kreeg. Hij heeft de allerbeste plastische chirurg aangetrokken: professor Albano Montecino, uit Brazilië, een waar

genie. De man had pionierswerk verricht op het gebied van het herstellen van gezichten. Meneer Dickinson heeft er toen voor gezorgd dat die man allerlei medische privileges kreeg en voortdurend een operatiekamer tot zijn beschikking had.'

Er parelden zweetdruppels op het voorhoofd van Dutchy, waardoor dat glansde. Hij pakte een zakdoek en depte daarmee.

'Zoveel pijn,' zei hij en keek me recht aan. 'Zeventien operaties. Iemand met uw achtergrond zal zeker weten wat dat betekent. Zeventien operaties, alle even pijnlijk. Maandenlang herstellen, lange perioden waarin ze zich niet mocht bewegen. U zult wel kunnen begrijpen waarom ze de voorkeur is gaan geven aan eenzaamheid.'

Ik knikte en zei: 'Waren die operaties succesvol?'

'Professor Montecino was tevreden en noemde haar een van zijn grote triomfen.'

'Is zij het met hem eens?'

Afkeurende blik. 'Ik ken haar meningen niet.'

'Hoe lang is de periode geweest waarin ze werd geopereerd?'

'Vijf jaar.'

Ik sloeg even aan het hoofdrekenen. 'Dus was ze tijdens een deel daarvan zwanger.'

'Ja. Die zwangerschap heeft het operatiepatroon doorbroken. Veranderingen in het weefsel, als gevolg van bepaalde hormonen, lichamelijke risico's. Professor Montecino zei dat ze moest wachten en heel goed in de gaten gehouden moest worden. Hij heeft zelfs een... beëindiging van de zwangerschap voorgesteld. Maar dat weigerde ze.'

'Was die zwangerschap gepland?'

Dutchy knipperde hevig met zijn ogen en trok zijn hoofd naar achteren — weer de schildpad — alsof hij zijn oren niet kon geloven. 'Mijn hemel, meneer, ik ga niet vissen naar de beweegredenen van mijn werkgevers.'

'Mijn excuses wanneer ik me af en toe op verboden terrein begeef, meneer Dutchy,' zei ik. 'Ik probeer alleen een zo volledig mogelijk beeld van de achtergrond te krijgen. Omwille van Melissa.'

Hij schraapte zijn keel. 'Zullen we het dan maar over Melissa hebben?'

'Oké. Ze heeft me al aardig wat verteld over haar angsten. Waarom maakt u me niet deelgenoot van uw indrukken?'

'Mijn indrukken?'

'Uw observaties.'

'Ik heb geobserveerd dat ze een heel erg bang meisje is. Alles jaagt haar angst aan.'

'Zoals?'
Hij dacht even na. 'Harde geluiden, bijvoorbeeld. Die kunnen haar letterlijk laten opspringen van schrik. Ook geluiden die niet eens zo hard zijn. Soms lijkt ze bang te worden omdat ze onverwacht komen. Een ritselende boom, of voetstappen – zelfs muziek – kan haar aan het huilen brengen. De deurbel. Het lijkt zich vooral voor te doen wanneer ze een tijdje ongewoon kalm is geweest.'
'Aan het dagdromen is geweest?'
'Ja, dat doet ze vaak. Ze praat ook in zichzelf.' Hij deed zijn mond dicht en wachtte op commentaar van mij.
'Hoe zit het met felle lichten?' vroeg ik. 'Hebben die haar wel eens bang gemaakt?'
'Ja,' zei hij verbaasd. 'Ja, inderdaad. Ik kan me nog een bepaald voorval herinneren, enige maanden geleden. Een van de dienstmeisjes had een camera met een flitser gekocht en was daar in huis mee aan het experimenteren.' Weer een afkeurende blik. 'Melissa was net aan het ontbijten en toen werd er een foto gemaakt. Ze is erg geschrokken van het geluid en het zien van het flitslicht.'
'Geschrokken?'
'Huilen, schreeuwen, niet meer willen ontbijten. Ze begon zelfs te hyperventileren. Ik heb haar in een papieren zak laten ademen tot ze weer normaal kon ademhalen.'
'Plotselinge verandering van prikkelingen,' zei ik, eerder tegen mezelf dan tegen hem.
'Wat zei u?'
'Plotselinge verandering van prikkelingen, op een psychofysiologisch bewustzijnsniveau. Daar lijkt ze problemen mee te hebben.'
'Dat zal haast wel. Wat kan eraan worden gedaan?'
Ik hield mijn hand waarschuwend omhoog. 'Ze heeft me verteld dat ze elke nacht nare dromen heeft.'
'Dat is waar. Vaak meer dan eens per nacht.'
'Beschrijft u eens wat ze doet als ze die heeft?'
'Dat kan ik niet, meneer Delaware. Als ze die krijgt, is ze bij haar moe...'
Ik fronste.
Hij herstelde zich. 'Ik kan me wel herinneren een paar incidenten te hebben waargenomen. Ze huilt veel. Huilt en krijst. Slaat woest met armen en benen door de lucht en laat zich niet troosten. Ze weigert dan weer te gaan slapen.'
'Maait met armen en benen door de lucht,' herhaalde ik. 'Vertelt ze ooit wel eens wat ze in zo'n droom heeft gezien?'
'Soms.'

'Maar niet altijd?'

'Nee.'

'Als ze dat wel doet, is er dan sprake van terugkerende thema's?'

'Monsters, geesten, dergelijke dingen. Ik besteed er nooit zoveel aandacht aan. Mijn pogingen zijn erop gericht haar tot rust te brengen.'

'Er is in de toekomst iets dat u wèl kunt doen,' zei ik, 'en dat is er veel aandacht aan besteden. U moet opschrijven wat ze bij zo'n incident zegt en die rapporten naar mij brengen.' Ik besefte dat mijn stem bevelend klonk. Dat ik hèm een slechte leerling wilde maken. Machtsstrijd met een butler?

Maar hij leek zich op zijn gemak te voelen bij die rol van ondergeschikte en zei: 'Uitstekend, meneer.' Toen bracht hij de theekop naar zijn lippen.

'Lijkt ze na zo'n nachtmerrie helemaal wakker te zijn?' vroeg ik.

'Nee,' antwoordde hij. 'Niet altijd. Soms gaat ze rechtop zitten met een afschuwelijke, bevroren uitdrukking op haar gezichtje, terwijl ze ontroostbaar schreeuwt en met haar handen zwaait. We... Ik probeer haar dan wakker te maken, maar dat is onmogelijk. Ze is zelfs wel eens gaan rondlopen, nog altijd krijsend, zonder dat ze wakker kon worden gemaakt. We wachten dan gewoon tot ze tot bedaren komt en brengen haar weer naar bed.'

'Naar haar eigen bed?'

'Nee, naar dat van haar moeder.'

'Slaapt ze nooit in haar eigen bed?'

Hoofdschudden. 'Nee, ze slaapt bij haar moeder.'

'Oké,' zei ik. 'Laten we teruggaan naar die keren dat ze niet wakker wordt. Schreeuwt ze dan over iets in het bijzonder?'

'Nee, er is geen sprake van woorden. Alleen een afschuwelijk... gejammer. Het is echt heel verontrustend.'

'U beschrijft iets dat in het vakjargon wordt omschreven als het plotselinge wakker worden. Het zijn geen nachtmerries die zich, net als alle dromen, voordoen tijdens de lichte slaap. De situatie zoals u die bij haar heeft waargenomen, doet zich voor wanneer iemand te snel wakker wordt uit een diepe slaap. Ruw wakker wordt geschud, als het ware. Dat fenomeen is gerelateerd aan slaapwandelen en bedplassen. Plast ze wel eens in bed?'

'Af en toe.'

'Hoe vaak?'

'Vier of vijf keer per week. Soms minder, soms meer.'

'Hebt u er iets aan gedaan?'

Hoofdschudden.

'Vindt ze het zelf vervelend?'

'Integendeel. Ze doet er vrij nonchalant over.'
'Dus hebt u er wel met haar over gesproken?'
'Een paar keer slechts, om haar te zeggen dat jongedames heel zorg-vuldig moeten zijn ten aanzien van hun persoonlijke hygiëne. Ze heeft me genegeerd en ik ben er niet verder op doorgegaan.'
'Hoe denkt haar moeder erover? Hoe reagéért haar moeder op dat bedplassen?'
'Ze laat de lakens verschonen.'
'Háár bed wordt nat. Hindert haar dat niet?'
'Kennelijk niet. Meneer Delaware, wat betekenen die aanvallen in medisch opzicht? Dat plotselinge wakker worden, bedoel ik.'
'Het zal wel verband houden met een genetische component. Je ziet het in bepaalde families, net als bedwateren en slaapwandelen. Het heeft naar alle waarschijnlijkheid iets te maken met scheikundige processen in de hersenen.'
Hij keek bezorgd.
'Gevaarlijk is het echter niet,' ging ik verder. 'Gewoonlijk gaat het, zonder behandeling, vanzelf over tegen de tijd dat ze volwassen wor-den.'
'We hebben de tijd dus aan onze kant,' zei hij.
'Inderdaad. Maar dat betekent niet dat we dit moeten negeren. Het kan worden behandeld. Verder zijn dergelijke incidenten een waar-schuwingssignaal. Ze zijn niet uitsluitend een biologisch verschijnsel. Stress doet het aantal aanvallen vaak toenemen en maakt ze langer. Ze vertelt ons dat ze ergens problemen mee heeft, meneer Dutchy, ook door die andere symptomen.'
'Ja, natuurlijk.'
De ober kwam het eten brengen. We aten zwijgend en hoewel Dutchy had gezegd dat hij nooit lunchte, at hij de garnalensalade met min-zaam enthousiasme op.
Toen we klaar waren, bestelde ik een dubbele espresso en nam hij nog een potje thee.
Toen ik mijn koffie op had, zei ik: 'Ik wil nog even terugkomen op die genetische component. Zijn er andere kinderen, uit een eerder huwelijk?'
'Nee. Meneer Dickinson was al wel een keer eerder getrouwd geweest, maar uit dat huwelijk waren geen kinderen voortgekomen.'
'Wat is er met de eerste mevrouw Dickinson gebeurd?'
Hij keek geërgerd. 'Is gestorven aan leukemie. Een lieve jonge vrouw. Het huwelijk heeft slechts twee jaar geduurd. Het was heel moeilijk voor meneer Dickinson. Daarna is hij zich steeds meer gaan verdie-pen in zijn kunstverzameling.'

'Wat verzamelde hij?'

'Schilderijen, tekeningen, etsen, antieke dingen, tapijten. Hij had een bijzonder goed oog voor kleuren en composities, kocht beschadigde meesterwerken en liet die restaureren. Soms deed hij dat ook zelf, dat had hij als student geleerd. Restaureren was zijn ware hartstocht.'

Ik dacht aan het restaureren van zijn tweede vrouw. Dutchy keek me scherp aan, alsof hij gedachten kon lezen.

'Waar is Melissa verder nog bang voor, behalve harde geluiden en felle lichten?' vroeg ik.

'Het donker. Alleen zijn. En soms voor niets.'

'Hoe bedoelt u dat?'

'Ze kan een aanval krijgen zonder dat daar enige reden voor is.'

'Hoe ziet zo'n aanval eruit?'

'Die lijkt heel veel op wat ik al heb beschreven. Huilen, snel ademen, rondrennen en schreeuwen. Soms ligt ze alleen op de grond en trapt met haar voeten. Of ze grijpt de dichtstbijzijnde volwassene vast en zuigt zich aan die persoon vast als een.. een slàk.'

'Krijgt ze zo'n aanval gewoonlijk nadat haar iets is geweigerd?'

'Niet speciaal, al komt het wel voor. Ze vindt het niet prettig aan banden te worden gelegd. Maar welk kind vindt dat wel prettig?'

'Dus heeft ze driftaanvallen, maar gaan deze aanvallen verder?'

'Ik heb het over werkelijke àngst. Paniek. Die lijkt door niets te ontstaan.'

'Zegt ze wel eens wat haar bang maakt?'

'Monsters. Slechte dingen. Soms beweert ze geluiden te horen. Of dingen te zien en te horen.'

'Dingen die niemand anders ziet of hoort?'

'Ja.' Trilling in zijn stem.

'Zit u dat meer dwars dan de andere symptomen?'

'Je gaat je er wel dingen door afvragen,' reageerde hij.

'Als u zich zorgen maakt over een psychose, moet u dat niet doen. Tenzij er nog iets anders gaande is waarover u me nog niets hebt verteld. Zoals een zelfvernietigend gedrag, of een bizarre spreekwijze.'

'Nee, daar is beslist geen sprake van,' zei hij. 'Ik neem aan dat ze het zich allemaal slechts verbeeldt?'

'Inderdaad. Ze heeft een grote verbeeldingskracht, maar uit wat ik heb gezien, kan ik opmaken dat ze het contact met de werkelijkheid goed bewaart. Het is voor kinderen van haar leeftijd typerend dingen te zien en te horen die volwassenen zien noch horen.'

Hij keek weifelend.

'Het maakt allemaal deel uit van een spel,' zei ik. 'Spelen is fantasie. Het theater van de jeugd. Kinderen maken in hun hoofd drama's, praten tegen ingebeelde speelkameraadjes. Het is een soort zelf-hypnose die noodzakelijk is voor een gezonde groei.'

Hij bleef neutraal kijken, maar luisterde wel.

'Fantasie kan therapeutisch werken,' ging ik verder. 'De fantasie kan angsten ècht minder intens maken door kinderen het gevoel te geven dat ze controle kunnen uitoefenen op hun leven. Maar bij bepaalde kinderen – diegenen die heel gespannen of introvert zijn of leven in een gestresste omgeving – kan dat zelfde vermogen om in gedachten beelden op te roepen, tot angsten leiden. Dan worden die beelden eenvoudigweg te levendig. Maar die genetische factor mogen we niet vergeten. U zei dat haar vader kunstwerken perfect kon restaureren. Was hij in andere opzichten ook creatief?'

'Zeer beslist. Hij was architect van beroep en een begenadigd schilder bovendien, toen hij jonger was.'

'Waarom is hij opgehouden met schilderen?'

'Hij had zichzelf ervan overtuigd dat hij niet goed genoeg was om er zoveel tijd aan te mogen spenderen, vernietigde al zijn doeken, schilderde nooit meer en begon te verzamelen. Hij reisde over de hele wereld. Hij was aan de Sorbonne afgestudeerd en hield van Europa. Hij heeft een paar fraaie gebouwen gebouwd voordat hij de schoor had uitgevonden.'

'De schoor?'

'Ja, de Dickinson-schoor. Dat is een proces om staal te versterken, waarvan in de bouw veelvuldig gebruik wordt gemaakt.'

'Mevrouw Dickinson was een actrice,' zei ik. 'Had zij nog andere creatieve talenten?'

'Daar heb ik geen idee van.'

'Hoelang heeft ze al last van pleinvrees, hoelang is ze al bang het huis uit te gaan?'

'Ze gaat het huis wel uit,' zei hij.

'O?'

'Ja, meneer, ze loopt rond op het landgoed.'

'Komt ze dat landgoed ooit wel eens af?'

'Nee.'

'Hoe groot is het?'

'Tweedriekwart hectaren, zo ongeveer.'

'Loopt ze van het ene uiteinde naar het andere?'

Keelgeschraap. Kauwen op de wang. 'Ze geeft er de voorkeur aan vrij dicht in de buurt van het huis te blijven. Is er verder nog iets?'

Mijn eerste vraag bleef onbeantwoord; hij had een rechtstreeks antwoord weten te omzeilen. 'Hoe lang komt ze het landgoed al niet meer af?'

'Vanaf... het begin.'

'Vanaf de tijd dat ze is aangevallen?'

'Ja, ja. Het is heel logisch wanneer je de reeks gebeurtenissen echt begrijpt. Toen meneer Dickinson haar mee naar huis had genomen, meteen na het huwelijk, zat ze nog midden in een chirurgisch proces. Ze had nog veel pijn, was nog steeds erg bang, getraumatiseerd door de... door wat haar was aangedaan. Ze kwam haar kamer nooit uit, op bevel van professor Montecino, en moest uren achter elkaar stilliggen. De nieuwe huid moest heel soepel en schoon worden gehouden. Er werden speciale luchtfilters gekocht, om de lucht zo zuiver mogelijk te maken. Vierentwintig uur per etmaal waren er verpleegsters in de buurt om haar te behandelen, injecties te geven, in te smeren en baden te geven die haar deden schreeuwen van de pijn. Zelfs als ze dat toen had gewild, had ze de kamer niet uit gekund. Daarna kwam de zwangerschap. Ze moest volledige bedrust houden en de verbanden werden voortdurend verwisseld. Toen ze vier maanden in verwachting was, is meneer Dickinson overleden en zij... Het was een veilige plaats voor haar. Ze kon niet weg. Dat moet u toch volkomen duidelijk zijn? Dus is het in zekere zin volkomen logisch, nietwaar? Zoals ze is. Ze is sterk gehecht aan die veilige plaats. Dat kunt u toch wel begrijpen?'

'Ja, maar de grootste uitdaging waarvoor we nu staan, is te achterhalen wat veilig is voor Melissa.'

'Ja,' zei hij. 'Natuurlijk.' Hij vermeed het me aan te kijken.

Ik riep de ober en bestelde nog een espresso. Toen die werd gebracht, met een potje heet water voor Dutchy, hield hij het theekopje met beide handen vast, maar dronk niet. Toen ik een slokje nam, zei hij: 'Vergeef het me als ik aanmatigend klink, maar hoe is naar uw mening de prognose? Voor Melissa?'

'Wanneer de familie tot medewerking bereid is, zou ik zeggen goed. Ze is gemotiveerd en intelligent en heeft voor iemand van haar leeftijd veel inzicht. Maar het zal tijd kosten.'

'Ja, natuurlijk. Geldt dat niet voor alles wat de moeite waard is?'

Opeens boog hij zich naar voren, bewoog zijn handen en vingers. Eigenaardige opwinding voor zo'n bezadigde man. Ik rook lotion en garnalen. Even dacht ik dat hij mijn vingers vast zou pakken. Maar hij hield zich opeens in, alsof hij bij een omheining met schrikdraad stond.

'Helpt u haar alstublieft. Ik zal al het mogelijke doen om u bij de behandeling te helpen.'

Zijn handen hingen nog in de lucht. Dat zag hij en keek nijdig. Tien vingers vielen op de tafel, als aangeschoten eenden.

'U bent deze familie heel toegewijd,' zei ik.

Hij schrok en keek een andere kant op, alsof ik een geheime ondeugd boven tafel had gehaald.

'Meneer Dutchy, ik zal haar blijven behandelen zolang ze naar me toe komt. U kunt me helpen door me alles te vertellen wat er te weten valt.'

'Natuurlijk. Wilt u nog iets weten?'

'McCloskey. Wat weet ze over die man?'

'Niets!'

'Ze heeft zijn naam genoemd.'

'Dat is alles wat hij voor haar is: een naam. Kinderen horen dingen.'

'Ja, inderdaad, en zij heeft heel veel gehoord. Ze weet dat hij haar moeder met een zuur heeft aangevallen omdat hij haar niet aardig vond. Wat is haar verder nog over hem verteld?'

'Niets. Echt waar. Zoals ik al heb gezegd, horen kinderen soms dingen, maar in ons huishouden vormt die man verder geen gespreksonderwerp.'

'Meneer Dutchy, wanneer kinderen de juiste informatie wordt onthouden, verzinnen ze zelf feiten. Het zou voor Melissa het beste zijn wanneer ze begreep wat er met haar moeder is gebeurd.'

De knokkels van de hand die de kop vasthield, werden wit. 'Wat wilt u voorstellen?'

'Dat iemand de tijd neemt om met Melissa te praten, haar uit te leggen waarom McCloskey mevrouw Dickinson heeft aangevallen.'

Hij ontspande zich zichtbaar. 'Uitleggen waarom. Ja, ja, ik begrijp uw standpunt. Er is alleen één probleem.'

'Welk?'

'Niemand wéét waarom hij het heeft gedaan. Die ellendeling heeft er nooit iets over gezegd en níemand weet het. Ik hoop dat u me nu wilt excuseren, want ik moet echt weg.'

5

Maandag was Melissa in een uitstekende bui, tot medewerking bereid en beleefd, geen aftasten meer van grenzen, geen restanten van de machtsstrijd tijdens de laatste sessie. Maar wel minder tot praten bereid. Vragend of ze mocht tekenen.

Typerend voor een nieuwe patiënte.

Alsof het voorafgaande een soort probeersel was geweest en we nu pas echt begonnen.

Ze begon met dezelfde leuke tekeningen die ze me tijdens de eerste sessie had gegeven, koos toen al snel donkerdere kleuren, zonloze hemels, grijze vlakken, onheilspellende beelden.

Ze tekende triest ogende dieren, vale tuinen, verloren kinderen in statische houdingen, van het ene onderwerp overstappend op het andere. Maar tegen de tweede helft van de sessie had ze een thema gevonden waar ze bij bleef: huizen zonder deuren of ramen. Grote gebouwen, scheefstaand alsof ze dronken waren, de stenen zeer nauwkeurig getekend, omgeven door skeletachtige bomen onder een sombere lucht met kruisarcering.

Enige tekenvellen later voegde ze er grijze vormen aan toe, die naar de huizen toe kwamen. Grijs veranderde in zwart en werd menselijk. Mannengestaltes die hoeden op hadden, lange jassen droegen en bolle zakken bij zich hadden.

Ze tekende zo woest dat het papier erdoor scheurde. Ze begon opnieuw.

Potloden en krijtjes werden stompjes. Elk voltooid produkt werd met vreugde aan flarden gescheurd. Drie weken lang was ze zo bezig. Aan het einde van een sessie liep ze de spreekkamer uit zonder iets te zeggen, marcherend als een soldaatje.

Tegen de vierde week begon ze het laatste kwartier spelletjes te spelen, zonder iets te zeggen. Fel spelend, ogenschijnlijk zonder er veel plezier aan te beleven.

Soms bracht Dutchy haar, maar geleidelijk aan zag ik Hernandez steeds vaker en die bekeek me nog altijd afgunstig. Toen kwamen er ook andere chaperons: een reeks donkere, slanke jongemannen die naar zweet roken en zoveel op elkaar leken dat ze voor mij inwisselbaar werden. Ik hoorde van Melissa dat het de vijf zonen van Hernandez waren.

Af en toe kwam er ook een dikke, gezette vrouw met Melissa mee. Ze was ongeveer even oud als Dutchy, had stevig ingevlochten haar en wangen als blaasbalgen. Ze had ook een diepe, Gallische stem. Madeleine, kokkin-annex-dienstmeisje. Ze arriveerde altijd bezweet en zag er onveranderlijk moe uit.

Allen vertrokken zodra Melissa de drempel over was en kwamen haar op exact het juiste moment weer ophalen. Hun stiptheid, en het vermijden van oogcontact, deden vermoeden dat ze door Dutchy waren geïnstrueerd. Dutchy was een ware meester in het snel wegkomen, kwam niet eens de wachtkamer in. Geen inwilliging van mijn verzoek om verdere gegevens. Ik zou hem dat kwalijk hebben moeten nemen. Maar naarmate de tijd verstreek, zat het me steeds minder dwars. Omdat Melissa beter leek te worden. Zonder hem. Zonder iemand van hen. Tien weken na de start van de therapie was ze een ander kind, kalm, geen kneedwerk meer, geen geijsbeer. Ze stond het zichzelf toe te glimlachen. Ze werd losser tijdens het spelen. Ze lachte om mijn moppenrepertoire. Ze gedroeg zich als een kind. En hoewel ze zich bleef verzetten tegen gesprekken over haar angsten – over alles wat substantieel was – waren haar tekeningen minder erg geworden, verdwenen de mannen met zakken. In de stenen gevels van de huizen, die nu kaarsrecht stonden, verschenen deuren en ramen als bloemknoppen.

Deze tekeningen bewaarde ze en ze werden mij trots overhandigd.

Voortgang? Of alleen een zevenjarig kind dat omwille van de therapeut een gelukkig gezicht trok?

Ik zou dat beter hebben kunnen beoordelen wanneer ik had geweten hoe ze zich buiten de spreekkamer gedroeg. Maar diegenen die me dat hadden kunnen vertellen, meden me als de pest.

Zelfs Eileen Wagner was uit beeld verdwenen. Ik had haar kantoor meerdere keren gebeld, tijdens de werkuren, maar werd telkens doorverbonden met de beantwoordingsdienst. Weinig drukke praktijk, vermoedde ik. Ze zou waarschijnlijk wel bijverdienen, om de eindjes aan elkaar te knopen.

Ik belde het Western Pediatric om te vragen of ze een andere baan had gekregen. Dat was daar in elk geval niet bekend. Ik belde weer haar kantoor, liet boodschappen achter die onbeantwoord bleven.

Vreemd, gezien de toewijding die ze aan de dag had gelegd voor het regelen van de verwijzing, maar alles aan deze zaak leek vreemd te zijn en ik was daaraan gewend geraakt.

Ik herinnerde me wat Eileen had verteld over de gistende schoolangst van Melissa, vroeg Melissa naar de naam van de school, zocht het telefoonnummer op en draaide dat. Ik meldde me als haar arts en corrigeerde de automatische veronderstelling dat ik een kinderarts moest zijn, niet. Ik vroeg de onderwijzeres van Melissa te spreken, een zekere mevrouw Vera Adler, die bevestigde dat Melissa in het begin van het semester vaak afwezig was geweest, maar dat ze later altijd was verschenen en haar 'sociale leven' beter leek te zijn.

'Had ze in dat opzicht problemen, mevrouw Adler?'

'Dat zou ik nu ook niet direct willen zeggen. We begonnen ons net zorgen te maken, omdat ze zo vaak absent was, maar nu gaat het prima. Een heel aardig, uitzonderlijk intelligent meisje, dat zeer hoge resultaten haalt bij de testen. We zijn zo blij dat ze zich heeft aangepast...'

Ik bedankte haar, legde de hoorn op de haak en voelde me beter. De volwassenen konden barsten, ik zou gewoon doorgaan met mijn werk.

Tijdens de vierde maand behandelde Melissa de spreekkamer alsof die haar tweede huis was. Ze kwam glimlachend binnen en liep regelrecht naar de tekentafel. Ze kende elke hoek van de kamer, wist wanneer een boek van zijn vaste plaatsje was gehaald, zette het snel weer terug. Restauratie. Ze had ongebruikelijk veel oog voor details, wat overeenstemde met de perceptuele gevoeligheid die Dutchy had beschreven.

Een kind van wie de zintuigen op volle toeren draaiden. Voor haar zou het leven nooit saai zijn. Zou het ooit rustig kunnen zijn?

Aan het begin van de vijfde maand kondigde ze aan dat ze weer wilde praten. Deelde me mee dat ze een team wilde vormen, zoals ik in het begin had gezegd.

'Prima. Waarmee zou je willen beginnen?'

'Het donker.'

Ik rolde mijn mouwen op, klaar om alle kennis die ik na mijn afstuderen had opgedaan, naar boven te halen. Eerst leerde ik haar de lichamelijke waarschuwingstekens van angst te onderkennen: hoe ze zich vóelde wanneer ze bang dreigde te worden. Toen leerde ik haar zich te ontspannen, wat uitliep op een volledige hypnose, omdat ze zo gemakkelijk kon overgaan naar een wereld van beelden. In één enkele sessie leerde ze zichzelf onder hypnose te brengen. Binnen een paar seconden kon ze in een trance raken. Ik leerde haar de vingersignalen waarmee ze kon communiceren wanneer ze onder hypnose was en begon toen aan het desensibilisatie-proces.

Ik liet haar in een stoel plaatsnemen, gaf haar opdracht haar ogen dicht te doen en zich voor te stellen dat ze in het donker zat. Een donkere kamer. Ik zag hoe haar lichaam gespannen raakte en haar wijsvinger omhoogkwam. Ik nam de spanning iets weg door diepe rust en welzijn te suggereren. Toen ze weer echt ontspannen was, liet ik haar terugkeren naar de donkere kamer. Erheen en weer weg, telkens weer, totdat ze het beeld kon verdragen. Na een week was ze de verbeelde duisternis meester en kon ze de echte vijand bij zijn kraag vatten.

Ik deed de gordijnen van de wachtkamer dicht en liet haar met behulp van de dimmer wennen aan een steeds verder toenemende duisternis. Ik liet haar steeds langer in het halfdonker zitten en gaf haar opdracht zich te ontspannen wanneer ik merkte dat ze gespannen raakte.

Na elf sessies kon ik alle gordijnen volledig sluiten, zodat we beiden in het pikdonker zaten. Ik telde de seconden, luisterde oplettend naar haar ademhaling. Klaar om meteen in actie te komen wanneer ze ook maar iets sneller ging ademen, vastbesloten haar nooit langdurig bang te laten zijn.

Elk succes werd beloond met lovende woorden en goedkope plastic speeltjes die ik in grote hoeveelheden had ingekocht. Ze vond die schitterend.

Tegen het einde kon ze een hele sessie lang in het donker zitten, ontspannen, pratend over school.

Al spoedig voelde ze zich in het donker even goed thuis als een vleermuis. Ik suggereerde dat de tijd misschien rijp was om aan het slapen te gaan werken. Ze glimlachte en ging daarmee akkoord.

Ik wilde daar erg graag aan gaan werken, want dat was mijn territorium. Tijdens mijn co-schappen had ik meerdere gevallen gezien van kinderen die 's nachts chronisch wakker schrokken uit een diepe slaap en de nadelige gevolgen die dergelijke episoden uitoefenden op de kinderen en hun families hadden me getroffen. Geen van de psychologen en psychiaters in het ziekenhuis had echter geweten hoe deze ziekte moest worden behandeld. Officieel was er geen andere behandeling mogelijk dan het toedienen van tranquillizers en andere verdovende middelen, waarvan de effecten bij kinderen onvoorspelbaar waren.

Ik ging naar de bibliotheek van het ziekenhuis, zocht referenties op, vond heel veel theorie maar weinig suggesties voor een behandeling. Gefrustreerd zat ik lange tijd na te denken en besloot iets krankzinnigs te proberen: praktische conditionering. Gedragstherapie. Het kind belonen wanneer zo'n angstaanval niet komt en kijken wat er dan gebeurt.

Eenvoudig, bijna primitief. Theoretisch onzinnig, zoals deskundigen me al snel onder het genot van hun pijp meedeelden. Hoe kon onbewust gedrag − het ontwaken uit een heel diepe slaap − bewust worden gemanipuleerd? Wat kon vrijwillige conditionering betekenen bij een onbewust abnormaal gedrag?

Maar onderzoeken hadden recentelijk doen vermoeden dat de mens een grotere bewuste controle over zijn lichaamsfuncties heeft dan men zich ooit had voorgesteld. Patiënten konden leren hoe ze de temperatuur van hun huid en hun bloeddruk konden verhogen of verlagen, ze konden zelfs leren hevige pijn te maskeren. Tijdens een casusbespreking vroeg ik om toestemming om te proberen dergelijke angsten te deconditioneren, omdat we immers toch niets te verliezen hadden. Veel hoofdgeschud en ontmoedigende woorden, maar ik kreeg er wel toestemming voor.

Het werkte. Al mijn patiënten werden beter en bleven beter. De oudere artsen namen mijn behandelwijze over met hun patiënten en boekten soortgelijke resultaten. De chef de clinique vroeg me er een artikel over te schrijven voor een wetenschappelijk tijdschrift en hem te noemen als co-auteur. Ik zond het artikel in, snoerde sceptici de mond met rijen cijfers en statistieken en zag het gepubliceerd. Binnen een jaar waren andere therapeuten tot dezelfde conclusies gekomen als ik. Ik kreeg verzoeken om het artikel te mogen plaatsen, telefoontjes uit de hele wereld, aanbiedingen om lezingen te houden.

Dat was ik aan het doen geweest op de dag dat ik door Eileen Wagner werd benaderd. Dat was het referaat geweest dat me naar Melissa had geleid.

Nu was Melissa klaar om door de expert te worden behandeld. Maar er was één probleem: de techniek — míjn techniek — hing af van de medewerking van familieleden. Iemand moest het slaappatroon van de patiënt nauwkeurig in de gaten houden.

Op een vrijdagmiddag hield ik Dutchy staande, voordat hij de kans had gekregen zich als een haas uit de voeten te maken. Hij keek berustend en vroeg: 'Wat is er, meneer Delaware?'

Ik gaf hem een blocnote met grafiekpapier en twee scherp geslepen potloden. Toen nam ik de houding van een professor aan en gaf hem bevelen: voor het slapengaan moest Melissa ontspanningsoefeningen doen. Hij mocht haar daar geen opdracht toe geven of het haar in herinnering brengen: het zou háár verantwoordelijkheid zijn. Hij moest noteren wanneer ze 's nachts zo'n aanval kreeg en hoe vaak. Nachten zonder zo'n aanval moesten de volgende morgen worden beloond met een van de speeltjes waarop ze zo dol leek te zijn. Op nachten waarin zich wel zo'n aanval had voorgedaan, mocht geen commentaar worden geleverd.

'Maar ze heeft ze niet meer,' zei hij.

'Wat niet meer?'

'Die aanvallen. Ze slaapt al wekenlang volkomen rustig en ze plast ook niet meer in bed.'

Ik keek naar Melissa. Ze was achter hem gaan staan. Ik zag de helft van een klein gezichtje. Voldoende om ook de glimlach te kunnen zien.

Pure vreugde. Genietend van haar geheim.

Dat was niet zo gek. Gezien de manier waarop ze was opgevoed, moesten geheimen erbij horen.

'De verandering is echt... opmerkelijk geweest,' zei Dutchy. 'Daarom heb ik het niet nodig gevonden om...'

'Ik ben echt trots op je, Melissa,' zei ik.

'En ik ben trots op u,' zei ze en begon te giechelen. 'We vormen een uitstekend team.'

Ze bleef sneller beter worden dan wetenschappelijk te verklaren was. Ze sprong als een kikker over mijn klinische spelletjes-plannen heen. Ze genas zichzèlf.

'Magíe,' had een van mijn verstandigere leermeesters eens gezegd. 'Soms worden ze beter en dan weet jij niet waarom. Voordat je ook maar begonnen bent met iets te doen dat in jouw ogen zo verdomd slim en uiterst wetenschappelijk is. Vecht daar niet tegen. Schrijf het gewoon af op magie. Dat is een even goede verklaring als welke andere dan ook.'

Ze gaf me het gevoel te kunnen toveren.

De onderwerpen waarvan ik een bespreking van essentieel belang had geacht, werden nooit aangesneden: dood, verwondingen, eenzaamheid. *Een Mikoksi met zuur.*

Ondanks de vele sessies was haar dossier dun. Ik kon maar heel weinig opschrijven. Ik begon me af te vragen of ik wel iets anders was dan een uitstekend betaalde baby-sitter, maar hield mezelf voor dat er ergere dingen waren. Omdat mijn praktijk groeiende was en ik elke maand meer moeilijke gevallen leek te krijgen, was ik dankbaar voor de kans passief en magisch te zijn, drie kwartier per dag, drie keer per week.

Na acht maanden deelde ze me mee dat al haar angsten waren verdwenen. Haar woede riskerend stelde ik voor vanaf dat moment te volstaan met twee sessies per week. Ze ging daar zo snel mee akkoord dat ik wist dat zij aan hetzelfde had gedacht.

Toch verwachtte ik een kleine terugslag, in de vorm van het vragen om weer meer aandacht en tijd. Dat gebeurde echter niet en tegen het einde van dat jaar kwam ze nog maar één keer per week naar me toe. Ook de kwaliteit van die sessies veranderde. Ze werden nonchalanter. Veel spelletjes, geen drama.

Therapie in de laatste fase. Triomf. Ik dacht dat Eileen Wagner het wel graag zou willen weten, deed nog een poging om haar te bereiken, hoorde aan de fluittoon dat het toestel was afgesloten. Belde het ziekenhuis op en hoorde dat ze haar praktijk had neergelegd, ontslag in het ziekenhuis had genomen en geen nieuw adres had achtergelaten.

Verbazingwekkend. Maar zij was mijn zorg niet. Een verslag minder moeten schrijven was niet iets waar ik rouwig om was.

Voor zo'n ingewikkelde zaak was alles verbazingwekkend eenvoudig gebleken.

Patiënt en therapeut, die demonen versloegen.

Wat kon zuiverder zijn?

De cheques voor de behandeling van Melissa bleven binnenkomen, drie cijfers per keer.

In de week van haar negende verjaardag kwam ze met een geschenk. Ik had niets voor haar gekocht, had al lang geleden besloten nooit iets voor patiënten te kopen. Ze leek dat niet erg te vinden en genóót absoluut van het geven.

Een geschenk dat zo groot was dat zij het niet kon dragen. Sabino droeg het mijn spreekkamer in.

Indrukwekkende mand met vruchten, in crêpepapier, kazen, flesjes wijn, blikken kaviaar, gerookte oesters en forel, kastanjepuree, potten met compotes, uit een delicatessenzaak in Pasadena.

Er was een kaartje bij:

VOOR DOCTOR DELAWARE, LIEFS, MELISSA D.

Op de achterkant stond een tekening van een huis. De beste die ze ooit had gemaakt, met prachtige schaduwen, veel ramen en deuren.

'Het is schitterend, Melissa. Heel hartelijk bedankt.'

'Graag gedaan.' Glimlachend, maar in haar ogen waren tranen verschenen.

'Wat is er aan de hand, schatje?'

'Ik wil... Misschien is het tijd om... niet langer...'

Ze zweeg. Haalde haar schouders op. Kneedde haar handen.

'Wil je zeggen dat je niet meer hierheen wilt komen?'

Meerdere knikjes, snel achter elkaar.

'Daar is niets verkeerds aan, Melissa. Je hebt het gewèldig gedaan. Ik ben echt trots op je. Dus als je het nu op je eentje wilt proberen, kan ik dat begrijpen. Eigenlijk vind ik het geweldig. Je hoeft je geen zorgen te maken. Ik zal er altijd zijn als je me nodig hebt.'

Ze draaide zich heel snel om en keek me aan.

'Ik ben negen jaar óud. Ik ben zover dat ik de dingen zelf aankan.'

'Dat denk ik ook. Je hoeft niet bang te zijn mijn gevoelens te kwetsen.'

Ze begon te huilen.

Ik liep naar haar toe en knuffelde haar. Ze legde haar hoofd tegen mijn borst en snikte.

'Ik weet dat het moeilijk is,' zei ik. 'Je bent bang mijn gevoelens te kwetsen. Daar maak je je waarschijnlijk al lange tijd zorgen over.'

Natte knikjes.

'Dat is heel aardig van je, Melissa. Ik waardeer het dat mijn gevoelens je aandacht hebben. Maak je over mij echter geen zorgen. Natuurlijk zal ik je missen, maar in mijn gedachten zul je altijd bij me zijn. Je zult hier niet meer regelmatig naar toe komen, maar dat betekent niet dat we geen contact kunnen houden. Telefonisch, of door het schrijven van brieven. Je kunt ook naar me toe komen wanneer niets je dwars zit. Alleen om even gedag te zeggen.'

'Doen andere patiënten dat ook?'
'Zeker.'
'Hoe heten ze?'
Ondeugende glimlach.
We lachten beiden.
Ik zei: 'Melissa, voor mij is het allerbelangrijkste dat je het zo goed hebt gedaan. Je hebt je angsten in eigen hand genomen. Ik ben er echt van onder de indruk.'
'Ik heb het gevoel dat ik de dingen nu zelf aankan,' zei ze en droogde haar tranen.
'Daar ben ik zeker van.'
'Dat kan ik,' herhaalde ze en keek naar de grote mand. 'Hebt u wel eens kastanjepuree gegeten? Het is een beetje eigenaardig, het smaakt helemaal niet naar geroosterde kastanjes...'

De week daarna belde ik haar. Dutchy nam op. Ik vroeg hoe het met haar ging. 'Heel erg goed, meneer Delaware,' zei hij. 'Ik zal haar aan de telefoon roepen.' Ik was er niet zeker van, maar ik vond zijn stem vriendelijk klinken.
Melissa kwam aan de lijn, beleefd maar afstandelijk. Ze liet me weten dat alles met haar in orde was en dat ze me zou bellen als ze me nodig had. Dat deed ze niet.
Ik belde haar nog een paar keer op. Ze klonk afwezig en leek de gesprekken zo snel mogelijk te willen afronden.
Toen ik een paar weken later mijn boekhouding in orde aan het maken was, ontdekte ik dat ik voor tien sessies met Melissa vooruit was betaald, zonder dat die nog hadden plaatsgevonden. Ik schreef een cheque uit en stuurde die naar San Labrador. De volgende dag ontving ik een bruine envelop. Daar zat mijn cheque weer in, keurig netjes in drieën gescheurd, met een velletje geparfumeerd briefpapier.

> Beste doctor Delaware,
> Met heel veel dank,
> Hoogachtend,
> Gina Dickinson.

Hetzelfde gracieuze handschrift waarmee ze me twee jaar daarvoor had beloofd contact met me op te nemen.
Ik schreef een nieuwe cheque uit, voor exact hetzelfde bedrag, ten name van het Speelgoedfonds van Western Pediatric, en deed die in de grote hal op de bus. Wetend dat ik het evenzeer voor mezelf deed

65

als voor de kinderen die er speelgoed door zouden krijgen en mezelf voorhoudend dat ik verdomme het recht niet had me zo nobel te voelen.

Toen nam ik de lift terug naar mijn kantoor en bereidde me voor op de komst van de volgende patiënt.

6

Om een uur 's morgens borg ik het dossier op. Herinneringen ophalen was een inspannende bezigheid geweest en ik voelde me hondsmoe. Ik hobbelde naar mijn bed, sliep onrustig, werd keurig om zeven uur wakker en marcheerde naar de douche. Een paar minuten nadat ik me had aangekleed, werd er gebeld. Ik liep naar de deur en maakte die open.

Milo stond op het terras, met zijn handen in zijn zakken, gekleed in een geel golfshirt met twee brede, horizontale groene strepen, een bruine broek en hoge basketbalschoenen die eens wit waren geweest. Zijn zwarte haar was langer dan normaal, een lok bedekte zijn voorhoofd volledig, de bakkebaarden reikten bijna tot zijn kaak. Op zijn pokdalige, dikke gezicht prijkte een baard van een dag of drie en zijn groene ogen stonden wazig — het normale opvallende blauw dof geworden, de kleur van heel oud gras.

Hij zei: 'Het goede nieuws is dat je nu je deur in elk geval op slot doet. Het slechte nieuws is dat je opendoet zonder verdomme te kijken wie er buiten staat.'

'Waarom denk je dat ik daar niet naar heb gekeken?' vroeg ik, terwijl ik een stap opzij deed om hem binnen te laten.

'Tijd tussen laatste voetstap en ontgrendeling. Knap detectivewerk, hè?' Hij tikte tegen zijn slaap en liep regelrecht door naar de keuken.

'Goedemorgen, rechercheur. Het nietsdoen bevalt je kennelijk.'

Hij gromde iets en bleef doorlopen.

'Wat is er aan de hand?' vroeg ik.

'Wat zou er aan de hand moeten zijn?' riep hij terug, met zijn gezicht al in de ijskast.

Hij kwam weer een keer zomaar binnenvallen. De laatste tijd gebeurde dat steeds vaker.

Hij was halverwege zijn straftijd — zes maanden geschorst bij de politie, zonder behoud van salaris. De zwaarste straf die hij kon krijgen, met uitzondering van ontslag. Men hoopte dat hij zou leren genieten van het burgerleven en nooit meer zou terugkomen. Daar vergiste men zich in.

Hij zocht enige tijd, vond roggebrood, zalmmousse en melk, een mes en een vork, en begon voor zichzelf een ontbijt klaar te maken.

'Waar staar je naar?' vroeg hij. 'Heb je een man nog nooit eten zien klaarmaken?'

Ik ging me verder aankleden. Toen ik terugkwam, stond hij bij de bar toost met zalm te eten en dronk de melk uit het pak. Hij was dikker geworden – zijn buik begon de sumo-status te krijgen – en zijn shirt stond bol.

'Heb je een drukke dag voor de boeg?' vroeg hij. 'Misschien zouden we naar Rancho kunnen gaan om te golfen.'

'Ik wist niet dat jij golfde.'

'Dat doe ik ook niet, maar een vent heeft een hobby nodig, nietwaar?'

'Sorry, maar ik moet vanmorgen werken.'

'O? Moet ik weg?'

'Nee, geen patiënten. Schrijfwerk.'

'Ah!' zei hij. 'Ik doelde op echt werk.'

'Voor mij is dat ook echt werk.'

'Zal ik het voor je doen?' vroeg hij.

'Wat?'

'Dat artikel schrijven.'

'Prima.'

'Ik meen het serieus. Schrijven is me altijd makkelijk afgegaan. Daarom ben ik afgestudeerd, zeker niet vanwege al die academische onzin die ze me te slikken hebben gegeven. Mijn proza had niet zoveel flair, maar volgens mijn mentor kon het er wel mee door.'

Hij kauwde met veel lawaai op de toost. Kruimeltjes vielen op zijn shirt. Hij deed geen poging ze weg te vegen.

'Dank je, Milo,' zei ik, 'maar ik heb nog geen behoefte aan iemand die mijn artikelen voor me schrijft.' Ik ging koffie zetten.

'Wasseraandehand?' vroeg hij met een volle mond. 'Vertrouw je me niet?'

'Het gaat om een wetenschappelijk artikel voor een psychologisch tijdschrift. Over de schietpartij bij Hale.'

'Nou en?'

'Droog materiaal, misschien zo'n honderd pagina's lang.'

'Geweldig,' zei hij. 'Niet erger dan een dossier dat je voor de afdeling moordzaken moet maken. Romeinse één: samenvatting van de misdaad. Romeinse twee: chronologisch verhaal. Romeinse drie: informatie over het slachtoffer. Romeinse...'

'Het is duidelijk wat je wilt zeggen.'

Hij nam een hap en zei tussen het kauwen door: 'Om een uitstekend rapport te kunnen schrijven, moet je elke vorm van hartstocht weg-

laten. Gebruik een extra hoeveelheid overbodige woorden en tauto-
logieën om het zo saai te maken dat je geest er verdoofd door raakt.
Zodat je superieuren, wanneer ze het lezen, er genoeg van krijgen en
het alleen nog doorbladeren, waardoor ze misschien niet merken dat
je sinds het ontdekken van het lijk in kringetjes aan het rondlopen
bent geweest en nog niets hebt opgelost. Zeg me eens of dat zoveel
verschilt van wat jij doet?'
Ik lachte. 'Tot nu toe heb ik mezelf voorgehouden dat ik de waarheid
wilde achterhalen. Dank voor het feit dat je dat voor me hebt recht-
gezet.'
'Graag gedaan. Het is mijn werk.'
'Over werk gesproken: hoe ging het op het bureau?'
Hij keek me heel lang en heel donker aan. 'Hetzelfde liedje. Mensen
achter bureaus, met glimlachende gezichten. Ditmaal hebben ze er
de psychiater bijgehaald.'
'Ik dacht dat je dat had geweigerd?'
'Ze hebben die weigering omzeild door te spreken over stress-evalua-
tie. Hoort bij de straf. Lees de kleine lettertjes er maar op na.'
Hij schudde zijn hoofd. 'Al die grijsharige rotzakken die allemaal
heel zacht en langzaam praten, alsof ik seniel ben. Vragen naar mijn
áánpassing. Mijn strèss-niveau. Zeggen hun bezorgdheid met mij te
délen. Is het je ooit wel eens opgevallen dat mensen die over delen
práten dat in werkelijkheid nooit doen? Ze hebben me ook nadrukkelijk laten weten dat de politie alle medische rekeningen voor me
heeft betaald. In ruil daarvoor krijgen zij kopieën van alle laborato-
riumuitslagen en daardoor was er enige bezorgdheid ontstaan over
mijn cholesterolniveau. Voelde ik me echt alweer in staat terug te
komen in actieve dienst?'
Hij keek nijdig. 'Wat een stelletje vorsten, hè? Ik glimlachte terug
en zei dat het gek was dat mijn cholesterolniveau hun geen moer kon
schelen wanneer ik op straat mijn werk aan het doen was.'
'Hoe hebben ze op die aardige opmerking gereageerd?'
'Met nog meer glimlachjes en toen die vètte stilte waarin je aardappelen zou kunnen frituren. Die zak van een psychiater zal zoiets wel
hebben aangeraden. Die opmerking is overigens niet beledigend bedoeld aan jouw adres. Maar zo denkt de militaire geest: het individu
moet worden vernietigd.'
Hij keek naar het pak melk en zei: 'Aha, magere melk. Prima.'
Ik vulde de koffiekan met water en koffie.
'Ik moet die zakken één ding nageven,' zei hij. 'Ze worden assertie-
ver. Nu zijn ze meteen over pensioen gaan praten. Dollars en dollar-
centen. Tabellen die lieten zien hoeveel meer per jaar ik zou krijgen

wanneer ik het geld fatsoenlijk investeerde en er rente van trok. Hoe leuk het leven zou zijn met wat ik na veertien jaar in handen zou krijgen. Toen ik niet begon te kwijlen en toehapte, lieten ze het snoepgoed voor wat het was en pakten een stok om de hond mee te slaan. Ze begonnen erop te zinspelen dat het krijgen van een pensioen in mijn geval nog helemaal niet zeker was, gegeven de omstandigheden. Bla, bla, bla. Hoe belangrijk timing was. Bla, bla, bla.'

Hij begon aan een nieuw stuk brood.

'Wat was het uiteindelijke resultaat?' vroeg ik.

'Ik heb hen een tijdje bla bla laten zeggen. Toen ben ik opgestaan, heb meegedeeld dat ik een dringende afspraak had en ben vertrokken.'

'Als je besluit ontslag te nemen, kun je altijd nog bij het corps diplomatique terecht,' zei ik.

'Mijn hemel, man, het zit me tot hier.' Hij streek met een vinger over zijn keel. 'Een half jaar op non-actief mag. Mijn wapen en legitimatiepapieren en salaris inhouden mag ook. Ik wil echter mijn straf in alle rust en vrede kunnen uitzitten en ik kan het prima stellen zonder die verdomde *follow-ups*. Al die gespeelde meelevendheid.'

Hij dronk en at. 'Natuurlijk denk ik dat ik gegeven de omstandigheden niet veel beters had mogen verwachten.' Hij glimlachte.

'Voor realiteitszin krijg je van mij een tien, Milo.'

Hij zei: 'Het aanvallen van een hogergeplaatste.' Grotere glimlach. 'Klinkt leuk, vind je ook niet?'

'Je bent het belangrijkste vergeten, namelijk dat het door de televisie werd uitgezonden.'

Hij grinnikte, wilde nog meer melk drinken, maar glimlachte te breeduit en liet het pak weer zakken. 'Dit is toch het tijdperk van de media? De baas laat zich poederen wanneer hij de pers te woord staat. Ik heb gezorgd voor enige beelden en geluiden die ze nooit meer zullen vergeten.'

'Dat klopt. Hoe is Frisk er nu aan toe?'

'Men zegt dat dat leuke neusje van hem aardig is genezen. De nieuwe tanden zien er bijna even goed uit als de oude. Verbazingwekkend wat ze tegenwoordig met plastic kunnen doen. Maar toch zal hij er wel een beetje anders uitzien. Minder als Tom Selleck en meer als... Karl Malden. Wat niet gek is voor een superieur, vind je ook niet? Dat door het werk geteisterde gezicht dat wijsheid en ervaring impliceert.'

'Is hij alweer aan het werk?'

'Neeeee. Kenny's strèss-niveau schijnt nog vrij hoog te zijn en hij heeft een langdurige periode nodig om te herstellen. Maar uiteindelijk zal hij terugkomen. In een hogere functie, waar hij op een hoger niveau de zaken kan verpesten en systematisch schade kan aanbrengen.'

'Milo, hij is de schoonzoon van de assistent-commissaris. Je boft met het feit dat je nog bij de politie bent.'

Hij zette het pak neer en keek me nijdig aan. 'Denk je dat ze me niet hadden ontslagen wanneer ze daar kans toe hadden gezien? Ik sta een punt op hen vóór en daarom kiezen ze voor een voorzichtige benadering.'

Hij sloeg met zijn grote hand op de bar. 'Die ellendeling heeft me verdomme als lokaas gebruikt. De advocaat met wie Rick me heeft laten praten zei dat ik aan een gigantische civiele procedure kon beginnen, waar de kranten maandenlang vol van zouden staan. Dat zou die vent prachtig hebben gevonden. Vet honorarium. Rick wilde ook dat ik het zou doen. Uit principiële overwegingen. Ik heb dat echter geweigerd, omdat het daar niet om ging: een stelletje advocaten die tien jaar lang over technische kwesties gingen kibbelen. Dit was iets dat van man tot man moest worden uitgevochten. Door het tijdens een televisie-opname te doen heb ik me extra ingedekt: een paar miljoen getuigen, zodat niemand kon zeggen dat het anders was gegaan dan het was gegaan. Daarom heb ik hem geslagen nádat hij had gezegd dat ik een grote held was en me die onderscheiding had gegeven. Zodat niemand kon zeggen dat voor mij de druiven zuur waren geweest. De politie staat bij mij in het krijt, Alex. Ze zouden dankbaar moeten zijn dat ik alleen een troep van zijn gezicht heb gemaakt. En als Frisk slim is, zal hij me daar ook dankbaar voor zijn en uit de buurt van míjn gezicht blijven. Blijvend. Al die familieconnecties interesseren me geen moer. Hij mag van geluk spreken dat ik zijn longen niet uit zijn lijf heb getrokken om die naar de camera's te smijten.'

Zijn ogen stonden nu weer helder in zijn kop en zijn gezicht was dieproze geworden. Met zijn haren over zijn voorhoofd en de dikke lippen leek hij op een ontstemde gorilla.

Ik applaudisseerde.

Hij ging rechterop staan, staarde me aan en begon toen te lachen. 'Niets is zo goed om de dag een roze gloed te geven als de aanmaak van een beetje adrenaline. Weet je zeker dat je niet wilt gaan golfen?'

'Ja. Ik moet dat artikel afmaken en om twaalf uur komt er een patiënt. Verder is balletjes meppen over gras niet mijn idee van recreatie, Milo.'

'Dat weet ik,' zei hij. 'Heeft niets te maken met aerobics en je cholesterolgehalte.'

Ik haalde mijn schouders op. De koffie was klaar. Ik schonk twee koppen in en gaf er een aan hem.

'Wat heb je verder gedaan om de tijd door te komen?' vroeg ik.

Hij maakte een weids gebaar en begon met een zwaar Iers accent te praten. 'O, ik heb me geweldig geamuseerd, jongen. Borduren, papier-maché, papierknipsels, haken. Kleine schoeners en jachten, gemaakt van ijsstokjes en glitter. Handenarbeid is een hele wereld, die zo voor het grijpen ligt.' Hij dronk koffie. 'Het is afschuwelijk geweest. Erger dan een bureaufunctie. Eerst dacht ik dat ik me maar eens op het tuinieren moest storten — een beetje zon, wat lichaamsbeweging — terug naar de aarde — naar mijn wortels.'

'Was je van plan aardappelen te gaan telen?'

Hij grinnikte. 'Ik was van plan alles te telen. Het enige probleem was dat Rick vorig jaar een tuinarchitect in de arm heeft genomen, die de tuin heeft voorzien van cactussen en vetplanten, die weinig water nodig hebben. Op die manier zouden we ecologisch gezond worden. Dat kon dus niet. Toen heb ik erover gedacht in huis te gaan klussen, alles te repareren wat gerepareerd moest worden. Vroeger was ik handig. Tijdens mijn studie bouwkunde heb ik van alles geleerd. Toen ik nog alleen woonde, deed ik het allemaal zelf: loodgieterswerk, elektriciteit, alles. De huisbaas was dol op me. Het enige probleem met dat plan was dat er niets te repareren viel. Ik was niet lang genoeg thuis geweest om dat te beseffen, maar nadat Rick me ongeveer een jaar achter mijn vodden had gezeten, heeft hij alles laten doen. Hij heeft een manusje van alles gevonden, een vent van de Fiji-eilanden, een oud-patiënt van hem. Had zich met een elektrische zaag gesneden en was bijna een paar vingers kwijtgeraakt. Rick heeft hem behandeld in de polikliniek, zijn vingers gered en de eeuwige dankbaarheid van die man gekocht. Hij werkt in principe voor niets voor ons en is vierentwintig uur per etmaal oproepbaar. Dus is mijn kennis niet vereist, tenzij hij weer een ongelukje met een zaag krijgt. Wat resteert me verder? Boodschappen doen? Eten koken? Rick heeft het in de polikliniek en de Free Clinic zo druk dat hij nooit thuis is om te eten, dus pak ik wat er is en prop dat in mijn mond. Af en toe ga ik naar een schietbaan in Culver City, om te schieten. Ik heb mijn platencollectie al twee keer afgedraaid en meer slechte boeken gelezen dan me lief is.'

'Hoe zit het met vrijwilligerswerk?'

Hij drukte zijn handen tegen zijn oren en trok een grimas. Toen hij ze weer had weggehaald, vroeg ik: 'Waarom deed je dat?'

'Dat heb ik al eerder gehoord. Van die altruïstische dokter Silverman. De AIDS-groep van de Free Clinic, dakloze kinderen, noem maar op.

Zoek een goed doel, Milo, en blijf daarvoor werken. Het enige probleem is dat ik me zo godvergeten geméén voel. Opgefokt. Alsof iemand maar beter geen verkeerde opmerking tegen me kan maken, omdat ze dan plat op hun bek komen te liggen. Soms word ik wakker met dat brandende gevoel in mijn maag, soms komt het gewoon opeens opzetten. Ga me niet vertellen dat er sprake is van een posttraumatisch stress-syndroom, want het helpt geen zier als je er een naam aan geeft. Ik heb het al eens eerder meegemaakt, na de oorlog, en ik weet dat alleen de tijd er iets aan kan doen. In die tussentijd wil ik niet met al te veel mensen in aanraking komen, zeker niet met mensen die zich ellendig voelen. Ik kan geen medeleven opbrengen. Ik zou alleen tegen hen zeggen dat ze hun ellendige leven verdomme eens op orde moeten brengen.'

'De tijd kan genezend werken, maar de tijd kan ook een handje geholpen worden,' zei ik.

Hij keek me ongelovig aan. 'Wat krijgen we nu? Een gratis consult?'

'Er zijn ergere dingen.'

Hij sloeg met beide handen tegen zijn borstkas. 'Oké, ik ben toch hier. Behandel me maar.'

Ik zweeg.

'Best,' zei hij en keek naar de klok aan de muur. 'Ik moet ervandoor. Ik ga tegen kleine witte balletjes slaan en doe dan net alsof ze iets anders zijn.'

Hij begon de keuken uit te lopen, met grote stappen. Ik stak een arm uit en hij bleef staan.

'Zullen we vanavond ergens samen gaan eten?' vroeg ik. 'Rond een uur of zeven moet ik vrij zijn.'

'Maaltijden die uit liefdadigheid worden aangeboden horen in de gaarkeuken thuis.'

'Wat ben jij een charmeur,' zei ik en liet mijn arm zakken.

'Wat zeg je nu? Geen afspraak voor vanavond?'

'Geen afspraak.'

'Hoe is het met Linda?'

'Die is nog steeds in Texas.'

'O. Ik dacht dat ze vorige week terug zou komen.'

'Dat was ook zo, maar ze blijft toch langer. Haar vader...'

'Zijn hart?'

Ik knikte. 'Zijn toestand is verslechterd. Slecht genoeg om haar daar voor onbepaalde tijd te laten blijven.'

'Vervelend dat te horen. Doe haar de hartelijke groeten van me als je haar weer spreekt.' Zijn woede was geweken voor medeleven. Ik was er niet zeker van dat dat een verbetering was.

'Zal ik doen. Veel plezier bij Rancho.'

Hij zette een stap, bleef weer staan. 'Jij hebt dus ook geen leuke tijd achter de rug. Jammer voor je.'

'Milo, met mij gaat het goed. En het aanbod is niet uit liefdadigheid gedaan. God weet waarom, maar ik dacht dat zo'n etentje leuk zou zijn. Twee kerels samen op stap, als goede kameraden, zoals je dat in die reclamespotjes voor biermerken ziet.'

'Ja,' zei hij. 'Een etentje. Oké. Eten kan ik altijd.' Hij klopte op zijn maag. 'Als je vanavond nog altijd met dat artikel aan het worstelen bent, moet je het concept meenemen. Dan zal oom Milo als redacteur er nog het een en ander aan toevoegen en bijschaven.'

'Prima,' zei ik. 'Maar zou je er in die tussentijd niet eens over denken een echte hobby te zoeken?'

7

Nadat hij was vertrokken, ging ik zitten schrijven. Om een onduidelijke reden ging het beter dan ooit en het werd al snel twaalf uur. Er werd voor de tweede keer die dag aangebeld.

Ditmaal keek ik door het kijkgaatje. Ik zag het gezicht van een onbekende, dat toch ook gedeeltelijk bekend was: restanten van het kind dat ik eens had gekend, die zich vermengden met een foto uit een twintig jaar oud kranteartikel. Ik besefte dat de moeder in de tijd dat ze was aangevallen, niet veel ouder geweest moest zijn dan Melissa nu.

Ik deed de deur open en zei: 'Hallo, Melissa.'

Ze leek te schrikken, glimlachte toen. 'Meneer Delaware! U bent helemaal niet veranderd.'

'Kom binnen.'

Ze liep het huis in en bleef met haar handen voor haar lichaam gevouwen staan.

De overgang van meisje naar vrouw leek bijna te zijn voltooid en dat was op een gratievolle manier gebeurd. Ze had de jukbeenderen van een fotomodel en een vlekkeloze, licht gebruinde huid. Haar haren waren donkerder geworden, lichtbruin met blonde strepen door de zon, en hingen steil en glanzend tot haar middel. Onder de van nature gewelfde wenkbrauwen stonden haar grote, grijsgroene ogen ver uit elkaar. Een jonge Grace Kelly.

Een miniatuur Grace Kelly. Ze was net een meter tweeënvijftig lang, had een smalle taille en lichte botten. Grote oorringen aan beide schelpvormige oren. Ze had een kleine, lamsleren tas bij zich, droeg

73

een shirt met blauwe noppen, een spijkerrok tot even boven haar knie en bruine instapschoenen zonder sokken: schoolmeisjesachtig.

Ik liet haar plaatsnemen op een stoel in de huiskamer. Ze kruiste haar benen bij de enkels, sloeg haar handen om haar knieën en keek om zich heen. 'U hebt een heel leuk huis.'

Ik vroeg me af hoe mijn huis van Californische sequoia en glas er in haar ogen in werkelijkheid uitzag. Het kasteel waarin zij was opgegroeid, had waarschijnlijk grotere kamers. Ik bedankte haar, ging eveneens zitten en zei: 'Het is goed je weer te zien, Melissa.'

'Dat is dan wederzijds, meneer Delaware. Heel hartelijk dank dat u me op zo'n korte termijn wilde ontvangen.'

'Graag gedaan. Problemen gehad met het vinden van dit adres?'

'Nee. Ik heb de Thomas Guide geraadpleegd. Die heb ik pas net ontdekt en hij is geweldig.'

'Inderdaad.'

'Verbazingwekkend hoeveel informatie er in één boek kan staan.'

'Ja.'

'Ik ben nog nooit in deze canyons geweest. Ze zijn heel mooi om te zien.'

Glimlach, verlegen maar evenwichtig. Getuigend van een goede opvoeding. Een goed opgevoede jonge dáme. Gedroeg ze zich zo omwille van mij? Zou ze veranderen in een giechelende, slechtgemanierde jongedame wanneer ze met haar vriendinnen op stap ging?

Ging ze wel eens op stap?

Had ze vriendinnen?

Ik bedacht me hoe weinig ik na negen jaar van haar wist.

Ik moest weer helemaal opnieuw beginnen.

Ik glimlachte terug en bestudeerde haar zo onopvallend mogelijk.

Rechte houding, misschien een beetje stijf. Begrijpelijk, gegeven de omstandigheden. Maar geen duidelijke tekenen van overdreven bezorgdheid of angst. Haar handen bij de knieën bewogen zich niet. Geen gekneed, geen teken van ergernis.

'Dit is lang geleden,' zei ik.

'Negen jaar,' zei ze. 'Bijna ongelooflijk, hè?'

'Inderdaad. Ik verwacht niet dat je me een samenvatting geeft van wat er in al die jaren is gebeurd. Maar toch ben ik wel nieuwsgierig naar wat je zoal hebt gedaan.'

'Het gebruikelijke,' zei ze, schouderophalend. 'Voornamelijk op school gezeten.'

Ze boog zich naar voren, strekte haar armen en pakte haar knieën toen steviger vast. Er viel een lok haar voor haar oog. Ze veegde die opzij en keek weer onderzoekend in de kamer om zich heen.

'Nogmaals gefeliciteerd met het behalen van je diploma.'
'Dank u. Harvard heeft me geaccepteerd.'
'Fantastisch. Nogmaals gefeliciteerd.'
'Het heeft me verbaasd.'
'Ik durf erom te wedden dat ze geen seconde aan jouw capaciteiten hebben getwijfeld.'
'Aardig van u om dat te zeggen, meneer Delaware, maar ik denk dat ik behoorlijk veel geluk heb gehad.'
'Allemaal hoge cijfers gehaald, of bijna allemaal?'
Weer de verlegen glimlach. Haar handen bleven de knieën vasthouden. 'Niet voor gymnastiek.'
'Je moest je schamen, jongedame!'
De glimlach werd breder, maar die vasthouden leek haar moeite te kosten. Ze bleef om zich heen kijken, alsof ze naar iets op zoek was.
'Wanneer vertrek je naar Boston?' vroeg ik.
'Dat weet ik niet... Ik moet twee weken voor mijn komst melden dat ik kom. Dus denk ik dat ik wat dat betreft zo onderhand een besluit moet nemen.'
'Betekent dat dat je erover denkt er niet naar toe te gaan?'
Ze streek met haar tong over haar lippen en keek me nu aan. 'Dat... dat is het probleem dat ik met u wilde bespreken.'
'Wel of niet naar Harvard gaan?'
'Wat naar Harvard gaan betékent. Voor mijn moeder.' Opnieuw likte ze haar lippen, hoestte en begon toen, heel zacht, te wiegen. Daarna haalde ze haar handen weg van haar knieën, pakte een kristallen presse-papier van de lage tafel en keek daar met samengeknepen ogen doorheen. Bestudeerde de breking van het gouden licht dat door de ramen van de eetkamer naar binnen kwam.
'Is je moeder ertegen dat je weggaat?' vroeg ik.
'Nee, ze is... ze zegt dat ze wil dat ik ga. Ze heeft er helemaal niet tegen geprotesteerd. Integendeel. Ze heeft me juist sterk aangemoedigd. Ze zegt dat ze ècht wil dat ik erheen ga.'
'Maar toch maak je je zorgen over haar.'
Ze legde de presse-papier neer, ging op het puntje van haar stoel zitten en stak haar handen uit, met de handpalmen naar boven. 'Ik ben er niet zeker van dat zij het aankan, meneer Delaware.'
'Niet bij jou in de buurt te zijn?'
'Ja. Ze... Het...' Schouderophalen. Ze begon haar handen te wringen. Dat maakte me triester dan het geval had moeten zijn.
'Is ze nog...?' begon ik. 'Is haar situatie nog hetzelfde? Ten aanzien van haar angst?'
'Nee, ja. Die pleinvrees heeft ze nog wel, maar in mindere mate.

75

Omdat ze is behandeld. Ik heb haar er eindelijk toe kunnen overhalen zich te laten behandelen en dat heeft geholpen.'

'Goed.'

'Ja, dat is inderdaad een goede zaak.'

'Maar je weet niet zeker of die behandeling haar voldoende heeft geholpen om een scheiding tussen haar en jou aan te kunnen.'

'Ik weet het niet. Ik bedoel... hoe kan ik dat zeker weten?' Ze schudde haar hoofd met een vermoeidheid die haar opeens heel oud maakte. Ze boog haar hoofd en maakte haar tas open. Nadat ze daar even in had gerommeld, haalde ze er een krantenartikel uit en gaf dat aan me. Februari van het afgelopen jaar. Artikel met de titel: *Nieuwe hoop voor slachtoffers van angsten: team van man en vrouw vecht tegen slopende fobieën*.

Ze pakte de presse-papier en begon er weer mee te spelen. Ik las verder.

Het artikel was een profielschets van Leo Gabney, een klinisch psycholoog uit Pasadena, voorheen verbonden aan Harvard, en zijn echtgenote Ursula Cunningham-Gabney, een psychiater die eveneens in Harvard had gestudeerd en daar ook enige tijd had gedoceerd. Op een foto die erbij stond, zaten de twee therapeuten naast elkaar aan een tafel, met een vrouwelijke patiënt. Alleen de achterkant van het hoofd van de patiënte was zichtbaar. Gabney's mond was open, omdat hij aan het spreken was. Zijn vrouw scheen vanuit haar ooghoek naar hem te kijken. Beiden keken heel ernstig. Het bijschrift luidde: LEO EN URSULA HEBBEN HUN KRACHTEN GEBUNDELD OM INTENSIEF TE WERKEN MET 'MARY', EEN VROUW DIE LIJDT AAN EEN ERNSTIGE VORM VAN PLEINVREES.

Ik bestudeerde de foto. Ik kende Leo Gabney van naam, had alles gelezen wat hij had geschreven, maar had hem nooit persoonlijk ontmoet. Hij bleek een man van rond de zestig te zijn, met dik, wit haar, smalle schouders, donkere ogen met hangende oogleden achter een zware bril met een zwart montuur en een rond, nogal klein gezicht. Hij droeg een wit overhemd met een donkere das en had de mouwen tot de ellebogen opgerold. Zijn onderarmen waren dun, bijna vrouwelijk. Ik had me in gedachten een herculischer man voorgesteld.

Zijn vrouw was een brunette die er streng maar aantrekkelijk uitzag; Hollywood zou haar de rol hebben kunnen geven van een onvrijwillige oude vrijster die dolgraag wilde ontwaken. Ze had een gebreid topje aan, met een paisley-sjaal over een schouder gedrapeerd. Een kort permanent omlijstte keurig haar gezicht. Aan een kettinkje om haar hals hing een bril. Ze was jong genoeg om Leo Gabney's dochter te kunnen zijn.

Ik keek op. Melissa was nog altijd aan het spelen met het kristal. Wendde voor door de facetten te zijn betoverd.

Verdediging door middel van een snuisterijtje.

Ik was het bezit van dat ding eigenlijk helemaal vergeten. Antiek, Frans. Een ware vondst, gered van een plank achter in een kleine antiekwinkel in Leucadia. Robin en ik... verdediging door middel van geheugenverlies.

Ik las verder. Het artikel pretendeerde journalistiek verantwoord te zijn, maar was gesteld in de lovende woorden van een pr-man. Er werd melding gemaakt van het pionierswerk van Leo Gabney op het gebied van onderzoek naar en behandeling van angsten. Van zijn 'grote succes bij het behandelen van soldaten uit de Koreaanse oorlog in verband met gevechtstrauma's, toen de klinische psychologie nog in de kinderschoenen stond'. Er werd verslag gedaan van de onderzoeken die hij bij dieren en mensen had verricht gedurende de dertig jaar dat hij aan Harvard verbonden was geweest, dertig jaar waarin hij heel veel wetenschappelijke artikelen had geschreven.

Ursula Cunningham-Gabney werd beschreven als een oud-studente van haar echtgenoot, een arts-psychiater.

'We zeggen vaak gekscherend dat zij een paradox is,' zei haar echtgenoot.

Beide Gabney's hadden deel uitgemaakt van de staf van Harvard Medical School voordat ze zich twee jaar geleden in het zuidelijke deel van Californië hadden gevestigd en een eigen kliniek waren begonnen. Leo Gabney verklaarde die verhuizing als 'het zoeken naar een meer ontspannen levensstijl, en de kans om ons beider onderzoek en ons beider klinische vaardigheden voor particulieren beschikbaar te stellen'.

Daarna beschreef hij de samenwerking van hem en zijn vrouw:

'De medische opleiding van mijn vrouw is vooral handig voor het signaleren van fysieke kwalen, zoals hyperthyreoïdie, die symptomen heeft die dezelfde zijn als die van anxietas. Ze verkeert ook in de unieke positie dat ze een aantal van de middelen tegen anxietas die de laatste tijd zijn verschenen en beter zijn dan de vorige, kan evalueren en voorschrijven.'

'Sommige nieuwe medicijnen lijken veelbelovend,' zei Ursula Cunningham-Gabney, 'maar geen ervan is op zich afdoende. Veel artsen hebben de neiging medicijnen te zien als magische kogels en schrijven die voor zonder zorgvuldig kosten en effectiviteit tegen elkaar af te wegen. Ons onderzoek heeft aangetoond dat bij het behandelen van ernstige anxietas-gevallen de voorkeur gegeven dient te worden aan een combinatie van gedragstherapie en nauwkeurig bewaakte medicijnen.'

'Helaas,' voegde haar echtgenoot daaraan toe, 'weet de gemiddelde psycholoog niets van medicijnen af en zelfs als hij er wel wat van weet, mag hij ze niet voorschrijven. En de gemiddelde psychiater weet weer niets af van gedragstherapie.'

Leo Gabney beweert dat dit heeft geleid tot gekissebis tussen de twee professies en een inadequate behandeling van vele patiënten die lijden aan ziekten zoals pleinvrees: een morbide angst voor open ruimten.

'Mensen die aan pleinvrees lijden, hebben een behandeling nodig die creatief is en meerdere facetten tegelijkertijd aanpakt. Wij beperken ons niet tot onze spreekkamer. Wij gaan naar de mensen thuis, naar hun werkomgevingen, waar de realiteit te vinden is.'

Rode cirkels rond *pleinvrees* en *thuis*.
De rest bestond uit onder pseudoniem beschreven casussen, die ik oversloeg.
'Ik ben ermee klaar.'
Melissa zette de presse-papier neer. 'Hebt u wel eens iets over hen gehoord?'
'Ik heb van Leo Gabney gehoord. Hij is heel bekend en heeft veel belangrijk wetenschappelijk onderzoek gedaan.'
Ik stak haar het artikel toe. Ze pakte het aan en stopte het weer in haar tas.
'Toen ik dit zag, leek het me echt iets voor mijn moeder,' zei ze. 'Ik was naar iets op zoek. Moeder en ik zijn met elkaar gaan praten, weet u. Over hoe ze iets zou kunnen doen aan... haar probleem. We hebben het er eigenlijk al jaren over. Ik ben erover begonnen toen ik vijftien was: oud genoeg om te beseffen hoeveel invloed het op haar had. Ik bedoel... Ik heb altijd geweten dat ze... anders was. Maar wanneer je met iemand opgroeit, ken je zo'n persoon alleen zoals hij of zij is en raak je daaraan gewend.'
'Dat is waar,' zei ik.
'Maar toen ik ouder werd, ben ik meer over psychologie gaan lezen en begon ik mensen beter te begrijpen. Ik ging beseffen hoe moeilijk het voor haar moest zijn, dat ze echt lééd. Als ik van haar hield, was het mijn plicht haar te helpen, vond ik. In eerste instantie zei ze niets

terug, of probeerde van gespreksonderwerp te veranderen. Toen hield ze vol dat er niets met haar aan de hand was en dat ik alleen goed voor mezelf moest zorgen. Maar ik ben erover blijven praten, in kleine doseringen. Als ik iets goed had gedaan – een hoog cijfer had gehaald of op school een prijs in de wacht had gesleept – begon ik erover. Om haar te laten weten dat ik het verdiende serieus te worden genomen. Toen begon ze op een gegeven moment ècht te praten. Over hoe moeilijk het was voor mij, hoe erg ze het vond geen normale moeder te zijn, dat ze altijd graag net zo had willen zijn als alle andere moeders, maar dat ze elke keer wanneer ze het huis uit wilde, weer doodsbang was geworden. Niet alleen psychisch, ook lichamelijk. Niet kunnen ademen, het gevoel dat ze ging sterven. Hoe ze daardoor gevangenzat, zich hulpeloos voelde, en nutteloos, en schuldig omdat ze niet goed voor mij kon zorgen.'

Ze pakte haar knieën weer vast, wiegde, staarde naar de presse-papier, toen weer naar mij. 'Ze huilde en ik zei dat het belachelijk was. Dat ze een geweldige moeder was geweest. Ze zei dat ze wist dat ze dat niet was geweest, maar dat het met mij toch geweldig was gegaan. Ondanks haar, niet dank zij haar. Het deed me pijn dat te horen en ik begon te huilen. We hielden elkaar vast. Zij bleef telkens tegen me zeggen hoe erg het haar speet en hoe blij ze was dat ik zoveel beter was dan zij. Dat ik een goed leven zou krijgen en dingen zou zien die zij nooit had gezien en dingen zou doen die zij nooit had gedaan.'

Ze zweeg en hield haar adem in.

'Het moet heel moeilijk voor je zijn geweest om dat te horen en haar verdriet te zien,' zei ik.

'Ja,' zei ze en begon hevig te huilen.

Ik boog me naar voren en pakte een papieren zakdoekje uit een doos. Dat gaf ik aan haar en wachtte tot ze zichzelf weer onder controle had.

'Ik heb tegen haar gezegd,' ging ze snuffend verder, 'dat ik in geen enkel opzicht beter was dan zij. Dat ik de wereld in kon omdat ik hùlp had gekregen. Van u. Omdat zij voldoende om me had gegeven om ervoor te zorgen dat ik werd geholpen.'

Ik dacht aan een kinderstem op een band van een hulptelefoon geparfumeerde brieven waarmee ik met een kluitje in het riet werd gestuurd, telefoontjes die onbeantwoord bleven.

'Dat ik om haar gaf en wilde dat zij ook hulp kreeg. Ze zei dat ze wist dat ze die nodig had, maar dat ze eraan twijfelde of iemand haar nog kon helpen, kon behandelen. Toen begon ze harder te huilen en zei dat artsen haar bang maakten, dat ze wist dat het stom en babyachtig van haar was, maar dat haar angst overweldigend was. Dat ze u nooit over de telefoon had gesproken. Dat ik echt beter was geworden ondanks haar. Omdat ik sterk was en zij zwak. Ik zei tegen haar dat kracht niet iets is dat je zomaar hebt. Dat je moet leren sterk te zijn. Dat zij, op haar eigen manier, ook sterk was. Omdat ze, gezien alles wat ze had moeten meemaken, een mooie, sterke vrouw was gebleven. Want dat is ze, meneer Delaware. Ook al kwam ze nooit het huis uit en had ze nooit gedaan wat die andere moeders deden. Het heeft mij nooit iets kunnen schelen. Omdat ze béter was dan andere moeders. Aardiger, vriendelijker.'

Ik knikte en wachtte.

Ze zei: 'Ze voelt zich zo schuldig, maar ze is in feite geweldig geweest. Geduldig. Nooit mopperend. Ze heeft nooit haar stem verheven. Toen ik klein was en niet kon slapen − voordat u me hebt genezen − hield ze me vast en kuste me en zei telkens weer dat ik geweldig en mooi was, het allerliefste meisje ter wereld, en dat de toekomst mijn gouden appel was. Ook als ik haar de hele nacht wakker hield. Ook als ik in bed plaste en de lakens drijfnat werden, hield ze me vast. Tussen die natte lakens. Dan zei ze dat ze van me hield en dat alles in orde zou komen. Zo'n persoon is ze en ik wilde haar helpen, haar iets van die vriendelijkheid teruggeven.'

Ze begroef haar gezicht in het papieren zakdoekje. Dat werd drijfnat en ik gaf haar een nieuw.

Na een tijdje droogde ze haar ogen en keek op. 'Na maanden praten hadden we beiden geen tranen meer over. Ze stemde erin toe een behandeling te proberen wanneer ik de juiste dokter voor haar kon vinden. Iemand die bereid was naar ons huis te komen. Een tijdlang heb ik toen niets gedaan, omdat ik er geen idee van had waar ik zo iemand zou kunnen vinden. Ik heb een paar mensen opgebeld, die me terugbelden met de mededeling dat ze geen huisbezoeken deden. Ik kreeg het gevoel dat ze me niet serieus namen, vanwege mijn leeftijd. Ik heb er zelfs over gedacht u te bellen.'

'Waarom heb je dat niet gedaan?'

'Dat weet ik niet. Ik denk dat ik het niet durfde. Gek hè?'

'Helemaal niet.'

'Toen las ik dat artikel. Het klonk perfect. Ik heb de kliniek opgebeld en met haar gesproken, de echtgenote. Ze zei dat ze konden helpen, maar dat ik voor iemand anders geen behandeling kon regelen. De patiënten moesten zelf opbellen. Daar stonden ze op. Ze accepteren alleen patiënten die gemotivéérd zijn. Ze deed net alsof ze duizenden aanvragen kregen, net als sommige universiteiten, en slechts een paar mensen konden aannemen. Dus heb ik met moeder gesproken, haar verteld dat ik iemand had gevonden, haar het nummer gegeven en gezegd dat ze moest opbellen. Toen werd ze echt bang en kreeg een van haar aanvallen.'

'Wat gebeurt er dan?'

'Ze wordt bleek en grijpt naar haar borst en begint heel snel te ademen. Naar adem te snakken, alsof ze geen lucht in haar longen kan krijgen. Soms valt ze ook flauw.'

'Nogal angstaanjagend.'

'Voor iemand die het voor het eerst ziet wel, denk ik. Maar zoals ik al heb gezegd, ben ik ermee opgegroeid en wist ik dat ze niet echt in levensgevaar verkeerde. Dat klinkt waarschijnlijk wreed, maar zo is het wel.'

'Nee dat klinkt het niet,' zei ik. 'Jij begreep wat er gebeurde en kon het in de juiste context plaatsen.'

'Inderdaad. Dus wachtte ik gewoon tot de aanval voorbij was. Ze duren gewoonlijk niet meer dan een paar minuten, waarna ze echt moe wordt en een paar uur slaapt. Ditmaal stond ik het haar echter niet toe te gaan slapen. Ik hield haar in mijn armen en kuste haar en begon tegen haar te praten, heel zacht en kalm. Dat de aanvallen verschrikkelijk waren, dat ik wist dat ze zich afschuwelijk voelde en dat ze er toch graag van verlost wilde zijn. Wilde ze zich niet graag nooit meer zo voelen? Ze begon te huilen. Zei dat ik gelijk had. Ze zou het proberen, beloofde ze me, maar niet nu meteen, want daar was ze te zwak voor. Ik heb toen niet aangedrongen en weken daarna gebeurde er niets.

Op een gegeven moment was mijn geduld op. Ik ben naar haar kamer gegaan, heb het nummer in haar aanwezigheid gedraaid, naar doctor Ursula Gabney gevraagd en haar de telefoon gegeven. Ik ben bij haar blijven staan. Zo.'

Ze ging staan, sloeg haar armen voor haar borst over elkaar en keek streng.

'Ik denk dat ik haar daarmee heb verrast, want ze nam de hoorn van me over en begon met die vrouw te praten. Ze luisterde veel en knikte, maar uiteindelijk maakte ze een afspraak.'

Ze liet haar armen langs haar lichaam vallen en ging weer zitten.

'Zo is het gebeurd en het lijkt haar te helpen.'

'Hoe lang wordt ze al behandeld?'

'Ongeveer een jaar. Deze maand wordt het een jaar.'

'Ziet ze de beide Gabney's?'

'Aanvankelijk kwamen ze beiden naar ons huis, met een zwarte tas en allerlei apparaten. Ik denk dat ze haar lichamelijk grondig hebben onderzocht. Toen kwam mevrouw Gabney alleen en nam niets anders mee dan een aantekenboekje en een pen. Ze hebben uren doorgebracht in de kamer van mijn moeder, elke dag, zelfs in de weekeinden. Wekenlang. Toen kwamen ze eindelijk naar beneden en liepen rond in het huis. Pratend. Als vriendinnen.'

Dat vriendinnen zei ze met een klein fronsje.

'Waar ze het over hadden, kon ik niet horen, want zij – mevrouw Gabney – hield moeder altijd angstvallig weg van iedereen, het personeel en mij. Niet dat ze ooit rechtstreeks heeft gezegd dat ze het zo wilde, maar ze kan je aankijken op een manier die het je duidelijk maakt dat je daar niet wordt geacht te zijn.'

Weer een frons.

'Toen zijn ze, na ongeveer een maand, naar buiten gegaan. Het landgoed op. Om te wandelen. Dat hebben ze lange tijd gedaan, maanden, zonder dat er in mijn ogen voortgang werd geboekt. Moeder had dat altijd al gedaan, op haar eentje. Zonder behandeling. Die fase leek maar voort te duren en niemand vertelde me wat er gaande was. Ik begon me af te vragen of die vrouw wist wat ze deed. Of ik er verstandig aan had gedaan haar naar ons huis te halen. De enige keer dat ik heb geprobeerd haar ernaar te vragen, was behoorlijk onaangenaam.'

Ze zweeg, wrong haar handen.

'Wat is er toen gebeurd?' vroeg ik.

'Aan het einde van een sessie heb ik die vrouw aangesproken, net toen ze in haar auto wilde stappen, en haar gevraagd hoe het met moeder ging. Ze glimlachte alleen en zei dat alles goed ging. Gaf me duidelijk te kennen dat ik er niets mee te maken had. Toen vroeg ze of me iets dwars zat, maar niet alsof haar dat iets kon schelen. Anders dan ú het zou hebben gevraagd. Ik had het gevoel door haar te worden gekleineerd en geanalyseerd. Dat was griezelig. Ik kon niet snel genoeg van haar vandaan komen.'

Ze had haar stem verheven, schreeuwde bijna. Besefte het, bloosde en sloeg een hand voor haar mond.

Ik gaf haar een geruststellende glimlach.

'Maar daarna kon ik het wel begrijpen, denk ik,' ging ze verder. 'Die noodzaak van geheimhouding. Ik begon me te herinneren hoe mijn therapie was verlopen. Ik stelde u altijd vragen over die andere kinderen, om te zien of u hun geheimen zou verklappen. Ik heb u getèst. Toen u van geen wijken wilde weten, voelde ik me heel lekker en getroost.' Ze glimlachte. 'Dat was afschuwelijk, hè? U zo op de proef te stellen.'

'Honderd procent normaal,' zei ik.

Ze lachte. 'Nu, u hebt die test met glans doorstaan, meneer Delaware.' Ze begon dieper te blozen en draaide zich van me af. 'U hebt me heel veel geholpen.'

'Daar ben ik blij om, Melissa. Dank dat je me dat hebt gezegd.'

'Het moet plezierig zijn een therapeut te zijn. Telkens tegen mensen zeggen dat ze in orde zijn. Geen pijn hoeven doen, zoals andere artsen.'

'Soms kan het pijnlijk worden, maar door de bank genomen heb je gelijk. Het is heerlijk werk.'

'Waarom oefent u dan geen praktijk meer uit? Sorry. Daar heb ik niets mee te maken.'

'Hindert niet. Alle gespreksonderwerpen mogen hier worden aangeroerd, zolang je het maar kunt verdragen niet altijd een antwoord te krijgen.'

Ze lachte. 'Nu doet u het alweer. Zeggen dat alles goed met mij is.' Ze raakte de presse-papier even met een vinger aan. 'Dank voor alles wat u voor me hebt gedaan. U hebt me niet alleen van mijn angsten afgeholpen, maar me ook laten zien dat mensen kunnen veranderen, dat ze kunnen winnen. Soms is het moeilijk dat in te zien als je ergens midden in klem zit. Ik heb erover gedacht zelf psychologie te gaan studeren en misschien therapeute te worden.'

'Je zou een goede zijn.'

'Denkt u dat echt?' Ze keek me aan en haar gezicht klaarde op.

'Ja. Je bent intelligent en je geeft om mensen. Verder ben je geduldig. Je moet wel een immens geduld hebben, gezien de manier waarop je je moeder hebt geholpen.'

'Ik houd van haar. Ik weet niet of ik met iemand anders geduld zou kunnen hebben.'

'Dat zou waarschijnlijk makkelijker zijn, Melissa.'

'Ja, dat zal wel. De waarheid is dat ik me in die tijd niet gelukkig vóelde. Door al dat verzet van haar, dat aarzelen. Er zijn zelfs momenten geweest dat ik tegen haar wilde schreeuwen dat ze op moest staan en moest veránderen. Toch kon ik dat niet doen. Ze is mijn moeder en ze is altijd geweldig voor me geweest.'

Ik zei: 'Maar nu, na al die moeite te hebben gedaan om haar te laten behandelen, moet je toezien hoe zij en mevrouw Gabney maandenlang niets anders doen dan over het landgoed wandelen. Dat moet je geduld echt op de proef stellen.'

'Dat is ook zo en ik begon steeds sceptischer te worden. Toen begonnen er opeens dingen te gebeuren. Mevrouw Gabney kreeg haar mee, het grote hek door. Een paar stappen maar, de hoek om, en toen kreeg ze een aanval. Maar het was de eerste keer dat ze buiten de muren was geweest sinds… de eerste keer dat ik haar dat had zien doen. Mevrouw Gabney trok haar niet mee terug het landgoed op vanwege die aanval. Ze gaf haar een medicijn, de een of andere inhaler, en liet haar daar blijven tot ze weer rustig was geworden. De volgende dag deden ze het weer en daarna nog eens. Ze bleef die aanvallen krijgen en het was echt erg die te zien. Maar op een gegeven moment kon moeder daar gewoon staan. Daarna begonnen ze een blokje om te lopen. Arm in arm. Toen heeft mevrouw Gabney haar een paar maanden geleden meegenomen in haar lievelingswagen, een kleine Rolls-Royce Silver Dawn uit 1954, die nog in een perfecte conditie verkeert. Mijn vader heeft hem naar zijn eigen wensen laten bouwen toen hij in Engeland was. Een van de eerste wagens met stuurbekrachtiging. Donkere ruiten. Hij heeft hem aan haar gegeven en ze is er altijd dol op geweest. Soms ging ze erin zitten wanneer hij was gewassen, zonder de motor te starten. Maar ze heeft er nooit in gereden. Ze zal wel tegen die vrouw hebben gezegd dat het haar lievelingsauto was, want binnen de kortste keren reden ze er samen in. De oprijlaan af en het hek door. Nu kan ze echt redelijk rijden wanneer er iemand bij haar is. Ze rijdt naar de kliniek met mevrouw Gabney of iemand anders. Die is niet ver weg, in Pasadena. Misschien klinkt dat niet zo indrukwekkend, maar wanneer je je bedenkt hoe ze een jaar geleden was, is het behoorlijk fantastisch, vindt u ook niet?'

'Ja. Hoe vaak gaat ze naar de kliniek?'

'Tweemaal per week. Maandag en donderdag. Voor groepstherapie. Met andere vrouwen die hetzelfde probleem hebben.'

Ze leunde achterover, glimlachend, met droge ogen. 'Ik ben zo trots op haar, meneer Delaware. Ik wil geen roet in het eten gooien.'

'Door naar Harvard te gaan?'

'Door iets verkeerds te doen. Ik heb het idee dat mijn moeder op een soort weegschaal staat, zo een met twee schaaltjes. Angst aan de ene kant, geluk aan de andere. Nu slaat die weegschaal door naar geluk, maar ik kan het idee dat een klein voorval hem naar de andere kant kan laten doorslaan, niet uit mijn hoofd zetten.'

'Je ziet je moeder als een nogal breekbaar persoon.'

'Dat is ze ook. Alles wat ze heeft meegemaakt, heeft haar breekbaar gemaakt.'

'Heb je met mevrouw Gabney gesproken over de eventuele gevolgen van jouw vertrek?'

'Nee,' zei ze, opeens grimmig. 'Nee, dat heb ik niet gedaan.'

'Ik krijg het gevoel dat die vrouw je moeder weliswaar goed heeft geholpen, maar dat ze nog altijd geen favoriete van je is.'

'Dat klopt. Ze is heel erg... ze is koud.'

'Zit nog iets anders aan haar je dwars?'

'Wat ik net heb gezegd. Dat analyseren van mij... Ik geloof niet dat ze me aardig vindt.'

'Waarom?'
Ze schudde haar hoofd. Een van de oorbellen weerkaatste het licht.
'Het komt door de... vibraties die ze afgeeft. Ik weet dat dat weinig
nauwkeurig klinkt, maar ze geeft me een ongemakkelijk gevoel. De
manier waarop ze me altijd duidelijk te verstaan heeft gegeven uit de
buurt te blijven zonder dat letterlijk te hoeven zeggen. Hoe kan ik
haar dan over iets persoonlijks benaderen? Ze zou me alleen weer
denigrerend bejegenen. Ik heb het gevoel dat ze me wil buitensluiten.'
'Heb je geprobeerd hier met je moeder over te praten?'
'Ik heb met haar een paar keer over de therapie gesproken. Ze zei
dat mevrouw Gabney haar door bepaalde fasen heen aan het halen
was en dat dat langzaam diende te gebeuren. Dat ze me dankbaar
was omdat ik die behandeling voor haar had geregeld, maar dat ze
nu een groot meisje was en voor zichzelf kon zorgen. Ik heb er niet
over gediscussieerd, ik wilde niets doen dat die... kon ruïneren.'
Handenwringen. Zwaaien met haar haren.
'Melissa, voel je je een beetje buitengesloten? Door die behandeling?'
'Nee, helemaal niet. Natuurlijk zou ik meer willen weten, vanwege
mijn belangstelling voor psychologie. Maar dat is niet belangrijk voor
me. Als dat geheimzinnige gedoe noodzakelijk is, leg ik me daar
graag bij neer. Ze is uiteindelijk al een belangrijke stap verder gekomen.'
'Twijfel je eraan of ze nog verder vooruit zal gaan?'
'Ik weet het niet,' zei ze. 'Wanneer je het van dag tot dag bekijkt,
lijkt het zo langzaam te gaan.' Ze glimlachte. 'U ziet, meneer Delaware, dat ik helemaal niet geduldig ben.'
'Je moeder is al een eind verder gekomen, maar toch ben je er niet
van overtuigd dat ze al zo ver is dat je haar alleen kunt laten.'
'Precies.'
'En je voelt je gefrustreerd omdat je door de manier waarop die the-
rapeute jou bejegent, niet meer weet over de prognose.'
'Heel gefrustreerd.'
'Hoe zit het met doctor Leo Gabney? Zou je makkelijker met hem
kunnen praten?'
'Nee,' zei ze. 'Ik ken hem helemaal niet. Zoals ik al heb verteld, heeft
hij zich alleen in het begin laten zien. Een echt wetenschappelijk type.
Loopt heel snel, schrijft dingen op, commandeert zijn vrouw van
links naar rechts. Hij is de baas binnen die relatie.'
Dat inzicht werd gevolgd door een glimlach.
Ik zei: 'Hoewel je moeder zegt dat ze graag wil dat je naar Harvard
gaat, ben jij er niet zeker van of ze dat aan zou kunnen. Je hebt het
gevoel dat je met niemand kunt bespreken of ze het aankan.'

Ze knikte en glimlachte zwakjes. 'Een moeilijke situatie. Nogal stom, hè?'

'Helemaal niet.'

'Nu gaat u me alweer vertellen dat er met mij niets aan de hand is!' We glimlachten beiden.

'Wie kan er verder nog voor je moeder zorgen?' vroeg ik.

'Het personeel. En Don, neem ik aan: Haar echtgenoot.'

Een bommetje laten vallen en dat toedekken met een onschuldige gezichtsuitdrukking.

Ik kon de verbazing niet uit mijn stem houden. 'Wanneer is ze getrouwd?'

'Een paar maanden geleden.'

De handen begonnen te kneden.

'Een paar maanden,' herhaalde ik.

'Zes.'

Stilte.

'Wil je me erover vertellen?' vroeg ik.

Ze keek alsof ze dat niet wilde. Maar ze zei: 'Hij heet Don Ramp. Hij was vroeger acteur, kleine rollen. Cowboys en soldaten en zo. Nu heeft hij een restaurant. In Pasadena. Niet in San Lab, omdat je in San Lab geen alcohol mag verkopen en hij allerlei soorten bieren serveert. Dat is zijn specialiteit. Geïmporteerd bier. En vlees. Het restaurant heet de Tankard and Blade. Overal wapenrustingen en zwaarden. Net als in het oude Engeland. Beetje dwaas, eigenlijk, maar voor San Labrador is het exotisch.'

'Hoe hebben hij en je moeder elkaar leren kennen?'

'U bedoelt omdat ze nooit het huis uit komt?'

'Ja.'

De handen kneedden sneller. 'Dat was mijn... Ik heb hen aan elkaar voorgesteld. Ik was met een paar vrienden in de Tankard. Don was gasten aan het begroeten en toen hij hoorde wie ik was, kwam hij bij me zitten en zei dat hij moeder had gekend. Jaren geleden, toen ze nog voor de studio werkte. Ze hadden daar beiden in dezelfde tijd onder contract gestaan. Hij begon vragen te stellen, over hoe ze het maakte. Hij bleef maar zeggen dat ze een geweldige vrouw was geweest, zo mooi en getalenteerd. Hij zei tegen mij dat ik ook mooi was.' Ze snoof.

'Vind je jezelf niet mooi?'

'Meneer Delaware, laten we normaal blijven! In elk geval leek hij heel aardig en hij was de eerste persoon die ik ontmoette die moeder vroeger had gekend, in haar Hollywood-tijd. Mensen in San Labrador komen gewoonlijk niet uit de wereld van het entertainment, of ze geven dat in elk geval niet toe. Het is één keer gebeurd dat een andere acteur, een echte ster, Brett Raymond geheten, in San Labrador een oud huis wilde kopen en dat wilde slopen om er een nieuw voor in de plaats te bouwen. Meteen werd er gezegd dat zijn geld besmet was, omdat de filmindustrie een joodse aangelegenheid was en joods geld vies geld was. Dat Brett Raymond zelf een jood was, maar probeerde dat verborgen te houden. Ik weet niet eens of dat waar was of niet. In elk geval werd hem het leven door de schoonheids- en bouwcommissie van de gemeente zo zuur gemaakt met hoorzittingen en beperkingen en wat al niet meer, dat hij van gedachten is veranderd en in Beverly Hills is gaan wonen. Prima, zeiden de mensen toen, want daar hoort hij thuis. Het zal u dus wel duidelijk zijn dat ik de kans niet krijg veel mensen uit de filmwereld te ontmoeten en toen Don over vroeger begon te praten, vond ik dat geweldig. Het was net alsof ik een schakel met het verleden had gevonden.'

'Een nogal grote sprong van dat voorval naar het huwelijk,' zei ik. Ze glimlachte zuur. 'Ik heb hem uitgenodigd, als een verrassing voor moeder. Dat was voordat ze werd behandeld. Ik zocht naar elke mogelijkheid om haar in beweging te krijgen. Om haar met andere mensen in contact te brengen. Toen hij kwam, had hij drie dozen vol rozen bij zich en een grote fles Taittinger. Ik had toen moeten weten dat hij plannen had. Rozen en champàgne! Van het een kwam het ander en hij begon vaker te komen. In de middag, voordat de Tankard openging. Hij bracht biefstukken en bloemen voor haar mee en wat al niet meer. Hij kwam zo regelmatig dat ik er min of meer aan gewend raakte. Toen kondigden ze zes maanden geleden opeens aan dat ze gingen trouwen, net toen zij het landgoed af durfde. Zomaar. Hebben er een magistraat bij gehaald en zijn thuis getrouwd.'

'Hij zag haar dus al toen jij probeerde haar ervan te overtuigen dat ze zich moest laten behandelen?'

'Ja.'

'Hoe reageerde hij daarop? En op de feitelijke behandeling?'

'Dat weet ik niet. Ik heb hem er nooit naar gevraagd.'

'Hij heeft zich er niet tegen verzet?'

'Nee, hij is geen vechter.'

'Wat is hij dan wel?'

'Een charmeur. Iedereen vindt hem aardig,' zei ze walgend.

'Wat vind jij van hem?'

Ze keek me geïrriteerd aan, veegde haren weg van haar voorhoofd.

'Wat ik van hem vind? Hij loopt me niet voor de voeten.'

'Denk je dat hij onoprecht is?'

'Ik vind hem... oppervlakkig. Typisch Hollywood.'

Een echo van de vooroordelen die ze net had veroordeeld. Ze besefte dat en zei: 'Ik weet dat dat erg San Labradoriaans klinkt, maar u zou hem moeten ontmoeten om het te kunnen begrijpen. Hij is bruin in de winter, leeft om te kunnen tennissen en skiën en glimlacht altijd, ook als er niets te glimlachen valt. Vader was een man met diepgang. Mijn moeder verdient iets beters. Als ik had geweten dat het zo ver zou komen, zou ik hen niet bij elkaar hebben gebracht.'

'Heeft hij eigen kinderen?'

'Nee. Tot nu toe is hij nooit getrouwd geweest.'

'Ben je bang dat hij met je moeder is getrouwd vanwege haar geld?'

'Die gedachte is wel bij me opgekomen. Don is niet direct arm, maar hij behoort niet tot de kringen van mijn moeder.'

Ze zwaaide zo scherp en onhandig met een hand door de lucht dat het me opviel.

'Aarzel je deels ten aanzien van Harvard omdat je bang bent dat ze tegen hem in bescherming moet worden genomen?'

'Nee, maar ik acht hem niet in staat voor haar te zorgen. Ik kan echt niet begrijpen waarom ze met hem is getrouwd.'

'Hoe zit het met het personeel? Kunnen zij voor haar zorgen?'

'Ze zijn aardig, maar ze heeft meer nodig.'

'Hoe zit het met Jacob Dutchy?'

'Jacob... is gestorven,' zei ze met een trillende stem.

'Dat spijt me.'

'Het afgelopen jaar,' zei ze. 'Hij kreeg kanker en daarna was het snel met hem gebeurd. Meteen nadat de diagnose was gesteld, is hij naar een soort rusthuis vertrokken. Waar dat was, wilde hij ons niet zeggen. Hij wilde niet dat iemand hem ziek zag. Nadat hij... Later heeft dat rusthuis moeder gebeld. Er was niet eens een begrafenis. Alleen een crematie. Het heeft me echt verdriet gedaan dat ik hem niet heb kunnen helpen, maar moeder zei dat we hem hadden geholpen door hem zijn gang te laten gaan.'

Nog meer tranen. Nog meer papieren zakdoekjes.

'Ik kan me hem herinneren als een heer met een sterke wil,' zei ik.

Ze boog haar hoofd. 'In elk geval is het snel gegaan.'

Ik wachtte tot ze meer zou zeggen. Toen dat niet gebeurde, zei ik: 'Er is erg veel met je gebeurd. Dat moet je als overweldigend ervaren. Ik kan best begrijpen dat je het moeilijk vindt te weten wat je moet doen.'

'O, meneer Delaware!' zei ze, terwijl ze opstond, naar me toe liep en haar armen om mijn hals sloeg. Ze had parfum opgedaan voor deze afspraak. Iets zwaars, een bloemengeur, die niet bij haar leeftijd paste. Iets dat een ongetrouwde oude tante zou kunnen gebruiken. Ik bedacht me dat zij zelf de weg door het leven moest vinden, met vallen en opstaan.

Ik had met haar te doen. Ik voelde hoe haar handen mijn rug stevig vasthielden. Haar tranen maakten mijn jasje vochtig.

Ik sprak troostende woorden die even substantieel leken als het goudkleurige licht. Toen ze een volle minuut lang was opgehouden met huilen, duwde ik haar zacht van me af.

Ze ging snel weer zitten en keek beschaamd naar haar handen, die ze weer aan het wringen was.

'Melissa, het hindert niet. Je hoeft niet altijd sterk te zijn,' zei ik.

Automatische reactie van een zieleknijper.

De juiste opmerking. Maar was het in dit geval de waarheid?

Ze begon door de kamer te ijsberen. 'Ik kan eigenlijk niet geloven dat ik er zo beroerd aan toe ben. Het is zo... Ik was van plan dit gesprek heel zakelijk te houden. Een consultatie, geen...'

'Geen therapie?'

'Ja. Ik heb dit gedaan voor háár. Ik dacht echt dat alles met mij in orde was en ik geen therapie nodig had. Ik wilde u laten zíen dat alles met mij in orde was.'

'Alles is met jou ook in orde, Melissa. Dit is alleen een tijd waarin je aan ongelooflijk veel stress blootstaat. Al die veranderingen in het leven van je moeder. Het wegvallen van Jacob.'

'Ja,' zei ze afwezig. 'Hij was een schat.'

Ik wachtte enige tijd voordat ik verder ging. 'En nu Harvard. Dat is een heel belangrijke beslissing. Het zou dwaas zijn dat níet serieus te nemen.'

Ze zuchtte.

Ik zei: 'Laat me je het volgende eens vragen. Zou je erheen willen wanneer alles verder rustig was?'

'Tja... Ik weet dat het een geweldige kans is, mijn gouden appel. Maar ik heb er behoefte aan te vóelen dat het een juiste beslissing is.'

'Wat zou je kunnen helpen om dat gevoel te krijgen?'

Ze schudde haar hoofd en hief haar handen ten hemel. 'Ik weet het niet. Ik wou dat ik het wel wist.'

Ze keek me aan. Ik glimlachte en wees op de bank. Ze ging weer in haar stoel zitten.

'Wat zou je er echt van overtuigen dat het goed zal gaan met je moeder?' vroeg ik.

'Ik zou daarvan overtuigd zijn als ze echt in orde ís! Normaal! Net als alle anderen. Dat klinkt afschuwelijk, alsof ik me voor haar

schaam. Dat doe ik niet. Ik ben alleen bezorgd.'
'Je wilt zeker weten dat zij voor zichzelf kan zorgen.'
'Dat kan ze. In haar kamer. Dat is haar domein. Het gaat om de buitenwereld... Nu ze de deur weer uitgaat en probeert te veranderen, ervaar ik dat als angstaanjagend.'
'Dat is normaal.'
Stilte.
Ik zei: 'Ik veronderstel dat ik energie verspil door je in herinnering te brengen dat je niet altijd de verantwoordelijkheid voor je moeder op je schouders kunt blijven nemen. Een ouder voor je ouder kunt zijn. Dat je daarmee je eigen leven in de wielen zult rijden en haar er geen goed mee doet.'
'Ja, dat weet ik. Dat zei N... natuurlijk is dat waar.'
'Heeft iemand anders hetzelfde tegen je gezegd?'
Ze beet op haar lip. 'Alleen Noel. Noel Drucker. Hij is een vriend, in de betekenis van goede vriend. Ik bedoel... hij ziet me als meer dan een vriendin, maar ik weet nog niet precies wat ik voor hem voel. Ik heb echter wel respect voor hem. Hij is een uitzonderlijk goed iemand.'
'Hoe oud is Noel?'
'Een jaar ouder dan ik. Hij is vorig jaar door Harvard aangenomen, maar is eerst gaan werken om wat geld te verdienen. Zijn familie heeft helemaal geen geld. Hij is alleen met zijn moeder. Hij heeft zijn hele leven lang gewerkt en is erg volwassen voor zijn leeftijd. Maar wanneer hij over moeder praat, wil ik alleen tegen hem zeggen dat hij daarmee moet ophouden.'
'Heb je hem dat wel eens gezegd?'
'Nee. Hij is erg gevoelig. Ik wil hem geen verdriet doen. En ik weet dat hij het goed bedoelt, hij denkt aan mij.'
'Mijn hemel, jij neemt heel wat mensen in bescherming,' zei ik en ademde uit.
'Dat geloof ik ook.' Glimlach.
'En wie zorgt er voor Melissa?'
'Ik kan voor mezelf zorgen.' Dat zei ze zo tartend dat ik moest denken aan negen jaar geleden.
'Ik weet dat je dat kunt, Melissa. Maar ook diegenen die voor anderen zorgen, moeten af en toe door anderen worden verzorgd.'
'Noel probeert dat, maar ik sta het hem niet toe. Afschuwelijk, hè? Hem zo frustreren. Maar ik moet de dingen op mijn manier doen. Hij begrijpt gewoon niet hoe het met moeder is. Dat begrijpt niemand.'
'Kunnen Noel en je moeder het goed met elkaar vinden?'

'Ze hebben weinig met elkaar te maken, maar als ze elkaar zien, gaat het goed. Ze vindt hem een aardige jongen. Dat is hij ook. Iedereen denkt zo over hem en als u hem zou kennen, zou u begrijpen waarom. Hij vindt haar ook best aardig. Maar hij zegt dat ik haar meer kwaad dan goed doe door haar zo te beschermen. Dat ze beter zal worden wanneer dat echt moet. Alsof dat haar keuze is.'

Melissa stond op en begon opnieuw te ijsberen. Ze raakte dingen aan, bekeek die. Wendde opeens voor door de prenten aan de muur gefascineerd te zijn.

'Hoe kan ik je het beste helpen, Melissa?' vroeg ik.

Ze draaide zich op één voet om en keek me aan. 'Ik dacht dat u misschien een keer met moeder kon praten, om me daarna te vertellen hoe u over haar denkt.'

'Wil je dat ik haar evalueer? Je mijn mening als psycholoog geef over de vraag of ze het aan zou kunnen wanneer jij naar Harvard gaat?'

Ze beet enige keren op haar lip, raakte een van haar oorringen aan, zwaaide met haar haren. 'Ik heb vertrouwen in uw óórdeel, meneer Delaware. Wat u voor mij hebt gedaan, hoe u me hebt geholpen te veranderen leek... leek wel magie. Als u me zegt dat ik haar rustig alleen kan laten, zal ik dat gewoon doen.'

Jaren geleden had ik háár een tovenares gevonden. Maar dat mocht ik haar nu niet laten weten.

'Melissa, we vormen een goed team,' zei ik. 'In die tijd heb je blijk gegeven van kracht en moed, net zoals je dat nu doet.'

'Dank u. Dus u bent...'

'Ik zal graag een keer met je moeder praten, mits zij daarmee akkoord gaat, en de Gabney's ook.'

Ze fronste haar voorhoofd. 'Waarom moeten zij ermee akkoord gaan?'

'Ik moet zeker weten dat ik daarmee hun behandelingsplan niet verstoor.'

'Oké. Ik hoop alleen dat ze u geen problemen zal geven.'

'Mevrouw Gabney?'

'Ja.'

'Enige reden waarom je denkt dat ze dat zou kunnen doen?'

'Nee. Ze is alleen... Ze heeft ten aanzien van alles graag de leiding. Ik kan er niets aan doen dat ik denk dat ze wil dat moeder bepaalde geheimen bewaart, die niets te maken hebben met de therapie.'

'Wat voor geheimen?'

'Dat wéét ik niet. Dat is nu juist het probleem. Ik heb niets concreets om die mening te schragen. Het is alleen een gevoel. Ik weet dat het eigenaardig klinkt. Noel zegt dat ik paranoïde ben.'

'Van paranoia is geen sprake,' reageerde ik. 'Je geeft heel erg veel om je moeder. Je hebt jarenlang voor haar gezorgd. Het zou niet natuurlijk zijn wanneer je zomaar...'

De spanning verdween. Ze glimlachte.

'Daar begin ik alweer, hè?' zei ik.

Ze begon te giechelen, hield er verlegen mee op.

'Ik zal haar vandaag opbellen,' zei ik, 'en dan zien we wel verder. In orde?'

'In orde.' Ze liep wat dichter naar me toe en schreef het telefoonnummer van de kliniek voor me op.

'Volhouden, Melissa,' zei ik. 'We vinden hier wel een oplossing voor.'

'Dat hoop ik echt. U kunt mij op mijn privé-nummer bereiken, net als gisteren.'

Ze liep terug naar de lage tafel, gehaast, pakte haar tas en hield die voor haar, ter hoogte van haar taille.

Het verdedigingsmechanisme van een medeplichtige.

'Is er verder nog iets?' vroeg ik.

'Nee,' zei ze en keek naar de deur. 'Ik vind dat we heel wat hebben besproken.'

'We hadden ook veel in te halen.'

We liepen naar de deur.

Ze draaide de knop om en zei: 'Nogmaals bedankt, meneer Delaware.'

Gespannen stem. Gespannen schouders. Meer gespannen dan toen ze was gearriveerd.

'Melissa, weet je zeker dat je niet nog over iets anders wilt praten? Haast hebben we niet. Ik heb tijd genoeg.'

Ze staarde me aan. Toen sloten haar ogen zich, als zware luiken, en liet ze haar schouders hangen.

'Het gaat om hèm,' zei ze met een heel klein stemmetje. 'McCloskey. Hij is terug in Los Angeles, helemaal vrij, en ik weet niet wat hij zal doen!'

8

Ik nam haar weer mee terug naar binnen, en liet haar opnieuw plaatsnemen.

'Ik wilde er al meteen over beginnen,' zei ze, 'maar...'

'Dit geeft een heel andere dimensie aan jouw angst om weg te gaan.'

'Ja, maar als ik eerlijk ben, moet ik zeggen dat ik me ook zonder hem zorgen zou hebben gemaakt. Hij is alleen een bijkomende factor.'

'Wanneer ben je te weten gekomen dat hij terug is?'

'De vorige maand. Er was een programma op de televisie, een of andere documentaire over de rechten van slachtoffers. Ze zeiden dat familieleden in sommige staten naar de gevangenis konden schrijven om te weten wanneer een bepaalde crimineel in aanmerking kwam voor voorwaardelijke vrijlating. Zodat ze daartegen kunnen protesteren. Ik wist dat híj jaren geleden al vrij was gekomen. Toch heb ik geschreven, om te zien of ik nog iets meer aan de weet kon komen. Ik denk dat ik dat ook heb gedaan om haar te helpen. Het duurde lang voordat de gevangenis reageerde, maar toen kreeg ik bericht dat ik contact moest opnemen met de reclassering. Dat was een heel gedoe. Praten met de verkeerde mensen, voortdurend aan het lijntje worden gehouden. Uiteindelijk moest ik schriftelijk om informatie verzoeken. Toen heb ik de naam gekregen van zijn laatste reclasseringsambtenaar. Hier in L.A.! Hij zag hem alleen niet meer. McCloskey hoefde sinds kort geen contact meer te houden met de reclassering.'

'Hoe lang is hij al uit de gevangenis?'

'Zes jaar. Dàt heb ik van Jacob gehoord. Ik vroeg hem er al enige tijd voortdurend naar, omdat ik het wilde weten, het wilde begrijpen. Hij bleef mijn vragen ontwijken, maar ik wilde van geen opgeven weten. Toen ik vijftien was, gaf hij eindelijk toe dat hij McCloskey voortdurend in de gaten had gehouden en te weten was gekomen dat hij een paar jaar daarvoor in vrijheid was gesteld en naar een andere staat was verhuisd.'

Ze balde haar handen tot kleine witte vuisten en zwaaide ermee door de lucht. 'Die griezel heeft maar dertien jaar van de drieëntwintig jaar waartoe hij was veroordeeld, vastgezeten. Eerder vrij wegens goed gedrag. Dat stinkt, nietwaar? Niemand trekt zich iets van het slachtoffer aan. Hij had naar de gaskamer gestuurd moeten worden!'

'Wist Jacob waar hij naar toe was gegaan?'

'Nieuw-Mexico. Toen Arizona en Texas, geloof ik, om met de Indianen in een reservaat te werken of zoiets. Jacob zei dat hij probeerde de reclassering in de waan te brengen dat hij een fatsoenlijk mens was en dat ze zich waarschijnlijk ook een rad voor ogen lieten draaien. Hij had gelijk, want ze hebben hem zijn volledige vrijheid gegeven en nu kan hij doen wat hij wil. Die reclasseringsambtenaar was een aardige man, die op het punt stond met pensioen te gaan. Hij heette Bayliss en het leek hem echt iets te kunnen schelen. Maar hij zei dat hij tot zijn spijt niets kon doen.'

93

'Denkt hij dat McCloskey een bedreiging kan vormen voor je moeder, of voor iemand anders?'

'Hij zei dat hij daar geen concrete bewijzen van had, maar dat hij het niet wist. Dat je met iemand zoals hij nooit ergens zeker van kon zijn.'

'Heeft McCloskey geprobeerd contact op te nemen met je moeder?'

'Nee, maar wie zegt me dat hij dat niet alsnog zal doen? Hij is gek en zo'n vorm van krankzinnigheid verandert toch niet van de ene dag op de andere?'

'Gewoonlijk niet.'

'Dus is hij op dit moment duidelijk een gevaar?'

Daar kon ik niet zomaar een antwoord op geven. Ik zei: 'Ik begrijp dat je je zorgen maakt.' Die opmerking stond me niet aan.

'Meneer Delaware, hoe kan ik haar nu alleen laten? Misschien is het een teken, zijn terugkomst. Dat ik níet weg moet gaan. Ik kan hier ook een goede opleiding krijgen. UCLA en USC hebben me beide aangenomen. Wat zal het uiteindelijk voor verschil uitmaken?'

Ander liedje dan ze zoëven had gezongen.

'Melissa, iemand met jouw hersens kan overal een goede opleiding krijgen. Is er, los van die opleiding, nog een andere reden waarom je Harvard in aanmerking hebt genomen?'

'Ik weet het niet. Ik denk dat mijn ego er een rol bij heeft gespeeld. Dat ik mezelf wilde laten zien dat ik het kon.'

'Nog een andere reden?'

'Tja... Noel. Hij wil echt graag dat ik daarheen ga en ik vond... het is uiteindelijk de beste universiteit in dit land. Eigenlijk heb ik me voor de grap aangemeld. Ik dacht niet echt te worden aangenomen.' Ze schudde haar hoofd. 'Soms denk ik dat het makkelijker zou zijn geweest wanneer ik niet zulke hoge cijfers had gehaald. Dan had ik minder keuzemogelijkheden gehad.'

'Melissa, iedereen in jouw positie – de situatie met je moeder – zou in conflict zijn gekomen. Daar is McCloskey nu nog eens bijgekomen. De harde waarheid luidt echter dat je niet in een positie verkeert om je moeder tegen die man te verdedigen wanneer hij een gevaar voor haar mocht betekenen.'

'Wilt u zeggen dat ik het gewoon moet opgeven?' vroeg ze boos.

'Ik zeg dat er beslist dieper op McCloskey in moet worden gegaan. Door een professioneel iemand. Er moet worden achterhaald waarom hij terug is gekomen en wat hij van plan is. Wanneer hij als gevaarlijk wordt beoordeeld, kunnen bepaalde maatregelen worden genomen.'

'Zoals?'

'Een verbod om zich in jullie buurt op te houden. Extra veiligheidsmaatregelen. Is jullie huis goed beveiligd?'

'Dat denk ik wel. We hebben hekken en een alarminstallatie. Verder patrouilleert de politie regelmatig. Moeten we nog meer doen?'

'Heb je je moeder over McCloskey verteld?'

'Nee, natuurlijk niet! Nu het zo goed met haar gaat, wilde ik haar niet helemaal van streek maken.'

'En hoe zit het met die meneer Ramp?'

'Niemand weet het. Niemand vraagt me ooit naar mijn mening en uit eigen beweging ventileer ik die niet.'

'Heb je het Noel verteld?'

Ze keek ongemakkelijk. 'Ja, hij weet het wel.'

'Wat vindt hij ervan?'

'Hij zegt dat ik het gewoon moet vergeten. Maar dat kan hij makkelijk zeggen. Het gaat niet om zijn moeder. U hebt mijn vraag nog niet beantwoord, meneer Delaware. Kunnen we verder nog iets doen?'

'Dat kan ik niet zeggen. Er zijn mensen die zich in dergelijke zaken hebben gespecialiseerd, er hun beroep van hebben gemaakt.'

'Waar kan ik hen vinden?'

'Misschien kan ik je daar wel bij helpen.'

'Door uw relaties met het gerechtshof?'

'Iets dergelijks. Laten we in die tussentijd maar doen wat we al hebben afgesproken. Ik zal contact opnemen met de Gabney's en vragen of ik je moeder wat hen betreft kan spreken. Als dat zo is, zal ik jou dat laten weten en kun jij een afspraak voor me regelen. Als ze er niet mee akkoord gaan, moeten we de andere opties nog eens bekijken. In elk geval moeten jij en ik nog verder met elkaar spreken. Zullen we een afspraak maken?'

'Morgen? Dezelfde tijd?' vroeg ze. 'Als u er tenminste tijd voor hebt.'

'Die heb ik.'

Ik liep voor de tweede keer met haar mee naar de deur.

'Nogmaals bedankt, meneer Delaware.'

'Pas goed op jezelf, Melissa.'

'Dat zal ik doen,' zei ze. Maar ze zag eruit als een kind dat te veel huiswerk heeft gekregen.

Nadat ze was vertrokken, dacht ik na over de belangrijke feiten die ze als een spoor van broodkruimeltjes had laten vallen: het huwelijk van haar moeder, de jongeman in haar leven, de dood van Dutchy, de terugkeer van McCloskey. Alles meegedeeld met een nonchalance die gillend getuigde van zelfverdediging.

Maar die zelfverdediging was heel goed te begrijpen gezien alles wat ze moest verwerken: verlies, ambivalentie, cruciale beslissingen, de erosie van persoonlijke controle.

Vooral dat laatste moest erg moeilijk voor haar zijn. Jarenlang had ze een ouder moeten verzorgen en het logische gevolg daarvan was een opgeblazen gevoel van persoonlijke macht. Die had ze gebruikt om haar moeder tot de rand van verandering te brengen.

Voor koppelaarster spelen. Haar laten behandelen.

Maar ze was verslagen door haar eigen succes. Ze was gedwongen een stap achteruit te doen en haar autoriteit over te dragen aan een therapeut. Ze had de affectie met een stiefvader moeten gaan delen. Wanneer je dat voegde bij de normale spanningen en twijfels van een jongvolwassene, moest het geheel overweldigend zijn.

Wie zorgde er voor Melissa?

Eens had Jacob Dutchy dat gedaan.

Hoewel ik die man nauwelijks had gekend, maakte het idee dat hij was overleden, me triest. De trouwe bediende, altijd beschermend. Hij had een zekere... présence gehad.

Voor Melissa betekende dat een tweede verlies van een ouder.

Wat zou dat voor gevolgen hebben voor haar relaties met mannen? Het ontwikkelen van vertrouwen?

Als haar commentaren op Don Ramp en Noel Drucker daar voorbeelden van waren, was die weg tot nu toe niet glad geplaveid geweest. Nu eisten de mensen uit Cambridge, Massachusetts, een beslissing die een nog verdere overgave zou betekenen.

Wie was bang voor uitstel?

Niet dat haar angsten volledig ongegrond waren.

Een *Mikoksi met zuur*.

Waarom was McCloskey bijna twintig jaar na zijn veroordeling teruggekomen naar Los Angeles? Dertien jaar gevangenschap, zes jaar voorwaardelijke vrijlating. Hij moest nu drieënvijftig zijn. Ik had gezien wat jaren in de gevangenis met iemand konden doen. Ik vroeg me af of hij soms alleen een bleke, vermoeide oude crimineel was, die troost zocht bij gelijkgestemde verliezers die nooit iets zouden presteren.

Misschien had hij de tijd in San Quentin gebruikt om zijn woede te intensiveren. Te fantaseren over zuur en bloed...

Ik begon aan mezelf te twijfelen en dat was een onaangenaam gevoel, hetzelfde gevoel de plank mis te slaan dat ik negen jaar geleden had gekend, toen ik met al mijn vaste stelregels had gebroken om een doodsbang kind te helpen.

Het gevoel geen werkelijke greep te hebben op de kern van het probleem.
Negen jaar geleden was ze desondanks beter geworden.
Magie.
Hoeveel konijntjes zaten er nog in de hoed?

Toen ik de Gabney Clinic belde, werd ik verbonden met het antwoordapparaat dat voor noodgevallen telefoonnummers en codes van piepers van beide doctoren doorgaf. Alleen voor de twee doctoren. Andere stafleden werden niet genoemd. Ik liet een boodschap achter voor Ursula Cunningham-Gabney, maakte me kenbaar als de therapeut van Melissa Dickinson en verzocht zo spoedig mogelijk te worden teruggebeld. De eerste uren daarna kreeg ik verschillende telefoontjes, maar geen uit Pasadena.
Om tien over zeven kwam Milo langs, in dezelfde kleren van die morgen, maar met grasvlekken op de pantalon en zweetplekken onder de oksels. Hij rook naar graszoden en zag er moe uit.
'Opvallende successen geboekt?' vroeg ik.
Hij schudde zijn hoofd, pakte een Grolsch uit de ijskast, maakte die open en zei: 'Eigenlijk geen sport voor mij, makker. Ik word gek van het achternazitten van zo'n klein wit balletje.' Hij gooide zijn hoofd in zijn nek en nam grote slokken. 'Waar gaan we eten?'
'Waar je wilt.'
'Je weet dat ik altijd verlang naar contacten met de *haute monde*. Ik ben zelfs voor succes gekleed, zoals je ziet.'

We gingen naar een taco-stalletje aan Pico, bij Twentieth, in het slechte deel van Santa Monica. We ademden verkeersdampen in en zaten aan een picknicktafel vol krassen van messen. Daar aten we zacht gestoomde tortilla's met grof gemalen varkensvlees en gemarineerde groenten en dronken Coca-Cola uit papieren bekertjes.
Het stalletje stond op een stuk gebarsten asfalt, tussen een drankwinkel en een geldautomaat. Daklozen en een paar mensen die nog niet in een huis zouden willen wonen wanneer ze dat hadden, hingen schooierend in de buurt rond. Sommigen keken toe hoe wij het eten haalden en een plaatsje zochten. Fantasieën over bedelen, of erger, deden hun ogen oplichten. Milo hield hen op een afstand met een smerissen-blik.
We aten, over onze schouders kijkend. Hij zei: 'Eenvoudig genoeg voor jou?' Voordat ik iets kon zeggen, was hij gaan staan en liep met een hand in zijn zak naar de toonbank. Een smerige, broodmagere man met een warrige baard, ongeveer even oud als ik, maakte van

dat moment gebruik en kwam op me af. Hij grinnikte met zijn tandeloze mond en maaide willekeurig met een arm door de lucht. De andere arm was opgetrokken naar zijn schouder, stijf, gebogen als een vleugeltje van een kip.

Ik pakte een biljet van een dollar. De arm die kon bewegen pikte het heel nauwkeurig uit mijn hand. Hij was verdwenen voordat Milo terugkwam met een kartonnen doos vol pakjes in geel papier.

Maar Milo had het gezien en keek nijdig toen hij weer ging zitten.

'Waarom heb je dat gedaan?'

'Omdat die man hersenletsel heeft,' zei ik.

'Of net deed alsof.'

'In beide gevallen moet hij behoorlijk wanhopig zijn, denk je ook niet?'

Hij schudde zijn hoofd, haalde een taco uit het papier en begon te eten. Toen de hap zijn strottehoofd was gepasseerd, zei hij: 'Alex, iedereen is wanhopig. Als je dat blijft doen, komen ze straks allemaal naar ons toe.'

Dat zou hij drie maanden geleden nooit hebben gezegd.

Ik keek om me heen, zag hoe de andere zwervers naar hem keken en zei: 'Daar zou ik me maar geen zorgen over maken.'

Hij wees op het eten. 'Ga je gang. Het is ook voor jou.'

'Straks misschien,' zei ik en dronk Cola waaruit de prik was verdwenen.

Even later zei ik: 'Als jij informatie wilde inwinnen over een ex-veroordeelde, hoe zou je dat dan doen?'

'Wat voor informatie?' vroeg hij, de woorden vormend rond een mond vol varkensvlees.

'Hoe de man zich in de gevangenis heeft gedragen en wat hij nu doet.'

'Is die vent voorwaardelijk vrijgelaten?'

'Dat stadium is hij al voorbij. Nu is hij weer zo vrij als een vogeltje in de lucht.'

'Het voorbeeld van een keurige rehabilitatie, neem ik aan?'

'Dat is nu juist de vraag.'

'Hoe lang is meneer Voorbeeld alweer helemaal vrij man?'

'Ongeveer een jaar.'

'Waarvoor heeft hij gezeten?'

'Toebrengen van lichamelijk letsel, poging tot moord, samenzwering tot moord. Heeft iemand betaald om iemand schade toe te brengen.'

'Heeft ervoor betaald?' Hij veegde zijn lippen af.

'Heeft betaald om persoon in kwestie zwaar lichamelijk letsel te berokkenen of erger.'

'Dan kun je rustig aannemen dat hij tot het uitschot van de maatschappij zal blijven behoren.'

'Stel dat ik iets meer gegevens wil hebben?'

'Waarom?'

'Heeft te maken met een patiënt.'

'Wat betekent dat je er verder niets over kunt zeggen?'

'Op dit moment niet.'

'Erg moeilijk is dat niet,' zei hij. 'Je − en dan doel ik op een smeris, want een burger zou het vreselijk veel moeite kosten dit alles te doen − volgt gewoon de keten. Het verleden is immers de beste voorspeller van de toekomst? Dus ga je eerst het strafblad van de vent na, landelijk en plaatselijk. Je praat met alle smerissen die hem in de slechte oude tijd hebben gekend. Liefst diegenen die hem hebben gearresteerd. Dan ga je de dossiers van de openbaar aanklager na. Daarin vind je aanbevolen strafmaatregelen, psychiatrische rapporten, noem maar op. Vervolgens ga je praten met het personeel van de gevangenis om te zien hoe hij zich daar heeft gedragen. Hoewel diegenen die hem het beste kennen de klootzakken zijn die samen met hem hebben gezeten. Daarna zijn reclasseringsman. Problemen daar zijn de grote werkdruk en wisseling van ambtenaren. Die mensen zullen voornamelijk met algemeenheden komen. De kans om van hen echt iets wijzer te worden, is klein. Als laatste zoek je dan contact met b.m's − bekende makkers − het uitschot waarmee hij na zijn vrijlating is omgegaan. Einde van de procedure. Niet zo moeilijk, alleen je benen gebruiken. Maar veel wijzer zul je er alles bij elkaar niet van worden. Dus als je een patiënt hebt die zich zorgen maakt, kun je maar beter zeggen dat voorzichtigheid geboden is. Een groot geweer kopen en leren dat te gebruiken. Misschien een pitt-bull.'

'Zou een jurist zo'n onderzoek ook kunnen doen?'

Hij keek me over een taco heen aan. 'De gemiddelde jurist? Nee. Niet binnen een redelijk tijdsbestek. Iemand die de beschikking heeft over een goede privé-detective zou een kans van slagen hebben, maar ook zo'n man zou er vrij lang over doen, tenzij hij geweldige connecties heeft binnen het politie-apparaat.'

'Zoals een ex-smeris?'

Hij knikte. 'Sommige privé-detectives zijn vroeger bij de politie geweest. Ze rekenen allemaal per uur en zo'n onderzoek vergt vele uren. Dus zou het geen kwaad kunnen wanneer die cliënt van je rijk was.'

'Klinkt alsof jij er wel belangstelling voor zou hebben.'

Hij legde zijn taco neer.

'Onderzoek, Milo. Privé. Een èchte hobby. Mag je werken terwijl je bent geschorst?'

'Ik ben een burgerman en kan doen en laten wat ik wil. Maar waarom

zou ik dat in vredesnaam willen?'
'Beter dan achter witte ballen aan jagen op groen gras.'
Hij bromde iets, pakte de taco weer, at die op en nam een volgende.
'Ik zou verdomme niet eens weten wat ik ervoor in rekening moet brengen,' zei hij.
'Betekent dat dat je bereid bent erover na te denken?'
'Ik neem het in overweging. Is die patiënt of patiënte van jou het slachtoffer?'
'De dochter van het slachtoffer. Achttien jaar oud. Ik heb haar jaren geleden behandeld, toen ze nog een kind was. Ze kan naar een universiteit buiten de stad, maar is er niet zeker van of het verstandig is om dat te doen, al zou dat waarschijnlijk wel het beste voor haar zijn.'
'Omdat dat stuk vuilnis weer terug is?'
'Ze twijfelt ook nog om andere redenen. Maar de aanwezigheid van dat stuk vuilnis maakt het haar onmogelijk die andere problemen weg te werken. Milo, ik kan haar niet aanmoedigen weg te gaan zolang die vent ergens op de achtergrond is.'
Hij knikte en at.
'De familie heeft geld,' zei ik. 'Daarom heb ik naar juristen gevraagd. Ze zouden er een in de arm kunnen nemen, wanneer ze niet al een bataljon van die mensen in dienst hebben. Maar als jij het doet, zou ze er vertrouwen in hebben dat het juist wordt gedaan.'
Hij nam nog een paar happen van zijn taco, zette de kraag van zijn shirt op en zei: 'Milo Marlowe of Milo Spade. Wat vind je beter klinken?'
'Wat zou je denken van Sherlock Sturgis?'
'Wat zou jij dan worden? Een moderne Watson? Zeg maar tegen die familie dat ik het zal nagaan wanneer ze voor die weg willen kiezen.'
'Bedankt.'
'*No problema*.' Hij haalde iets tussen zijn kiezen weg en keek naar zijn door zweet bevlekte kleren. 'Verkeerde klimaat voor een regenjas. Bestaat er ook zoiets als een regenshìrt?'
'Misschien maakt Armani ze. Vraag er maar eens naar bij de afdeling zedendelicten.'
We dronken onze bekertjes leeg en aten nog wat. Toen we onderweg waren naar de auto, kwam weer een van de bedelaars op ons af: een zware man van een onbestemd ras, die smerig grijnsde terwijl hij een spastische dans uitvoerde. Milo keek hem nijdig aan, stak toen een hand in zijn zak en haalde er muntjes uit. Hij smeet de man het geld toe, veegde zijn handen af aan zijn broek, draaide de dankbetuigingen mompelende man zijn rug toe en vloekte toen hij het portier

opende. Maar die vloeken misten overtuigingskracht. Ik had ze wel beter over zijn lippen horen komen.

Mevrouw Cunningham-Gabney had teruggebeld terwijl ik weg was en een nummer achtergelaten waar zij de rest van de avond bereikbaar zou zijn. Ik draaide dat en hoorde een goed gemoduleerde, vrij zwoele vrouwenstem.

'Mevrouw Cunningham-Gabney?'

'Daar spreekt u mee.'

'U spreekt met Delaware. Dank voor het beantwoorden van mijn telefoontje.'

'Spreek ik soms met *Alex* Delaware?'

'Inderdaad.'

'Ah,' zei ze. 'Ik ken uw onderzoek. *Pavor nocturnus* bij kinderen. Mijn man en ik hebben er melding van gemaakt in een bibliografie over aan anxietas gerelateerde ziekten, die we het afgelopen jaar voor *The American Journal of Psychiatry* hebben samengesteld. Riep heel sterk op tot nadenken.'

'Dank u. Uw werk is mij ook bekend.'

'Waar oefent u praktijk uit? Kinderen vallen niet binnen ons terrein, dus moeten we vaak verwijzen.'

'Ik woon aan de westkant van L.A. maar ik oefen geen praktijk meer uit. Alleen forensische werkzaamheden. Kortstondige consultaties.'

'O. U zei in uw boodschap dat u iemands therapeut was.'

'Melissa Dickinson. Ik was haar therapeut. Jaren geleden. Ik blijf voor oud-patiënten beschikbaar. Ze is kort geleden naar me toe gekomen.'

'Melissa,' zei ze. 'Zo'n héél serieuze jonge vrouw.'

'Ze heeft heel veel om serieus over te zijn.'

'Ja, natuurlijk. De familie-pathologie is diepgeworteld. Ik ben blij dat ze eindelijk om hulp heeft gevraagd.'

'Ze lijkt zich voornamelijk zorgen te maken over haar moeder,' zei ik. 'Over een scheiding. Hoe haar moeder haar vertrek naar Harvard zou verwerken.'

'Haar moeder is heel trots op haar, en ze wil heel graag dat ze naar Boston gaat.'

'Ja, dat heeft Melissa me verteld, maar toch blijft ze zich zorgen maken.'

'Dat zal best, maar dat zijn dan Melissa's eigen zorgen.'

'Dus er bestaat geen kans dat de moeder terugvalt wanneer Melissa weggaat?'

'Nauwelijks. Ik ben er zelfs zeker van dat Gina, mevrouw Dickinson, zal genieten van die vrijheid. Melissa is een intelligent meisje en een toegewijde dochter, maar ze kan zich wel eens wat te veel vastklampen aan haar moeder.'

'Heeft haar moeder dat woord in de mond genomen?'

'Nee, mevrouw Ramp zou het nooit zo zeggen, maar ze voelt het wel. Dus hoop ik dat u die ambivalente houding van Melissa bij de kraag kunt grijpen en wel zo snel dat ze in staat is weg te gaan. Ik heb begrepen dat er sprake is van een tijdslimiet. Harvard heeft de neiging ongeduldig te worden. Dat weet ik uit eigen ervaring. Dus zal ze een besluit moeten nemen. Het zou afschuwelijk zijn wanneer een technisch detail vooruitgang in de weg stond.'

Ik dacht aan McCloskey en zei: 'Heeft mevrouw Ramp andere zorgen waarvan Melissa zich bewust kan zijn geworden?'

'U doelt op een soort overbrenging van emotie? Nee, ik zou eerder zeggen dat het tegendeel het geval is. Dat de kans bestaat dat Melissa haar angsten overbrengt op haar moeder. Mevrouw Ramp was een van de ernstigste fobische patiënten die we ooit hebben behandeld en we hebben er velen behandeld. Maar ze heeft een buitengewone vooruitgang geboekt en dat zal ze ook blijven doen, mits ze daar de kans voor krijgt.'

'Probeert u te zeggen dat Melissa daar een bedreiging voor vormt?'

'Melissa bedoelt het goed. Ik kan best begrijpen dat ze zich zorgen maakt. Kinderen die opgroeien met een weinig effectieve moeder zijn geneigd al op jonge leeftijd heel rijp te zijn. Maar dingen veranderen en op dit moment heeft het feit dat ze voortdurend in de buurt is slechts tot gevolg dat het zelfvertrouwen van de moeder afneemt.'

'Hoe bedoelt u dat precies?'

'Ze heeft de neiging nogal opvallend aanwezig te zijn op momenten die in therapeutisch opzicht van cruciaal belang zijn.'

'Ik ben er nog steeds niet zeker van dat ik u begrijp.'

'Oké,' zei ze. 'Dan zal ik duidelijker zijn. Zoals u misschien weet, moet agorafobie *in vivo* worden behandeld, in de werkelijke wereld, waar de stimuli te vinden zijn die angsten kunnen veroorzaken. Het hek uit, een blokje om. Haar moeder en ik nemen dergelijke stappen letterlijk samen. Het is een langzaam, maar gestaag proces, dat erop is afgestemd zo min mogelijk angsten op te roepen. Melissa zorgt er telkens voor op dergelijke belangrijke momenten in de buurt te zijn. Ze kijkt toe, met haar armen voor haar borst gevouwen en een absoluut scèptische blik in haar ogen. Het is bijna komisch, maar ook erg afleidend. Het was al zo dat ik dingen moest plannen met haar in gedachten, op belangrijke doorbraken moest mikken wanneer zij naar school was. Nu heeft ze die school echter achter de rug en is

nog opvallender aanwezig.'
'Hebt u dat ooit wel eens met haar besproken?'
'Dat heb ik geprobeerd, maar Melissa toont geen belangstelling voor een gesprek met mij.'
'Gek,' zei ik. 'Zij denkt er anders over.'
'O?'
'Zij stelt dat ze probeert informatie van u te krijgen, maar telkens wordt afgewezen.'
Stilte. Toen: 'Ja, dat zal ze wel denken, maar dat is een neurotische verdraaiing van de feiten. Ik heb best medelijden met haar. Binnen de huidige situatie voelt ze zich intens bedreigd en jaloers en dat moet niet makkelijk voor haar zijn. Ik moet me echter op mijn patiënte concentreren. Melissa zou uw hulp best kunnen gebruiken om alles op een rijtje te zetten. Of die van iemand anders, wanneer u niet genegen bent haar te behandelen.'
'Ze zou graag willen dat ik met haar moeder sprak,' zei ik. 'Om een duidelijk beeld te krijgen van de gevõelens van haar moeder, zodat zij kan bepalen wat ze met Harvard moet doen. Ik heb u opgebeld om te vragen of u daar bezwaar tegen hebt. Ik wil uw behandeling niet verstoren.'
'Dat is verstandig van u. Wat zou u precies met mevrouw Ramp willen bespreken?'
'Alleen haar gevoelens rond het vertrek van Melissa die, zoals u me hebt verteld, vrij duidelijk lijken. Als ik die zelf heb horen verwoorden, kan ik Melissa's twijfels wegnemen.'
'U wilt haar een duwtje vooruit, in de goede richting geven?'
'Inderdaad.'
'Volgens mij zou het geen kwaad kunnen. Zolang u de discussie maar beperkt houdt.'
'Zijn er bepaalde onderwerpen die ik naar uw mening beter niet kan aansnijden?'
'Op dit moment ben ik geneigd te zeggen: alles behalve de universitaire studie van Melissa. Laten we het eenvoudig houden.'
'Ik heb niet de indruk dat iets aan deze casus eenvoudig is geweest.'
'Dat is zo, maar dat is nu juist het mooie van de psychiatrie, niet-waar?'

Ik belde Melissa om negen uur op en na een keer rinkelen nam ze al op.
'Ik heb contact opgenomen met een rechercheur van politie die tijdelijk met verlof is en dus wat vrije tijd heeft. Als je nog altijd wilt dat er verdere navraag naar die McCloskey wordt gedaan, kan dat.'

'Dat wil ik graag. Zegt u hem alstublieft dat hij zijn gang moet gaan.'

'Het kan enige tijd kosten en dergelijke onderzoekers rekenen gewoonlijk per uur.'

'Geen probleem. Dat regel ik wel.'

'Ga je hem zelf betalen?'

'Ja.'

'Het zou een fiks bedrag kunnen worden.'

'Meneer Delaware, ik heb eigen geld. Ik heb al lange tijd dingen zelf betaald. Ik zal úw rekening betalen, dus waarom dan de zijne niet?'

'Melissa...'

'Meneer Delaware, het is echt geen probleem. Ik beheer mijn geld goed. Bovendien ben ik achttien en heb ik dus legaal de beschikking over mijn geld. Als ik toch wegga en zelfstandig ga wonen, kan ik daar net zo goed nu een begin mee maken.'

Toen ik aarzelde, zei ze: 'Dit is de enige manier. Ik wil niet dat mijn moeder ooit te weten komt dat hij terug is.'

'Hoe zit het met Don Ramp?'

'Ik wil hem er ook niet bij betrekken. Het is zijn probleem niet.'

'Oké,' zei ik. 'We zullen morgen de details uitwerken, wanneer we elkaar weer zien. Verder heb ik met mevrouw Gabney gesproken en zij heeft er geen enkel bezwaar tegen wanneer ik met je moeder kom praten.'

'Prima. Ik heb al met moeder gesproken en zij is bereid u te ontvangen. Morgen. Is dat niet geweldig? Kunnen we onze afspraak annuleren, zodat u naar haar toe kunt komen?'

'Oké. Ik ben er morgen om twaalf uur 's middags.'

'Dank u. Blijft u lunchen? Wat vindt u lekker?'

'Een lunch is niet nodig, maar bedankt voor het aanbod.'

'Weet u dat zeker?'

'Ja.'

'Weet u hoe u hier moet komen?'

'Ik ken de weg naar San Labrador.'

Ze vertelde me hoe ik bij haar huis moest komen.

Dat schreef ik op. 'Oké, Melissa, tot morgen.'

'Meneer Delaware?'

'Ja, Melissa.'

'Moeder maakt zich zorgen. Over u, ook al heb ik haar gezegd dat u heel aardig bent. Ze maakt zich zorgen over de vraag wat u van haar zult denken. Vanwege de manier waarop ze u jaren geleden heeft behandeld.'

'Zeg haar dat ik dat begrijp en dat mijn hoorntjes alleen bij volle maan te voorschijn komen.'

Geen lachje.

'Melissa, ik zal haar heel voorzichtig bejegenen. Het zal goed gaan.'

'Dat hoop ik.'

'Melissa, het probleem waarmee jij zit, en dat veel belangrijker is dan het zelf beheren van je geld, is het weggaan van huis. Het vinden van je eigen identiteit. Je moeder de kans te geven dingen zelf te doen. Ik weet dat dat moeilijk is en ik vind dat er heel wat lef voor nodig is geweest om zo ver te komen als je gekomen bent. Er was alleen al lef voor nodig om mij op te bellen. We zullen er ècht een oplossing voor vinden.'

'Ik heb goed naar u geluisterd, maar het is wel moeilijk wanneer je heel erg veel van iemand houdt.'

9

Het stuk hoofdweg dat Los Angeles en Pasadena verbindt, begint met vier tunnels die zijn opgesierd met schitterend steenwerk. Niet iets waarvoor een stadsbestuur tegenwoordig makkelijk toestemming zou geven, maar deze tunnels waren al lang geleden gebouwd, de eerste van de stad, het begin van een eindeloze beweging die zich presenteerde als vrijheid.

Nu is het een smerige, lelijke strook asfalt. Drie smalle rijstroken, op straatniveau, omgeven door bomen die door de uitlaatgassen zijn aangetast, oude en nieuwere huizen. Psychotisch aangelegde op- en afritten doemen zonder voorafgaande waarschuwing op. Betonnen viaducten die door de tijd bruin zijn geworden zorgen voor spookachtige schaduwen op het wegdek. Elke keer wanneer ik daar rijd, moet ik denken aan Nathanael West en James M. Cain – een Zuidcalifornische geschiedenis die waarschijnlijk nooit heeft bestaan, maar waar je wel graag over fantaseert.

Ik denk ook aan Las Labradoras en constateer dat plaatsen als Pasadena, Sierra Madre en San Labrador zich net zo goed op de maan zouden kunnen bevinden, ondanks het feit dat de vervuilde stad zo dichtbij is, aan het andere uiteinde van de hoofdweg.

Las Labradoras. De Boerenmeisjes.

Ik had hen jaren voordat ik Melissa leerde kennen, ontmoet. Erop terugziend leek de overeenkomst tussen de twee ervaringen duidelijk. Waarom had ik dat verband niet eerder gelegd?

Het waren vrouwen die zichzelf meisjes noemden. Vierentwintig oudstudentes die heel goede huwelijken hadden gesloten, al op jonge leeftijd luxueus waren gaan wonen, kinderen hadden gekregen en op zoek waren gegaan naar iets om hun tijd te vullen toen die kinderen naar school gingen. Ze waren van mening geweest dat je met velen sterker stond en hadden de gelederen gesloten voor de oprichting van een vrijwilligersorganisatie: een exclusieve club die deed denken aan hun studententijd. Hun hoofdkwartier was een bungalow van het Cathcart Hotel, een nestje van $200 per dag dat zij gratis tot hun beschikking kregen, inclusief room-service, omdat een van hun echtgenoten veel aandelen in dat hotel had en een andere de directeur was van een bank die de hypotheek had verstrekt. Nadat een reglement was vastgesteld en een bestuur was benoemd, gingen ze op zoek naar een *raison d'être*. Werken in een ziekenhuis leek bewonderenswaardig, dus richtten ze het merendeel van hun energie op het opnieuw inrichten en draaiend houden van het cadeauwinkeltje van het Cathcart Memorial.

Toen bleek dat de zoon van een van hen leed aan een zeldzame en pijnlijke ziekte. Hij werd overgebracht naar het Western Pediatric Hospital, de enige plaats in Los Angeles waar men die ziekte kon behandelen. Het kind overleefde het, maar bleef wel een chronische patiënt. Zijn moeder stapte uit de club om meer tijd aan hem te kunnen besteden. Las Labradoras besloten hun goede diensten aan te bieden aan het Western Pediatric.

In die tijd werkte ik daar voor het derde jaar en hield me bezig met een psychologisch rehabilitatieprogramma voor ernstig zieke kinderen en hun families. De chef de clinique riep me bij zich en vroeg me een plaatsje te vinden voor 'die meisjes'. Hij sprak over budgettaire problemen voor de 'zachtere' wetenschappen en legde de nadruk op 'een interactie met de positieve krachten binnen de leefgemeenschap'. Op een dinsdag in de maand mei trok ik een driedelig kostuum aan en reed naar het Cathcart Hotel. Ik at er garnalen en korstloze sandwiches, dronk slappe koffie en ontmoette de meisjes.

Ze waren achter in de dertig, allemaal intelligent en aantrekkelijk en oprecht en werkelijk charmant, een noblesse oblige uitstralend die was gekleurd door zelfbewustheid. Ze hadden allen in de jaren zestig gestudeerd, natuurlijk aan zeer beschermde instituten waar het gistingsproces geen werkelijke kans had gekregen. Toch was de tijd niet helemaal ongemerkt voorbijgegaan aan die beschermde *señoritas*. Ze wisten dat zij – hun echtgenoten, hun kinderen, de manier waarop ze leefden en zouden blijven leven – de Vijand waren. De geprivilegieerde vestingen die alle ongewassen, radicale types dolgraag wilden bestormen.

Ik had in die tijd een baard en reed in een Dodge Dart die op het punt stond het volledig te begeven. Ondanks het kostuum en mijn net geknipte haren meende ik er in hun ogen uit te zien als Het Radicale Gevaar. Maar ze ontvingen me heel hartelijk, luisterden gespannen naar mijn lezing-na-de-lunch en keken aandachtig naar de dia's: zieke kinderen, infusen, operatiekamers. Het soort lezing dat wij in het ziekenhuis op onze meest zwarte momenten de Melodramatische Middagvoorstelling noemden.

Toen ik klaar was, hadden ze allemaal natte ogen. Ze waren er meer dan ooit van overtuigd dat ze wilden helpen.

Ik concludeerde dat ik hun talenten het beste zou kunnen gebruiken door hen in te zetten als begeleidsters van familieleden van patiënten bij wie net een diagnose was gesteld. Psychosociale docenten die ervoor moesten zorgen de mensen wegwijs te maken in alle krankzinnige procedures. Elke week twee uur werken, in maatuniformen die ze zelf hadden ontworpen; glimlachjes, begroetingen, rondleidingen langs alle ellende. Binnen het systeem werken om een deel van de onwaardigheid ervan af te zwakken, maar geen duik in het diepe water van trauma en tragedie en bloed. De chef de clinique vond het een geweldig idee.

Dat vonden de meisjes ook. Ik zette een trainingsprogramma op. Lezingen, leeslijsten, rondleidingen door het ziekenhuis, besprekingen, discussiegroepen, rollenspelen.

Ze waren eerste-klas studenten, maakten gedetailleerde aantekeningen en leverden verstandige commentaren. Vroegen half-schertsend of ik van plan was een examen af te nemen.

Na drie weken waren ze afgestudeerd. De chef de clinique deelde de diploma's uit, met een roze lintje eromheen. Een week voordat het werkschema zou beginnen, kreeg ik een handgeschreven brief op pastelkleurig briefpapier.

LAS LABRADORAS
BUNGALOW B, DE CATHCART
PASADENA, CALIFORNIË 91125

Beste Meneer Delaware,
Namens mijn zusters en mijzelf wil ik u danken voor de consideratie die u de afgelopen paar weken met ons hebt gehad. Wij meisjes zijn het er allemaal over eens dat we ontzettend veel hebben geleerd en heel veel baat hebben gehad bij de ervaring.
Het spijt ons dat we geen deel kunnen nemen aan het verwelkomingsprogramma, omdat het enige strategische problemen met zich meebrengt voor een aantal leden van ons. We hopen dat we u hierdoor niet onnodig in verlegenheid brengen en hebben in

plaats van onze medewerking een gift geschonken aan het Kerst-
fonds van het Western Pediatric Hospital.
Wij wensen u voor het komende jaar het allerbeste en willen u
zeggen dat we erg veel waardering hebben voor het geweldige
werk dat u doet.
Met gevoelens van hoogachting,
Nancy Brown
Voorzitter, Las Labradoras

Ik zocht het telefoonnummer van mevrouw Brown in mijn klapper
op en draaide het de volgende morgen om acht uur.
'O, hallo,' zei ze. 'Hoe gaat het met u?'
'Zozo, Nancy. Ik heb je brief net ontvangen.'
'Hmmm. Het spijt me erg. Ik weet dat het afschuwelijk lijkt, maar
we kunnen het gewoon niet doen.'
'Je had het over strategische problemen. Kan ik je ergens mee hel-
pen?'
'Nee, het spijt me, maar... het heeft niets te maken met uw program-
ma, meneer Delaware. Wel met uw... omgeving.'
'Mijn omgeving?'
'Die van het ziekenhuis. Los Angeles. Hollywood. De meesten van
ons hebben verbaasd gezien hoe ver die stad is afgegleden. Sommige
meisjes vinden het te ver rijden.'
'Te ver of te gevaarlijk?'
'Te ver èn te gevaarlijk. Veel echtgenoten zijn er ook op tegen dat
we daarheen gaan.'
'We hebben nog nooit problemen gehad, Nancy. Jullie zouden hier
overdag zijn en het parkeerterrein voor de VIP's mogen gebruiken.'
Stilte.
'Patiënten komen en gaan elke dag, zonder problemen,' zei ik.
'Tja... u weet hoe het is.'
'Dat denk ik wel,' zei ik. 'Oké. Het ga je goed.'
'Meneer Delaware, u zult het beslist dwaas vinden. Om eerlijk te zijn
vind ik het ook een te felle reactie en heb ik geprobeerd dat duidelijk
te maken. Maar volgens onze statuten moeten we als groep deelne-
men, of van een project afzien. We hebben erover gestemd, meneer
Delaware, en dit is het resultaat daarvan. Ik bied u mijn excuses aan
wanneer we hierdoor voor u problemen hebben veroorzaakt. Verder
hopen we dat het ziekenhuis onze gift zal aannemen in de geest waarin
die is aangeboden.'
'Dat zal het ziekenhuis zeker doen.'
'Tot ziens, meneer Delaware. Een prettige dag verder.'

Brieven op mooi briefpapier, geld om af te kopen, telefonisch met een kluitje in het riet worden gestuurd. Moest de San Labrador-stijl zijn.

Ik dacht erover na tot het einde van de hoofdweg. Daar draaide ik Arroyo Secco op, daarna in oostelijke richting over California Boulevard, langs Cal Tech. Een reeks snelle lussen door rustige straten. Toen doemde Cathcart Boulevard op en ging ik weer verder naar het oosten, naar de wildernis van San Labrador.

De Heilige Farmer.

Een heiligverklaring die aan de aandacht van het Vaticaan was ontsnapt.

Eens was San Labrador het particuliere domein geweest van H. Farmer Cathcart, erfgenaam van een spoorwegdynastie aan de oostkust. Het oogde als een domicilie van oud geld, maar in feite had die stad pas vijftig jaar stadsrechten.

Cathcart was tegen de eeuwwisseling naar het zuidelijke deel van Californië gekomen om te kijken welke commerciële mogelijkheden daar voor de familie waren. Wat hij zag stond hem aan en hij begon spoorwegen en hotels op te kopen, sinaasappelboomgaarden, bonenkwekerijen en ranchland bij de oostelijke grenzen van Los Angeles. In de lage heuvels bij de San Gabriel Mountains had hij de beschikking over een terrein van vier vierkante mijl. Nadat hij een landhuis had laten bouwen, liet hij daaromheen schitterende tuinen aanleggen en noemde het landgoed San Labrador. Een staaltje van zelfverheerlijking waardoor de tongen der geestelijken stevig in beweging werden gebracht.

Halverwege de Depressie merkte hij dat zijn geld niet oneindig was. Hij behield zelf een halve vierkante mijl grond en verdeelde de rest in kleinere kavels. De tuinen werden verkocht aan andere rijke mannen: grote maar minder grootse tycoons die een grondgebied van een tot drie hectare fatsoenlijk konden onderhouden. Bij alle verkoopakten werden beperkende bepalingen gevoegd, zodat hij de rest van zijn leven zou kunnen leven in zoete harmonie met de natuur en de allerfraaiste aspecten van de westerse beschaving.

De rest van zijn leven stelde niet veel meer voor. Hij stierf in 1937 aan de gevolgen van influenza en bepaalde in zijn testament dat de stad San Labrador zijn landgoed zou erven, wanneer zo'n stad binnen twee jaar zou bestaan. De tycoons gingen snel tot actie over. Het landhuis en het landgoed van Cathcart werden een museum-met-botanische tuinen (door niemand bezocht) die het eigendom waren van de county, maar uit privé-vermogens werden gefinancierd. Dat was voor de tijd van de hoofdwegen.

In de jaren na de oorlog werd het land nog verder opgedeeld. Kavels van 500 vierkante meter voor de opkomende klasse van zakenlieden. Maar bepaalde voorwaarden werden niet veranderd. Geen kleurlingen, geen oosterlingen, geen joden, geen Mexicanen. Geen flatgebouwen. Geen alcohol in openbare gelegenheden. Geen nachtclubs of theaters of 'etablissementen die laag bij de gronds vermaak bieden'. Winkels en dergelijke mochten alleen worden gevestigd aan een deel van Cathcart Boulevard; de gebouwen mochten slechts twee verdiepingen tellen en de architectuur diende die van de Spaanse Revival te zijn. Het gemeentebestuur moest alle plannen goedkeuren.

Door staats- en federale wetten werd er uiteindelijk een einde gemaakt aan de rassenbeperkingen, maar er waren manieren om die te ontduiken en San Labrador bleef zo blank als een lelie. De rest van de voorwaarden was bestand tegen de tijd en tegen processen. Misschien kwam dat omdat ze een gezonde legale basis hadden. Of misschien omdat heel veel rechters en ten minste twee openbaar aanklagers in San Labrador woonden.

In elk geval bleef San Labrador vrijwel immuun voor veranderingen. Terwijl ik over Cathcart reed, leek niets anders te zijn dan de laatste keer dat ik er was geweest. Hoe lang geleden was dat? Drie jaar. En tentoonstelling van werken van Turner in het museum, een wandeling door de bibliotheek en het terrein eromheen. Met Robin...

Veel verkeer was er niet, maar het bewoog zich wel langzaam voort. In het midden van de boulevard was een brede groenstrook. Aan de zuidzijde zag ik nog steeds hetzelfde soort winkels, die klein leken vergeleken met de pistachebomen die H. Farmer Cathcart er lang geleden had geplant. Artsen, tandartsen, heel veel orthodontisten. Kledingzaken voor beide seksen met kleren die zelfs Brooks Brothers nog tot de New Wave deden behoren. Talrijke stomerijen, bloemisten, meubelzaken, banken en makelaarskantoren. Drie kantoorboekhandels. Verklaarbaar. Veel titels hier. Nergens een plaats waar je iets kon drinken of uitrusten. Veel borden die de rondwandelende toerist de weg naar het museum wezen.

Een Spaans ogende man in een blauwe overall liep met een immens grote stofzuiger over het trottoir. Enige witharige figuren liepen om hem heen. Verder waren de straten leeg.

De visie van de *haute monde* op de groene buitenwijken. Perfect als een plaatje. Met uitzondering van de lucht, smerig, met strepen roet, bij de lage heuvels. Want geld en connecties konden de geografie niet kopen. Oceaanwinden bliezen de rook hierheen en die bleef tegen de heuvels hangen. De lucht van San Labrador was 120 dagen per jaar giftig.

Ik volgde de instructies van Melissa, reed zes straten verder na het winkelgedeelte, draaide linksom, Cotswold Drive op, een rechte weg, geflankeerd door pijnbomen, die na zo'n zeshonderd meter kronkelend omhoogging. Koele schaduwen en post-nucleaire stilte. Gebrek aan menselijkheid, zoals dat in L.A. gebruikelijk was, maar hier om de een of andere reden ogenschijnlijk geprononceerder.

Vanwege het ontbreken van auto's. Geen enkel voertuig langs de stoepranden. Parkeerverboden, op straffe van gigantische boetes te overtreden. Huizen met grote dakpannen achter glooiende gazons. Ze werden groter naarmate de weg steiler omhoogging.

Bovenop de heuvel splitste de weg zich: Essex Ridge naar het westen, Sussex Knoll naar het oosten. Hier geen huizen te zien, alleen twee verdiepingen hoge groene muren: jeneverbesstruiken, andere struiken met rode bessen, eiken, ginkgo's en amberbomen.

Ik ging langzamer rijden, tot ik het huis eindelijk zag. Een toegangshek van hardhout, met de hand gemaakt: het soort hardhout dat je bij boeddhistische tempels ziet, en bij de toonbanken van sushi-bars. De stijlen ervan werden geflankeerd door een ijzeren omheining en een drie meter zestig hoge heg. Het getal 1 op het linker hek, het getal 0 op het rechter. Links van de 1 een elektronisch oog en een intercom. Ik reed tot voor het hek, stak een arm naar buiten en drukte op de knop van de intercom.

Ik hoorde de stem van Melissa.

'Meneer Delaware?'

'Hallo, Melissa.'

'Eén seconde.'

Gebrom en gepiep en de hekken draaiden naar binnen. Ik reed een steil stenen pad op dat zo kort geleden was schoongespoten dat de lucht mistig was. Langs kaarsrecht naast elkaar geplante hoge cederbomen en een lege portierswoning waarin twee tot de middenklasse behorende families hadden kunnen wonen. Monterey-dennen, even later gevolgd door kleinere neefjes: knoestige, bonsai-achtige cipressen en kornoeljes, purperen rododendrons, witte en roze camelia's. Een donkere oprijlaan. De stilte leek zwaarder te zijn geworden. Ik dacht aan Gina Dickinson, die hier alleen haar weg moest vinden. Kon haar aandoening beter begrijpen. Haar vooruitgang meer waarderen.

Op een gegeven moment verdwenen de bomen en zag ik een gazon met de afmetingen van een stadion. Gras dat er zo gezond uitzag dat het pas opgekomen leek te zijn, met aan de rand ronde bloemperken vol begonia's en jasmijn. Helemaal in het westen, te midden van de cipressen, zag ik lichtflitsen. Twee, nee drie in kaki geklede mannen, te ver weg om duidelijk zichtbaar te zijn. De zonen van Hernandez? Ik begreep nu wel waarom hij vijf zonen nodig had gehad.

De tuinmannen waren in de weer met snoeischaren die zo dof klikten dat de stilte er nauwelijks door verbroken werd. Hier geen elektrische apparaten. Ook een regel van San Labrador? Of een huisregel?

Het pad eindigde in een perfect halfrond pleintje met dadelpalmen. Tussen de stammen van die palmen door zag ik een heel brede stenen bordestrap met een stenen balustrade, begroeid met blauweregen, die naar het huis leidde. Dat laatste was perzikkleurig, had drie verdiepingen en was immens breed.

Er had sprake kunnen zijn van monolithische grofheid, maar dit was monumentaal. En verbazingwekkend aangenaam om te zien, mede door de fantasie van het tekenpotlood van de architect. Subtiel veranderende hoeken en opstanden, een rijkdom aan details. Hoge, gebogen glas-in-loodramen, met groen, neo-Moors gietijzeren roosterwerk ervoor. Balkons, veranda's, druiplijsten en verticale raamstijlen die uit mokkakleurig kalksteen waren gehouwen. Bij de oostzijde een kalkstenen zuil. Spaanse dakpannen, gelegd met mozaïsche precisie. Vijfbladen, in het glas-in-lood aangebracht met een onfeilbaar oog voor evenwicht.

Toch maakten de afmetingen van het huis, en de eenzame plek waar het stond, me triest. Ik ervoer die als benauwend. Zoiets als een leeg museum. Leuk om op bezoek te gaan, maar ik zou hier niet fobisch willen zijn.

Ik zette de auto neer en stapte uit. Het geklik van de tuinscharen voegde zich bij het gekrakeel van vogels en het geritsel van het briesje. Ik liep de bordestrap op en kon me niet voorstellen hoe het moest zijn hier als enig kind op te groeien.

De entree was groot genoeg om er met een bestelwagen door naar binnen te kunnen: dubbele deuren van gelakt eiken, met platina beslag, elke kant verdeeld in zes verhoogde panelen. In die panelen waren taferelen uitgesneden die aan Chaucer deden denken. Die hielden mijn belangstelling vast terwijl ik aanbelde.

Twee gongtonen, het geluid van een bariton. Toen ging de rechter deur open en zag ik Melissa staan in een wit shirt met knopen, een geperste blauwe spijkerbroek en witte tennisschoenen. Ze zag er kleiner uit dan ooit. Een pop in een poppenhuis dat op te grote schaal was gebouwd.

Ze haalde haar schouders op en zei: 'Wat een huis, hè?'

'Heel mooi.'

Ze glimlachte, opgelucht. 'Mijn vader heeft het ontworpen. Hij was architect.'

Dat was het meeste dat ze in negen jaar over hem had gezegd. Ik vroeg me af wat ik verder nog te horen zou krijgen nu ik op huisbezoek was gegaan.

Ze raakte mijn elleboog even aan, trok toen haar hand weer terug. 'Komt u binnen, dan zal ik u het huis laten zien.'

De hal was immens groot en achterin zag ik een groenmarmeren trap die zich statig omhoogdraaide. Achter die trap de ene immense kamer na de andere, vol schatten, galerijen gebouwd om dingen tentoon te stellen, groot, stil, qua functie niet van elkaar te onderscheiden. Hoge plafonds, glanzende lambrizeringen, dakramen van glas-in-lood, veelkleurige oosterse en Aubusson-tapijten op vloeren van ingelegd marmer en handbeschilderde plavuizen en Frans parket van walnotehout. Zoveel glans en rijkdom dat mijn zintuigen het niet aankonden en ik uit balans dreigde te raken.

Ik herinnerde me dat ik me al eens een keer eerder zo had gevoeld. Meer dan twintig jaar geleden. Ik had als tweedejaars student alleen door Europa gereisd, met een tweedeklas treinpas en vier dollar per dag. Ik had het Vaticaan bezocht. Had met grote ogen naar vergulde muren gekeken, de schatten die in de naam van God bijeen waren gebracht. Ik had gezien hoe andere toeristen en Italiaanse boeren uit de dorpen in het zuiden eveneens met open mond rondkeken. De boeren gingen nooit een vertrek uit zonder muntjes te hebben gedeponeerd in de bussen die bij elke deur stonden, vragend om een aalmoes.

Melissa stond te praten en te wijzen, een docent in haar eigen huis. We bevonden ons in een kamer met vijf muren, zonder ramen, vol boekenplanken. Ze wees op een schilderij dat boven een schoorsteen hing en verlicht werd door een spotje. 'Dat is een Goya: de hertog van Montero op zijn hengst. Vader heeft het in Spanje gekocht toen kunst nog veel redelijker geprijsd was. Het kon hem niets schelen of een bepaald schilderij in de mode was. Dit werd beschouwd als een heel onbelangrijke Goya, tot een paar jaar geleden. Te decoratief. Portretten waren déclassé. Nu krijgen we telkens brieven van veilinghuizen. Vader had een vooruitziende blik, en is ook naar Engeland gereisd. Hij heeft daar veel gekocht van de Preraphaëlieten, toen iedereen die nog kitscherig vond. In de jaren vijftig heeft hij ook glaswerk van Tiffany gekocht, toen dat door experts werd afgedaan als frivool.'

'Je bent goed op de hoogte,' zei ik.

Ze bloosde. 'Het is me geleerd.'

'Door Jacob?'

Ze knikte en keek een andere kant op. 'U zult voor één dag nu wel voldoende hebben gezien.'

Ze draaide zich op haar hielen om en liep de kamer uit.

'Heb je zelf belangstelling voor kunst?' vroeg ik.

'Ik weet er niet veel van, anders dan mijn vader of Jacob. Ik houd wel van dingen die mooi zijn. Wanneer niemand erdoor wordt gekwetst.'

'Hoe bedoel je dat?'

Ze fronste haar wenkbrauwen. We liepen door een openstaande deur naar een andere immense ruimte met walnotehouten, beschilderde balken aan het plafond en aan de andere kant hoge openslaande deuren. Achter die glazen deuren nog meer groen gazon, bos en bloemen, stenen paden, standbeelden, een zwembad, een lager gelegen gedeelte met een dak van wijnranken en afgeschermd door donkergroen doek. In de verte hoorde ik vaag een tennisbal stuiteren.

Links van de tennisbaan was een lang, laag, perzikkleurig gebouw dat op een stal leek; een stuk of tien houten deuren, sommige op een kier, achter een breed plein met kiezelsteentjes waarop glanzende oude antieke auto's met lange neuzen stonden. Op de kiezelsteentjes plassen water. Iemand in een grijze overall boog zich over een van de auto's heen, met een zeem in zijn hand, om de robijnrode bumper van een schitterende wagen glanzend te poetsen. Ik had de indruk dat het een Duesenberg moest zijn en vroeg er Melissa naar.

'Ja, dat klopt,' zei ze en bleef recht voor zich uit kijken, terwijl ze me meenam naar de voorzijde van het huis door de met kunst gevulde ruimten.

'Ik weet het niet,' zei ze toen opeens. 'Ik heb alleen het idee dat zoveel dingen mooi beginnen en afschuwelijk eindigen. Het is alsof schoonheid een vloek kan zijn.'

'McCloskey?' zei ik.

Ze stopte beide handen in de zakken van haar spijkerbroek en knikte nadrukkelijk. 'Ik heb veel over hem gedacht.'

'Meer dan vroeger?'

'Heel wat meer. Sinds wij over hem hebben gepraat.' Ze bleef staan, draaide zich naar me toe en knipperde hard met haar ogen. 'Waarom zou hij terug willen komen, meneer Delaware? Wat wil hij?'

'Misschien niets, Melissa. Misschien betekent het niets. Als iemand dat kan achterhalen, is mijn vriend het wel.'

'Dat hoop ik. Dat hoop ik beslist. Wanneer kan hij beginnen?'

'Ik zal hem vragen jou zo spoedig mogelijk te bellen. Hij heet Milo Sturgis.'

'Goede naam. Solide.'

'Hij is ook een solide vent.'

We liepen weer verder. Een grote, brede vrouw in een wit uniform was bezig een tafelblad in de was te zetten. Ze had een plumeau in haar ene hand en een stofdoek in haar andere. Bij haar knie stond een geopend blikje was. Ze draaide haar gezicht iets en onze blikken kruisten elkaar. Madeleine, grijzer, gerimpelder, maar nog altijd sterk om te zien. Haar gezicht werd strak getrokken door een grimas van herkenning. Toen draaide ze me haar rug toe en ging verder met werken.

Melissa en ik liepen de grote hal weer in, naar de grote trap. Toen ze de leuning vastpakte, zei ik: 'Ben je ten aanzien van McCloskey bezorgd over je eigen veiligheid?'

'De mijne?' vroeg ze en bleef met een voet op de eerste trede staan. 'Waarom zou ik dat moeten zijn?'

'Daar is geen enkele reden voor, maar je had het net over schoonheid als een vloek. Voel je je bezwaard of bedreigd door je eigen uiterlijk?'

'Ik?' Ze lachte te snel en te luid. 'Kom nu, meneer Delaware. Laten we naar boven gaan. Dan zal ik u laten zien wat schoonheid is.'

10

Het portaal bovenaan de trap was immens groot. De vloer was van zwart marmer, ingelegd met blauw en geel. Tegen de muren stonden Franse boerenmeubels, rondbuikig, met kromme poten, bijna obsceen door het inlegwerk. Renaissance-schilderijen uit de Sentimentele School: engeltjes, hårpen, religieuze gekweldheid. Behang van fluweel met de kleur van oude port. Twee vrouwen in witte uniformen waren in de meest rechtse gang van de drie aan het stofzuigen. De andere gangen waren donker en leeg. Eerder een hotel dan een museum. De trieste, doelloze ambiance van een badplaats buiten het seizoen.

Melissa liep de middelste gang in en nam me mee langs vijf witte paneeldeuren met zwartgouden cloisonné-deurknoppen.

Bij de zesde bleef ze staan en klopte.

'Ja?' zei een stem binnen.

'Meneer Delaware is er,' zei Melissa en deed de deur open.

Ik had me voorbereid op een megadosis van grandeur, maar zag een kleine, eenvoudige kamer. Een zitgedeelte, klein, duifgrijs geschilderd en verlicht door een enkele lamp met melkglazen bol aan het plafond.

Een witte deur nam een kwart van de achterste muur in beslag. De andere muren waren kaal, met uitzondering van een enkele ets: moeder en kind, in zachte kleuren. Moest een Cassatt zijn. Hij hing boven een roze bankje. Een lage tafel van grenehout en twee stoelen van hetzelfde hout vormden een hoekje waar kon worden gepraat. Porseleinen koffieservies op die tafel. Vrouw op de bank.

Ze ging staan en zei: 'Hallo, meneer Delaware, ik ben Gina Ramp.' Zachte stem.

Ze liep naar voren met een merkwaardige mengeling van elegantie en gebrek aan souplesse. Dat laatste was geconcentreerd boven de hals. Haar hoofd werd onnatuurlijk hoog gehouden en naar één kant, alsof ze moest bijkomen van een harde klap.

'Prettig kennis met u te maken, mevrouw Ramp.'

Ze pakte mijn hand, kneep daar even zachtjes in en liet hem toen weer los.

Ze was lang, minstens twintig centimeter langer dan haar dochter, en nog steeds prachtig slank. Ze droeg een knielange japon met lange mouwen, van grijs glanskatoen. Van voren dichtgeknoopt tot haar hals. Platte grijze sandalen. Aan haar linkerhand een eenvoudige gouden trouwring. Gouden knoppen in haar oren. Geen andere juwelen. Geen parfum.

Het haar middelblond, grijzend. Ze droeg het kort en steil. Jongensachtig. Bijna ascetisch.

Haar gezicht was bleek, ovaal, geschapen voor de camera. Sterke, rechte neus, vastberaden kin, ver uit elkaar staande grijsblauwe ogen met groene spikkeltjes. De pruilende houding van de oude studiofoto was vervangen door iets rijpers. Iets meer ontspannends. De huid iets minder stevig. Lachrimpeltjes, rimpels in het voorhoofd, bij het punt van samenkomst tussen lippen en wangen iets te veel vet.

Drieënveertig jaar oud. Dat wist ik uit een oud kranteknipsel. Ze zag er ook naar uit. Toch had leeftijd haar schoonheid zachter gemaakt. Die op de een of andere manier vergroot.

Ze wendde zich tot haar dochter en glimlachte. Boog haar hoofd, bijna als een ritueel, en liet me de linkerkant van haar gezicht zien. Huid strak gespannen. Wit als bot en glad als glas. Te glad: de ongezonde glans van koortszweet. De kaaklijn scherper dan hij had moeten zijn. Ietwat skeletachtig, alsof een onderliggende spierlaag was verwijderd en door iets kunstmatigs was vervangen. Haar linkeroog hing iets neer, licht maar merkbaar, en de huid eronder zat vol kleine witte streepjes. Littekens die net onder het oppervlak van haar huid leken te drijven, als lintwormen onder frisgekleurde gelatine.

Op de hals net onder de kaak zaten drie strepen, alsof ze hard was geslagen en de vingerafdrukken nog niet helemaal waren verdwenen.

De linkerkant van haar mond was onnatuurlijk recht, waardoor haar glimlach scheef werd en ongenood iets ironisch kreeg.

Ze draaide haar hoofd. Haar huid ving het licht onder een andere hoek en kreeg het gemarmerde aanzien van een in thee gedompeld ei.

De Gestalt, in de war gebracht. Onteerde schoonheid.

'Dank je, schatje,' zei ze tegen Melissa en gaf haar een scheef glimlachje. Een deel van de linkerkant glimlachte niet mee.

Ik besefte dat ik – even – de aanwezigheid van Melissa totaal vergeten was. Ik draaide me om, met een glimlach voor haar. Ze staarde ons aan met een harde, waakzame blik in haar ogen. Opeens krulden de hoeken van haar mond zich omhoog, sloot ze zich geforceerd aan bij het feest van glimlachjes.

'Kom hier, kindje,' zei haar moeder en liep met uitgestrekte armen naar haar toe. Knuffelde haar. Maakte gebruik van haar lengte, streelde Melissa's lange haar.

Melissa deed een stap achteruit en keek me met rode wangen aan.

'Het zal best met me gaan, schatje. Ga jij nu maar,' zei Gina.

'Veel plezier,' zei Melissa met een stem die op breken stond en draaide zich om. Ze keek nog één keer over haar schouder en liep toen de kamer uit.

De deur liet ze open. Gina Ramp liep erheen en deed hem dicht.

'Maak het u alstublieft gemakkelijk,' zei ze en hield haar gezicht weer zo dat alleen de goede kant te zien was. Ze wees op het porseleinen servies. 'Koffie?'

'Nee, dank u.' Ik nam op een van de stoelen plaats. Zij ging weer op de bank zitten. Op het puntje, met kaarsrechte rug, de benen bij de enkels gekruist, de handen in haar schoot. Dezelfde houding die Melissa gisteren bij mij thuis had aangenomen.

Ze boog zich naar voren om een van de kopjes recht te zetten en deed daar langer over dan noodzakelijk was.

'Prettig u te ontmoeten, mevrouw Ramp,' zei ik.

Een trieste blik vocht met de glimlach en won de strijd. 'Eindelijk?' Voordat ik iets kon zeggen, ging ze verder. 'Ik ben geen afschuwelijk mens, meneer Delaware.'

'Natuurlijk niet,' zei ik. Te nadrukkelijk. Ze schrok ervan en keek me aan. Iets aan haar, iets aan het huis, zorgde bij mij voor een verkeerde timing. Ik ging achterover zitten en hield mijn mond dicht. Ze sloeg haar benen weer over elkaar en hield haar hoofd anders, alsof ze een regie-aanwijzing had gekregen. Liet me alleen haar goede profiel zien. Stijf, in de verdediging gedrongen, koninklijk, als een First Lady tijdens een talkshow.

'Ik ben hier niet om u te beoordelen,' zei ik. 'Het gaat over Melissa's vertrek naar de universiteit. Dat is alles.'

Ze perste haar lippen op elkaar en schudde haar hoofd. 'U hebt haar zo goed geholpen, mijns ondanks.'

'Nee,' zei ik. 'Dank zij u.'

Ze deed haar ogen dicht, hield haar adem in en klauwde door de grijze japon heen aan haar knieën. 'Maakt u zich geen zorgen, meneer Delaware. Ik heb veel meegemaakt en kan tegen de harde waarheid.'

'De waarheid, mevrouw Ramp, is dat Melissa is uitgegroeid tot een geweldige jonge vrouw, en dat is voor een groot deel gekomen omdat ze thuis veel liefde en steun heeft gehad.'

Ze deed haar ogen open en schudde heel langzaam haar hoofd. 'U bent heel vriendelijk, maar de waarheid is dat ik wist dat ik faalde, niet in staat was uit mijn... Het klinkt alsof ik een heel zwakke wil heb, maar...'

'Ik weet dat angst even verlammend kan zijn als polio,' zei ik.

'Angst is nog zo'n mild woord. Je hebt de indruk te stèrven, zonder ooit te weten wanneer het precies zal gebeuren...' Ze draaide zich iets, waardoor de beschadigde huid weer gedeeltelijk zichtbaar werd. 'Ik voelde me gevangen. Hulpeloos en inadequaat. Dus ben ik ten aanzien van haar blijven falen.'

Ik zei niets.

Ze ging verder. 'Weet u dat ik dertien jaar lang nooit naar een ouderavond ben geweest? Ik heb nooit geapplaudisseerd na een toneelstuk op school, ik ben nooit mee geweest op een schoolreisje, noch heb ik kennisgemaakt met de moeders van de paar kinderen met wie ze speelde. Ik wàs geen moeder, meneer Delaware. Niet in de ware betekenis van dat woord. Dat moet ze me kwalijk nemen. Misschien haat ze me er zelfs om.'

'Heeft ze u daar wel eens iets van laten merken?'

'Nee, natuurlijk niet. Melissa is een goed meisje, met te veel respect voor anderen om te zeggen wat ze denkt. Hoewel ik wel heb geprobeerd haar daartoe over te halen.'

Ze boog zich opnieuw naar voren. 'Ze gedraagt zich dapper, heeft het gevoel altijd volwassen te moeten zijn, een perfect dametje. Dat heb ìk haar aangedaan, door mijn zwakheid.' Ze raakte de gehavende kant van haar gezicht aan. 'Ik heb haar veranderd in een te vroeg volwassen kind en ik heb haar van haar jeugd beroofd. Dus weet ik dat er woede moet zijn, diep in haar binnenste.'

Ik zei: 'Ik zal u niet gaan vertellen dat u haar op een ideale manier hebt opgevoed. Noch dat uw angsten niet van invloed zijn geweest op de hare. Dat was wel zo. Maar uit de uren therapie heb ik kunnen opmaken dat ze u zag als een liefhebbende moeder die haar onvoorwaardelijke liefde gaf. Zo denkt ze nog steeds over u.'

Ze boog haar hoofd, hield het met beide handen vast, alsof lovende woorden haar pijn deden.

Ik zei: 'Toen ze uw lakens nat plaste, hebt u haar vastgehouden zonder haar er een standje voor te geven. Dat betekent voor een kind heel wat meer dan het bijwonen van ouderavonden.'

Ze keek op en staarde me aan. De ene helft van haar gezicht hing duidelijker dan voorheen. Toen draaide ze haar hoofd weer en profil. Glimlachend.

'Ik kan me indenken in welke zin u goed voor haar bent geweest,' zei ze. 'U brengt een standpunt zo gedecideerd naar voren dat het moeilijk is daarover in discussie te gaan.'

'Moeten we dan in discussie gaan?'

Ze beet op haar lip. Een hand vloog omhoog en raakte opnieuw de gehavende kant van haar gezicht aan. 'Ik ben alleen druk bezig geweest met... eerlijkheid. Mezelf zien zoals ik echt ben. Dat is een onderdeel van míjn therapie. Maar u hebt gelijk. U maakt zich geen zorgen over míj, maar over Melissa. Wat kan ik doen om haar te helpen?'

'Ik twijfel er niet aan dat u weet hoe ambivalent ze staat tegenover het weggaan naar de universiteit, mevrouw Ramp. Nu verwoordt ze dat als bezorgdheid om u. Ze is bang dat de voortgang die u bij uw therapie heeft geboekt, in gevaar kan komen door haar vertrek. Dus is het voor haar van belang expliciet van u te horen dat alles met u goed zal gaan. Dat u wìlt dat ze gaat, mits u dat ook echt wilt.'

Ze keek me recht aan. 'Natuurlijk wil ik dat, en dat heb ik ook al tegen haar gezegd. Dat heb ik gedaan vanaf het moment dat ik hoorde dat ze was aangenomen. Ik vind het geweldig voor haar. Het is een schitterende kans. Ze móet gaan.'

De intensiteit waarmee ze dat zei, verbaasde me.

'Ik bedoel te zeggen dat ik dit als een cruciale periode zie voor Melissa. Weggaan. Een nieuw leven beginnen. Natuurlijk zal ik haar missen. Maar ik heb eindelijk een punt bereikt waarop ik over haar kan denken zoals ik dat altijd al had moeten doen. Als een kind. Ik ben gewèldig vooruitgegaan, meneer Delaware, en ik ben zo ver dat ik een paar gigantische stappen kan zetten. Anders tegen het leven aan kan kijken. Maar ik kan Melissa niet zo ver krijgen dat ze dat inziet. Ze zegt het wel, maar haar gedrag is niet veranderd.'

'Hoe zou u graag willen dat ze veranderde?'

'Ze wil me te veel beschermen. Blijft voortdurend dicht in de buurt. Ursula – mevrouw Cunningham-Gabney – heeft geprobeerd daar met haar over te praten, maar ze reageert er niet op. Zij lijken een persoonlijk conflict te hebben. Als ik haar probeer te vertellen hoe goed het met me gaat, glimlacht ze, geeft me een klopje, zegt: "Prima mam" en loopt weg. Niet dat ik haar dat kwalijk neem. Ik heb haar zo lang de ouder laten zijn. Daar moet ik nu voor boeten.'

Ze boog opnieuw haar hoofd, liet haar voorhoofd op een hand rusten en bleef lange tijd zo zitten.

'Ik heb al in meer dan vier weken geen aanval meer gehad, meneer Delaware. Ik zie de wereld weer voor het eerst sinds heel lange tijd, en ik heb het gevoel die aan te kunnen. Het is alsof ik ben herboren. Ik wil niet dat Melissa zich omwille van mij beperkingen oplegt. Wat kan ik zeggen om haar te overtuigen?'

'Ik heb de indruk dat u de juiste dingen zegt. Misschien is ze nog niet zo ver dat ze die echt kan horen.'

'Ik wil niet tegen haar zeggen dat ik haar niet meer nodig heb. Dat verdriet zou ik haar nooit kunnen aandoen. Het zou ook niet waar zijn. Ik heb haar wèl nodig. Zoals een moeder een dochter nodig heeft. Ik wil dat we elkaar altijd heel nabij zullen zijn. U moet me geloven als ik zeg dat ik haar geen verwarrende boodschappen doorgeef. Daar hebben mevrouw Cunningham-Gabney en ik aan gewerkt. Zorgen voor een heldere communicatie. Maar Melissa weigert gewoon er echt naar te luisteren.'

'Een deel van het probleem is dat het conflict waarvoor ze zich ziet geplaatst, niets met uw vooruitgang te maken heeft. Elke achttienjarige vindt het moeilijk voor het eerst van huis weg te gaan. Het leven dat Melissa tot dusverre heeft geleid — de relatie tussen u beiden, het immens grote huis, de geïsoleerde positie ervan — maakt het weggaan voor haar moeilijker dan voor de gemiddelde eerstejaars. Door zich op u te concentreren hoeft ze haar eigen angsten niet onder ogen te zien.'

'Dit huis is een monstrum, nietwaar?' zei ze en stak haar handen uit. 'Arthur verzamelde dingen en heeft er een museum voor gebouwd.'

Iets van bitterheid, snel toegedekt.

'Niet dat hij het uit egoïsme heeft gedaan. Zo was Arthur niet. Hij hield van schoonheid. Wilde zijn wereld mooier maken. En hij had een uitstekende smaak. Ik kan een goed schilderij waarderen wanneer ik het zie, maar het ligt niet in mijn aard om dergelijke dingen te verzamelen.'

'Zou u ooit over verhuizen denken?'

Vage glimlach. 'Ik denk over veel dingen na, meneer Delaware. Als de deur eenmaal opengaat, is het moeilijk er niet doorheen te gaan. Maar wij — mevrouw Cunningham-Gabney en ik — zorgen er samen voor dat ik niet op hol sla, niet voor mezelf uit ga rennen. Ik heb nog een lange weg te gaan. En zelfs wanneer ik eraan toe was alles achter me te laten en de wereld te gaan verkennen, zou ik dat Melissa niet kunnen aandoen, zou ik niet alles onder haar uit kunnen trekken.'

Ze raakte de porseleinen pot aan, glimlachte en zei: 'Koud. Weet u zeker dat ik geen nieuwe thee of koffie moet laten komen? Of iets te eten? Hebt u geluncht?'

'Dat weet ik zeker, maar dank voor het aanbod.'

'U zei daarnet dat ze haar eigen conflicten uit de weg gaat door mij te bemoederen,' zei ze. 'Als dat zo is, kan ik haar dat toch ook niet ontnemen?'

'Ze zal uw vooruitgang geleidelijk aan kunnen verwerken wanneer u verder vooruit blijft gaan. Om eerlijk te zijn moet ik zeggen dat u haar er misschien niet toe zult kunnen overhalen op tijd naar Harvard te gaan.'

Ze fronste haar wenkbrauwen.

'Ik heb de indruk dat de situatie nog door iets anders wordt gecompliceerd. Jaloezie,' zei ik.

'Ja, dat weet ik. Ursula heeft me daar ook al op gewezen.'

'Melissa heeft veel om jaloers op te zijn, mevrouw Ramp. Naast uw vooruitgang heeft ze binnen korte tijd heel wat veranderingen moeten meemaken: de dood van Jacob Dutchy, uw huwelijk.' De terugkeer van een krankzinnige... 'Het wordt allemaal nog moeilijker voor haar omdat zij meent voor een groot deel van die veranderingen verantwoordelijk te zijn, in goede of in kwade zin. Voor het feit dat ze u tot een behandeling heeft overgehaald, voor het feit dat ze u aan uw echtgenoot heeft voorgesteld.'

'Dat weet ik en het is ook waar,' zei zij. 'Ze heeft ervoor gezorgd dat ik in therapie kwam. Daar is ze god zij dank op blijven aandringen. Door die therapie heb ik een raam kunnen maken in mijn cel. Soms vind ik het zo dwaas van mezelf dat ik dat niet eerder heb gedaan... Al die jaren...' Ze ging opeens anders zitten, om me haar hele gezicht te laten zien. Uitdagend.

Zei niets over haar tweede huwelijk. Ik ging er niet op door.

Opeens ging ze staan, maakte een vuist, hield die recht voor zich en staarde ernaar. 'Op de een of andere manier moet ik haar overtúigen.' Door de spanning werd het gehavende deel van haar gezicht weer gemarmerd, de strepen in haar hals witter. 'Ik ben verdorie haar móeder!'

Stilte. In de verte het gezoem van een stofzuiger.

'U klinkt op dit moment behoorlijk overtuigend,' zei ik. 'Waarom

roept u haar niet naar binnen om haar dat te zeggen?'
Daar dacht ze over na. Toen liet ze haar arm zakken, maar de vuist bleef.
'Ja, oké. Dat zal ik doen. Laten wij dat doen,' zei ze.

Ze excuseerde zich, maakte de deur in de achtermuur open en verdween. Ik hoorde zachte voetstappen, het geluid van haar stem. Ik stond op en keek.
Ze zat op de rand van een hemelbed, in een immense beige kamer met plafondschilderingen. Hovelingen in Versailles, genietend van het leven voor de zondvloed.
Ze zat iets voorover gebogen, de gehavende kant van haar gezicht onbeschermd, hield de hoorn van een witgouden telefoon dicht tegen haar lippen. Haar voeten rustten op een pruimkleurig tapijt. Het bed was bedekt met een satijnen sprei en de telefoon stond op een nachtkastje. Hoge ramen flankeerden het bed aan beide zijden, doorschijnend glas achter geplooide vitrage met een gouden randje. Spiegels in vergulde lijsten, veel kant en vrolijke schilderijen. Voldoende antieke Franse spullen om Marie Antoinette zich er op haar gemak te laten voelen.
Ze knikte, zei iets en legde de hoorn op de haak. Ik ging weer zitten.
Even later kwam ze terug en zei: 'Ze komt naar boven. Vindt u het erg erbij te blijven?'
'Nee, mits Melissa er geen bezwaar tegen heeft.'
Glimlachte. 'Dat zal ze niet hebben. Ze is behoorlijk op u gesteld. Ziet u als haar bondgenoot.'
'Ik ben haar bondgenoot,' zei ik.
'Natuurlijk. We hebben allemaal bondgenoten nodig, nietwaar?'

Een paar minuten later hoorde ik voetstappen op de gang. Gina ving Melissa bij de deur op, pakte haar hand en trok haar mee naar binnen. Toen legde ze beide handen op Melissa's schouders en keek haar plechtig aan, alsof ze zich voorbereidde op het geven van een zegen.
'Melissa Anne, ik ben je moeder. Ik heb fouten gemaakt, ik ben zwak geweest en als moeder te kort geschoten. Maar dat verandert niets aan het feit dat ik je moeder ben en jij mijn kind.'
Melissa keek haar vragend aan en draaide haar hoofd toen snel mijn kant op.
Ik gaf haar een naar ik hoopte geruststellende glimlach en keek naar haar moeder. Melissa volgde mijn blik.
Gina zei: 'Schatje, ik weet dat mijn zwakheid een last op jouw schouders heeft gelegd, maar dat zal veranderen. Alles zal anders worden.'

Bij het woord 'anders' verstijfde Melissa.

Gina zag dat en trok haar dichter naar zich toe. Melissa verzette zich niet, maar gaf zich ook niet over. 'Kindje, ik wil dat wij elkaar altijd heel nabij zullen blijven, maar ik wil ook dat we ieder ons eigen leven kunnen leven.'

'Dat doen we ook, moeder.'

'Nee, dat doen we niet, kind. Niet echt. We houden van elkaar en we geven om elkaar. Je bent de allerbeste dochter die een moeder zich kan wensen. Maar wat wij hebben is te... ingewikkeld. We moeten het ontrafelen. De knopen eruit halen.'

Melissa trok zich iets terug en staarde haar aan. 'Wat wil je daarmee zeggen?'

'Dat de kans om naar het oosten te gaan voor jou schitterend is, meisje. Jouw gouden appel. Die heb je verdiend. Ik ben heel trots op je. Jou wacht een hele toekomst en je hebt de hersenen en het talent om daar het beste van te maken. Dus maak van die kans gebruik. Ik stá erop dat je van die kans gebruik maakt.'

Melissa trok zich los. 'Sta je daarop?'

'Nee. Ik probeer niet om... Kindje, ik bedoel dat...'

'En als ik die kans nu eens niet wíl grijpen?'

Melissa sprak zacht maar strijdlustig. Een openbaar aanklager die de fundaties legt voor een rechtstreekse aanval.

Gina zei: 'Ik vind alleen dat je moet gaan, Melissa Anne.' Haar stem klonk iets minder overtuigend.

Melissa glimlachte. 'Prima, moeder, maar doet mijn mening er ook nog iets toe?'

Gina trok haar weer dicht naar zich toe en drukte haar tegen haar borst. Het gezicht van Melissa stond neutraal.

Gina zei: 'Wat jij denkt is het allerbelangrijkste, meisje, maar ik wil zeker weten dat je echt weet wat je denkt, dat je beslissing niet wordt vertroebeld door zorgen over mij. Want met mij gaat het goed en zal het goed blijven gaan.'

Melissa keek haar weer aan. Haar glimlach was breder, maar koud geworden. Gina bleef haar dochter stevig vasthouden, maar keek haar niet aan.

'Melissa, je moeder heeft hier veel over nagedacht,' zei ik. 'Ze kan alles beslist aan.'

'Werkelijk?'

'Ja,' zei Gina. Haar stem was een half octaaf hoger geworden. 'En ik verwacht van je dat je die mening respecteert.'

'Moeder, ik respecteer àl je meningen. Maar dat betekent niet dat ik mijn leven erdoor moet laten beïnvloeden.'

Gina's mond ging open en weer dicht.

Melissa pakte haar moeders armen vast en maakte zich los. Toen deed ze een stap naar achteren en stak haar vingers in de lussen van de tailleband van haar broek.

'Alsjeblieft, kindje,' zei Gina.

'Ik ben geen klein kind meer.' Nog steeds glimlachend.

'Nee, natuurlijk ben je dat niet meer. Sorry dat ik dat heb gezegd, maar oude gewoonten zijn moeilijk af te leren. Daar gaat het om. Veranderen. Ik ben hard aan het werk om te veranderen en jij weet hoe hard, Melissa. Dat betekent een ander leven. Voor ons allemaal. Ik wil dat je naar Boston gaat.'

Melissa keek mij tartend aan.

'Praat met je moeder, Melissa,' zei ik.

Melissa richtte haar aandacht weer op Gina, keek toen opnieuw naar mij. Haar ogen werden kleiner. 'Wat is hier gaande?'

'Niets, ki... Niets,' zei Gina. 'Meneer Delaware en ik hebben een heel goed gesprek gehad. Hij heeft me geholpen bepaalde zaken nog duidelijker te zien. Ik kan begrijpen waarom je hem aardig vindt.'

'Werkelijk?'

Gina wilde iets zeggen, hakkelde, zweeg.

Ik zei: 'Melissa, deze familie maakt grote veranderingen door. Dat is voor iedereen moeilijk. Je moeder is op zoek naar de juiste manier om je te laten weten dat alles met haar echt in orde is. Zodat jij je niet verplicht voelt voor haar te zorgen.'

'Inderdaad,' zei Gina. 'Exact. Schatje, met mij is alles echt in orde. Ga het huis uit, om je eigen leven te leiden. Jezèlf te zijn.'

Melissa bewoog zich niet. Haar glimlach was verdwenen. Ze wrong haar handen. 'Het klinkt alsof de volwàssenen hebben besloten wat het beste is voor mij, het kleine meisje.'

'Schatje, dat is helemaal niet waar!' riep Gina uit.

'Niemand heeft iets besloten,' zei ik. 'Wel is het belangrijk dat jullie met elkaar blijven praten, de communicatiekanalen openhouden.'

'Dat zullen we zeker doen,' zei Gina. 'We zullen hier doorheen komen, hè, schatje?'

Ze liep met uitgestrekte armen naar haar dochter toe.

Melissa liep achteruit, tot de deuropening, zette zich schrap door de deurposten vast te pakken.

'Dit is geweldig,' zei ze. 'Werkelijk geweldig.'

Haar ogen schoten vuur en ze wees naar mij. 'Dit had ik niet van u verwacht.'

'Kindje!' zei Gina.

Ik stond op.

Melissa schudde haar hoofd en stak haar handen uit, met de hand-
palmen naar boven.
Ik zei: 'Melissa...'
'Vergéét het maar. Vergéét het maar gewoon.'
Ze trilde van woede en rende weg.
Ik stak mijn hoofd om de hoek van de deur en zag haar over de gang
rennen, met pijlsnelle benen en wapperende haren.
Ik dacht erover achter haar aan te gaan, bedacht me toen en liep
terug naar Gina, terwijl ik iets diepzinnigs probeerde te bedenken.
Maar ze was niet tot luisteren in staat.
Haar gezicht was lijkbleek geworden en ze hield haar borst vast.
Mond open, snakkend naar adem. Lichaam dat begon te trillen.
Het trillen werd heel hevig. Ik rende naar haar toe. Wankelend liep
ze achteruit, hoofdschuddend, hield me op een afstand, haar ogen
wild.
Ze stak een hand in een van de zakken van haar jurk, leek daar lange
tijd in te zoeken en haalde toen een kleine L-vormige plastic inhaler
te voorschijn. Ze stopte het korte uiteinde in haar mond, deed haar
ogen dicht en probeerde haar lippen rond het apparaatje te sluiten.
Haar tanden klapperden echter tegen het plastic en het kostte haar
moeite het ding in haar mond te houden. Onze blikken kruisten elkaar, maar de blik in haar ogen was wazig en ik wist dat ze ergens
anders was. Uiteindelijk lukte het haar te inhaleren. Ze drukte een
metalen knopje in, bovenaan de lange kant van de inhaler.
Een vaag gesis. Haar wangen bleven ingevallen. De gehavende wang
meer ingevallen dan de andere. Ze hield de inhaler met een hand
stevig vast en pakte met de andere hand de bank vast om haar evenwicht niet te verliezen. Enige seconden hield ze haar adem in alvorens
het apparaatje weg te halen en zich op de bank te laten vallen.
Haar borstkas ging op en neer. Ik keek toe hoe het ritme geleidelijk
aan trager werd en ging toen naast haar zitten. Ze trilde nog. Ik kon
de vibraties door de kussens van de bank voelen. Ze ademde door
haar mond, om haar ademhaling te vertragen. Ze deed haar ogen
dicht en toen weer open. Zag mij en deed ze weer dicht. Op haar
gezicht lag een laagje zweet. Ik raakte haar hand aan. Ze kneep even
zacht in de mijne. Haar huid was koud en vochtig.
We zaten daar, zonder ons te bewegen, zonder te praten. Ze probeerde iets te zeggen, maar er kwam geen woord over haar lippen. Ze liet
haar hoofd tegen de rugleuning van de bank rusten en staarde naar
het plafond. Tranen vulden haar ogen.
'Dat was een kleine aanval en ik heb hem onder controle kunnen
houden,' zei ze zwak.

'Inderdaad.'

Ze had de inhaler nog in haar hand, keek ernaar en stopte hem toen weer in haar zak. Ze boog zich naar voren, pakte mijn hand en kneep er nogmaals in. Ademde uit. Ademde in. Liet haar adem weer ontsnappen als een lange, koele, naar pepermunt ruikende stroom.

We zaten zo dicht bij elkaar dat ik haar hart kon horen slaan. Maar ik had meer aandacht voor andere geluiden. Ik luisterde of ik voetstappen hoorde. Dacht na over de mogelijkheid dat Melissa terugkwam en ons zo zag.

Toen haar hand zich ontspande, liet ik die los. Het duurde nog enige minuten voordat haar ademhaling weer helemaal normaal was.

'Moet ik iemand roepen?' vroeg ik.

'Nee, nee, met mij gaat het weer goed.' Ze klopte op haar zak.

'Wat zit er in die inhaler?'

'Een spierontspanner. Mevrouw en meneer Gabney hebben die ontwikkeld. Hij is heel goed, al is hij vrij snel uitgewerkt.'

Haar gezicht was nu drijfnat van het zweet en krulletjes zaten op haar voorhoofd geplakt.

'Wauw!' zei ze.

'Zal ik wat water voor u halen?' vroeg ik.

'Nee, dat hoeft niet. Het ziet er erger uit dan het is. Dit was een kleine aanval, de eerste in... in vier weken... Ik...'

'Het was een harde confrontatie.'

Ze drukte een hand tegen haar mond. 'Melissa!'

Ze ging bliksemsnel staan en rende de kamer uit.

Ik ging achter haar slanke gestalte aan, door een van de donkere gangen, naar een wenteltrap aan de achterzijde. Ik bleef dicht bij haar in de buurt, om niet verloren te raken in het immense huis.

11

De trap kwam uit op een kleine hal bij een bijkeuken die even groot was als mijn huiskamer. We liepen daar doorheen, de gigantische keuken in, die geel van kleur was en waar achthoekige keramische tegels op de grond lagen. Tegen twee muren stonden allerlei ijskasten en vrieskisten. Verder veel koperen potten en pannen die aan gietijzeren rekken aan het plafond hingen.

Geen etensgeuren. Op een van de aanrechten stond een schaal met fruit. Het grote fornuis, met acht branders, was leeg.

Gina Ramp liep voor me uit langs een tweede, kleinere keuken, een zilverkleurige kamer en een gelambrizeerde eetzaal waarin plaats genoeg was voor een hele conventie. Ze keek van links naar rechts en riep Melissa's naam.

Stilte was het antwoord.

We liepen terug en kwamen uit in de kamer met de geschilderde plafondbalken. Twee mannen in tenniskleding kwamen door de openslaande deuren naar binnen met rackets in hun hand en handdoeken om hun hals. Onder hun oksels transpireerden ze hevig. Beiden waren groot en goedgebouwd.

De jongere man was ergens in de twintig, met dik geel haar dat tot over zijn schouders viel. Het lange, magere gezicht werd gedomineerd door kleine donkere ogen en een kin met een gleuf waarin een diamant kon worden verborgen. Hij was zo bruin dat één zomer daar niet genoeg voor kon zijn geweest.

De tweede man was ergens voor in de vijftig, vermoedde ik. Vrij gezet, maar niet te dik. Iemand die zijn hele leven had gesport en zijn conditie op peil hield. Zware kaken en blauwe ogen. Fraai geknipt zwart haar, grijs bij de slapen, keurige grijze snor, precies even breed als zijn mond. Gelijnd, stoer gezicht. De Marlboro Man die lid was geworden van een Country Club.

Hij trok een wenkbrauw op en zei: 'Gina, wat is er aan de hand?' Zijn stem was zacht en resonerend, het soort dat altijd vriendelijk lijkt, ook wanneer het dat niet is.

'Don, heb jij Melissa gezien?'

'Ja, daarnet nog.' Hij keek naar mij. 'Is er iets aan de...'

'Don, weet je waar ze is?'

'Ze is weggegaan met Noel.'

'Met Nóel?'

'Hij was met de auto's bezig. Zij kwam als een gek naar buiten gerend en zei iets tegen hem. Toen zijn ze samen weggereden. In de Corvette. Gina, is er iets mis?'

'O, mijn hemel.'

De besnorde man sloeg een arm om haar schouders. Keek mij nogmaals onderzoekend aan. 'Wat is er aan de hand?'

Gina dwong zichzelf te glimlachen en fatsoeneerde haar haren. 'Niets, Don. Alleen een... Dit is meneer Delaware. De psycholoog over wie ik je heb verteld. Hij en ik hebben geprobeerd met Melissa te praten over haar universitaire studie en toen is ze van streek geraakt. Ik ben er zeker van dat het weer in orde zal komen.'

Hij pakte haar arm vast, tuitte zijn lippen zo dat de snor in het midden omhoog kwam en fronste opnieuw zijn wenkbrauwen. Nog iemand die voor de camera was geboren.

Gina zei: 'Dit is mijn man, Donald Ramp. Don, doctor Alex Delaware.'

'Prettig kennis met u te maken.' Ramp stak een grote hand uit en die drukte ik even. De jongere man had zich teruggetrokken in een hoek van de kamer.

Ramp zei: 'Ze kan niet zo ver weg zijn. Als je dat wilt, ga ik wel achter hen aan om te proberen hen terug te halen.'

'Nee, dat hoeft niet, Don.' Ze raakte zijn wang aan. 'Dat is de prijs die je moet betalen voor een tiener in huis, lieveling. Ik ben er zeker van dat ze binnen korte tijd wel terug zal komen. Misschien zijn ze alleen gaan tanken.'

De jongere man stond een kom van jade te bekijken met een gefascineerdheid die te intens was om echt te kunnen zijn. Hij tilde hem op, zette hem neer, tilde hem weer op.

Gina wendde zich tot hem. 'Hoe gaat het vandaag met jou, Todd?'

De kom werd neergezet en bleef staan. 'Geweldig, mevrouw Ramp. En met u?'

'Ik rommel maar wat aan, Todd. Hoe heeft Don het vandaag gedaan?'

De blonde man gaf haar een glimlach die zo uit een reclame voor tandpasta kon komen en zei: 'De bewegingen zijn nu goed. Hij zal alleen verder moeten oefenen.'

Ramp kreunde en rekte zich uit. 'Die oude botten van me rebelleren tegen werken.' Hij wendde zich tot mij. 'Dit is Todd Nyquist. Mijn trainer, tenniscoach en all-round Grootinquisiteur.'

Nyquist grinnikte en raakte met een vinger even zijn slaap aan. 'Meneer Delaware.'

'Ik moet niet alleen lijden, maar er ook nog voor betalen,' zei Ramp. Obligate glimlachjes van iedereen.

Ramp keek naar zijn vrouw. 'Weet je zeker dat ik niets kan doen, schatje?'

'Ja, Don. We wachten gewoon af. Ze zullen beslist snel terug zijn. Noel is toch nog niet klaar?'

Ramp keek naar het plein met de kiezelsteentjes. 'Zo te zien niet. De Isotta en de Delahaye moeten beide in de was worden gezet en tot nu toe heeft hij ze alleen gewassen.'

'Oké,' zei Gina. 'Dan zijn ze waarschijnlijk gaan tanken. Als ze terug zijn, zullen meneer Delaware en ik de draad weer oppakken. Ga jij nu maar douchen en maak je nergens zorgen over.'

Gespannen stem. Allemaal gespannen stemmen. Luchtige conversatie die eruitkwam als vlees dat door de vleesmolen werd gehaald. Gespannen stilte.

Ik had het gevoel terecht te zijn gekomen in een toneelstuk dat was geschreven door Noel Coward en Edward Albee.

'Wil iemand iets drinken?' vroeg Gina.

Ramp raakte zijn middenrif aan. 'Ik niet. Ik ga douchen. Prettig kennis met u te hebben gemaakt, meneer Delaware. Dank voor alles.'

'Graag gedaan,' zei ik en wist niet zeker waarvoor hij me bedankte. Hij veegde zijn gezicht af met een punt van de handdoek, knipoogde tegen niemand in het bijzonder en liep weg. Toen bleef hij weer staan en keek over zijn schouder naar Nyquist. 'Tot woensdag, Todd. Mits je belooft de duimschroeven niet al te hard aan te draaien.'

'Uitstekend, meneer R.' Nyquist grinnikte opnieuw. Toen zei hij tegen Gina: 'Ik zou wel trek hebben in een Pepsi, mevrouw R. Of iets anders dat koud en zoet is.'

Ramp bleef naar hem kijken, aarzelde alsof hij erover dacht terug te komen en liep toen de kamer uit.

Nyquist boog zijn knieën, strekte zijn nek, streek met zijn vingers door zijn haren en controleerde de bespanning van zijn racket.

'Ik zal Madeleine iets voor je laten klaarmaken,' zei Gina.

'Prima,' zei Nyquist, maar zijn glimlach verdween.

Ze liet hem daar achter en nam mij mee naar de voorkant van het huis.

We zaten in een van de grote kamers in makkelijke stoelen, omgeven door kunstwerken en snuisterijen. Spiegels aan de muren waar geen kunst hing. Werkelijk perspectief was daardoor ver te zoeken. Ik zakte heel diep weg in de kussens en voelde me klein. Gulliver in Brobdingnag.

Ze schudde haar hoofd en zei: 'Wat een ramp! Hoe had ik het beter kunnen doen?'

'U hebt het goed gedaan,' zei ik. 'Ze heeft tijd nodig om zich aan te passen.'

'Maar ze hééft niet veel tijd. Harvard moet bericht krijgen.'

'Zoals ik al heb gezegd, mevrouw Ramp, kan het niet realistisch zijn om te veronderstellen dat ze voor die tijdslimiet klaar is om weg te gaan.'

Daar reageerde ze niet op.

'Stel dat ze nog een jaar hier blijft,' ging ik verder, 'om te kijken hoe het verder met u gaat. Om zich bij de veranderingen op haar gemak te voelen. Een jaar later kan ze altijd nog overstappen naar Harvard.'

'Dat zal wel,' zei ze. 'Maar ik wil echt dat ze gaat.' Ze raakte de slechte kant van haar gezicht aan. 'Niet voor míj, maar voor haarzelf. Ze moet weg, dit huis uit. Het is zo... een wereld op zich. Aan elke behoefte van haar wordt tegemoet gekomen. Alles wordt voor haar gedaan. Dat kan verlammend werken.'

'Bent u bang dat ze nooit weg zal gaan wanneer ze dat nu niet doet?'
Ze zuchtte en keek in de kamer om zich heen. 'Ondanks alle schoonheid hier kan het huis iets boosaardigs hebben. Een huis zonder deuren. Gelooft u me. Ik kan het weten.'
Daar schrok ik van. Ik probeerde dat verborgen te houden, maar ze vroeg: 'Wat is er?'
'De woorden die u daarnet bezigde. Een huis zonder deuren. Toen ik Melissa behandelde, tekende ze aanvankelijk huizen zonder deuren of ramen.'
'O,' zei ze. 'Hemeltje.' Raakte de zak aan waarin de inhaler zat.
'Hebt u iets dergelijks wel eens in haar aanwezigheid gezegd?'
'Ik denk het niet. Het zou afschuwelijk zijn als ik dat wel had gedaan, hè? Haar zo'n beeld in gedachten geven.'
'Dat hoeft niet per se,' reageerde ik. Luister allen, daar komt de grote waarzegger aan! 'Het was een concreet beeld. Toen het beter met haar ging, begon ze huizen met deuren te tekenen. Ik twijfel eraan of dit huis voor haar ooit hetzelfde zal betekenen als voor u.'
'Hoe kunt u daar zeker van zijn?'
'Ik kan nergens zeker van zijn. Ik denk alleen niet dat we moeten aannemen dat uw gevangenis ook de hare is.'
Ondanks de vriendelijke toon waarop ik dat zei, werd ze erdoor gekwetst. 'Ja, u hebt natuurlijk gelijk. Zij is een eigen persoonlijkheid en ik moet haar niet zien als een kloon van mij.' Pauze. 'Denkt u dat het voor haar geen kwaad kan hier te wonen?'
'Voor nog een poosje niet.'
'Hoelang is een poosje?'
'Lang genoeg om haar het gevoel te geven dat ze met een gerust hart weg kan gaan. Uit wat ik negen jaar geleden van haar heb gezien, kan ik opmaken dat ze heel goed in staat is haar eigen tempo te bepalen.'
Ze zei niets, staarde naar de grote klok die was ingelegd met schildpad.
'Misschien hebben ze besloten een eindje te gaan rijden,' zei ik.
'Noel is nog niet klaar met zijn werk,' zei ze, alsof alles daarmee verklaard was.
Ze stond op, liep de kamer door, langzaam, starend naar de grond. Ik bekeek de schilderijen eens beter. Vlaamse schilders, Nederlanders en Italianen uit de Renaissance. Werken die ik naar mijn gevoel zou moeten herkennen. Maar de kleuren waren feller dan op de schilderijen van oude meesters die ik in musea ooit had gezien. Sommige leken zelfs te fel van kleur. Ik herinnerde me wat Jacob Dutchy me had verteld over de hartstocht van Arthur Dickinson om te restau-

reren. Besefte hoe sterk de overleden man in dit huis in feite nog aanwezig was.

Een huis als een monument.

Vanaf de andere kant van de kamer zei ze: 'Ik voel me afschuwelijk. Het was mijn bedoeling u te bedanken zodra we kennis hadden gemaakt. Voor alles wat u jaren geleden hebt gedaan en voor wat u nu doet. Maar toen zijn we gaan praten en ben ik het vergeten. Vergeeft u het me alstublieft, en aanvaard mijn veel te laat onder woorden gebrachte dank.'

'Aanvaard.'

Ze keek weer op de klok. 'Ik hoop dat ze snel terug zijn.'

Dat waren ze niet.

Er ging een half uur voorbij: dertig heel lange minuten waarin we over koetjes en kalfjes spraken en mijn gastvrouw me een spoedcursus in de Vlaamse kunst gaf, opgedist met een robotachtig enthousiasme. Ik bleef telkens de stem van Dutchy horen. Vroeg me af hoe de stem van de man die het hèm had geleerd, moest hebben geklonken.

Toen ze niets meer te vertellen had, ging ze staan en zei: 'Misschien zijn ze toch wel een eindje gaan rijden. Het heeft voor u geen enkele zin nog langer te blijven wachten. Het spijt me zo dat u uw tijd heeft verspild.'

Ik kwam moeizaam uit de diepe stoel overeind en volgde haar over een hindernisbaan van meubels die eindigde bij de voordeur.

Een van de deuren maakte ze open en zei: 'Moet ik er, als ze terug is, meteen weer over beginnen?'

'Nee, dat zou ik niet doen. Laat u leiden door haar gedrag. Als ze aan praten toe is, zult u dat merken. Als u wilt dat ik weer aanwezig ben bij zo'n discussie, en Melissa wil dat ook, zal ik er zijn. Maar ze kan boos op me zijn en het gevoel hebben dat ze door mij is verraden.'

'Het spijt me. Ik wilde de verhouding tussen u en haar niet bederven.'

'Daar is wat aan te doen. Nu is de relatie tussen jùllie béiden het belangrijkste.'

Ze knikte. Klopte op haar zak. Kwam dichterbij en raakte mijn gezicht aan, zoals ze het gezicht van haar man had aangeraakt. Ik kon de littekens van nabij zien: witte brokaat. Ze kuste me op mijn wang.

Terug op de hoofdweg. Terug op de planeet aarde.

Terwijl ik op een kruispunt in het centrum in een file kwam, luisterde ik naar de Gipsy Kings en probeerde me niet af te vragen of ik het had verprutst. Toch dacht ik er wel over na en kwam tot de conclusie dat ik het zo goed mogelijk had gedaan.

Zodra ik thuis was, belde ik Milo. Hij nam op en gromde: 'Ja?'

'Wat een vriendelijke begroeting!'

'Houdt idioten die me over de telefoon iets willen verkopen of me een interview willen afnemen op een afstand. Wat is er aan de hand?'

'Kun je aan de slag gaan met die ex-veroordeelde?'

'Ja. Ik heb erover nagedacht. Vijftig dollar per uur plus een onkostenvergoeding lijkt me redelijk. Zullen de cliënten daarmee instemmen?'

'Ik heb nog geen kans gehad om de financiële details te bespreken. Maak je echter geen zorgen. Geld is er genoeg. Volgens de cliënte kan ze opnemen wat ze wil.'

'Waarom zou ze dat niet mogen?'

'Ze is pas achttien en...'

'Alex, wil je dat ik voor dat kind zelf ga werken? Jezus!'

'Milo, ze is niet zomaar een tiener. Ze heeft heel snel moeten opgroeien. Te snel. Ze heeft haar eigen geld en verder heeft ze me verzekerd dat betalen geen probleem is. Ik moet haar alleen nog duidelijk maken wat het allemaal betekent. Dat wilde ik vandaag doen, maar er is iets tussen gekomen.'

'Hmmm. Werken voor het meisje zelf. Vertel me er eens wat meer over. Wie heeft er precies schade opgelopen en wat voor schade?'

Ik begon de aanval op Gina Ramp te beschrijven.

'Klinkt als de zaak McCloskey,' zei Milo.

'Kèn je die dan?'

'Ik weet er het een en ander óver. Was een paar jaar voor mijn tijd, maar op de politie-academie is die zaak besproken. Ondervragingsprocedures.'

'Was daar een speciale reden voor?'

'Het was allemaal zo vreemd. En Eli Savage, de man die de cursus gaf, was een van de oorspronkelijke ondervragers geweest.'

'Vreemd in welk opzicht?'

'Qua motief. Smerissen zijn net als andere mensen en willen graag classificeren, dingen tot de basis terugbrengen. Geld, jaloezie, wraak, hartstocht of de een of andere seksuele afwijking zijn verklaringen voor negenennegentig procent van de geweldsdelicten. Op deze zaak was geen van die motieven toepasbaar. Voor zover ik het me kan herinneren, hadden McCloskey en het slachtoffer ooit een relatie gehad, maar waren ze als vrienden uit elkaar gegaan, een half jaar voordat hij haar gezicht verbrandde. Geen wegkwijnen zijnerzijds, geen dreigbrieven of liefdesbrieven of anonieme telefoontjes die je zo vaak ziet wanneer hartstocht niet wederzijds is. Verder ging ze niet om met andere kerels, zodat jaloezie beslist het motief niet leek te zijn. Gèld kwam ook nauwelijks in aanmerking, omdat hij geen verzekering op haar had afgesloten. Niemand heeft kunnen ontdekken dat hij een cent wijzer is geworden van die aanval en hij heeft de vent die het smerige werk heeft opgeknapt, wel heel wat moeten betalen. Er is vaag gespeculeerd dat hij het haar kwalijk nam dat het met zijn bedrijf bergafwaarts ging. Hij had een modellenagentschap, als ik het me goed herinner.'

'Ik ben onder de indruk.'

'Dat moet je niet zijn. Zo'n zaak vergeet je niet. Ik kan me herinneren dat ze ons foto's van haar gezicht hebben laten zien. Van voor de aanval, erna en de periode daartussenin. Afschuwelijk om te zien. Ik ben me toen blijven afvragen wie iemand zoiets kon aandoen. Nu weet ik natuurlijk beter, maar in die tijd was ik nog heerlijk naïef. Ten aanzien van geld bleek dat het failliet gaan van dat agentschap ook niets met haar te maken had. McCloskey dronk te veel en gebruikte drugs. Dat heeft hij tijdens de ondervragingen zelf met heel veel nadruk verklaard. Bleef tegen de rechercheurs zeggen dat hij zijn eigen leven had verknald, smeekte uit zijn ellende verlost te worden. Hij wilde iedereen duidelijk maken dat de aanslag op haar niets met zijn bedrijf te maken had.'

'Waar had het dan wel iets mee te maken?'

'Dat is een groot vraagteken. Hij weigerde dat te zeggen, hoe na het vuur hem ook aan de schenen werd gelegd. Werd doofstom zodra het motief ter sprake kwam. Daardoor bleef alleen de psychopatische hoek over, maar hij bleek nooit eerder wegens geweldpleging te zijn veroordeeld. Hij was een soort punker en een idioot, hield zich graag op in de buurt van gangsters en gokte in Vegas. Maar dat was eerder een pose, want iedereen verklaarde dat hij een slappe zak was.'

'Slappe zakken kunnen doorslaan.'

'Of tot een hoog ambt worden geroepen. Het kan inderdaad toneelspel van hem zijn geweest. Misschien was hij wel een sadist en kon hij dat zo goed verborgen houden dat niemand het ooit heeft ontdekt. Savage vermoedde iets psychisch. Die zaak zat hem behoorlijk dwars, want hij ging er prat op een uitstekende ondervrager te zijn. Hij eindigde dat college met de mededeling dat het motief van McCloskey eigenlijk onbelangrijk was. Dat het wel van belang was dat die rotzak voor lange tijd achter de tralies zat en dat dàt onze taak was: zulke mensen opbergen. De psychiaters mochten dan verder naar motieven gaan zoeken.'

'Die lange tijd heeft hij inmiddels achter de rug.'

'Hoelang heeft hij gevangengezeten?'

'Dertien jaar van een veroordeling tot drieëntwintig jaar. Paar jaar kwijtgescholden wegens goed gedrag en toen zes jaar voorwaardelijk vrijgelaten.'

'Gewoonlijk gebeurt dat laatste voor een periode van maximaal drie jaar, dus moet hij het op een of ander akkoordje hebben gegooid.' Hij trok een grimas. 'De gebruikelijke procedure. Je verbrandt iemands gezicht, verkracht een baby, wat dan ook. Woon vervolgens de lessen braaf bij, bedreig geen medegevangenen en dan kun je na de helft van je straftijd alweer op straat staan.' Hij zweeg even. 'Dertien jaar, zei je? Dat moet al enige tijd geleden zijn. Je zei ook dat hij net terug was in de stad?'

Ik knikte. 'De tijd van zijn voorwaardelijke vrijlating heeft hij voornamelijk doorgebracht in Nieuw-Mexico en Arizona. Werkend in een Indianenreservaat.'

'Zogenaamd goed werk gaan doen.'

'Zes jaar is een lange tijd om zo'n toneelstukje vol te houden.'

'Maar wie weet hoe hij zich die zes jaar heeft gedragen? Wie weet hoeveel Indianen daarvoor met de dood hebben moeten betalen? Zes jaar is niet zo lang wanneer het alternatief de gevangenis is. Heeft hij in die tijd soms ook Jezus gevonden?'

'Dat weet ik niet.'

'Wat weet je verder nog wèl over hem?'

'Alleen dat hij zich niet meer bij de reclassering hoeft te melden en dus weer geheel op vrije voeten is. En dat zijn laatste reclasseringsman Bayliss heette en dat die man op het punt staat met pensioen te gaan of al met pensioen is.'

'Ik heb de indruk dat die achttienjarige van jou een behoorlijk goede detective is.'

'Ze heeft dit alles gehoord van een van de bedienden. Een kerel die Dutchy heette en een soort super-butler was. Hij had McCloskey vanaf diens veroordeling in de gaten gehouden. Zeer beschermend ingesteld ten aanzien van de hele familie. Nu is hij dood.'

'Waardoor de hulpeloze rijken zichzelf moeten beschermen. Heeft McCloskey geprobeerd contact met de familie te zoeken?'

'Nee. Voor zover ik weet zijn het slachtoffer en haar man er niet eens van op de hoogte dat hij weer in de stad is. Melissa, het meisje, weet het wel en ervaart het als een grote dreiging.'

'Daar heeft ze alle reden toe,' zei Milo.

'Dus jij denkt dat McCloskey gevaarlijk is?'

'Wie zal het zeggen? Aan de ene kant heb je het feit dat hij zes jaar uit de gevangenis is en in die tijd niets heeft ondernomen. Aan de andere kant het feit dat hij de Indianen heeft verlaten en hierheen is gekomen. Misschien heeft hij er een goede reden voor, die niets te maken heeft met slechte bedoelingen. Misschien. Toch zou het verstandig zijn dat te achterhalen, of dat in elk geval te proberen.'

'Ergo...'

'Ja, ergo: tijd om me weer eens te bekwamen in het vak van privé-detective. Als ze wil dat ik op pad ga, zal ik dat doen.'

'Dank je, Milo.'

'Oké. Alex, het punt is dat zelfs wanneer hij een echt goede reden heeft om terug te komen, ik me nog altijd zorgen zou maken.'

'Waarom?'

'Wat ik je al eerder heb gezegd. Het motief. Het feit dat niemand verdomme weet waarom hij het heeft gedaan. Niemand heeft hem ooit echt in de tang kunnen nemen. Misschien is hij in die dertien jaar wat openhartiger geworden en heeft hij er met een celgenoot over gesproken. Of met een psychiater die aan de gevangenis verbonden was. Als dat niet zo is, hebben we te maken met een slinkse rotzak. *Mucho* geduldig. Dat maakt me ongerust. Als ik een minder macho, onoverwinnelijk mannetje was, zou me dat verdomme behoorlijk bang maken.'

12

Nadat hij had opgehangen, dacht ik erover San Labrador te bellen, maar besloot Melissa en Gina te laten proberen het zelf af te handelen.

Ik liep naar de vijver, gaf de karpers eten en ging zitten om naar de waterval te kijken. De vissen waren actiever dan anders, maar leken geen belangstelling voor het eten te hebben. Ze zaten elkaar achterna, in strakke formaties van drie of vier. Racend, spetterend, tegen de stenen randen opbotsend.

Verbaasd boog ik me dichter naar het water toe. De vissen negeerden me en bleven rondcirkelen.

Toen zag ik het. Mannetjes die achter de vrouwtjes aan zaten.

Kuit, vastgehecht aan de irissen in de hoeken van de vijver. Lichte kaviaar, breekbaar als zeepbellen, glinsterend in de ondergaande zon.

De eerste keer in al die jaren dat ik de vijver had. Misschien betekende dat iets.

Ik ging op mijn hurken zitten en keek enige tijd toe, vroeg me af of de vissen de eitjes zouden opeten voordat ze waren uitgekomen. Of een van de jongen het zou overleven.

Ik voelde opeens een sterke reddingsdrang, maar wist dat ik er niets aan kon doen. Professionele fokkers hadden meerdere vijvers. Als ik de eitjes weghaalde en in een emmer deed, was de kans op overleving nihil.

Er zat niets anders op dan af te wachten.

Impotentie als afronding van een leuke dag.

Ik liep terug naar het huis en maakte het avondeten klaar: gegrillde biefstuk, sla en bier. At het op in bed, luisterend naar Perlman en Zukerman die op een CD muziek van Mozart uitvoerden. Ik ging voor een groot deel op in de muziek, maar een klein deel van mijn bewustzijn bleef waakzaam, wachtend op een telefoontje uit San Labrador. Het concert was afgelopen. Geen telefoontje. Een andere disc werd paraat gelegd. Het wonder van de technologie. De CD-speler was heel modern. Een geschenk van een man die aan machines de voorkeur gaf boven mensen.

Een ander dynamisch duo: Stan Getz en Charlie Byrd.

Braziliaanse ritmes konden er ook niet voor zorgen dat de telefoon ging rinkelen.

Ik kreeg minder aandacht voor de muziek. Ik dacht aan Joel McCloskey, ogenschijnlijk berouwvol, maar zijn motief verborgen houdend. Ik dacht over de manier waarop hij het leven van Gina Paddock had geruïneerd. Littekens, zichtbaar en onzichtbaar. Haken die mensen in elkaar konden slaan terwijl ze op zoek waren naar liefde. De pijn wanneer die haken eruit werden getrokken.

Impulsief zonder erbij na te denken, belde ik San Antonio.

'Hallo,' zei een vrouwelijke stem die getuigde van verstopte bijholtes. Ik hoorde het geluid van een televisie op de achtergrond. Een komedie, zo te horen: vlak gelach dat aanzwol, een hoogtepunt bereikte, wegebde op het elektronische getijde.

De stiefmoeder.

'Hallo, mevrouw Overstreet,' zei ik. 'U spreekt met Alex Delaware. Ik bel vanuit Los Angeles.'

Even stilte. 'Hallo. Hoe gaat het?'

'Prima. En met u?'

Zucht, bijna zo lang dat ik het alfabet kon opzeggen. 'Zo goed als je onder de omstandigheden kunt verwachten.'

'Hoe is het met meneer Overstreet?'

'We bidden allemaal voor hem en hopen er het beste van. Hoe is het in L.A.? Ik ben daar al jaren niet meer geweest. Alles zal er nog wel groter en drukker en sneller zijn en wat nog meer. Zo lijkt het in het leven te moeten gaan. Je zou Dallas en Houston eens moeten zien. Hier gebeurt het ook, maar in mindere mate. Wij hebben nog een heel eind te gaan voordat de problemen echt groot worden.'

Een aanval met woorden. 'Het leven gaat door,' zei ik.

'Als je geluk hebt wel.' Zucht. 'Maar nu hebben we wel genoeg ge-filosofeerd. Niets of niemand wordt daar wijzer van. Ik neem aan dat je Linda wilt spreken?'

'Als ze bereikbaar is.'

'Ze is niets anders dan dat. Bereikbaar. Ze komt het huis niet uit, hoewel ik tegen haar blijf zeggen dat het voor een meisje van haar leeftijd niet goed is om rond te hangen, verpleegstertje te spelen en somber te worden zonder een uitlaatklep te hebben. Niet dat ik haar zou willen voorstellen elke avond de bloemetjes buiten te zetten, be-grijp me goed. Gezien de toestand van haar vader kun je nooit weten wat er van de ene minuut op de andere kan gebeuren. Dus durft ze niets te doen waar ze later spijt van kan krijgen. Aldoor stil zitten kan echter voor niemand goed zijn en al zeker niet voor haar. Als je begrijpt wat ik bedoel.'

'Hmmm.'

'Je moet het zo bekijken. Pudding die niet wordt opgegeten, krijgt een vel en wordt langs de randen hard en korstig. Dan heeft niemand er binnen de kortste keren nog iets aan. Hetzelfde geldt voor een vrouw. Ik kan je verzekeren dat dat de waarheid is.'

'Hmmm.'

'Ik zal haar roepen en zeggen dat je van buiten de stad belt.'

Beng.

Geschreeuw, boven de televisie uit. 'Liiinda, Liiinda, het is voor jou. Linda, telefoon! Linda, hij is het. Je weet wel. Kom meisje, hij belt van buiten de stad.'

Voetstappen, toen een onrustige stem. 'Ik neem wel op in een andere kamer.'

Even later: 'Oké. Een seconde. Ik heb hem. Dolores, ophangen!'

Aarzeling. Klik. Geen op de band opgenomen gelach meer.

Zucht.

'Hallo, Alex.'

'Hallo.'

'Dat mèns! Heeft ze je de oren van je hoofd gekletst?'

'Eens kijken. Een deel van een oorlelletje is verdwenen.'

Ze lachte, vreugdeloos. 'Het is verbazingwekkend dat ik nog altijd oren heb en dat pap niet... Hoe is het met jou?'

'Prima. Hoe is het met hem?'

'Op en af. De ene dag ziet hij er goed uit, de volgende kan hij zijn bed niet uit. De chirurg zegt dat hij beslist moet worden geopereerd, maar daar nu te zwak voor is. Dat ze niet zeker weten hoeveel aderen zijn aangetast. Ze proberen zijn toestand te stabiliseren door rust en medicijnen, hem sterk genoeg te maken om nieuwe onderzoeken te kunnen doorstaan. Ik weet het niet. Wat kun je in zo'n geval doen? Zo gaat het nu eenmaal. En... hoe is het met jou? Dat heb ik je al gevraagd, hè?'

'Ik houd mezelf bezig.'

'Dat is goed, Alex.'

'De karpers zijn zich aan het voortplanten.'

'Wat zeg je?'

'Ze zijn eieren aan het leggen. In de vijver. Voor het eerst.'

'Wat leuk. Nu word je vader.'

'Ja.'

'Klaar om de verantwoordelijkheid op je te nemen?'

'Dat weet ik niet. We hebben het over meerdere baby's.' Zo er al eentje echt zou komen.

'Je moet maar denken dat je in elk geval geen luiers nodig zult hebben.'

We lachten beiden, wilden beiden weer iets zeggen, lachten nogmaals. Synchroon, maar gekunsteld. Als een slechte zomerse toneelvoorstelling.

'Ben je nog naar de school geweest?' vroeg ze.

'Vorige week. Alles lijkt goed te gaan.'

'Echt goed, voor zover ik heb gehoord. Ik heb Ben een paar dagen geleden gesproken. Doet het heel goed als schoolhoofd.'

'Hij is een aardige man. Kan goed regelen. Uitstekende aanbeveling van jou geweest.'

'Ja, goed regelen kan hij inderdaad.' Ze grinnikte nogmaals zonder overtuiging. 'Ik vraag me af of ik nog een baan zal hebben als ik terugkom.'

'Vast wel. Heb je al plannen gemaakt ten aanzien van je terugkeer?'

'Nee,' zei ze scherp. 'Hoe zou ik dat nu in vredesnaam kunnen doen?' Ik zweeg.

'Alex, het was niet mijn bedoeling om zo uit te vallen. Dat wachten is alleen een hel. Soms denk ik wel eens dat wachten het allermoeilijkste ter wereld is. Zelfs nog erger dan... In elk geval heeft het geen zin me erdoor te laten obsederen. Het hoort immers bij het volwassen worden, een groot meisje zijn en de werkelijkheid onder ogen zien?'

'Ik zou zo zeggen dat jij de laatste tijd genoeg werkelijkheid onder ogen hebt gehad.'

'Ja. Goed om de oude huid weer wat strakker te trekken.'

'Ik houd wel van je huid zoals die is.'

Stilte. 'Alex, bedankt dat je vorige maand hierheen bent gekomen.

Die drie dagen zijn de beste geweest die ik hier heb gehad.'

'Wil je dat ik weer naar je toe kom?'

'Ik wou dat ik daarop ja kon zeggen, maar je zou niets aan me hebben.'

'Ik hoef ook niets aan je te hebben.'

'Het is lief van je om dat te zeggen, maar het zou echt geen succes worden. Ik moet bij... bij hem zijn. Zeker weten dat hij goed wordt verzorgd.'

'Ik neem aan dat Dolores geen echt goede verpleegster is?'

'Klopt. Ze is hèt voorbeeld van een hulpeloze vrouw. Een kapotte nagel is een grote tragedie. Tot nu toe is ze een van die gelukkige idioten geweest die nog nooit iets als dit heeft hoeven meemaken. Maar hoe zieker hij wordt, hoe chaotischer zij zich gedraagt. En als ze chaotisch is, doet ze niets anders dan praten. Mijn hemel, wat kan dat mens praten. Ik begrijp niet dat mijn vader dat kan tolereren. God zij dank ben ik hier om hem te beschermen. Ze lijkt wel een onweersbui van woorden.'

'Dat weet ik. Ik heb er een dosis van op mijn kop gehad.'

'Arme stakker.'

'Ik overleef het wel.'

Stilte. Ik probeerde me haar gezicht voor de geest te halen: blond haar tegen mijn borst. Het voelen van elkaars lichaam... De beelden weigerden te komen.

'Is er iets dat ik hier voor jou kan doen?'

'Nee, dank je, Alex. Ik zou niets kunnen bedenken. Denk alleen goed over me en pas op jezelf.'

'Jij ook, Linda.'

'Ik red me wel.'

'Dat weet ik.'

'Ik geloof dat ik hem hoor hoesten,' zei ze. 'Ja, beslist. Ik moet ophangen.'

'Tot ziens.'

'Tot ziens.'

Ik trok een short, een T-shirt en gympjes aan en probeerde al rennend het telefoontje en de twaalf uur daarvoor te vergeten. Kwam thuis bij zonsondergang en trok mijn gele kamerjas en rubbersandalen aan. Toen het donker was, liep ik weer de tuin in en bescheen het water met een zaklantaren. De vissen waren lui, ze werden zelfs niet wakker van het licht.

Post-coïtale verrukking. Ik zag langs de randen van de vijver nog groepen eitjes, andere leken te zijn verdwenen.

Toen ik daar een kwartiertje stond, hoorde ik de telefoon. Nieuws uit San Labrador. Eindelijk. Hopelijk waren moeder en dochter echt met elkaar gaan praten.

Ik rende het trapje naar de veranda op en was binnen toen het toestel net voor de vijfde keer over was gegaan.

'Hallo?'

'Alex?' Bekende stem. Bekend, hoewel ik hem al lange tijd niet meer had gehoord. Ditmaal kwamen de beelden direct, razendsnel.

'Hallo, Robin.'

'Je klinkt buiten adem. Is alles in orde?'

'Ja. Ik ben net vanuit de tuin naar binnen gerend.'

'Ik hoop dat ik niets onderbreek.'

'Nee, nee. Wat is er?'

'Niets bijzonders. Ik wilde alleen even hallo zeggen.'

Ik vond haar stem niet erg opgewekt klinken, maar het was al enige tijd geleden dat ik een expert was ten aanzien van dingen die met haar te maken hadden. 'Hallo. Hoe gaat het met je?'

'Heel goed. Ik ben aan het werk met een gitaar van Joni Mitchell. Die wil ze voor haar volgende LP gaan gebruiken.'

'Geweldig.'

'Veel snijwerk dat met de hand moet gebeuren. Ik geniet van de uitdaging. Wat heb jij zoal gedaan?'

'Gewerkt.'

'Dat is goed, Alex.'

Dat had Linda ook gezegd. Met een identieke stembuiging. De protestantse ethiek, of kwam het door mij?

'Hoe is het met Dennis?' vroeg ik.

'Weg. Vertrokken.'

'O.'

'Het hindert niet, Alex. Het zat al lang in de lucht en ik ben er niet echt kapot van.'

'Oké.'

'Alex, ik probeer niet over te komen als een geharde tante. Je zult mij niet horen zeggen dat het me helemaal koud heeft gelaten. Hoewel we beiden vonden dat er een einde aan moest komen, is er wel sprake van een... leegte. Maar ik ben er overheen. Het was anders dan... Ik bedoel... Wat hij en ik hadden... had zijn verdiensten, maar ook zijn problemen. Het was anders... dan tussen jou en mij.'

'Dat kon ook niet anders.'

'Ja. Ik vraag me af of er ooit nog iets zal komen zoals wij hebben gehad.'

Mijn oogleden begonnen zeer te doen.

'Dat ken ik,' zei ik.

'Alex, voel je niet geroepen er op de een of andere manier op te reageren. God, wat klinkt dat belachelijk. Ik ben zo bang hier volledig op mezelf aangewezen te raken.'

'Hoe komt dat?'

'Alex, ik voel me vanavond zo beroerd. Ik zou een vriend echt kunnen gebruiken.'

Ik hoorde mezelf zeggen: 'Ik ben je vriend. Wat is het probleem?' Daar zette ik mijn heilige voornemens mee overboord.

'Alex,' zei ze timide, 'zouden we kunnen praten terwijl we elkaar in de ogen kunnen kijken? Niet alleen over de telefoon?'

'Natuurlijk.'

'Bij mij of bij jou?' vroeg ze en begon toen luid te lachen.

'Ik kom wel naar jou toe,' zei ik.

Ik reed als in een droom naar Venice. Zette de auto neer achter het gebouw aan Pacific, besteedde geen enkele aandacht aan de graffiti en de stank van vuilnis, de schaduwen en geluiden die het steegje vulden.

Toen ik de voordeur had bereikt, had zij die al geopend. Zware machines werden vaag verlicht. Uit het atelier kwamen de geuren van zoet hout en afbijtmiddelen om lak te verwijderen, gemengd met haar parfum, een parfum dat ik nog nooit eerder had geroken. Dat maakte me jaloers en kriebelig en opgewonden.

Ze had een grijs-zwarte lange kimono aan, waarvan de zoom onder het zaagsel zat. Rondingen door de zijde heen. Slanke polsen. Blote voeten.

Haar kastanjebruine krullen glansden, hingen los, vielen tot op haar schouders. Pas aangebrachte make-up, ouderdomsrimpeltjes die ik nog nooit eerder had gezien. Het hartvormige gezicht waarnaast ik zoveel ochtenden wakker was geworden. Nog altijd mooi, even bekend als de morgen. Maar ook een deel ervan nieuw, nog niet in kaart gebracht. Reizen die ze alleen had ondernomen. Dat maakte me triest.

Haar donkere ogen brandden van schaamte en verlangen. Ze dwong zichzelf me aan te kijken.

Haar lip trilde en ze haalde haar schouders op.

Ik nam haar in mijn armen, voelde hoe zij hetzelfde deed en zich als een tweede huid aan me vasthechtte. Ik vond haar mond, haar warmte, tilde haar in mijn armen op en droeg haar naar de zolder.

Het eerste dat ik de volgende morgen voelde was verwarring, een desolaat gevoel dat in mijn hoofd klopte alsof ik last had van een kater, terwijl we niets hadden gedronken. Het eerste dat ik hoorde was langzaam, ritmisch gerasp, een samba-beat die van beneden kwam.

Leeg bed naast me. Sommige dingen veranderen nooit.

Ik ging zitten, keek over de balustrade van de zolder en zag haar werken. Ze was bezig de achterkant van een gitaar te schuren. Ze stond over de werkbank heen gebogen, in een denim overall, met een grote bril op en een maskertje voor. Haar haren had ze opgestoken en houtkrullen met de kleur van bitterzoete chocolade verzamelden zich bij haar voeten.

Ik keek een tijdje naar haar, kleedde me toen aan en liep naar beneden. Ze hoorde me niet, bleef werken. Ik moest recht voor haar gaan staan om haar aandacht te vangen. Toch duurde het nog even voordat we elkaar in de ogen keken. Haar aandacht bleef gericht op het fraaie hout.

Toen hield ze op met werken, legde de vijl op de werkbank neer en trok het maskertje omlaag. Op de bril zat roze-achtig stof, waardoor haar ogen bloeddoorlopen leken.

'Dit is de gitaar voor Joni,' zei ze, terwijl ze het instrument losmaakte uit de klem en ronddraaide, zodat ik het van voren kon bekijken.

'Een goede morgen,' zei ik.

'Ook een goede morgen.' Ze zette de gitaar weer in de klem, maar bleef ernaar kijken ook toen het instrument weer stevig op zijn plaats was aangebracht. Haar vingers gleden over de vijl. 'Heb je goed geslapen?'

'Prima. En jij?'

'Ook prima.'

'Heb je trek in een ontbijt?'

'Niet echt,' zei ze. 'Er staat echter voldoende in de ijskast – *mi ijskast es su ijskast*. Pak wat je hebben wilt.'

'Ik heb ook geen honger,' zei ik.

Haar vingernagels roffelden op de vijl. 'Sorry.'

'Waarvoor?'

'Het feit dat ik geen honger heb.'

'Ernstige overtreding. Je staat onder arrest.'

Ze glimlachte, keek weer naar de werkbank, toen naar mij. 'Je weet hoe het is. Ik ben vroeg wakker geworden, om kwart over vijf. Omdat ik in feite níet goed heb geslapen. Niet omdat... Ik was gewoon rusteloos, omdat ik hierover aan het denken was.' Ze streelde de gitaar, tikte ertegen. 'Ik was nog altijd bezig met de vraag hoe dit het beste kon worden aangepakt. Braziliaans hout. Kun je je voorstellen wat ik heb moeten betalen voor zo'n dik blok hout? En hoe lang ik heb moeten zoeken voordat ik een blok van deze breedte had? Ze wil de achterkant uit één stuk hebben, dus kan ik me geen vergissingen veroorloven. Daardoor vorderde het zo langzaam. Maar vanmorgen ging het opeens vrij gemakkelijk. Dus ben ik ermee bezig gebleven. Ik denk dat ik me erdoor heb laten meeslepen. Hoe laat is het?'

'Tien over zeven.'

'Grapje zeker,' zei ze en boog haar vingers. 'Ik kan niet geloven dat ik bijna twee uur lang achter elkaar bezig ben geweest.' Boog haar vingers nogmaals.

'Doen ze zeer?' vroeg ik.

'Nee. Ik voel me prima. Ik doe die oefeningen om kramp te voorkomen en ze helpen echt.'

Ze raakte de vijl weer aan.

'Je bent lekker bezig, dus ga alsjeblieft door,' zei ik.

Ik gaf haar een kus bovenop haar hoofd. Met een hand pakte ze mijn pols vast en gebruikte de andere hand om de bril op haar voorhoofd te schuiven. Haar ogen waren echt bloeddoorlopen. Paste de bril slecht, of kwam het door tranen?

'Alex, ik...'

Ik drukte een vinger tegen haar lippen en kuste haar linkerwang. Restanten van het parfum, nu bekend, kietelden mijn neus. Vermengd met hout en zweet − een cocktail die te veel herinneringen opriep.

Ik trok mijn pols los. Ze pakte hem weer, drukte hem tegen haar wang. Onze polsslagen vermengden zich.

'Alex,' zei ze, terwijl ze me met hevig knipperende ogen aankeek, 'ik heb je niet laten komen om het zo te laten gaan. Geloof me alsjeblieft. Wat ik over vriendschap heb gezegd, was waar.'

'Je hoeft je nergens voor te verontschuldigen.'

'Toch heb ik het gevoel van wel.'

Ik zei niets.

'Alex, wat gaat er nu verder gebeuren?'

'Dat weet ik niet.'

Ze liet mijn hand los, deed een stap naar achteren en keek weer naar de werkbank.

'Hoe zit het met haar, die onderwijzeres?' vroeg ze.

Die onderwijzeres. Ik had haar verteld dat Linda hoofd van een school was.

Degradatie ten dienste van het ego.

'Ze is in Texas. Voor onbepaalde tijd. Zieke vader.'

'O. Vervelend dat te horen. Ernstig?'

'Hartproblemen. Het gaat niet al te best met hem.'

Ze draaide zich om, keek me aan, knipperde opnieuw met haar ogen. Herinneringen aan de verstopte aderen van haar eigen vader? Of misschien kwam het door het stof.

'Alex,' zei ze, 'ik wil niet… Ik weet dat ik het rècht niet heb je dit te vragen, maar hoe is jullie relatie?'

Ik liep naar het uiteinde van de werkbank, leunde er met twee handen op en staarde naar het roest op het stalen plafond.

'We zijn alleen vrienden,' zei ik.

'Zou dit haar verdriet doen?'

'Ik denk niet dat het haar veel plezier zal doen, maar ik ben niet van plan hier een geschreven verslag van in te dienen.'

De boosheid in mijn stem was zo duidelijk dat ze de werkbank vastgreep.

'Luister, het spijt me,' zei ik. 'Ik voel me ook niet honderd procent en dan valt het niet mee om dit alles te verwerken. Niet vanwege haar, al kan ze er wel deels de reden van zijn. Het komt voornamelijk door ons. Het opeens weer samenzijn. Hoe het vannacht is geweest. Verdomme. Hoe lang is het geleden? Twee jaar?'

'Vijfentwintig maanden,' zei ze. 'Maar wie telt ze nog echt?' Ze legde haar hoofd tegen mijn borst, raakte mijn oor aan, raakte mijn nek aan.

'Het had vijfentwintig uur kunnen zijn,' zei ik. 'Of vijfentwintig jaar.'

Ze ademde diep in. 'We pàssen bij elkaar. Ik was vergeten hoe goed.'

Ze kwam naar me toe, pakte mijn schouders vast. 'Alex, wat wij hadden is net zoiets als een tatoeëring. Je moet diep snijden om hem weg te kunnen halen.'

'Ik dacht aan vishaken. Die eruit trekken.'

Ze schrok en raakte haar eigen arm aan.

'Je kunt de vergelijking kiezen waar je zelf de voorkeur aan geeft,' zei ik. 'In beide gevallen is er sprake van hevige pijn.'

We staarden elkaar aan, probeerden de stilte met glimlachjes te temperen, slaagden daar niet in.

Ze zei: 'Er zou weer iets tussen ons kunnen zijn, Alex. Waarom niet?' Er kwamen allerlei volkomen tegenstrijdige antwoorden in me op. Voordat ik een reden had kunnen bedenken, zei ze: 'Laten we er in elk geval over dènken. Wat kunnen we verliezen door erover te dènken?'

Ik zei: 'Zelfs als ik het zou willen, zou ik er niet over kunnen denken. Jij bezit een te groot deel van mij.'

Haar ogen werden vochtig. 'Ik zal nemen wat ik krijgen kan.'

'Succes met het houtsnijwerk,' zei ik toen en draaide me om, om weg te gaan.

Ze riep mijn naam.

Ik bleef staan en keek om. Ze had haar handen op haar heupen gezet en haar gezicht stond op huilen. Voordat de kleppen volledig werden geopend, trok ze woest haar bril omlaag, pakte de vijl, draaide me haar rug toe en begon te schrapen.

Ik hoorde dezelfde rasp-rasp-samba die me bij het wakker worden had begroet. Ik had niet het verlangen om te dansen.

Ik wist dat ik die dag met iets onpersoonlijks zou moeten vullen om niet gek te worden. Dus reed ik naar de biomedische bibliotheek van de universiteit om dingen na te zoeken voor mijn monografie. Ik vond heel wat dat er op het computerscherm veelbelovend uitzag, maar weinig dat relevant bleek te zijn. Om twaalf uur 's middags was ik nauwelijks wijzer geworden en besefte ik dat het tijd was een pauze te nemen en met mijn eigen gegevens te worstelen.

In plaats daarvan belde ik vanuit een openbare telefooncel op, om te vragen of er boodschappen voor me waren achtergelaten. Niets uit San Labrador, zes andere berichten, geen noodgevallen. Ik werkte alle telefoontjes toch af. Toen reed ik naar Westwood Village, betaalde te veel voor een parkeerplaatsje, vond een coffeeshop die zich voordeed als restaurant en las de krant terwijl ik moeizaam een rubber-hamburger wegwerkte.

Toen ik thuis was, was het drie uur. Ik controleerde de vijver. De vissen waren nog steeds rustig. Ik vroeg me af of alles met ze in orde was; ik had ergens gelezen dat ze zichzelf konden verwonden wanneer ze erg hartstochtelijk waren.

De uniformen veranderden, maar het spel veranderde nooit.

Ik gaf ze te eten, haalde dode bladeren uit de tuin weg. Tien voor half vier. Lichte huishoudelijke werkzaamheden namen een half uurtje in beslag.

Toen ik geen excuses meer kon bedenken, liep ik de bibliotheek in, haalde mijn manuscript te voorschijn en ging aan het werk. Het ging goed. Toen ik eindelijk opkeek, bleek ik bijna twee uur bezig te zijn geweest.

Ik dacht aan Robin. *Je weet hoe het is...*

Bij elkaar passen...

Eenzaamheid die ons naar elkaar had toegedreven.

Vishaken.

Weer terug aan het werk.

Verdedigingsmechanisme.

Ik pakte mijn pen op en probeerde het. Bleef doorgaan tot ik geen woorden meer kon vinden en mijn borstkas zich verkrampte. Het was zeven uur toen ik opstond achter mijn bureau. Ik was dankbaar toen de telefoon rinkelde.

'Meneer Delaware, u spreekt met Joan van de telefoondienst. Ik heb een gesprek binnengekregen van Melissa Dickinson. Ze zegt dat er sprake is van een noodsituatie.'

'Verbindt u haar alsjeblieft door.'

Klik.

'Meneer Delaware!'

'Wat is er, Melissa?'

'Het gaat om moeder.'

'Wat is er met haar aan de hand?'

'Ze is wèg! O god, helpt u me alstublieft. Ik weet niet *wakmoedoen*.'

'Oké, Melissa. Kom tot bedaren en vertel me precies wat er is gebeurd.'

'Ze is wèg! Ze is weg! Ik kan haar nèrgens vinden, niet in de túin en niet in de kámers. Ik heb haar gezocht. We hebben haar allemaal gezocht. Maar ze is er niet. Alstublieft, meneer Delaware...'

'Hoelang is ze al zoek, Melissa?'

'Sinds half drie! Ze is naar de kliniek gegaan, voor de groepstherapie van drie uur, en ze moest om half zes terug zijn. Nu is het... vier minuten over zeven en zíj weten ook niet waar ze is. O, mijn god!'

'Wie zijn die zij?'

'De kliniek. De Gabney's. Daar is ze naar toe gegaan, voor een groepsgesprek, van drie tot vijf. Gewoonlijk gaat Don met haar mee, of iemand anders. Ik ben ook een keer met haar mee gegaan, maar deze keer...' Gehijg. Gesnak naar adem.

'Als je het gevoel hebt ademnood te krijgen, moet je een papieren zak pakken en daar langzaam in ademen,' zei ik.

'Nee, nee, dat hoeft niet. Ik moet u alles vertellen.'

'Ik luister.'

'Ja, ja. Waar was ik gebleven? O, mijn god...'

'Gewoonlijk gaat er iemand met haar mee, maar deze keer...'

'Ze zou er met hem, Don, naar toe gaan, maar toen besloot ze alléén te gaan. Daar stond ze op! Ik heb haar gezegd dat het volgens mij niet... Maar ze was kòppig. Ze hield vol dat ze er zelf naar toe kon, maar dat kòn ze niet. Ik wil echter geen gelijk hebben, meneer Delaware, en het kan me niets schelen of ik wel of niet mijn zin krijg of zoiets. Ik wil alleen dat ze terùg komt, dat alles met haar in òrde is.'

'Is ze wel in de kliniek geweest?'

'Nee! En dat lieten ze ons pas om vier uur per telefoon weten. Ze hadden meteen moeten bellen, nietwaar?'

'Hoelang is het rijden naar de kliniek?'

'Twintig minuten. Op zijn hóógst. Ze had er een half uur de tijd voor genomen en dat is meer dan genoeg. Als ze meteen hadden opgebeld vanuit de kliniek, hadden we geweten waar we moesten zoeken. Maar nu is ze al meer dan vier úúr weg. O, mijn god!'

'Is het mogelijk dat ze van gedachten is veranderd en ergens anders naar toe is gegaan, in plaats van naar de kliniek?' vroeg ik.

'Waarhéén? Waar had ze naar toe kunnen gaan?'

'Dat weet ik niet, Melissa. Maar nu ik met je moeder heb gesproken, kan ik begrijpen dat ze wil... improviseren. Uit de routine los wil breken. Dat is niet ongewoon bij patiënten die hun angsten hebben overwonnen. Soms worden ze een beetje roekeloos.'

'Nee!' zei ze. 'Dat zou ze niet doen. Niet zònder op te bellen. Ze weet hoeveel zorgen ik me zou maken. Zelfs Don maakt zich zorgen en normaal gesproken doet hij dat nèrgens over. Hij heeft de politie gebeld en die zijn naar haar gaan zoeken, maar ze hebben haar niet gevonden, evenmin als de Dawn...'

'Is ze met de Rolls-Royce vertrokken?'

'Ja.'

'Dan moet ze makkelijk te vinden zijn, zelfs in San Labrador.'

'Waarom heeft niemand die auto dan gezien? Hoe is het mogelijk dat niemand haar heeft gezien, meneer Delaware?'

Ik dacht aan de lege straten en had meteen een antwoord klaar.

'Iemand heeft haar vast 'gezien,' zei ik. 'Misschien heeft ze pech gekregen. Het is een oude wagen en zelfs een Rolls is niet perfect.'

'Onmogelijk. Noel zorgt ervoor dat alle wagens perfect zijn en de Dawn was als nieuw. Als ze problemen had gekregen, zou ze hebben gebèld. Dit zou ze me nooit aandoen. Ze is net een klein kind. Ze kan zich in de buitenwereld niet redden, ze heeft er geen idee van hoe het daar ìs. Stel dat ze een aanval heeft gekregen en in een ravijn is gestort en daar ergens ligt, hulpeloos... Ik kan dit niet langer verdrágen. Dit is te erg, tè erg!'

Hevige snikken kwamen over de lijn, zo luid dat ik de hoorn onbewust wat van mijn oor vandaan hield.

Ik hoorde haar de adem inhouden. 'Melissa...'

'Ik... ik ga flauwvallen... Ik kan geen adem meer halen.'

'Ontspannen,' beval ik haar. 'Je kunt wel dégelijk ademhalen. Dat kun je prima. Gewoon dóén. Regelmatig en langzaam ademen.'

Ademgesnak aan de andere kant van de lijn.

'Ademhalen, Melissa. Nú! In... en uit. In... en uit. Voel hoe je spieren zich ontspannen met elke nieuwe ademhaling. Ontspan je. Ontspànnen.'

'Ik...'

'Ontspannen, Melissa. Niet proberen te praten. Ademhalen en ontspannen. Dieper en dieper. In... en uit. In... en uit. Je hele lichaam wordt zwaarder en steeds meer ontspannen. Denk aan aangename dingen... je moeder die binnenkomt. Er is niets met haar aan de hand. Er zal niets met haar aan de hand zijn.'

'Maar...'

'Melissa, luister naar me en doe wat ik zeg. Als jij flauwvalt, zul je haar daar niet mee helpen. Je van streek maken kan haar ook niet helpen. Je moet op je best zijn, dus blijf ademhalen en je ontspannen. Zit je?'

'Nee, ik...'

'Pak een stoel en ga zitten.'

Geritsel, een klap. 'Oké, ik zit.'

'Goed. Nu een comfortabele houding aannemen. Je voeten strekken en je ontspannen. Met elke ademhaling zul je meer en meer ontspannen raken.'

Stilte.

'Melissa?'

'Oké. Het gaat alweer beter met me.' Duidelijk hoorbare ademhaling.

'Goed. Wil je dat ik naar je toe kom?'

Een gefluisterd ja.

'Dan zul je het moeten volhouden tot ik er ben. Dat zal minstens een half uur duren.'

'Oké.'

'Weet je het zeker? Ik kan aan de telefoon blijven tot je weer echt tot rust bent gekomen.'

'Nee... Ja, alles is in orde met me. Komt u alstublieft. Alstublieft.'

'Volhouden,' zei ik. 'Ik ben al onderweg.'

13

Lege straten, eenzamer dan ooit omdat het donker was. Terwijl ik Sussex Knoll op draaide, zag ik in mijn achteruitkijkspiegel een paar koplampen en bleef die zien, even constant als de maan. Toen ik naar het hek van nummer 10 draaide, verscheen er een rood knipperlicht boven de twee witte koplampen.

Ik stopte, draaide het contactsleuteltje om en wachtte. Via een versterker zei een stem: 'Uitstappen, meneer.'

Dat deed ik. Een patrouillewagen van de politie van San Labrador stond tegen mijn achterbumper aan, de koplampen brandend, de motor draaiend. Ik kon de benzine ruiken en de hitte van de radiateur voelen. Het rode knipperlicht maakte mijn witte overhemd roze, toen wit, toen weer roze.

Het portier bij de bestuurdersplaats ging open en een agent stapte uit, met een hand op zijn heup. Lang en breed. Hij tilde iets op. Een zaklantaren verblindde me en ik stak als in een reflex een arm omhoog.

'Beide handen in de lucht, zodat ik ze kan zien, meneer.'

Ook dat deed ik. Het licht ging over mijn lichaam, heen en weer.

Ik kneep mijn ogen tot spleetjes samen en zei: 'Ik ben Alex Delaware. De therapeut van Melissa Dickinson. Ik word verwacht.'

De agent liep dichter naar me toe, ving een deel van het licht van de halogeenlamp die bij het linker hek brandde en bleek een jonge blanke man te zijn met een zware kaak, een babyhuid en een boksersgezicht. Hij had zijn hoed tot ver over zijn voorhoofd getrokken.

'Wie verwacht u, meneer?' De zaklantaren bescheen nu mijn pantalon.

'De familie.'

'Welke familie?'

'Dickinson-Ramp. Melissa Dickinson heeft me opgebeld over haar moeder en me gevraagd hierheen te komen. Is mevrouw Ramp al gevonden?'

'Hoe zei u dat u heette?'

'Delaware. Alex Delaware.' Ik knikte in de richting van de intercom.

'Waarom belt u het huis niet om dat te verifiëren?'

Daar moest hij diep over nadenken.

'Mag ik mijn armen laten zakken?'

'Naar de achterkant van uw auto lopen, meneer. Handen op de kofferbak zetten.' Hij bleef me in de gaten houden en liep naar de intercom. Hij drukte op een knop en de stem van Donald Ramp zei: 'Ja?'

'U spreekt met agent Skopek van de politie van San Labrador, meneer. Bij uw hek staat een heer die beweert een vriend van de familie te zijn.'

'Wie is het?'

'Meneer Delaware.'

'O ja. Het is in orde, agent.'

Uit de intercom klonk een andere stem, luid en dictatoriaal. 'Al iets bekend, Skopek?'

'Nee, meneer.'

149

'Blijven uitkijken.'

'Ja, meneer.' Skopek tikte tegen zijn hoed en deed de zaklantaren uit.

Het hek schoof naar binnen. Ik maakte het portier van de Seville open.

Skopek liep achter me aan en wachtte tot ik het contactsleuteltje had omgedraaid. Toen ik de Seville in zijn eerste versnelling zette, stak hij zijn hoofd door het portierraampje naar binnen en zei: 'Sorry voor het ongemak, meneer.' Het klonk alsof het hem helemaal niet speet.

'U volgt zeker alleen bevelen op?'

'Inderdaad, meneer.'

Spotlights zorgden voor een nachtelijk landschap dat Walt Disney prachtig zou hebben gevonden. Voor het huis stond een grote Buick sedan. Veel antennes.

Ramp deed open. Hij droeg een blauwe blazer, grijze pantalon, blauwgestreept overhemd met een perfecte kraag en een wijnrood pochetje. Ondanks die modieuze kleding zag hij er gespannen uit. En boos.

'Meneer Delaware.' Geen handdruk. Hij liep snel voor me uit, liet het aan mij over de deur te sluiten.

Ik liep de hal in. Bij de groene trap stond een andere man, die een nagelriem bekeek. Toen ik dichter bij hem in de buurt kwam, keek hij op en bekeek me van top tot teen.

Voor in de zestig, breed, vrij lang, met een grote, harde buik, dun grijs haar met Brylcreem erin, vlezig gezicht met de kleur van ongebakken brood. Stalen brilmontuur op een dikke neus, kleine mond, dikke kaken. Hij droeg een grijs pak, een crèmekleurig overhemd en een grijs-zwart gestreepte das. Dasspeld van de vrijmetselaars. Pieper aan zijn broeksriem.

Hij bleef me aandachtig opnemen.

Ramp zei: 'Dit is Clifton Chickering, onze inspecteur van politie. Inspecteur, doctor Delaware, de psycholoog van Melissa.'

'Aangenaam,' zei hij. Ramp en hij keken elkaar even aan. Hij knikte naar Ramp. Ramp keek nijdig mijn kant op.

'Waarom hebt u ons verdomme niet verteld dat die rotzak weer in de stad was?'

'McCloskey?'

'Kent u een andere rotzak die mijn vrouw kwaad zou willen berokkenen?'

'Melissa heeft me in vertrouwen over hem verteld. Ik moest haar wens respecteren.'

'Christus!' Ramp draaide me zijn rug toe en begon door de hal te ijsberen.

Chickering vroeg: 'Had het meisje een bepaalde reden om die informatie vertrouwelijk te houden?'

'Waarom vraagt u dat niet aan haar?'

'Dat heb ik al gedaan. Ze zei dat ze haar moeder niet wilde alarmeren.'

'Dan hebt u het antwoord op uw vraag dus al.'

'Hmmm,' zei Chickering en gaf me een blik die inspecteurs van de afdeling zedendelicten gereserveerd houden voor jonge psychopaten.

'Ze had het míj wel kunnen vertellen,' zei Ramp, die ophield met ijsberen. 'Als ik het geweten had, zou ik veel meer op haar hebben gelet.'

'Zijn er bewijzen dat McCloskey iets met haar verdwijning te maken heeft?' vroeg ik.

'Christus!' zei Ramp. 'Hij is hier en zij is weg. Wat hebt u nog meer nodig?'

'Hij is al zes maanden in de stad.'

'Maar dit is de eerste keer dat ze alleen op pad is gegaan. Hij moet die gelegenheid gewoon hebben afgewacht.'

Ik wendde me tot Chickering. 'Inspecteur, ik heb zelf mogen ervaren dat deze omgeving door u en uw mensen heel goed in de gaten wordt gehouden. Hoe groot is de kans dat McCloskey hier in de buurt zes maanden lang heeft rondgehangen zonder dat iemand hem heeft gezien?'

'Nul komma nul,' zei hij en wendde zich tot Ramp. 'Zinnige opmerking, Don. Als hij hier iets mee te maken heeft, zullen we dat snel genoeg weten.'

'Vanwaar dat zelfvertrouwen, Cliff?' vroeg Ramp. 'Jullie hebben hem nog niet gevonden.'

Chickering fronste zijn wenkbrauwen. 'We hebben zijn adres, alle bijzonderheden. We houden het huis in de gaten. Als hij zich laat zien, wordt hij meteen meegenomen.'

'Waarom denk je dat hij zich zal laten zien? Stel dat hij is weggegaan, met...'

'Don, ik begrijp...' begon Chickering.

'Ik begrijp het níet,' zei Ramp. 'Wat heeft het voor zin zijn huis in de gaten te houden wanneer hij waarschijnlijk al lang is vertrokken?'

'Criminelen zijn geneigd naar hun basis terug te keren,' zei Chickering.

Ramp keek hem even walgend aan en begon toen weer te ijsberen.

Chickering werd iets bleker. 'We houden contact met de politie van Los Angeles, van Pasadena, van Glendale en de sheriffs, Don. Zelfs onze computers zijn hiermee bezig. Het kenteken van de Rolls is overal bekend. Er staat geen auto op zijn naam geregistreerd, maar we kijken ook uit naar gestolen gemelde auto's.'

'Hoeveel zijn er dat? Tienduizend?'

'Don, iedereen is op zoek en neemt dit serieus. Hij kan niet ver weg komen.'

Ramp negeerde hem en bleef ijsberen.

Chickering wendde zich tot mij. 'Het was niet verstandig dit geheim te houden, meneer Delaware.'

Ramp mompelde: 'Dat is verdomde waar.'

'Ik begrijp uw gevoelens,' zei ik, 'maar ik had geen keus. In wettelijke zin is Melissa volwassen.'

'Was wat u deed ook wettelijk verantwoord? Dat zullen we nog wel eens zien,' zei Ramp.

Een stem bovenaan de trap zei: 'Don, bemoei je er niet mee.'

Melissa stond daar, gekleed in een mannenoverhemd en een spijkerbroek, haar haren slordig opgestoken. Het overhemd wekte de indruk dat ze ondervoed was. Ze kwam snel de trap af, als een jogger met haar armen zwaaiend.

'Melissa...' begon Ramp.

Ze ging voor hem staan, met haar kin omhoog en haar handen tot vuisten gebald. 'Laat hem met rùst, Don. Hij heeft niets gedáán. Ik ben degene geweest die hem heeft gevraagd dit geheim te houden en dat móest hij respecteren. Dus laat hem met rust.'

Ramp ging rechtop staan. 'Dat hebben wel alle...'

Melissa schreeuwde: '*Houd verdomme je kop dicht*! Ik wil die ònzin niet meer horen!'

Nu werd Ramp bleek. Zijn handen trilden.

Chickering zei: 'Ik denk dat je beter een toontje lager kunt zingen, jongedame.'

Melissa draaide zich naar hem om en zwaaide met een vuist door de lucht. 'Waag het niet mij te vertellen wat ik moet doen. U zou buiten moeten zijn om uw werk te doen, om ervoor te zorgen dat die stomme smerissen van u mijn moeder vinden, in plaats van hier rond te hangen met hèm en whisky te drinken.'

Chickerings gezicht spande zich van woede. Toen kwam er een bleek glimlachje.

'Melissa!' zei Ramp nijdig.

'Melissa!' aapte ze hem na. 'Ik heb geen tijd voor deze onzin. Mijn moeder is ergens en we moeten haar vinden. Dus laten we nu maar eens ophouden met het zoeken naar een zondebok en proberen te bedenken hoe we haar kunnen vinden!'

'Dat zijn we nu juist aan het doen, jongedame.' zei Chickering.
'Hoe? Door hier in de buurt te patrouilleren? Wat heeft dat voor zin? Ze is niet langer in San Labrador. Als ze dat wel was, zou ze al lang geleden zijn gesignaleerd.'
Het duurde even voordat Chickering antwoordde. 'We doen alles wat we kunnen.'
Het klonk hol en dat wist hij. De blikken op de gezichten van Ramp en Melissa onderstreepten het nog eens.
Hij maakte zijn jas dicht. Strak gespannen bij het middenrif. Wendde zich tot Ramp. 'Ik ben bereid te blijven zolang je me nodig hebt, maar ik zou eigenlijk op pad moeten gaan.'
'Tuurlijk,' zei Ramp somber.
'Kop op, Don. We zullen haar vinden. Maak je geen zorgen.'
Ramp haalde zijn schouders op en liep weg.
'Prettig kennis met u te hebben gemaakt, meneer Delaware,' zei Chickering. Zijn wijsvinger was gericht als een revolver. Tegen Melissa: 'Jongedame.'
Hij liet zichzelf uit. Toen de deur dicht was, zei Melissa: 'Die idioot. Iedereen weet dat hij een idioot is. De kinderen noemen hem achter zijn rug allemaal Prickering. In San Labrador worden eigenlijk nooit misdaden gepleegd, dus wordt hij nauwelijks op de proef gesteld. Het ligt niet aan hem. Het is nu eenmaal een feit dat vreemden hier direct opvallen. Zodra iemand er niet rijk uitziet, gaat de politie erop af.'
Snel maar vloeiend sprekend. Iets te hoog, een zweem van de paniek die ik over de telefoon had gehoord.
'Typerend voor een kleine stad,' zei ik.
'Dat is San Labrador inderdaad. Er gebeurt hier nooit iets.' Ze liet haar hoofd hangen en schudde het. 'Behalve nu dan. Het is míjn schuld, meneer Delaware. Ik had haar over hem moeten vertéllen.'
'Melissa, er is geen enkele aanwijzing dat McCloskey hier iets mee te maken heeft. Denk maar eens na over die opmerking van jou dat de politie meteen achter vreemden aangaat. De kans dat hij haar in de gaten heeft gehouden zonder dat iemand dat heeft gezien, is inderdaad nul komma nul.'
'Ik hoop dat u gelijk hebt.' Ze rilde. 'Maar waar is ze dan? Wat is er met haar gebeurd?'
Ik koos mijn woorden zorgvuldig. 'Melissa, het is mogelijk dat er niets met haar is gebeurd. Dat ze dit op haar eigen houtje heeft gedaan.'
'Wilt u zeggen dat ze is wéggelopen?'
'Ik zeg dat ze kan hebben besloten de rit wat langer te maken dan ze

oorspronkelijk van plan was.'

'Onmogelijk.' Ze schudde hevig haar hoofd. 'Onmogelijk!'

'Melissa, toen ik met je moeder sprak, had ik de indruk dat ze tegen de strakke teugels rebelleerde en erg verlangde naar wat vrijheid.'

Ze bleef haar hoofd schudden. Draaide me haar rug toe en keek naar de trap.

Ik zei: 'Ze heeft me verteld dat ze toe was aan het nemen van gigantische stappen. Ze zei dat ze voor een geopende deur stond en daar doorheen moest, dat dit huis verstikkend op haar werkte. Ik heb de duidelijke indruk gekregen dat ze weg wilde en er zelfs over dacht te verhuizen wanneer jij weg was.'

'Nee! Ze heeft niets meegenomen. Ik heb haar kamer gecontroleerd. Alle koffers zijn er nog. Ik ken al haar kleren en ze heeft niets meegenomen.'

'Melissa, ik zeg niet dat ze van plan was op reis te gaan. Ik heb het over een spontane, impulsieve beslissing.'

'Nee.' Weer een scherp hoofdschudden. 'Ze was voorzichtig. Dit zou ze me niet aandoen.'

'Jij bent voor haar het allerbelangrijkste. Maar misschien is ze... een beetje dronken geworden door haar pas hervonden vrijheid. Ze wilde vandaag zelf rijden, wilde het gevoel hebben alles aan te kunnen. Misschien vond ze het rijden in haar lievelingsauto zo prettig dat ze gewoon is blijven rijden. Dat heeft niets te maken met haar liefde voor jou. Soms gaan veranderingen snel wanneer ze eenmaal zijn ingezet.'

Ze beet op haar lip, vocht tegen haar tranen en zei met een heel klein stemmetje: 'Denkt u echt dat alles met haar in orde is?'

'Ik denk dat je alles moet doen om haar te lokaliseren, maar ik ben niet bereid van het ergste uit te gaan.'

Ze haalde enige keren diep adem, drukte haar handen hard in haar zij. Kneedde haar handen. 'Buiten, op de weg. Gewoon door blijven rijden. Zou dat niet geweldig zijn?' Grote ogen. Gefascineerd door de mogelijkheid. Toen gekwetstheid. 'Nee, dat kan ik me niet voorstellen. Zoiets zou ze me nooit aandoen.'

'Ze houdt heel erg veel van je, Melissa, maar ze...'

'Ja, dat doet ze.' Tranen. 'Ja, ze houdt van me en ik wil haar terùg.'

Voetstappen links van ons op het marmer. We draaiden ons die kant op.

Ramp stond daar, met de blazer over een arm.

Melissa probeerde haar ogen snel maar tevergeefs met haar blote handen droog te wrijven.

'Het spijt me, Melissa,' zei hij. 'Je had gelijk. Het heeft geen zin iemand er de schuld van te geven. Het spijt me als ik je heb beledigd. En u ook, meneer Delaware.'

'In orde,' zei ik.

Melissa wendde zich van hem af.

Hij liep naar me toe en gaf me een hand.

Melissa tikte met een voet op de grond en streek met haar vingers door haar haren.

Ramp zei: 'Melissa, ik weet hoe je je voelt. Punt is dat we hier beiden bij betrokken zijn. We moeten de gelederen sluiten om haar terug te krijgen.'

'Wat wil je van me?' vroeg Melissa, zonder hem aan te kijken.

Hij keek bezorgd. Dat leek gemeend. Vaderlijk. Ze negeerde die blik. Hij zei: 'Ik weet dat Chickering weinig voorstelt. Ik heb even weinig vertrouwen in hem als jij. Dus laten we in 's hemelsnaam de koppen bij elkaar steken om te zien of we íets kunnen bedenken.'

Smekend stak hij zijn handen uit, hield ze zo. Echt verdriet op zijn gezicht. Tenzij hij beter was dan Olivier.

'Oké,' reageerde ze heel verveeld.

'Het heeft geen zin hier te blijven staan,' zei hij. 'Laten we naar binnen gaan en in de buurt van de telefoon blijven. Kan ik u iets te drinken aanbieden, meneer Delaware?'

'Koffie, als u dat hebt.'

'Reken maar!'

We liepen achter hem aan door het huis, naar de kamer aan de achterzijde met de geschilderde balken en de openslaande deuren. De tuinen, glooiende gazons en tennisbanen baadden in een smaragdgroen licht. Het zwembad was pauwblauw. Alle deuren van de stal waarin de auto's stonden waren dicht, op één na.

Ramp pakte een telefoon van een van de lage tafeltjes, tikte twee nummers in en zei: 'Koffie graag in de studeerkamer aan de achterkant. Drie koppen.' Hij hing op en zei: 'Maak het u gemakkelijk.'

Ik nam plaats in een leren stoel die de kleur had van een veelgebruikt zadel. Melissa ging op de armleuning van een stoel in de buurt zitten. Beet op haar lip. Trok aan haar paardestaart.

Ramp bleef staan. Elk haartje op zijn plaats, maar van zijn gezicht was de spanning af te lezen.

Even later kwam Madeleine binnen met de koffie en zette die zonder iets te zeggen neer. Ramp bedankte haar, stuurde haar weg, schonk drie koppen vol. Zwart voor hemzelf en mij, met melk en suiker voor Melissa. Ze nam het kopje aan, maar dronk er niet uit.

Ramp en ik namen een slokje.

Niemand zei iets.

Toen zei Ramp: 'Ik zal Malibu nog eens bellen.' Hij pakte de telefoon en tikte een nummer in. Hield de hoorn enige tijd tegen zijn oor voordat hij hem weer op de haak legde. Hij behandelde het apparaat heel zorgzaam, alsof het zijn lot in handen had.

'Wat is er in Malibu?' vroeg ik.

'Ons... Gina's strandhuis. Broad Beach. Niet dat ze daar naar toe zou gaan, maar het is de enige plaats die ik kan bedenken.'

Melissa zei: 'Dat is belachelijk. Ze haat water.'

Ramp tikte weer nummers in, wachtte even, hing toen weer op.

We namen nog een slokje.

Weer een stilte.

Melissa zette haar kop neer en zei: 'Dit is stom.'

Voordat Ramp of ik daarop konden reageren, rinkelde de telefoon. Melissa was er eerder bij dan Ramp.

'Ja, maar praat éérst met mij. Práten, verdomme. Ik ben degene geweest die... Wat? O nee! Wat wilt u... Dat is belachelijk. Hoe kunt u daar zeker van zijn? Dat is stom... Nee, ik ben perfect in staat om... Nu goed naar me luisteren, jij...'

Ze stond daar met open mond. Haalde de hoorn weg van haar oor en staarde ernaar.

'Hij heeft opgehangen!'

'Wie?'

'Prickering. Die rotzak heeft gewoon de hoorn op de haak gelegd!'

'Wat had hij te melden?'

Nog altijd naar de telefoon starend zei ze: 'McCloskey. Ze hebben hem gevonden. In het centrum van L.A. De politie heeft hem ondervraagd en hem toen weer laten gáán!'

'Christus!' zei Ramp. Hij griste de hoorn uit haar handen en tikte snel een nummer in. Hij frommelde aan de kraag van zijn overhemd en knarsetandde. 'Cliff? Je spreekt met Don Ramp. Melissa zei dat je... Ja, dat begrijp ik, Cliff... Ik weet dat ze dat is. Het is angstaanjagend, maar dat is geen... Oké. Ik weet dat je dat doet... Ja...' Fronsend, hoofdschuddend. 'Vertel me nu maar wat er is gebeurd... Hmmm... Maar hoe kun je daar zeker van zijn, Cliff? We hebben het verdomme niet over een héilige... Hmmm... Ja... Ja... Maar... Hadden jullie niet op de een of andere manier... Oké. Maar stel dat... Oké, dat zal ik doen. Bedankt voor je telefoontje en hou contact.'

Hij hing op en zei: 'Hij biedt zijn excuses aan voor het ophangen. Zei dat hij jou had verteld dat hij druk bezig was naar je moeder te zoeken en dat jij... tegen hem tekeer bleef gaan. Hij wil dat je weet dat hij het beste met je moeder voorheeft.'

Melissa ging staan, met een glazige blik in haar ogen. 'Ze hadden hem en ze hebben hem weer laten gaan.'

Ramp sloeg een arm om haar schouder heen en daar verzette ze zich niet tegen. Keek verdoofd. Verraden. Ik had in wassen beelden méér leven gezien.

'Hij kan kennelijk precies vertellen waar hij vandaag van minuut tot minuut is geweest,' zei Ramp. 'Dus hadden ze geen reden om hem vast te houden. Melissa, ze konden juridisch gezien niets anders doen dan hem weer vrijlaten.'

'Die stommelingen,' zei ze met een lage stem. 'Die verdomde stòmmelingen. Wat doet het ertoe waar hij de hele dag is geweest? Hij doet dingen niet zelf, hij huurt mensen ìn om dat te doen.' Ze begon te schreeuwen. 'Hij huurt mensen in! Dus wat zegt het als hij hier zelf niet was?'

Ze rukte zich los, drukte haar handen tegen haar gezicht en gilde van frustratie. Ramp wilde naar haar toe lopen, bedacht zich en keek naar mij.

Ik liep naar haar toe. Ze trok zich terug in een hoekje van de kamer. Stond in een hoek als een kind dat is gestraft en snikte.

Ramp keek triest.

We wisten beiden dat ze een vader had kunnen gebruiken. Geen van ons beiden kon die rol op zich nemen.

Uiteindelijk hield ze op met huilen. Maar ze bleef in de hoek staan. Ik zei: 'Jullie hebben geen van beiden vertrouwen in Chickering. Misschien moeten we er een privé-detective bij halen.'

'Uw vriend!' zei Melissa.

Ramp keek haar opeens nieuwsgierig aan.

Ze keek naar mij en zei: 'Vertelt u het hem maar.'

'Gisteren hebben Melissa en ik gesproken over het laten instellen van een onderzoek naar McCloskey. Een vriend van me is rechercheur van de politie van Los Angeles. Op dit moment is hij met verlof. Heel competent en veel ervaring. Hij is ermee akkoord gegaan en hij zal er waarschijnlijk ook wel in toestemmen een onderzoek in te stellen naar de verdwijning van uw vrouw. Als zij snel weer opduikt, wilt u de gangen van McCloskey misschien toch nog laten nagaan. Het kan zijn dat uw juristen iemand anders hebben met wie ze liever samenwerken...'

'Nee,' zei Melissa. 'Ik wil dat uw vriend het doet. Punt uit.'

Ramp keek naar haar en toen naar mij. 'Ik weet niet wie onze juristen voor zoiets gewoonlijk in de arm nemen. We hebben nog nooit met iets als dit te maken gehad. Is die vriend van u echt goed?'

Melissa zei: 'Hij heeft al gezegd dat die man goed is. Ik wil hem hebben en ik betaal.'

'Dat is niet nodig, Melissa. Ik betaal wel.'

'Nee, dat zal ik doen. Ze is mijn moeder en zo zal het gebeuren.'

Ramp zuchtte. 'Daar zullen we het later nog wel eens over hebben. Als u zo vriendelijk zou willen zijn, meneer Delaware, uw vriend te bellen...'

De telefoon rinkelde opnieuw. Beiden draaiden snel hun hoofd om. Ditmaal was Ramp er als eerste bij. 'Ja? O, hallo mevrouw Gabney... Nee, het spijt me. Ze is nog niet... Ja, dat begrijp ik...'

Melissa zei: 'Dat is zíj. Als ze sneller had gebeld, hadden we eerder kunnen gaan zoeken.'

Ramp legde een hand tegen zijn vrije oor. 'Het spijt me, maar ik kon niet verstaan wat u... O, dat is heel vriendelijk van u. Maar nee, ik zie geen dringende reden om u te vragen... Wacht u even.'

Hij legde een hand op het mondstuk van de hoorn en zei tegen mij: 'Doctor Cunningham-Gabney wil weten of ze hierheen moet komen. Is daar een reden voor?'

'Heeft ze... enige klinische informatie over mevrouw Ramp die ons zou kunnen helpen haar te lokaliseren?'

'Hier,' zei hij en gaf de hoorn aan mij.

Ik nam die aan. 'U spreekt met Alex Delaware.'

'Collega.' De goed gemoduleerde stem had iets van zijn muzikaliteit verloren. 'Ik ben erg geschrokken van de gebeurtenissen van vandaag. Is het tussen Melissa en haar moeder tot een soort confrontatie gekomen voordat die laatste verdween?'

'Waarom vraagt u dat?'

'Gina heeft me vanmorgen opgebeld en zinspeelde op iets onaangenaams. Dat Melissa de hele avond met de een of andere jongeman op stap was geweest.'

Ik keek niet naar Melissa en zei: 'Dat klopt wel, maar ik betwijfel of dat een causale factor is.'

'Doet u dat? Elke vorm van ongewone stress kan iemand als Gina Ramp ertoe brengen zich onvoorspelbaar te gedragen.'

Melissa staarde me aan.

'Zullen u en ik dit onder vier ogen bespreken?' stelde ik voor. 'Discussiëren over alle in klinisch opzicht relevante factoren die licht kunnen werpen op wat er is gebeurd?'

Stilte. 'Ze is daar bij u in de buurt, nietwaar?'

'Ja.'

'Oké. Ik denk niet dat het verstandig is dat ik daarheen kom en een nieuwe confrontatie uitlok. Kunt u nu meteen naar mijn kantoor komen?'

'Klinkt goed, wanneer Melissa er geen bezwaar tegen heeft.'

'Dat kind heeft nu al te veel macht,' zei ze scherp.

'Misschien wel, maar ik acht het in klinisch opzicht raadzaam ernaar te vragen.'

'Oké. Doet u dat dan maar.'

Ik legde een hand op het mondstuk en zei tegen Melissa: 'Hoe zou je het vinden wanneer zij en ik elkaar spreken? In de kliniek. Om feiten en psychische gegevens uit te wisselen, om te zien of we kunnen bedenken waar je moeder is.'

'Lijkt me een goed idee,' zei Ramp.

'Best,' zei Melissa. 'U gaat uw gang maar.' Zwaaiend met haar vingers. Dezelfde nonchalance die ze twee dagen eerder had gebruikt om klinische bommen te laten vallen.

'Ik zal hier blijven zolang je me nodig hebt,' zei ik.

'Nee, nee. Gaat u er maar meteen naar toe. Ik red me wel. Ga met haar praten.'

Ik sprak weer in de telefoon. 'Ik kan binnen een half uur bij u zijn, mevrouw Cunningham-Gabney.'

'Noemt u me alstublieft Ursula. Af en toe kan zo'n dubbele naam lastig zijn. Weet u hoe u hier moet komen?'

'Dat kan Melissa me vertellen.'

'Daar twijfel ik niet aan.'

Voordat ik wegging, belde ik Milo thuis en hoorde Ricks stem op het antwoordapparaat. Melissa en Ramp reageerden beiden teleurgesteld toen ik zei dat hij er niet was en dat deed me beseffen hoeveel waarde ze hechtten aan zijn vermogens als detective. Ik vroeg me af of ik Milo een goede dienst bewees door hem de *haute monde* in te trekken en vroeg hem me op te bellen in de kliniek van de Gabney's, met de mededeling dat ik daar de eerstkomende uren zou zijn. Daarna kon hij me thuis bereiken.

Toen ik me klaarmaakte om weg te gaan, ging de deurbel. Melissa sprong op en rende de kamer uit. Ramp kwam achter haar aan met lange, door het tennissen getrainde stappen.

Ik sloot de rij. Melissa maakte de deur open en liet een zwartharige jongeman binnen van een jaar of twintig. Hij leek haar te willen omhelzen. Toen zag hij Ramp en bleef staan.

Hij was aan de kleine kant, slank gebouwd, olijfkleurige huid, volle lippen, broedende bruine ogen onder zware wenkbrauwen. Zijn haar was zwart en krullend, kort bovenop en opzij, langer van achteren. Hij had een kort rood obersjasje aan, een zwarte pantalon, een wit overhemd en een zwarte vlinderdas. In een hand hield hij een bos autosleutels. Hij keek zenuwachtig om zich heen.

'Al iets gehoord?' vroeg hij.

'Nog niets,' antwoordde Melissa.

Hij liep dichter naar haar toe.

'Hallo, Noel,' zei Ramp.

De jongeman keek op. 'Alles is in orde, meneer Ramp. Jorge zorgt voor de auto's. Het is vandaag vrij rustig.'

Melissa raakte de mouw van de jongeman aan en zei: 'Laten we weggaan.'

Ramp zei: 'Waarheen?'

'Weg. Haar zoeken.'

Ramp zei: 'Denk je echt dat...'

'Ja. Kom mee, Noel.' Trekkend aan de rode stof.

De jongeman keek naar Ramp.

Ramp wendde zich tot mij, ik speelde voor sfinx. 'Oké, Noel, je kunt de rest van de avond vrij nemen. Maar wees voorzichtig...'

Voordat hij zijn zin kon afmaken, was het tweetal al naar buiten gelopen. Ze trokken de deur dicht met een klap die voor een echo zorgde.

Ramp staarde even naar de deur en draaide zich toen vermoeid naar mij toe. 'Wilt u iets drinken?'

'Nee, dank u. Ik word verwacht in de kliniek van de Gabney's.'

'Ja, natuurlijk.'

Hij liep met me mee naar de deur. 'Hebt u kinderen?'

'Nee.'

Dat leek hem teleur te stellen.

Ik zei: 'Het kan moeilijk zijn.'

'Inderdaad,' bevestigde hij. 'Ze is heel intelligent en soms denk ik dat het daardoor moeilijker voor ons allemaal wordt, ook voor haar. Gina heeft me verteld dat u haar jaren geleden behandeld hebt, toen ze nog een klein meisje was.'

'Van haar zevende tot en met haar negende jaar.'

'Twee jaar. Dan hebt u meer tijd met haar doorgebracht dan ik. U kent haar waarschijnlijk heel wat beter dan ik.'

'Het is lang geleden en ik heb toen een andere kant van haar gezien.'

Hij streek zijn snor glad en speelde met zijn kraag. 'Ze heeft me niet geaccepteerd en zal dat waarschijnlijk ook nooit doen.'

'Dingen kunnen veranderen,' zei ik.

'Kan dat echt?'

Hij maakte de deur open. Ik zag de Disney-verlichting, voelde het koele briesje. Ik besefte dat Melissa me niet had verteld hoe ik bij de kliniek moest komen en zei dat tegen hem.

'Geen probleem,' zei hij. 'Ik kan die weg dromen. Wanneer Gina me nodig had, ben ik er vaak naar toe gegaan.'

14

Onderweg naar Pasadena merkte ik dat ik naar opritten keek, naar bomen en struiken, naar een misplaatste schaduw in de straten, naar flitsend chroom.
Irrationeel. Omdat de beroepsmensen dat al hadden gedaan. Ik zag drie patrouillewagens van de politie van San Labrador, op korte afstand van elkaar. Een ervan volgde me een eindje, ging toen weer een andere kant op.
Irrationeel omdat de straten leeg waren. Een enkele driewieler zou nog van een kilometer afstand zichtbaar zijn.
Een buurt die de geheimen binnenshuis hield.
Waar was Gina Ramp met de hare naar toe gegaan?
Of waren ze haar ontnomen?
Ondanks mijn bemoedigende woorden aan het adres van Melissa had ik mezelf er niet van kunnen overtuigen dat het een geïmproviseerd afscheid van een fobie was.
Gina was mijns inziens kwetsbaar. Breekbaar. De woordenwisseling met haar dochter had al een aanval veroorzaakt.
Hoe zou ze opgewassen kunnen zijn tegen de werkelijke wereld, wat dat woord dan ook mocht betekenen.
Dus bleef ik onder het rijden zoekend rondkijken. Ik spuugde in het gelaat van de reden en voelde me daardoor iets beter.

De Gabney Clinic stond op een vrij groot terrein in een goede woonwijk die aarzelend was gaan toegeven aan de vestiging van appartementen en winkels. Een groot, twee verdiepingen tellend bruin huis achter een vlak, groot gazon. Drie reusachtige pijnbomen zorgden voor schaduwen op het gras. Over de gehele breedte van de gevel liep een veranda, vrij donker door indrukwekkende dakranden. Pannen op het dak, kleine raampjes. Weinig fraai om te zien en vaag verlicht. Geen bord dat meedeelde wat er binnen gebeurde.
Een lage muur — stukken steen in cement — aan de voorzijde van het terrein. Een gat in het midden — zonder hek — bood toegang tot een cementen pad. Links stond een hek van houten planken open, dat toegang bood tot een lange, smalle oprit. Een witte Saab Turbo 9000 stond vooraan die oprit geparkeerd, waardoor er geen andere auto's bij konden. Ik parkeerde de Seville langs het trottoir — Pa-

sadena was toleranter dan San Labrador – en liep de oprit op.

Een witporseleinen bord met de afmetingen en de vorm van een dikke sigaar was op de voordeur geschroefd. GABNEY stond erop, met zwarte blokletters. De klopper was een brullende leeuw die op een koperen ring knauwde. Daarboven een geel lampje om insekten af te weren. Ik gebruikte de klopper. De deur trilde. C-majeur. Daar was ik vrij zeker van.

Er ging een tweede buitenlicht aan. Even later werd de deur geopend. Ursula Cunningham-Gabney stond in de deuropening. Ze droeg een donkerrode jurk die een paar centimeter boven haar knie eindigde en haar lengte accentueerde. Verticale ribbels in de jurk, die nog meer accentueerden. Hooggehakte pumps maakten het geheel compleet.

De permanent van de foto in de krant was vervangen door een glanzend, toffeekleurig glad kapsel. Aan een kettinkje om haar hals hing een John Lennon-bril, die bij haar fraaie borsten om ruimte vocht met een parelketting. Haar taille was smal, haar benen waren slank en heel, heel lang. Haar gezicht was vrij vierkant, fijngevormd, veel aantrekkelijker dan op de foto. Jonger ook. Ze leek niet veel ouder te zijn dan een jaar of dertig. Soepele hals, strakke kaaklijn, grote bruine ogen, gelaatstrekken die geen camouflage nodig hadden. Toch had ze zich gepoederd, vakkundig rouge opgebracht, zachtpaarse oogschaduw, dieprode lippenstift. Bedoeld om streng over te komen, met het gewenste resultaat.

'Doctor Delaware? Komt u binnen.'

'Alex. Gelijke monniken, gelijke kappen,' zei ik.

Dat bracht haar even in verwarring. Toen zei ze: 'Ja, natuurlijk, Alex.' En glimlachte. En liet de glimlach weer verdwijnen.

Ze nam me mee naar een hal die in mijn ogen groot geweest zou zijn wanneer ik niet net uit het Dickinson-landhuis was gekomen. Parketvloer, met eikehout gelambrizeerde muren, eenvoudige banken en kapstokken, een klok met SANTA FE onder de 12 en RAILROAD boven de 6. Aan de muren enige Californische landschappen van het soort dat de galerieën in Carmel al jaren lang probeerden te verkopen als meesterwerken.

De huiskamer was links, zichtbaar door half geopende houten schuifdeuren. Nog meer eiken muren, nog meer landschappen: Yosemite, Death Valley, de kust van Monterey. Zwart gestoffeerde stoelen met een hoge rugleuning, in een cirkel opgesteld. Rechts van me een ruimte die eens de eetkamer moest zijn geweest, en nu was ingericht als wachtkamer met slecht bij elkaar passende banken en tafeltjes vol tijdschriften.

Ze bleef een paar passen voor me uit lopen, naar de achterzijde van het huis. Snelle, vastberaden stappen. Strakke jurk. Soepele bewegingen van haar billen. Geen conversatie.

Ze bleef staan, maakte een deur open en bleef die vasthouden.

Ik stapte een kamer in die waarschijnlijk een dienstbodenkamertje was geweest. Klein, vrij donker, met grijze muren en een laag plafond. Gemeubileerd met eenvoudige, moderne meubels: een lage bureaustoel van grenehout en grijs leer achter een bureau van hetzelfde hout. Twee stoelen aan de andere kant van het bureau. Drie planken vol vakliteratuur aan de muur achter het bureau. Diploma's aan de linkermuur. Voor het raam in een zijmuur een grijs rolgordijn.

Een enkel kunstwerk, naast de boekenplanken. Een ets van Cassatt. Zacht. Moeder en kind.

Gisteren had ik een werk van dezelfde kunstenaar gezien. Ook in een eenvoudige grijze kamer.

Therapie zo ver mogelijk doorgevoerd?

Ursula Cunningham-Gabney ging achter het bureau zitten en sloeg haar benen over elkaar. De jurk schoof omhoog. Ze liet dat zo. Zette haar bril op en staarde me aan.

'Nog geen spoor van haar gevonden?' vroeg ze.

Ik schudde mijn hoofd.

Ze fronste, schoof de bril hoger op haar smalle, rechte neus. 'Je bent jonger dan ik had verwacht.'

'Jij ook. En je bent ook nog eens in twee vakken afgestudeerd.'

'Zo opmerkelijk was dat niet. Op de lagere school heb ik twee klassen overgeslagen. Ik ben op mijn vijftiende jaar naar Tufts gegaan en op mijn negentiende naar Harvard. Leo Gabney was toen een prof van me en hij heeft me geholpen een deel van de nonsens te vermijden waarover je als student kunt struikelen. Ik had klinische psychologie en psycho-biologie als hoofdvakken genomen en verder al veel colleges medicijnen gelopen. Dus stelde Leo me voor ook die medicijnenstudie af te maken. Gedurende de eerste twee jaar van die studie heb ik onderzoek voor mijn dissertatie gedaan.'

'Klinkt behoorlijk hectisch.'

'Het was geweldig,' zei ze zonder een spoor van een glimlach. 'Het waren schitterende jaren.'

Ze zette haar bril af en legde haar handen plat op het bureaublad.

'Wat kunnen we doen aan de verdwijning van mevrouw Ramp?' vroeg ze toen.

'Ik dacht dat jíj mij daar misschien iets wijzer over zou kunnen maken.'

'Ik zou graag willen profiteren van het feit dat jij haar korter geleden hebt gezien dan ik.'

'Ik dacht dat je haar elke dag zag.'

Ze schudde haar hoofd. 'Al enige tijd niet meer. We hebben de individuele gesprekken beperkt tot twee of vier per week, afhankelijk van haar behoeften. Ik heb haar dinsdag voor het laatst gezien. Op de dag dat jij opbelde. Het ging heel goed met haar. Daarom vond ik het aanvaardbaar dat je met haar sprak. Wat is er met Melissa gebeurd om mevrouw Ramp zo van streek te maken?'

'Ze probeerde Melissa duidelijk te maken dat het heel goed met haar ging en dat ze met een gerust hart naar Harvard kon gaan. Melissa werd boos, rende de kamer uit. Haar moeder kreeg een aanval. Maar ze had die snel onder controle door het inhaleren van een medicijn dat zij een spierontspanner noemde, en een zorgvuldige ademhalingstechniek.'

Ze knikte. 'Tranquizone. Dat is echt een veelbelovend middel. Mijn man en ik behoren tot de eersten die er een klinisch gebruik van maken. Het grootste voordeel ervan is dat het direct van invloed is op het sympathisch zenuwstelsel en ogenschijnlijk niet op de thalamus of het limbisch systeem. Het lijkt totaal geen invloed te hebben op het centraal zenuwstelsel. Wat betekent dat het minder verslavend werkt dan valium of xanax. De ademhaling verbetert snel, waardoor de angstaanval even snel afneemt. Het enige nadeel is dat de effecten slechts van korte duur zijn.'

'Bij haar was het een succes. Ze kwam behoorlijk snel tot bedaren en had het prettige gevoel de aanval zelf onder controle te hebben gekregen.'

'Daar werken we aan,' zei ze. 'Het gevoel van eigenwaarde. We gebruiken het middel als een springplank naar cognitieve herstructurering. We zorgen voor het ervaren van een succes en trainen de patiënten dan om zich bewust te worden van een machtsgevoel. Om de aanval te zien als een uitdaging en niet als een tragedie. Focussen op de kleine overwinningen en daarop verder bouwen.'

'Voor haar was het beslist een overwinning. Nadat ze tot rust was gekomen, besefte ze dat de kwestie met Melissa nog niet was opgelost. Dat maakte haar van streek, maar ze kreeg geen nieuwe aanval.'

'Hoe reageerde ze wèl toen ze opnieuw van streek was?'

'Ze ging Melissa zoeken.'

'Goed. Heel goed. Op actie georiënteerd.'

'Helaas was Melissa weggegaan met een vriend van haar. Ik heb mevrouw Ramp nog ongeveer een half uur gezelschap gehouden, wachtend op de terugkeer van Melissa. Dat is de laatste keer dat ik haar heb gezien.'

'Hoe gedroeg mevrouw Ramp zich tijdens dat wachten?'

'Ze maakte zich zorgen over de vraag hoe ze het probleem met Melissa kon oplossen, maar er was geen sprake van paniek.'
'Wanneer is Melissa weer komen opdagen?'
Ik besefte dat ik dat niet wist en zei dat ook.
'Het hele geval moet Gina meer hebben gedaan dan ze heeft laten merken,' zei ze. 'Ook tegenover mij. Ze heeft me vanmorgen opgebeld en zei dat het tot een confrontatie was gekomen. Ze klonk gespannen maar hield vol dat alles met haar in orde was. Het gevoel alles zelf in de hand te kunnen houden is voor de behandeling zo essentieel, dat ik er niet met haar over ben gaan discussiëren. Wel wist ik dat we moesten praten. Ik heb haar de keuze geboden tussen een individueel gesprek of een groepssessie. Ze zei dat ze dat laatste wilde proberen en als dat geen succes mocht worden, misschien langer zou blijven voor een individueel gesprek. Daarom verbaasde het me erg dat ze niet kwam. Ik had verwacht dat het voor haar een belangrijke sessie zou zijn. Toen de groep om vier uur de gebruikelijke pauze inlaste, heb ik haar opgebeld. Ik hoorde van haar echtgenoot dat ze om half drie was vertrokken. Ik wilde hem niet alarmeren, maar heb hem wel voorgesteld de politie te bellen. Voordat ik die zin af had, hoorde ik gegil op de achtergrond.'
Ze zweeg en ging naar voren zitten, zodat haar borsten op het bureaublad rustten. 'Melissa was kennelijk de kamer ingekomen, vroeg haar stiefvader wat er aan de hand was, kreeg dat te horen en werd hysterisch.'
Weer een stilte. De borsten bleven waar ze waren, als een offerande.
'Je lijkt Melissa niet erg aardig te vinden.'
Ze haalde haar schouders op en ging weer tegen de rugleuning van haar stoel aan zitten. 'Dat doet nu nauwelijks ter zake.'
'Hmmm. Nee, dat denk ik ook niet.'
Er werd nu getrokken aan de zoom van haar jurk. Harder getrokken toen ze er niet meteen succes mee had.
'Oké, jij bent haar advocaat,' zei ze. 'Maar op dit moment is Melissa volstrekt niet belangrijk. We zijn nu geconfronteerd met een crisissituatie. Een fobische vrouw, een van de zwaarste patiënten die ik ooit heb behandeld, en ik heb heel wat patiënten behandeld. Ze is op haar eentje op pad gegaan en wordt geconfronteerd met stimuli die ze in de verste verte niet aankan. Ze heeft het regime van haar behandeling verbroken en stappen gezet waar ze nog niet aan toe was, een gevolg van druk die op haar werd uitgeoefend door haar relatie met een extréém neurotische tiener. Ik ben de advocaat van de moeder. Ik moet aan het belang van míjn patiënte denken. Jij zult toch zeker ook wel inzien dat de relatie tussen hen pathologisch is.'

Veel geknipper met haar ogen. Een echte blos die de kleur van de rouge verdiepte.

'Misschien,' zei ik. 'Maar Melissa heeft die relatie niet uitgevonden. Zij is ontstaan, niet aangeboren, dus waarom moet het slachtoffer er de schuld van krijgen?'

'Ik kan je verzekeren...'

'Ik begrijp ook niet waarom je een moeder-dochter-conflict de schuld van de verdwijning wilt geven. Deze manier van redeneren is zinloos.'

'Inderdaad. Heb je verder nog informatie voor me?' zei ze.

'Ik neem aan dat je op de hoogte bent van de omstandigheden die haar fobie hebben veroorzaakt? Het zuur?'

'Ja,' zei ze, vrijwel zonder haar lippen te bewegen.

'De man die dat heeft gedaan, Joel McCloskey, is weer in de stad.'

Haar mond vormde een O. Er kwam geen geluid over haar lippen. Ze zette haar benen naast elkaar, met de knieën tegen elkaar gedrukt.

'Verdomme,' zei ze. 'Wanneer is dat gebeurd?'

'Zes maanden geleden, maar hij heeft de familie niet opgebeld of lastig gevallen. Er is geen bewijs dat hij hier iets mee te maken heeft. De politie heeft hem ondervraagd en hij heeft een alibi, dus hebben ze hem weer vrijgelaten. Als hij problemen zou willen veroorzaken, heeft hij daar al alle tijd voor gehad. Hij is al zes jaar de gevangenis uit. Heeft nooit contact opgenomen met haar of iemand anders van de familie.'

'Zes jaar!'

'Zes jaar geleden is hij voorwaardelijk vrijgelaten en het merendeel van die tijd heeft hij in een andere staat doorgebracht.'

'Ze heeft er nooit iets over gezegd.'

'Ze wist het niet.'

'Hoe weet jíj het dan?'

'Melissa heeft het kort geleden ontdekt en aan mij verteld.'

Haar neusgaten verwijdden zich. 'En ze heeft het niet aan haar moeder verteld?'

'Ze wilde haar niet alarmeren. Ze was van plan een privé-detective in de arm te nemen om de gangen van McCloskey na te gaan.'

'Briljant. Werkelijk briljant.' Ze schudde haar hoofd. 'Ben jij het daarmee eens, gezien alles wat er is gebeurd?'

'In eerste instantie leek het redelijk mevrouw Ramp geen nieuw trauma te bezorgen. Als die detective te weten was gekomen dat McCloskey een bedreiging voor haar vormde, zou haar dat zeker zijn verteld.'

'Hoe is Melissa te weten gekomen dat McCloskey terug was?'

Ik herhaalde wat mij was verteld.

'Ongelooflijk,' zei ze. 'Ik moet toegeven dat dat kind initiatief heeft. Maar haar bemoeizucht is...'

'Ze heeft de situatie naar beste geweten beoordeeld en het staat nog helemaal niet vast dat die beoordeling verkeerd is geweest. Kun jij met zekerheid zeggen dat je het mevrouw Ramp wèl zou hebben verteld?'

'Het zou prettig zijn geweest als ik de keuze had gehad.'

Ze keek eerder gekwetst dan boos.

Een deel van me wilde excuses aanbieden. Een ander deel wilde haar een college geven over juiste communicatie met de familie van de patiënte.

'Al die tijd heb ik geprobeerd haar duidelijk te maken dat de buitenwereld veilig is, en nu blijkt dat hij daar rondloopt,' zei ze.

'Luister, er is echt geen reden om aan te nemen dat er iets ergs is gebeurd. Ze kan pech hebben gekregen met de auto. Of gewoon hebben besloten haar vleugels iets verder uit te slaan. Het feit dat ze hier zelf naar toe wilde rijden, kan wijzen op een verlangen in die richting.'

'Zit het jou dan helemaal niet dwars dat die man terug is? Het kan zijn dat hij haar al zes maanden lang in de gaten heeft gehouden.'

'Jij bent vaak bij haar thuis geweest. Heb je hem tijdens de wandelingen wel eens gezien? Of iemand anders?'

'Nee, maar dat kan ook bijna niet, want ik concentreerde me volledig op haar.'

'Toch is San Labrador wel zo ongeveer de laatste plaats waar je iemand in de gaten kunt houden zonder zelf te worden gesignaleerd. Geen mensen, geen auto's, waardoor vreemden direct opvallen. De politie functioneert als een soort lijfwacht. Hun specialiteit is het uitkijken naar vreemden.'

'Klopt wel,' zei ze. 'Maar stel dat hij zich heel onopvallend heeft gedragen? Stel dat hij alleen heeft rondgereden, niet elke dag, af en toe. Op verschillende tijden. In de hoop een glimp van haar op te vangen. Stel dat hij daar vandaag in is geslaagd, haar alleen het huis heeft zien verlaten en achter haar aan is gegaan? Misschien is hij er zelf niet geweest. Hij heeft al eens eerder iemand ingehuurd om haar kwaad te doen en kan dat weer hebben gedaan. Dus vind ik het feit dat hij een alibi heeft, betekenisloos. Hoe zit het met de man die haar heeft aangevallen en door McCloskey was betaald? Is die ook weer in de stad?'

'Melvin Findlay,' zei ik. 'Niet iemand die ik ervoor zou uitzoeken.'

'Hoezo?'

'Een zwarte man die zonder goede reden in San Labrador rondrijdt, houdt het daar geen twee minuten vol. Findlay heeft lang gevangen-gezeten omdat hij zich had laten inhuren. Ik denk niet dat hij zo stom zal zijn om nogmaals achter haar aan te gaan.'

'Ik hoop dat je gelijk hebt,' zei ze. 'Maar ik heb de criminele geest bestudeerd en ik neem al lange tijd niets meer over de intelligentie van de mens als vaststaand aan.'

'Over de criminele geest gesproken... Heeft mevrouw Ramp ooit verteld wat McCloskey tegen haar had?'

Ze zette haar bril af, trommelde met haar vingers op het bureau, pakte iets van het blad af en gooide dat weg. 'Nee. Omdat ze het niet wist. Ze had er geen idéé van waarom hij haar zo haatte. Er was eens sprake van een romance geweest, maar ze waren als vrienden uit elkaar gegaan. Ze begreep er echt niets van. Het niet weten, niet begrijpen maakte het voor haar nog eens extra moeilijk. Ik ben daar lange tijd mee bezig geweest.'

Ze trommelde nog eens met haar vingers. 'Dit is absoluut niet typerend voor haar. Ze was een goede patiënte en week nooit af van het vastgestelde plan. Zelfs wanneer ze alleen autopech heeft gekregen, is de kans heel groot dat ze in paniek is geraakt en zichzelf niet meer onder controle kan houden.'

'Heeft ze medicijnen bij zich?'

'Als het goed is wel. Ze heeft opdracht gekregen de Tranquizone altijd mee te nemen.'

'Ik heb gezien dat ze het kan gebruiken.'

Ze staarde me aan en glimlachte, met haar lippen op elkaar, waardoor de kaaklijn zich spande. 'Je bent een optimist, Delaware.'

Ik glimlachte terug. 'Daar kom ik de nachten mee door.'

Haar gezichtsuitdrukking werd zachter. Even dacht ik dat ze me een deel van haar gebit zou laten zien. Toen trok ze een grimas en zei: 'Ik wil even iets nagaan.'

Ze pakte de telefoon, tikte 911 in. Toen ze de telefoniste aan de lijn kreeg, identificeerde ze zich als de arts van Gina Ramp en vroeg te worden verbonden met het hoofd van politie.

Terwijl ze wachtte, zei ik: 'Hij heet Chickering.'

Ze knikte, hield een wijsvinger omhoog en zei: 'Inspecteur Chickering? U spreekt met doctor Ursula Cunningham-Gabney. De arts van Gina Ramp. Nee, ik heb niet... Niets... Ja, natuurlijk... Ja, dat was zo. Om drie uur vanmiddag... Nee, en ik heb niet... Nee, niet in het minst. Inspecteur Chickering, ik kan u verzekeren dat ze volledig bij haar gezonde verstand was. Absoluut... Nee, helemaal niet... Ik heb niet het gevoel dat dat verstandig of noodzakelijk zou zijn. Nee, ik kan u verzekeren dat ze volkomen rationeel was... Ja, ik begrijp het...

Ik meen echter een ding onder uw aandacht te moeten brengen. De man die haar heeft aangevallen... Nee, hij niet. Degene die het zuur in haar gezicht heeft gesmeten. Findlay. Melvin Findlay. Is die gelokaliseerd? O. O, ik begrijp het... Ja, natuurlijk. Dank u, inspecteur.' Ze hing op en schudde haar hoofd. 'Findlay is enige jaren geleden in de gevangenis gestorven. Chickering was beledigd omdat ik naar die man vroeg, lijkt te denken dat ik aan zijn capaciteiten als politieman twijfel.'

'Het klonk alsof hij twijfelde aan de geestelijke stabiliteit van Gina.' Ze keek walgend. 'Hij wilde weten of ze er helemaal wàs. Wat vind je van zo'n woordkeus?' Ze rolde met haar ogen. 'Ik geloof echt dat hij me wilde horen zeggen dat ze gek was. Alsof dat haar verdwijning aanvaardbaar zou maken.'

'Die het aanvaardbaar zou maken wanneer hij haar niet vond,' zei ik. 'Wie kan er uiteindelijk verantwoordelijk worden gesteld voor de acties van een krankzinnig persoon?'

Ik was bereid mijn kop eronder te verwedden dat ze pas op latere leeftijd een schoonheid was geworden.

Ze knipperde nog enige keren met haar ogen, keek naar het bureaublad en liet de ernstige gezichtsuitdrukking geheel verdwijnen. Even zag ik haar als een bijziend klein meisje. Slimmer opgroeiend dan haar leeftijdgenoten. Niet in staat echt contact te maken. In haar kamer zitten lezen en zich afvragen of ze ooit ergens echt bij zou horen.

'Wij zijn verantwoordelijk,' zei ze. 'We hebben de verantwoordelijkheid voor hen op ons genomen en nu zitten we hier zonder iets te kunnen doen.'

Frustratie op haar gezicht. Ik keek naar de prent van Cassatt.

Dat zag ze en leek nog meer gespannen te raken. 'Prachtig, hè?'

'Inderdaad.'

'Cassatt was een genie. Heel expressief, vooral zoals ze de essentie van kinderen kon vastleggen.'

'Ik heb gehoord dat ze niet van kinderen hield.'

'Werkelijk?'

'Heb je die prent al lang?'

'Een tijdje.' Ze raakte haar haren aan. Weer een glimlach zonder kaakbeweging. 'Je bent hier niet gekomen om over kunst te spreken. Kan ik verder nog iets voor je doen?'

'Kun je nog andere psychische factoren bedenken die Gina's verdwijning misschien kunnen verklaren?'

'Zoals?'

'Amnesie, fugue. Kan het zijn dat ze ergens rondzwerft zonder te weten wie ze is?'

Daar dacht ze even over na. 'Niets in haar levensgeschiedenis wijst daarop. Haar ego was opmerkelijk goed intact, gezien alles wat ze heeft meegemaakt. Ik heb haar eigenlijk altijd gezien als mijn meest rationele patiënte met pleinvrees. Gezien de origine van haar symptomen. Bij sommigen kom je nooit te weten hoe het begint, is er geen trauma waarop je de vinger kunt leggen. Maar in haar geval zijn de symptomen gevolgd op een ongelooflijke hoeveelheid fysieke en emotionele stress. Veel operaties, lange perioden dat ze het bed moest houden om haar gezicht te laten genezen. Medisch voorgeschreven pleinvrees, zou je kunnen zeggen. Wanneer je dat combineert met het feit dat de aanval plaatsvond toen ze haar huis uitkwam, zou het bijna irrationeel zijn wanneer ze zich níet was gaan gedragen zoals ze dat heeft gedaan. Misschien zelfs ook in biologische zin. Er komen bewijzen van het feit dat er in de hersenen na een trauma sprake kan zijn van een structurele verandering.'

'Is heel goed mogelijk,' zei ik. 'Ik neem aan dat de kans bestaat dat we nooit te weten kunnen komen wat er is gebeurd wanneer ze weer komt opdagen.'

'Hoe bedoel je dat?'

'Het afgezonderde leven dat ze leidt. Op haar eigen manier is ze heel goed in staat voor zichzelf te zorgen. Dat kan leiden tot een persoonlijkheid die geheimhouding heel belangrijk vindt, die deze als een schat koestert. Die dit zelfs als een genot kan ervaren. Toen ik Melissa behandelde, heb ik wel eens gedacht dat geheimen voor deze familie heel erg belangrijk waren. Dat een buitenstaander nooit echt te weten zou komen wat daar gaande was. Gina kan inmiddels heel wat geheimen hebben verzameld.'

'De therapie heeft het doel daardoorheen te breken en ze heeft een opmerkelijke vooruitgang geboekt.'

'Daar twijfel ik niet aan. Ik wil alleen zeggen dat ze kan besluiten toch enige geheimen voor zich te houden.'

Haar gezicht spande zich toen ze zich voorbereidde om daartegen in de verdediging te gaan. Maar ze wachtte met praten tot ze weer rustiger was geworden. 'Ik neem aan dat je gelijk hebt. Het is iets dat we allemaal doen, nietwaar? Een soort privé-tuinen die we zelf water en mest willen geven.' Ze wendde zich van me af. 'Tuinen vol ijzeren bloemen. IJzeren wortels en stelen en bloemblaadjes. Een paranoïde schizofreen heeft dat eens tegen me gezegd en ik geloof echt dat het een goed beeld is. Zelfs de meest diepgaande vragen kunnen ijzeren bloemen niet ontwortelen wanneer ze dat zelf niét willen.'

Ze keek me weer aan, keek weer gekwetst.

'Inderdaad. Maar als zij ze ontworteld wil zien, zul jij waarschijnlijk degene zijn aan wie ze het boeket overhandigt.'

Zwak glimlachje. Tanden. Wit, recht en glanzend. 'Doctor Delaware, ben je me aan het bevaderen?'

'Nee, en het spijt me als ik die indruk heb gewekt. Hoe zit het met de leden van haar praatgroep? Zouden zij iets weten waar we wat aan kunnen hebben?'

'Nee. Ze is nooit met een van hen omgegaan buiten het groepsgebeuren.'

'Uit hoeveel personen bestaan die groep verder?'

'Twee.'

'Kleine groep.'

'Het is een zeldzaam voorkomende ziekte. Het vinden van gemotiveerde patiënten, die bovendien voldoende geld hebben om aan de uitgebreide behandeling te beginnen die wij kunnen bieden, valt niet mee.'

'Hoe gaat het met de twee andere patiënten?'

'Goed genoeg om van huis weg te gaan en aan groepsgesprekken deel te nemen.'

'Goed genoeg om vragen te beantwoorden?'

'Van wie?'

'De politie, de privé-detective die naar haar op zoek is en ook bezig is met het natrekken van McCloskey.'

'Absoluut niet. Het zijn breekbare individuen. Ze weten nog niet eens dat zij zoek is.'

'Ze weten wel dat ze vandaag niet is komen opdagen.'

'Dat is, gezien de diagnose, niet ongewoon. De meesten hebben wel eens een sessie gemist.'

'Heeft mevrouw Ramp er wel eens eerder een gemist?'

'Nee, maar daar gaat het niet om. Als iemand niet komt opdagen, is dat niet bijzonder.'

'Zullen ze nieuwsgierig worden wanneer zij aanstaande maandag wéér niet verschijnt?'

'Indien ze dat zijn, zal ik dat afhandelen. Als je het niet erg vindt, zou ik mijn andere patiënten niet verder willen bespreken. Zij hebben het recht op vertrouwelijkheid niet verloren.'

'Oké.'

Ze wilde haar benen weer over elkaar slaan, bedacht zich en hield haar voeten plat op de grond.

'We zijn hier niet veel wijzer van geworden, hè?' zei ze.

Ze ging staan, streek haar jurk glad en keek langs me heen naar de deur.

'Kan er een reden voor haar zijn geweest om vrijwillig weg te gaan?'

Ze keek me scherp aan. 'Hoe bedoel je dat?'
'De grote ontsnapping. Haar levensstijl inruilen voor iets nieuws. De therapie laten voor wat die is en op zoek gaan naar volledige onafhankelijkheid.'
'Volledige onafhankelijkheid?' herhaalde ze. 'Dat is volkomen onzinnig.'

De deur ging open voordat wij daar waren. Een man kwam binnen en liep heel snel de hal door. Leo Gabney. Hoewel ik een paar dagen geleden nog een foto van hem had gezien, moest ik twee keer kijken voordat ik besefte wie hij was.
Opeens zag hij ons en bleef zo snel staan dat ik verwachtte remsporen op het parket te zien.
Ik was afgeleid geweest door zijn uiterlijk. Rood-wit flanellen cowboy-shirt, blauwe spijkerbroek met heel smalle pijpen, laarzen met puntneuzen, van koeieleer. De broekriem was eveneens van leer, op de gesp een grote koperen *psi* – de bijdrage van het Griekse alfabet aan de professionele identiteit van de psychologie. Aan de riem hing een opmerkelijke sleutelbos.
Verstedelijkte cowboy, maar hij miste de spieren om er echt een succes van te maken.
Ondanks zijn leeftijd was zijn lichaamsbouw bijna die van een jongen. Ingevallen borstkas, schouders die smaller waren dan die van zijn vrouw. Het dikke haar spierwit boven een door de zon gebruind gezicht. Actieve blauwe ogen. Borstelige witte wenkbrauwen. Hoog voorhoofd met zorgelijke rimpels, minder kin dan hij verdiende. Zijn hals was gerimpeld. Boven het shirt uit wat witte borstharen.
Hij gaf zijn vrouw een kus op haar wang en zond mij een heel onderzoekende blik toe.
'Dit is collega Delaware,' zei ze.
'Aha. Ik ben Gabney.'
Sterke stem, basso profundo, iets te diepe stem voor zo'n kleine klankkast. Een accent dat bij New England hoorde, waardoor mijn naam veranderde in *Dullaweah*.
Hij stak een hand uit, mager en zacht. Hij had geen stieren binnengehaald. Zelfs de botten voelden zacht aan, alsof die in azijn waren geweekt. De huid eromheen was los, droog en koel, als die van een hagedis die in de schaduw ligt.
'Is ze alweer terecht?' vroeg hij.
'Ik ben bang van niet, Leo,' zei ze.
Hij klakte met zijn tong. 'Heel beroerd. Ik ben zo snel ik kon hierheen gekomen.'

Ze zei: 'Collega Delaware heeft me verteld dat McCloskey, de man die haar destijds heeft aangevallen, terug is in de stad.'

De witte wenkbrauwen maakten een tentje en de rimpels werden omgekeerde v's. 'O?'

'De politie heeft hem gevonden, maar hij had een alibi, dus hebben ze hem weer laten gaan. We hebben het erover gehad dat hij destijds iemand in de arm had genomen om het vuile werk op te knappen en dat er geen reden is om aan te nemen dat hij dat niet nog eens zou doen. De man die hij toen heeft ingehuurd, is dood, maar dat sluit een andere boef niet uit, denk je ook niet?'

'Nee, natuurlijk niet. Afschuwelijk. Hem vrijlaten was absurd, beslist prematuur. Waarom bel je de politie niet om hen dat in herinnering te brengen, schat?'

'Ik betwijfel of ze er veel aandacht aan zouden besteden. Collega Delaware denkt ook dat het onwaarschijnlijk is dat iemand haar in de gaten heeft kunnen houden zonder de aandacht te trekken van de politie van San Labrador.'

'Hoezo?' vroeg hij.

'Vanwege de lege straten en het feit dat de politie daar vooral vaardig is in het signaleren van vreemden.'

'Competentie is een relatief begrip, Ursula. Bel op en breng die mensen tactvol in herinnering dat McCloskey de gewoonte had iemand in te huren en zijn handen niet zelf vuil te maken. Dat hij opnieuw iemand kan hebben ingehuurd. Sociopaten vallen vaak in herhalingen, omdat hun gedrag rigide is. Ze zijn allemaal uit hetzelfde hout gesneden.'

'Leo, ik denk niet...'

'Schatje, alsjeblieft.' Hij nam haar beide handen in de zijne. Masseerde haar gladde huid met zijn duimen. 'We hebben te maken met inferieure geesten en het welzijn van mevrouw Ramp staat op het spel.'

Ze deed haar mond open, dicht, en zei: 'In orde, Leo.'

'Dank je, schat. En nog iets. Zou je de Saab iets verder naar voren willen rijden? Ik sta half op straat.'

Ze draaide ons haar rug toe en liep snel naar haar kantoor. Gabney keek haar na, keek bijna geil naar haar wiegende heupen. Toen ze de deur dichtdeed, wendde hij zich voor het eerst sinds we elkaar een hand hadden gegeven, tot mij. 'Delaware, beroemd vanwege de *pavor nocturnus*. Gaat u even mee naar mijn kantoor?'

Ik liep achter hem aan naar de achterzijde van het huis: een grote, gelambrizeerde kamer die eens de bibliotheek moest zijn geweest. Gordijnen van bessenrood fluweel bedekten het merendeel van een muur. Verder boekenkasten die sterk aan de rococo-stijl deden denken en sombere schilderijen van paarden en honden. Het plafond was even laag als dat van de studeerkamer van zijn vrouw, maar wel fraaier. In het midden een bloemenmedaillon van gips, waaraan een koperen kroonluchter met elektrische kaarsen hing.

Voor een van de boekenkasten stond een groot bewerkt bureau. Een pen-en-inktpot-setje van zilver en kristal, een benen briefopener, een antiek vloeiblad en een lamp met groene kap stonden op het bureaublad van rood leer, naast een doos voor de inkomende en uitgaande post en stapels medische en psychologische vakbladen, sommige nog voorzien van de adresband. De boekenkast recht achter hem was gevuld met boeken op de rug waarvan zijn naam prijkte, en artikelen van vakgenoten die dateerden vanaf 1951.

Hij ging in een leren bureaustoel met een hoge rugleuning zitten en vroeg me eveneens plaats te nemen.

Tweede keer, binnen een paar minuten, aan de andere kant van het bureau. Ik begon me een patiënt te voelen.

Hij pakte de briefopener om een exemplaar van *The Journal of Applied Behavioral Analysis* van het adresbandje te ontdoen, sloeg het blad open bij de inhoudsopgave, bekeek die en legde het tijdschrift weer neer. Hij pakte een ander tijdschrift en bladerde dat met gefronste wenkbrauwen door.

'Mijn echtgenote is een verbazingwekkende vrouw,' zei hij, terwijl hij een derde tijdschrift pakte. 'Een van de meest intelligenten van haar generatie. Afgestudeerd als arts en als psychiater op haar vijfentwintigste jaar. U zult nooit een deskundiger clinica kunnen vinden, noch iemand die haar vak meer toegewijd is.'

Ik vroeg me af of hij de manier waarop hij haar zojuist had behandeld, wilde goedmaken en zei: 'Indrukwekkend.'

'Buitengewoon.' Hij legde het derde tijdschrift weg. Glimlachte. 'Wat had ik daarna anders kunnen doen dan met haar trouwen?'

Voordat ik een manier had bedacht om daarop te reageren, zei hij: 'We zeggen als grap graag dat ze een paradox is.' Gegrinnik, dat opeens weer ophield. Uit een zak van zijn shirt haalde hij een pakje kauwgum te voorschijn.

'Wilt u er ook een?' vroeg hij.

'Nee, dank u.'

Hij nam er zelf wel een. De slappe kin ging omhoog en omlaag met de regelmaat van een oliepomp. 'Arme mevrouw Ramp. In deze fase van de behandeling kan ze nog niet alleen de wereld in. Mijn vrouw heeft me direct opgebeld toen ze merkte dat er iets mis was. We hebben een ranch in Santa Ynez. Helaas kon ik haar weinig raad geven.

Wie had iets dergelijks kunnen verwachten? Wat kan er in vredesnaam zijn gebeurd?'
'Goede vraag.'
Hij schudde zijn hoofd. 'Heel vervelend. Ik wilde hier zijn, voor het geval zich een nieuwe ontwikkeling voordeed. Ik heb mijn plichten verzaakt en ben bliksemsnel hierheen gereden.'
Zijn kleren zagen er schoon uit, alsof ze net waren gestoomd. Ik vroeg me af wat zijn plichten waren. Ik herinnerde me zijn zachte handen en vroeg: 'Rijdt u paard?'
'Een beetje,' zei hij, kauwend. 'Maar echt warm kan ik er niet voor lopen. Ik zou die beesten zelf nooit hebben gekocht, maar ze hoorden bij de ranch. Ik had behoefte aan rúimte en bij de ranch die ik heb gekocht, horen 8 hectaren grond. Ik ben erover aan het denken Chardonnay-druiven te gaan kweken.' Zijn mond hield even op met kau-wen. Ik zag de kauwgum als een balletje achter een wang zitten. 'Denkt u dat iemand die zich in de gedragswetenschappen heeft gespecialiseerd, een eersteklas wijn kan produceren?'
'Ze zeggen dat een echt goede wijn ontstaat door ongrijpbare factoren.'
Hij glimlachte. 'Onjuist. Alleen door onvolledige gegevens.'
'Ik wens u er in elk geval succes mee.'
Hij ging makkelijk zitten en liet zijn handen op zijn buik rusten. Het shirt stond bol.
'Ik voel me voornamelijk aangetrokken tot de lucht daar,' zei hij en begon weer te kauwen. 'Helaas kan mijn vrouw er niet van genieten. Allergieën. Paarden, grassen, pollen, allerlei dingen waar ze in Boston nooit last van heeft gehad. Dus concentreert zij zich op het klinische werk en geeft mij de vrije hand om te experimenteren.'
Het was niet het gesprek dat ik me had voorgesteld met de beroemde Leo Gabney te voeren. In de tijd dat ik me dergelijke dingen voorstelde. Ik was er niet zeker van waarom hij me had uitgenodigd.
Misschien voelde hij dat aan, want hij zei: 'Delaware, ik heb al uw werk gevolgd, niet alleen uw onderzoek naar slaapstoornissen. Multimodale behandeling van obsessies bij kinderen. De psychische aspecten van chronische ziekte en langdurige ziekenhuisopname bij kinderen. Communicatie in relatie tot ziekte en de wijze waarop de familie daarmee omgaat. Et cetera. Solide werkstukken, helder geschreven.'
'Dank u.'
'U hebt al enige jaren niets meer gepubliceerd.'
'Ik ben daar op dit moment weer mee bezig, maar het merendeel van de tijd doe ik andere dingen.'

'Particuliere praktijk?'
'Forensisch werk.'
'Wat voor forensisch werk?'
'Zaken die verband houden met trauma's en verwondingen. Een aantal voogdijzaken.'
'Nare kwesties, die voogdijzaken. Hoe denkt u daarover?'
'In sommige gevallen kan het best goed geregeld worden.'
Hij glimlachte. 'Aardig ontwijkend antwoord. Ik ben van mening dat ouders sterk onder druk moeten worden gezet om alsnog een succes van hun huwelijk te maken. Indien dat herhaalde malen mislukt, moet de ouder die de beste opvoedkundige kwaliteiten heeft tot voogd worden benoemd, of dat nu de moeder of de vader is. Bent u het daarmee eens?'
'Ik denk dat het belang van het kind voorop moet staan.'
'Dat denkt iedereén. De uitdaging is de goede bedoelingen ten uitvoer te brengen. Als ik mijn zin kreeg, zou er geen enkele beslissing ten aanzien van de voogdij worden genomen voordat goed opgeleide waarnemers enige weken bij het gezin in huis hebben gewoond, aan de hand van gestructureerde, zinnige en betrouwbare gedragsschema's rapporten hebben opgesteld en hun resultaten hebben meegedeeld aan een aantal psychologische specialisten. Wat vindt u van dat idee?'
'In theoretisch opzicht zinnig, maar in praktische termen gesproken...'
'Nee, nee,' zei hij, woest kauwend. 'Ik spreek uit praktische ervaring. Mijn eerste vrouw had zich vast voorgenomen me in juridisch opzicht te vermoorden – dat was jaren geleden, toen de rechters niet eens bereid waren te luisteren naar wat vaders te zeggen hadden. Ze dronk en rookte en was zich haar verantwoordelijkheden absoluut niet bewust. Maar voor de idiote rechter die toen moest vonnissen, was het feit dat ze eileiders had van cruciaal belang. Hij heeft haar alles gegeven: mijn huis, mijn zoon, zestig procent van het geld dat ik moeizaam had gespaard. Een jaar later lag ze stomdronken in bed te roken. Het huis brandde af en ik was mijn zoon voor áltijd kwijt.'
Hij zei het zakelijk, met een basstem die even vlak was als een misthoorn.
Hij zette zijn ellebogen op het bureaublad, drukte zijn vingertoppen tegen elkaar, schiep zo een diamantvormige ruimte waar hij doorheen keek.
'Heel triest,' zei ik.
'Het was voor mij een afschuwelijke periode.' Langzaam gekauw. 'Enige tijd leek niets nog enige waarde voor me te hebben. Maar ik

heb Ursula leren kennen, dus neem ik aan dat achter alle wolken de zon toch wel schijnt.'

Onmiskenbare hartstocht in de blauwe ogen.

Ik dacht aan de manier waarop ze hem had gehoorzaamd. De manier waarop hij naar haar achterwerk had gekeken. Vroeg me af of hij op haar viel omdat ze zowel echtgenote als kind kon zijn.

Hij liet zijn handen zakken. 'Kort na die tragedie ben ik hertrouwd. Vóór Ursula. Ook een beoordelingsfout, maar in elk geval waren er toen geen kinderen. Toen ik Ursula leerde kennen, moest zij nog aan haar doctoraalstudie beginnen en was ik prof aan de universiteit. Ik heb haar potentieel toen direct ingezien en haar geholpen daar gebruik van te maken. De meest bevredigende prestatie van mijn hele leven. Bent u getrouwd?'

'Nee.'

'Een prima instituut, mits je het echt goed met elkaar leert vinden. Mijn eerste twee huwelijken zijn mislukt omdat ik mezelf liet leiden door ongrijpbare zaken. Ik negeerde mijn opleiding. Je mag je vakkennis niet gescheiden houden van je leven. Kennis van het menselijk gedrag geeft je een groot voordeel boven de doorsnee, wat aanrommelende *homo incompetens*.'

Hij glimlachte weer. 'Nu heb ik lang genoeg college gegeven. Wat denkt u van die arme mevrouw Ramp?'

'Nog niets, collega. Ik ben hierheen gekomen in de hoop wat meer over haar te weten te komen.'

'Het is heel naar dat die McCloskey op vrije voeten is. Hoe is u dat ter ore gekomen?'

Dat vertelde ik hem.

'Ah, de dochter. Zij houdt haar eigen angsten onder controle door te proberen het gedrag van haar moeder onder controle te houden. Ik wou dat ze het ons ook had verteld. Wat weet u verder nog van die McCloskey?'

'Ik weet alleen het een en ander over die aanval. Niemand lijkt echter te weten waarom hij het heeft gedaan.'

'Ja,' zei hij. 'Een a-typische psychopaat die zijn mond op slot houdt. Gewoonlijk scheppen die types heel graag over hun misdaden op. Ik neem aan dat het prettig zou zijn geweest als we van het begin af aan van alles op de hoogte waren geweest, om de variabelen te kunnen bepalen. Toch heb ik niet het idee dat het behandelingsplan ervan te lijden heeft gehad. Het voornaamste doel was het gedrag te wijzigen en mevrouw Ramp heeft het tot nu toe heel goed gedaan. Ik hoop dat alles niet voor niets is geweest.'

'Misschien houdt haar verdwijning verband met haar vooruitgang.

Misschien was ze zo van haar vrijheid gaan genieten dat ze besloot die wat uit te breiden.'

'Een interessante theorie, maar wij moedigen een doorbreking van het schema niet aan.'

'Het is bekend dat patiënten wel eens iets op eigen houtje doen.'

'En daar niet beter van worden.'

'Denkt u niet dat zij soms weten wat het beste voor hen is?'

'Door de bank genomen niet. Als ik die mening wel was toegedaan, zou ik niet naar eer en geweten driehonderd dollar per uur in rekening kunnen brengen, nietwaar?'

Driehonderd dollar. Gezien de intensiteit van hun behandelingsmethoden zou de kliniek op drie patiënten kunnen draaien.

'Geldt dat zowel voor u als voor uw vrouw?'

Hij grinnikte en ik wist dat ik de juiste vraag had gesteld. 'Alleen voor mij. Mijn vrouw brengt tweehonderd in rekening. Schrikt u erg van die getallen, collega?'

'Ze zijn hoger dan ik gewend ben, maar dit is een vrij land.'

'Dat is het. Ik heb het merendeel van mijn professionele leven doorgebracht op universiteiten en in ziekenhuizen waar de armen werden verzorgd. Ik heb behandelingsprogramma's opgesteld voor mensen die er nooit een cent voor hebben betaald. Ik vond dat het tijd werd de rijken te laten profiteren van alle door mij opgedane kennis.'

Hij pakte de zilveren pen op, draaide die in het rond, legde hem weer neer. 'Dus u hebt het idee dat mevrouw Ramp kan zijn weggelopen.'

'Ik denk dat het een mogelijkheid is. Toen ik haar gisteren sprak, zinspeelde ze erop dat ze een paar veranderingen in haar leven wilde realiseren.'

'Werkelijk?' De blauwe ogen bewogen zich niet langer. 'Wat voor veranderingen?'

'Ze gaf te kennen dat ze het huis waarin ze woonde, niet prettig vond: te groot, te luxueus. Dat ze iets eenvoudigers wilde.'

'Iets eenvoudigers. Verder nog iets?'

'Nee, dat is het wel zo ongeveer. Hebt u er enig idee van of er een klinische verklaring voor het gebeurde te vinden is?' vroeg ik.

'Mevrouw Ramp is een aardige vrouw,' zei hij. 'Heel lief. Instinctief wil je haar helpen. In klinisch opzicht is haar geval vrij eenvoudig. Klassiek voorbeeld van geconditioneerde angst die in stand wordt gehouden door operante factoren: de angst-verminderende effecten van herhaald ontwijken en escapisme, versterkt door de positieve kwaliteiten van verminderde sociale verantwoordelijkheid en verhoogd altruïsme van anderen.'

'Geconditioneerde afhankelijkheid?'

'Inderdaad. In veel opzichten is ze als een kind. Dat zijn alle mensen die aan pleinvrees lijden. Afhankelijk, ritualistisch, sterk vasthoudend aan primitieve gewoonten. Hoe langer de fobie duurt, hoe sterker die wordt, waardoor het gedragsrepertoire aanzienlijk wordt ingekrompen. Uiteindelijk kunnen ze niets meer doen en is er sprake van een soort psychische lage temperatuur. Mensen die aan pleinvrees lijden, zijn psychische reactionairen. Ze komen pas in actie wanneer ze daar met kracht toe worden gedwongen. Elke stap wordt met grote schroom gezet. Daarom kan ik me niet voorstellen dat ze vrolijk is weggelopen om op zoek te gaan naar een of ander slecht gedefinieerd Xanadu.'

'Ondanks de vooruitgang die ze heeft geboekt?'

'Haar vooruitgang is bevredigend, maar ze heeft nog een lange weg te gaan. Mijn vrouw en ik hebben ieder uitgebreide schema's opgesteld.'

Dat leek eerder op concurrentie dan op samenwerking. Ik leverde er echter geen commentaar op.

Hij haalde een nieuw stukje kauwgum uit de verpakking en stopte het in zijn mond. 'De behandeling is heel doordacht. We bieden veel in ruil voor het hoge honorarium dat we vragen. Naar alle waarschijnlijkheid zal mevrouw Ramp gewoon terugkomen om verder van onze diensten gebruik te maken.'

'Dus u maakt zich geen zorgen over haar?'

Hij kauwde harder, maakte spuuggeluiden. 'Ik maak me wel zorgen, maar je zorgen maken is niet produktief. Daardoor worden alleen meer zorgen en angsten opgeroepen. Ik leer mijn patiënten zich geen zorgen te maken en ik leer mezelf wat ik preek in praktijk te brengen.'

15

Hij ging met mee naar de deur, sprak over de wetenschap. Toen ik over het gazon liep, zag ik dat de Saab verder de oprit op was gereden. Daarachter stond een grijze Range Rover. De voorruit was stoffig, met uitzondering van de halve cirkels die door de ruitewissers waren gemaakt.

Ik stelde me Gabney achter het stuur voor, door het mesquitegras rijdend. Toen ik zelf wegreed, bedacht ik me wat een eigenaardig stel die twee vormden. Zij leek in eerste instantie een ijskonijn. Strijdlustig, gewend voor haar rechten te vechten. Ik begreep wel dat zij en Melissa elkaar tegen de haren in streken. Maar het ijslaagje was zo dun dat het snel smolt. Daaronder kwetsbaarheid. Net als bij

Gina. Was dat de basis voor een uitzonderlijke vorm van empathie? Wie had wie kennis laten maken met kleine grijze kamers en de kunst van Mary Cassatt?

Ze leek zich, om welke reden dan ook, echt zorgen te maken over Gina's verdwijning, erdoor van streek te zijn.

Haar man leek zich echter vast te hebben voorgenomen zich van de hele affaire te distantiëren. Hij deed Gina's ziektebeeld af als iets gewoons, reduceerde pijn tot jargon. Toch was hij wel helemaal vanuit Santa Ynez naar Los Angeles gekomen, een rit van twee uur. Dus maakte hij zich in feite misschien evenveel zorgen als zijn vrouw en kon hij dat alleen beter verborgen houden.

Het oude verschil tussen man en vrouw.

De man poseert.

De vrouw bloedt.

Ik dacht na over het verlies van zijn zoon. Over hóe hij me dat had verteld. Het gemak waarmee hij dat had gedaan, deed vermoeden dat het verhaal al duizenden keren eerder was verteld.

Nodig om het te verwerken? Om er gevoelloos voor te worden?

Of misschien was het hem ècht gelukt het verleden achter zich te laten.

Misschien zou ik hem op een dag opbellen, om enige lessen te mogen volgen.

Om tien voor tien was ik terug bij Sussex Knoll. Er patrouilleerde nog steeds een politiewagen door de straten. Ik werd echter niet tegengehouden toen ik naar het hek reed.

Over de intercom klonk de stem van Don Ramp droog en vermoeid. 'Nee, niets,' zei hij. 'Komt u verder.'

De hekken gingen open, ik reed snel door. Er waren nog meer buitenlichten aangedaan, waardoor een vals daglicht werd geschapen, fel en koud.

Geen andere auto's voor het huis. De deuren waren open. Ramp stond in de deuropening, in hemdsmouwen.

'Verdomme helemaal niets,' zei hij toen ik de trap opkwam. 'Wat hadden de doctoren te melden?'

'Niets belangrijks.' Ik vertelde hem over het telefoongesprek van Ursula over Melvin Findlay.

Zijn gezicht betrok.

'Hebt u nog iets van Chickering gehoord?' vroeg ik.

'Hij heeft een half uurtje geleden gebeld. Niets te melden, waarschijnlijk alles in orde, ik moest me geen zorgen maken. Degene die weg is, is niet zíjn vrouw. Ik heb hem gevraagd contact op te nemen met de FBI. Hij zei dat die niet in actie zal komen tenzij er bewijzen zijn van een ontvoering van het slachtoffer, en dan nog liefst naar een andere staat.' Hij hief even zijn handen ten hemel, liet ze toen weer slap langs zijn lichaam hangen. 'Het slachtoffer. Zo wil ik niet aan haar denken, maar...'

Hij deed de deur dicht. De hal was verlicht, maar in de rest van het huis was het donker.

Hij schuifelde over het marmer naar een lichtschakelaar aan de andere kant van de deuren.

Ik zei: 'Heeft uw vrouw u ooit wel eens verteld waarom McCloskey het heeft gedaan?'

Hij bleef staan, draaide zich half om. 'Waarom vraagt u dat?'

'Ik probeer haar te begrijpen, te achterhalen hoe ze die aanval heeft verwerkt, wat ze eraan heeft gedaan.'

'Hoe bedoelt u dat?'

'Slachtoffers van een misdaad gaan vaak naar feiten op zoek. Ze willen meer weten over de crimineel, diens motieven, de reden waarom zij het slachtoffer zijn geworden. Om te proberen er iets van te begrijpen en te voorkomen dat ze nog eens het slachtoffer zullen worden. Heeft uw vrouw dat ooit gedaan? Niemand lijkt te weten wat het motief van McCloskey was.'

'Nee, dat heeft ze niet gedaan.' Hij liep verder. 'In elk geval niet voor zover ik weet. En ze heeft er geen idee van waarom hij het heeft gedaan. Eerlijk gezegd praten we er niet vaak over. Ik maak deel uit van haar heden, niet van haar verleden. Maar ze heeft me wel verteld dat die rotzak heeft geweigerd te zeggen waarom hij het had gedaan en dat de politie dat ook niet uit hem heeft kunnen peuteren. Hij dronk en gebruikte drugs, maar dat kan er toch niet de verklaring voor zijn geweest?'

'Wat voor drugs gebruikte hij?'

Hij draaide de schakelaar om, waardoor de immense voorkamer waarin Gina Ramp en ik gisteren hadden gewacht, werd verlicht. Gisteren leek zo lang geleden. Een karaf met een zwanehals, gevuld met een heldere, amberkleurige drank stond naast enige ouderwetse glazen op een verrijdbare houten bar. Hij stak me een glas toe. Ik schudde mijn hoofd. Hij schonk voor zichzelf een beetje in, aarzelde, schonk er nog wat bij, deed de stop weer op de karaf en nam een slokje.

'Ik weet het niet,' zei hij. 'Drugs heb ik nooit gebruikt. Wel dit spul en af en toe een biertje. Ik heb hem nooit goed gekend. Slechts vaag, uit de studio's. Hij was een meeloper en leek zich aan Gina vast te zuigen. Volslagen onbetekenend figuur. Het stikt in Hollywood van

die mensen. Geen eigen talent, dus liet hij meisjes voor foto's poseren.'

Hij liep verder de kamer in, stapte op een tapijt dat zijn voetstappen
dempte. Het werd weer stil in het huis.

'Is Melissa al terug?' vroeg ik.

Hij knikte. 'Ze is in haar kamer. Ze is meteen naar boven gegaan en
zag er doodmoe uit.'

'Is Noel nog bij haar?'

'Nee, die is terug in de Tankard, mijn restaurant. Hij werkt voor
mij, zet auto's weg, bedient soms. Aardig joch, dat zichzelf omhoog
heeft gewerkt en een goede toekomst voor zich heeft. Melissa is niet
de juiste figuur voor hem, maar ik denk dat hij dat zelf zal moeten
ontdekken.'

'In welk opzicht niet de juiste figuur voor hem?'

'Te slim, te knap om te zien, te onrustig. Hij is stapel op haar, maar
zij loopt dwars over hem heen, niet uit wreedheid of snobisme, maar
gewoon omdat dat haar stijl is. Ze walst altijd door, zonder erbij na
te denken.'

Alsof hij die kritiek wilde compenseren, voegde hij eraan toe: 'Een
snob is ze beslist niet. Ondanks dit alles.' Hij zwaaide met een hand
veelzeggend de kamer rond. 'Mijn hemel, kunt u zich indenken wat
het betekent hier op te groeien? Ik ben opgegroeid in Lynwood, toen
daar nog voornamelijk blanken woonden. Mijn vader was vrachtwa-
genchauffeur die niet in loondienst was en snel uit zijn slof schoot.
Wat betekende dat er tijden zat waren dat niemand van zijn diensten
gebruik wenste te maken. We hadden altijd voldoende te eten, maar
dat was wel zo ongeveer alles. Ik vond het niet prettig zuinig te moeten
leven, maar nu weet ik wel dat ik er een beter persoon door ben
geworden. Niet dat Melissa geen goed meisje is. In wezen is ze dat
wel. Ze is er alleen aan gewend haar zin te krijgen en gaat gewoon
door als ze iets hebben wil, ongeacht wat anderen willen. Door
Gina's... situatie moest ze snel opgroeien. In feite is het nogal verbazingwekkend dat ze zo is uitgegroeid.'

Hij ging op een diepe bank zitten. 'Ik zal u wel niets over kinderen
hoeven te vertellen. Ik blijf maar praten omdat ik nogal zenuwachtig
door dit alles ben geworden. Waar kan ze in vredesnaam zijn? Hoe
zit het met die detective? Hebt u hem al kunnen bereiken?'

'Nog niet. Zal ik het nog eens proberen?'

Hij sprong op en kwam met een telefoon naar me toe.

Ik draaide het nummer van Milo's huis, werd verbonden met het
antwoordapparaat, hoorde toen dat dat werd uitgeschakeld.

'Hallo?'

'Rick? Je spreekt met Alex. Is Milo thuis?'

'Hallo, Alex. Ja, we zijn net thuis van een slechte film. Ik zal hem roepen.'

Twee seconden later: 'Ja?'

'Kun je vroeg starten?'

'Waarmee?'

'Spelen voor privé-detective.'

'Kan het niet tot morgen wachten?'

'Er is iets gebeurd.' Ik keek naar Ramp, die me triest aanstaarde. Ik koos mijn woorden zorgvuldig en vertelde wat er was gebeurd, inclusief het ondervragen van McCloskey, het vrijlaten van die man en het nieuws van het overlijden van Melvin Findlay in de gevangenis. Ik verwachtte van Milo dat hij op beide of een van beide mededelingen wel commentaar zou leveren.

In plaats daarvan vroeg hij: 'Heeft ze kleren meegenomen?'

'Volgens Melissa niet.'

'Hoe kan ze daar zeker van zijn?'

'Ze zegt dat ze alle kleren van haar moeder kent en het zou merken als er iets weg was.'

Ramp keek me direct aan, scherp.

Milo zei: 'Ook een nachtjaponnetje?'

'Milo, ik denk niet dat we het die kant op moeten zoeken.'

'Waarom niet?'

Ik keek even naar Ramp. Die staarde nog steeds mijn kant op en had geen slok genomen. 'Past niet in het beeld.'

'O. Echtgenoot dicht in de buurt?'

'Correct.'

'Oké, laten we het dan over een andere boeg gooien. Wat heeft de plaatselijke politie anders gedaan dan rondrijden?'

'Niets, voor zover ik weet. Niemand is erg onder de indruk van hun competentieniveau.'

'Het is bekend dat daar geen echte genieën werken, maar wat zouden ze verder kunnen doen? Van deur tot deur gaan en de drievoudige miljonairs lastig vallen? Ze is pas een paar uur zoek. Gezien de auto waarin ze rijdt, is de kans vrij groot dat ze door iemand wordt gezien. Hebben ze een signalement verspreid, wat dat dan ook waard moge zijn?'

'Volgens de inspecteur hebben ze dat inderdaad gedaan.'

'Ga jij tegenwoordig om met inspecteurs?'

'Hij was hier.'

'Natuurlijk. Doen ze bij rijke mensen.'

'Hoe zit het met de FBI?'

'Die kerels zullen zich er pas mee willen bemoeien wanneer er onomstotelijke bewijzen van een misdrijf zijn, liefst een misdrijf dat de voorpagina's van de kranten zal halen. Tenzij jouw rijke vrienden belangrijke politieke connecties hebben.'

'Hoe belangrijk moeten die zijn?'

'Iemand die Washington kan bellen en druk kan uitoefenen op de hoogste baas van de FBI. Ook dan zal ze toch eerst nog een paar dagen vermist moeten zijn voordat het serieus wordt genomen, door hen of door wie dan ook. Als er geen duidelijke bewijzen van een misdrijf zijn, zullen ze uiteindelijk niets anders doen dan een paar agenten laten opdraven die eruitzien als acteurs, een rapport maken, door het huis marcheren in dure maatpakken en in hun walkie-talkies fluisteren. Hoelang is ze nu weg? Zes uur?'

Ik keek op mijn horloge. 'Bijna zeven.'

'Alex, dat betekent echt niet direct dat er sprake moet zijn van een ernstig misdrijf. Wat heb je me verder nog te vertellen?'

'Niet zo veel. Ik ben net terug van een gesprek met haar therapeuten. Die konden me niet echt wijzer maken.'

'Je kent die types toch?' reageerde Milo. 'Beter in het stellen van vragen dan in het beantwoorden daarvan.'

'Heb jij vragen die je zou willen stellen?'

'Een paar.'

Ramp nam een slokje en keek me over de rand van zijn glas aan. 'Kom dat dan maar doen.'

'Ik kan er over een half uurtje zijn, maar veel meer dan een placebo heb ik niet te bieden. De dingen die je echt moet doen wanneer iemand wordt vermist − onderzoek bij banken, leveranciers van credit-cards en dergelijke − zullen moeten wachten tot de normale werkuren. Heeft iemand er al aan gedacht navraag te doen bij de ziekenhuizen?'

'Ik neem aan dat de politie dat heeft gedaan. Maar als jij dat graag wilt doen...'

'Ik zou beter hier kunnen blijven om enige telefoontjes te plegen dan dertig minuten onderweg te zijn naar jullie toe.'

'Ik denk dat het een goed idee zou zijn hier te bellen.'

'O ja?'

'Ja.'

'Veel trillende knieën, dus een placebo gewenst?'

'Ja.'

'Wacht even.' Hand op het mondstuk van de hoorn. 'Ja, oké. Dokter Silverman is er niet gelukkig mee, maar hij heeft het me als een heilige toegestaan. Misschien is hij zelfs bereid een das voor me uit te kiezen.'

Ramp en ik wachtten zonder veel te zeggen. Hij dronk en zakte steeds verder in een stoel weg. Ik dacht aan Melissa en de gevolgen die het voor haar zou hebben wanneer haar moeder niet snel terugkwam.

Ik dacht erover naar haar kamer te gaan om te zien hoe ze het maakte, herinnerde me de opmerking van Ramp dat ze doodop was en zag ervan af. Het kon zijn dat ze de eerste tijd weinig slaap zou krijgen. Er ging een half uur voorbij, en nog eens twintig minuten. Toen de bel rinkelde, liep ik voor Ramp uit naar de deur en maakte die open.

Milo kwam binnen, gekleed zoals ik hem nog nooit had gezien. Blauwe blazer, grijze pantalon, wit overhemd, kastanjebruine das, bruine instapschoenen. Geschoren en pas geknipt, zoals gewoonlijk weer slecht: te kort van achteren en opzij, met bakkebaarden tot halverwege zijn oren. Drie maanden buitenspel en nog steeds ogend als een agent van politie.

Ik stelde de twee mannen aan elkaar voor. Het gezicht van Ramp veranderde toen hij Milo eens goed bekeek. Ogen werden smaller, snor trilde alsof die werd geplaagd door vliegen.

Vage achterdocht. De Marlboro Man die neerkeek op een stuk ongedierte. Gabney's cowboypak zou hèm beter hebben gestaan.

Milo moest het ook hebben gezien, maar hij reageerde er niet op.

Ramp bleef Milo nog even aanstaren en zei toen: 'Ik hoop dat u kunt helpen.'

Nog meer achterdocht. Het was al een tijdje geleden dat Milo op de televisie te zien was geweest. Maar misschien had Ramp een goed geheugen. Acteurs – zelfs domme acteurs – hadden dat vaak.

Ik zei: 'Rechercheur Sturgis werkt bij de politie van Los Angeles, maar is tijdelijk met verlof.' Ik was er vrij zeker van dat ik dat al eerder had gemeld.

Ramp staarde.

Milo begon eindelijk hetzelfde te doen.

Ze bleven elkaar strak aankijken. Ik dacht aan rodeo-stieren in aangrenzende hokken, snuivend, tegen de planken aan rennend, met de hoeven stampend.

'Dit heb ik tot dusverre gehoord,' zei Milo toen en herhaalde vrijwel woordelijk wat ik hem had verteld.

'Klopt dat?'

'Ja,' zei Ramp.

Milo bromde iets. Hij haalde een pen en aantekenboekje te voorschijn, draaide bladzijden om, wees met een dikke vinger. 'Ik heb geverifieerd dat de politie van San Labrador een opsporingsverzoek heeft doen uitgaan. Gewoonlijk is dat tijdverspilling, maar met deze auto misschien niet. Ze hebben de auto beschreven als een Rolls-Royce sedan uit 1954, kentekenplaat AD BR SD, voertuignummer SOG 22.

Klopt dat?'
'Klopt.'
'Kleur?'
'Zwart en schelpgrijs.'
'Beter dan een Toyota,' zei Milo. 'Valt meer op. Voordat ik hierheen kwam, heb ik een paar ziekenhuizen in de buurt gebeld. Er is niemand binnengebracht die aan haar signalement voldoet.'
'God zij dank,' zei Ramp, zwetend.
Milo keek naar het plafond, liet zijn ogen zakken, nam de kamers aan de voorzijde van het huis in zich op. 'Mooi huis. Hoeveel kamers?'
Op die vraag was Ramp niet voorbereid. 'Ik weet het niet precies. Ik heb ze nooit geteld. Dertig, vijfendertig, denk ik.'
'Hoeveel kamers gebruikt uw vrouw daadwerkelijk?'
'Gebruiken? In feite alleen haar suite. Die bestaat uit drie kamers plus een badkamer. Zitgedeelte, slaapkamer, kleine kamer met boekenplanken, een bureau, wat gymnastiektoestellen, een ijskast.'
'Klinkt als een huis in een huis,' zei Milo. 'Hebt u ook zo'n suite?'
'Een kamer, vlak naast de hare.'
Milo schreef iets op. 'Kunt u een reden bedenken waarom ze zelf naar die vrouw wilde rijden?'
'Nee. Het plan was anders. Ik zou met haar meegaan. We zouden om drie uur vertrekken. Ze belde me om kwart over twee, ik was toen in mijn restaurant, en zei dat ik niet naar huis hoefde te komen, omdat ze er zelf naar toe zou rijden. Ik was daar niet zo blij mee, maar ze zei dat ze het best aankon. Ik wilde haar zelfvertrouwen geen knauw geven, dus heb ik niet aangedrongen.'
'Vijfendertig kamers,' zei Milo, die weer aan het schrijven was. 'Gebruikte ze, behalve die suite, andere kamers regelmatig? Had ze daar spullen liggen?'
'Niet dat ik weet. Waarom vraagt u dat?'
'Hoe groot is het landgoed?'
'Iets minder dan drie hectaren.'
'Loopt ze daar vaak rond?'
'Ze vindt het prettig daar te wandelen, als u dat bedoelt. Toen ze alleen nog maar de tuin in durfde, ben ik vaak met haar mee gewandeld. De laatste paar maanden maakt ze korte wandelingen buiten het hek met mevrouw Cunningham-Gabney.'
'Is het landgoed op andere manieren toegankelijk dan via het grote hek?'
'Voor zover ik weet niet.'
'Geen steegjes achter de tuin?'

'Nee, ons landgoed grenst aan dat van dokter en mevrouw Elridge en wordt ervan gescheiden door hoge heggen. Drie meter of nog hoger.'

'Hoeveel bijgebouwen?'

Ramp dacht na. 'Even de garages tellen....'

'Garages? Hoeveel?'

'Tien. Een lang gebouw met tien boxen, eigenlijk. Is gebouwd voor de verzameling antieke auto's van haar eerste echtgenoot. Sommige zijn ontzettend kostbaar. De deuren zijn altijd vergrendeld. Alleen de garage van de Dawn was open.'

Milo schreef snel en keek op. 'Gaat u verder.'

Ramp keek verbaasd.

'Andere gebouwen op het landgoed,' zei Milo.

'Gebouwen. Een schuur, kleedhokjes bij het zwembad, kleedkamer bij de tennisbaan. En een tuinhuisje.'

'Hoe zit het met de bediendenverblijven?'

'De bedienden wonen in dit huis. Een van de gangen boven leidt naar hun verblijven.'

'Hoeveel personeelsleden zijn er?'

'Madeleine, twee dienstmeisjes en de tuinman. De tuinman woont hier niet. Hij heeft vijf zoons, die geen van allen full-time voor ons werken, maar wel van tijd tot tijd een handje komen helpen.'

'Heeft een van de mensen van het personeel uw vrouw daadwerkelijk zien vertrekken?'

'Een van de dienstmeisjes was bij de voordeur bezig en heeft haar naar buiten zien lopen. Ik weet niet zeker of iemand haar heeft zien wegrijden, maar als u dat wilt vragen, kan ik hen nu meteen hierheen halen.'

'Waar zijn ze?'

'Op hun kamers.'

'Vanaf hoe laat zijn ze vrij?'

'Negen uur, maar ze gaan niet altijd direct naar hun eigen verblijven. Soms blijven ze nog in de keuken koffie drinken en praten. Ik heb hen vanavond vroeg naar boven gestuurd, want ik had geen behoefte aan hysterie.'

'Zijn ze van streek?'

Ramp knikte. 'Ze kennen haar al lang en hebben de neiging heel beschermend jegens haar te zijn.'

'Hebt u nog andere huizen?'

'Eéntje maar, bij de kust. Broad Beach. Malibu. Ze gaat daar voor zover ik weet nooit naar toe. Ze houdt niet van water en gaat hier in het zwembad ook nooit zwemmen. Toch heb ik er twee keer naar toe gebeld. Er werd niet opgenomen.'

'Heeft ze gedurende de afgelopen dagen of weken gesproken over weggaan? Op haar eentje?'

'Absoluut niet en ik...'

'Ze heeft er ook niet op gezinspeeld? Opmerkingen die toen niets te betekenen leken te hebben maar nu wel?'

'Ik heb al nee gezegd!' Ramp liep rood aan en kneep zijn ogen zo ver samen dat míjn hoofd er zeer van ging doen.

Milo tikte met zijn pen tegen het aantekenboekje en wachtte.

Ramp zei: 'Dat zou zo eigenaardig zijn. Ze wilde méér bij andere mensen betrokken raken, niet minder. Dat was het doel van de behandeling, terugkeren naar de maatschappij. Eerlijk gezegd begrijp ik de zin van deze vragen niet. Wat doet het ertoe waarover ze heeft gepráát? Ze is verdorie niet op vakantie gegaan. Er is haar iets overkomen. Waarom gaat u niet naar het centrum om die psychopaat van een McCloskey eens stevig aan de tand te voelen? Waarom geeft u die idioten die hem hebben laten lopen niet eens een lesje?'

Hij haalde moeizaam adem en de aderen bij zijn slapen waren opgezwollen.

Milo zei: 'Voordat ik hierheen kwam, heb ik gesproken met de rechercheur die McCloskey aan de tand heeft gevoeld. Kerel die Bradley Lewis heet. Niet de allerbeste smeris, maar ook niet de slechtste. Het alibi van McCloskey is waterdicht. Hij was de daklozen te eten aan het geven op de missiepost waar hij woont. Aardappelen schillen, de afwas doen en de hele middag soep opscheppen. Tientallen mensen hebben hem gezien, inclusief de priester die daar de leiding heeft. Hij is er van twaalf uur 's middags tot acht uur 's avonds aan één stuk door geweest. Dus had de politie hem op geen enkele manier in hechtenis kunnen houden.'

'Ook niet als doorslaggevende getuige?'

'Geen misdrijf, geen getuigen, meneer Ramp. Wat hen betreft hebben we te maken met een dame die heeft besloten pas laat thuis te komen.'

'Maar bedenkt u dan eens over wie we het hebben en wat die vent heeft gedáán!'

'Dat is waar, maar hij heeft daarvoor gevangengezeten en nu staat hij niet langer onder toezicht van de reclassering. Hij is weer een normale burger geworden en de politie kan hem niets voor de voeten werpen.'

'Kunt ú dan niets doen?'

'Ik heb hem nog minder dan niets voor de voeten te werpen.'

'Ik bedoel dat niet in juridische zin, meneer Sturgis.'

'Meneer Ramp, als u naar een andere vorm van hulp op zoek bent, hebt u een heel verkeerd nummer gedraaid.'

Hij borg zijn pen op.

'Het was niet mijn bedoeling om...' begon Ramp.

Milo stak een hand op. 'Ik weet dat dit afschuwelijk is. Ik weet dat het systeem stinkt. Maar het is niet in het belang van uw vrouw om McCloskey nu van zijn bed te lichten. Ik heb me door die rechercheur laten vertellen dat ze hem na het verhoor naar huis hebben gebracht — hij heeft geen eigen auto — en dat hij daarna naar bed is gegaan. Stel nu eens dat ik erheen ga en hem uit zijn bed bel. Hij weigert me binnen te laten. Dus ga ik voor Dirty Harry spelen en kom met geweld toch binnen. In een film werkt dat geweldig: de kracht van de intimidatie. Hij bekent alles en de goeden winnen. In de werkelijke wereld neemt hij een advocaat in de arm en doet me een proces aan, en u ook. De pers ontdekt dat. In die tussentijd komt uw vrouw naar binnen gewalst. Ze heeft autopech gehad, kon geen telefoon vinden. Een gelukkig einde, maar ze is wel opnieuw voorpaginanieuws. Om nog maar te zwijgen over het feit dat u McCloskey smartegeld zult moeten betalen, of enige jaren met een proces bezig bent. Wat zal dat betekenen voor haar psychische vooruitgang?'

'Dit is krankzinnig,' zei Ramp en schudde zijn hoofd.

'Ik heb het hoofdbureau gevraagd hem in de gaten te houden. Ze hebben toegezegd dat te zullen proberen, maar eerlijk gezegd stelt dat niet veel voor. Als ze morgen niet terug is, ga ik naar McCloskey toe. Indien u het wachten niet aankunt, zal ik dat nu direct doen. Als hij me niet binnenlaat, zal ik de hele nacht zijn voordeur in de gaten houden en voor u een gedetailleerd rapport schrijven dat behoorlijk indrukwekkend klinkt. Ik breng zeventig dollar per uur in rekening, plus onkosten. Een uur dat niks oplevert, kost evenveel als een produktief uurtje. Ik vind alleen dat u voor zoveel geld recht hebt op een objectief oordeel mijnerzijds.'

'En hoe luidt dat objectieve oordeel, meneer Sturgis?'

'Dat ik op dit moment mijn tijd beter kan besteden.'

'Waaraan, bijvoorbeeld?'

'Het opbellen van nog meer ziekenhuizen en benzinestations die dag en nacht zijn geopend. De wegenwacht, als u daar lid van bent.'

'Dat zijn we. Dat lijken overigens dingen die ik ook kan doen.'

'Dat kunt u ook. Ga gerust uw gang. Hoe meer mensen hieraan werken, hoe sneller we het hebben afgerond. Als u het echt zelf wilt doen, zal ik een lijstje voor u maken van andere dingen die u eveneens voor uw rekening kunt nemen en dan ga ik weer.'

'Wat voor dingen?'

'Contact opnemen met ziekenhuizen en onafhankelijke ambulance-diensten, contact houden met de diverse afdelingen van de verkeers-politie hier in de buurt om zeker te weten dat er geen informatie verloren gaat, omdat dat nogal eens gebeurt, of u dat nu wilt geloven of niet. U kunt desgewenst ook navraag doen bij luchtvaartmaat-schappijen en instanties die credit-cards uitgeven. Als ze zo'n kaart gebruikt, kunnen zij bepalen waar en wanneer en dan kunnen wij die informatie heel snel krijgen. Als ze morgenochtend niet terug is, raad ik u ook aan contact op te nemen met de bank om te vragen of ze kort geleden een aanzienlijk geldbedrag heeft opgenomen. Staat de bankrekening op uw beider naam?'

'Nee, onze financiën houden we gescheiden.'

'Geen enkele bankrekening op uw beider naam?'

'Nee, meneer Sturgis.' Ramp had zijn armen voor zijn borst gevou-wen. Elk woord leek hem meer gespannen te maken. 'Opnemen van geld, luchtvaartmaatschappijen... wat wilt u daarmee zeggen? Dat ze met opzet is weggelopen?'

'Ik ben er zeker van dat ze dat niet heeft gedaan, maar...'

'Dat heeft ze héél beslist niet gedaan.'

Milo streek met een hand over zijn gezicht. 'Meneer Ramp, laten we hopen dat ze zo meteen binnenkomt. Als dat niet gebeurt, zal dit behandeld worden als een zaak van een vermist persoon en zo'n zaak is niet goed voor het ego van diegenen die moeten wachten. Omdat je, als je je werk op een juiste manier wilt doen, moet aannemen dat alles mogelijk is. Het is net zoiets als een arts die een knobbeltje gaat onderzoeken dat kwaadaardig kan zijn. Hij zal met statistieken ko-men, glimlachen, zeggen dat hij er bijna zeker van is dat je je nergens zorgen over hoeft te maken. Toch haalt hij een stukje weefsel weg en stuurt dat naar het laboratorium.'

Hij maakte de knopen van zijn blazer los, stopte beide handen in zijn broekzakken, plaatste het gewicht van een been op de hiel en wiegde heen en weer, als een hardloper die bezig is zijn enkel te strek-ken.

Ramp keek naar de voet, toen naar Milo's groene ogen.

'Ik zal het dus niet makkelijk krijgen.'

'U kunt kiezen. Het alternatief is afwachten en niets doen.'

'Nee, nee. Toch heb ik liever dat u alle dingen doet, want u kunt dat sneller regelen. Ik neem aan dat u van tevoren al een cheque wilt hebben?'

Milo zei: 'Ik wil er een hebben voordat ik vertrek. Zevenhonderd dollar, tien uur vooruitbetaald. Eerst wil ik echter graag de bedienden en de tuinman spreken, plus alle zoons die hier vandaag hebben gewerkt en haar wellicht hebben gezien. Verder wil ik ook haar suite doorzoeken.'

Ramp wilde daartegen protesteren, maar hield zijn mond, omdat de reactie van Milo, die hij zich wel kon voorstellen, hem wel eens niet zou kunnen aanstaan.

'Ik zal het zo netjes mogelijk doen,' zei Milo. 'Als u erbij wilt zijn, heb ik daar geen bezwaar tegen.'

'Nee, gaat u uw gang maar,' zei Ramp. 'Die kant op.' Hij wees op de trap.

Ze liepen samen naar boven, naast elkaar, maar wel zo ver mogelijk van elkaar vandaan op de marmeren traptreden.

Ik kwam achter hen aan en had het gevoel Ali aan Foreman te hebben voorgesteld.

Toen we boven waren, hoorde ik een deur opengaan, zag een streep licht de gang op komen, twee deuren voorbij de kamer van Gina Ramp. De streep werd een driehoek en verdween even toen Melissa de gang opliep, nog gekleed in shirt en spijkerbroek, met sokken aan haar voeten. Ze liep wankelend, wreef in haar ogen.

Ik riep zacht haar naam.

Ze schrok, draaide zich om, rende naar ons toe. 'Is ze...'

Ramp schudde zijn hoofd. 'We weten nog niets. Dit is rechercheur Sturgis, de... vriend van meneer Delaware. Rechercheur, dit is Melissa Dickinson, de dochter van mevrouw Ramp.'

Milo stak een hand uit. Ze pakte die heel even vast, liet hem toen weer los en keek Milo aan. Er zaten slaaprimpels op haar gezicht. Haar lippen waren droog en haar oogleden dik. 'Wat gaat u doen om haar te vinden? Wat kan ik doen?'

'Was je thuis toen je moeder wegging?'

'Ja.'

'In wat voor een stemming was ze?'

'Ze voelde zich goed, was opgewonden omdat ze alleen op pad ging. Zenuwachtig, beter gezegd, maar dat probeerde ze te verbergen door opgewonden te doen. Ik was bang dat ze een aanval zou krijgen. Ik heb geprobeerd met haar te praten, ik heb tegen haar gezegd dat ik met haar mee zou gaan. Ze had nog nóóit met stemverheffing tegen me gesproken...'

Tranen verbijtend.

'Ik had moeten volhouden.'

Milo vroeg: 'Heeft ze gezegd waarom ze er alleen naar toe wilde gaan?'

'Nee. Ik ben haar dat blijven vragen, maar ze weigerde me er antwoord op te geven. Het was helemaal niets voor haar en ik had moeten weten dat er iets aan de hand was.'

'Heb je haar ook weg zien rijden?'

'Nee. Ik mocht haar niet volgen. Dat verbood ze me.' Ze beet op haar lip. 'Dus ben ik naar mijn kamer gegaan. Ik heb naar muziek liggen luisteren en ben in slaap gevallen, net zoals daarnet. Ik begrijp niet waarom ik zoveel moet slapen.'

'Stress, Melissa,' zei Ramp.

'Wat denkt u dat er met haar is gebeurd?' vroeg ze aan Milo.

'Ik ben hier om dat te achterhalen. Je stiefvader gaat het personeel roepen, omdat ik wil weten of zij me iets wijzer kunnen maken. In die tussentijd ga ik haar kamer bekijken en opbellen. Als je dat wilt, zou je me daar wel bij kunnen helpen.'

'Telefoontjes waarheen?'

'Het bekende patroon. Pompstations, de wegenwacht, de verkeerspolitie. Een paar ziekenhuizen in de buurt, om het zekere voor het onzekere te nemen.'

'Ziekenhuizen?' herhaalde ze en drukte een hand tegen haar borst. 'O, mijn god!'

'Alleen om het zekere voor het onzekere te nemen,' zei Milo. 'De politie van San Labrador heeft er al een paar gebeld. Ik heb dat ook gedaan en tot dusverre is ze niet aangemeld als een gewonde. Toch is het altijd lonend zorgvuldig te werk te gaan.'

'Ziekenhuizen,' zei ze weer en begon te huilen. Milo legde een hand op haar schouder.

Ramp pakte een zakdoek en zei: 'Hier.' Ze keek ernaar, schudde haar hoofd en gebruikte haar hand om haar ogen droog te vegen.

Ramp keek naar de zakdoek, stopte hem weer in zijn zak en deed een paar stappen achteruit.

'Waarom wilt u haar kamer bekijken?' vroeg Melissa aan Milo.

'Om er een idee van te krijgen wat voor iemand ze was. Om te zien of iets niet normaal is. Misschien heeft ze een aanwijzing achtergelaten. Ook daar kun je mij bij helpen.'

'Moeten we niet iets dóen? Buiten naar haar op zoek gaan?'

'Zonde van de tijd,' zei Ramp.

Ze draaide zich naar hem toe. 'Dat is jouw mening.'

'Nee, dat is de mening van meneer Sturgis.'

'Dan moet hij dat zelf tegen me zeggen.'

Ramp kneep zijn ogen samen, stond bewegingloos, behalve het trillen van zijn kaakspieren. 'Ik ga het personeel halen,' zei hij en liep snel weg, de linker gang door.

Toen hij buiten gehoorsafstand was, zei Melissa: 'U zou hèm in de gaten moeten houden.'

'Waarom?' vroeg Milo.

'Zij heeft heel wat meer geld dan hij.'

Milo keek haar aan, streek met een hand over zijn gezicht. 'Denk je dat hij haar iets kan hebben aangedaan?'

'Wie zal het zeggen, wanneer hij meende er iets wijzer van te worden? Hij houdt van dingen die met geld te koop zijn: tennissen, hier wonen, het strandhuis. Maar alles is van mijn moeder. Ik weet niet waarom ze zijn getrouwd, ze slapen niet bij elkaar, doen niets samen. Het lijkt wel alsof hij alleen op bezoek is, een lastige gast die maar niet wil vertrekken. Ik begrijp echt niet waarom ze met hem is getrouwd.'

'Maken ze vaak ruzie?'

'Nooit, maar wat heeft dat te betekenen? Ze zijn veel te weinig bij elkaar om ruzie te kunnen maken. Wat zou ze in vredesnaam in hem zien?'

'Heb je haar dat ooit gevraagd?' vroeg ik.

'Omzichtig, want ik wilde haar niet kwetsen. Ik vroeg haar waar je in een man naar moest zoeken. Ze zei dat vriendelijkheid en verdraagzaamheid het allerbelangrijkst waren.'

'Is dat een goede beschrijving van hem?' vroeg Milo.

'Ik vind hem alleen glad. Op zoek naar luxe.'

'Krijgt hij haar geld als er iets met haar gebeurt?'

Dat was veel meer dan waarmee ze geconfronteerd wilde worden. Haar hand vloog naar haar mond. 'Ik... Dat weet ik niet.'

'Dat kunnen we makkelijk achterhalen wanneer ze er morgenochtend nog niet is,' zei Milo. 'Dan zal ik in haar financiën duiken. Misschien vind ik nu al iets in haar kamer.'

'Oké,' zei ze. 'U denkt echt dat er niets met haar is gebeurd?'

'Ik heb geen reden om dat aan te nemen. Verder is de plaatselijke politie buiten uitgebreid aan het patrouilleren. Ik heb hen gezien toen ik hierheen kwam en dat is waar zij het beste in zijn. Er is ook een opsporingsbevel uitgevaardigd. Dat heb ik zelf gecontroleerd. Meneer Delaware zal je kunnen vertellen dat ik van nature sceptisch ben. Dat betekent echter niet dat alle politiebureaus hun uiterste best zullen doen om je moeder te vinden. Maar een Rolls-Royce is een opvallende wagen. Als ze niet spoedig terugkomt, zullen er meer politiebureaus worden ingeschakeld. We kunnen dan eventueel ook aan de pers meedelen dat ze wordt vermist. Maar als die mensen ergens hun tanden in hebben gezet, laten ze niet meer los, dus moeten we voorzichtig zijn.'

'Hoe zit het met McCloskey? Bent u van zijn bestaan op de hoogte?'

Milo knikte.

'Waarom gaat u hem dan niet onder druk zetten? Noel en ik zouden dat hebben gedaan als we hadden geweten waar hij woonde. Misschien kan ik dat achterhalen. Dan ga ik naar hem toe.'
'Dat is geen goed idee,' zei Milo en herhaalde de speech die hij voor Ramp had afgestoken.
'Het spijt me,' zei ze. 'Maar zij is mijn moeder en ik moet doen wat naar mijn idee juist is.'
'Hoe denk je dat je moeder het zou vinden jou in een lade in het lijkenhuis te zien?'
Haar mond viel open. Ze deed hem weer dicht. Ging rechtop staan. Naast Milo leek ze klein, bijna komisch klein. 'U probeert alleen me bang te maken.'
'Dat klopt.'
'Nu, dat zal u niet lukken.'
'Verdomd jammer.' Hij keek op zijn Timex. 'Ik ben hier al een kwartier en heb nog niets gedaan. Wil je hier blijven staan, of zullen we aan de slag gaan?'
'Aan de slag gaan, natuurlijk,' zei ze.
'Haar kamer,' zei Milo.
'Hier. Kom mee.' Ze rende de gang door en alle sporen van slaperigheid waren verdwenen.
Milo keek haar na en mompelde iets dat ik niet kon verstaan.
Wij gingen achter haar aan.
Ze had de deur bereikt en hield die open. 'Ik zal u laten zien waar alles is.'
Milo liep de zitkamer in. Ik kwam achter hem aan.
Ze liep langs me heen en keek Milo aan, de deur naar de slaapkamer blokkerend. 'Nog één ding.'
'Wat?'
'Ik ben degene die u betaalt. Níet Don. Dus moet u me behandelen als een volwassene.'

16

Milo zei: 'Als je de manier waarop ik je behandel niet prettig vindt, zul je me dat ongetwijfeld laten weten. Wat die betaling betreft... Dat moet je maar met hem regelen.'
Hij haalde zijn aantekenboekje weer te voorschijn en keek in de zitkamer om zich heen. Liep naar de grijze bank. Stompte tegen de kussens, stak er een hand onder. 'Wat is dit? Een wachtkamer voor bezoekers?'

'Een zitkamer,' zei Melissa. 'Bezoek kreeg ze nooit. Mijn vader heeft deze kamer ontworpen. Vroeger was hij heel fraai, met veel meer meubels. Die heeft ze weggehaald en dit alles ervoor in de plaats gezet. Besteld bij een postorderbedrijf. In wezen is ze heel eenvoudig. Dit is haar lievelingsplekje. Hier brengt ze veel tijd door.'

'Met wat?'

'Lezen. Ze leest veel. Vindt dat heerlijk. En ze doet oefeningen. Daar staan gymnastiektoestellen.' Ze wees met een vinger in de richting van de slaapkamer.

Milo keek naar de Cassatt.

'Hoe lang heeft ze die prent al, Melissa?' vroeg ik.

'Mijn vader heeft hem aan haar gegeven, toen ze van mij in verwachting was.'

'Had hij nog andere Cassatts?'

'Waarschijnlijk wel. Wat niet is ingelijst, wordt bewaard op de tweede verdieping, om ze van het zonlicht vandaan te houden. Daarom is deze kamer er zo perfect voor. Geen ramen.'

'Geen ramen,' herhaalde Milo. 'Vindt ze dat niet vervelend?'

'Ze is een zonnige vrouw en maakt haar eigen licht,' antwoordde Melissa.

'Hmmm.' Hij liep weer naar de grijze bank, haalde kussens weg, zette ze weer terug.

'Wanneer heeft ze het interieur van deze kamer veranderd?' vroeg ik.

Ze keken me beiden aan.

'Ik ben gewoon nieuwsgierig naar veranderingen die ze de laatste tijd kan hebben aangebracht,' zei ik.

'Ze heeft deze kamer inderdaad recentelijk veranderd. Een paar maanden geleden, drie of vier. Alles wat hier stond, was kenmerkend voor de smaak van mijn vader. Veel ornamenten. Ze heeft alles op de tweede verdieping laten neerzetten. Ze heeft tegen me gezegd dat ze zich een beetje schuldig voelde, omdat mijn vader zo lang bezig was geweest met het uitzoeken van alles. Maar ik heb haar gezegd dat het in orde was. Dat het haar kamer was en dat ze moest doen waar ze zin in had.'

Milo maakte de deur naar de slaapkamer open en liep naar binnen. Ik hoorde hem zeggen: 'Hier heeft ze niet zoveel veranderd, hè?'

Melissa liep snel achter hem aan. Ik volgde, als laatste.

Hij stond voor het hemelbed. Melissa zei: 'Ik denk dat ze deze kamer zo prettig vindt.'

'Dat denk ik ook,' zei Milo.

De kamer leek van binnen gezien nog groter. Hoge plafonds met gipsen ornamenten. Een immense schoorsteenmantel van marmer met daarop een gouden klok en allerlei zilveren vogeltjes. Op de klok een gouden adelaar met gespreide vleugels, die naar de kleinere vogels keek. Empire-stoelen, bekleed met olijfgroene, zijden damast, een barok, driedelig kamerscherm, beschilderd met *trompe-l'oeil*s van bloemen, her en der met goud ingelegde tafeltjes met een twijfelach- tige functie, schilderijen van landelijke taferelen en rondborstige maagden met een onzekere blik in hun ogen.

De ornamenten aan het plafond, die op vlechten leken, kwamen in het midden uit in een soort gipsen knot, waaraan een kroonluchter van zilver en kristal hing, als een reusachtig zakhorloge. Op het bed een beige satijnen sprei. Bij het hoofdeinde kussens, keurig op een rij als omgevallen dominostenen. Op het voeteneinde was netjes een kamerjas neergelegd. Het toch al hoge bed stond op een verhoging, waardoor de posten bijna het plafond raakten.

Aan de muren bij het bed zorgden kristallen wandlampjes voor een vaag licht, waardoor het beige kleurenschema de kleur van Engelse mosterd kreeg en het pruimkleurige tapijt grijs leek. Milo draaide eèn lichtschakelaar om en toen brandden de felle lampen van de kroonluchter.

Hij keek onder het bed, ging weer rechtop staan en zei: 'Je kunt onder het bed van de vloer eten. Wanneer is deze kamer schoonge- maakt?'

'Vanmorgen, waarschijnlijk. Mijn moeder doet dat gewoonlijk zelf. Niet het stofzuigen of andere inspannende dingen. Maar ze maakt graag haar eigen bed op, want ze is heel netjes.'

Ik volgde Milo's blik naar de nachtkastjes. Ivoren pseudo-antieke telefoons op beide. Vaasje met rode roos op het linker tafeltje. Een boek met een harde kaft ernaast.

Alle gordijnen waren dicht. Milo liep naar een van de erkers, trok de gordijnen open, keek naar buiten. Er kwam frisse lucht naar bin- nen.

Nadat hij het uitzicht even had bestudeerd, draaide hij zich om, liep naar de linkerkant van het bed, pakte het boek en sloeg dat open. Bekeek een paar bladzijden, draaide het om, schudde het heen en weer. Er viel niets uit. Hij maakte de deur van het nachtkastje open en keek erin. Het was leeg.

Ik bekeek de omslag van het boek. Paul Theroux's *Patagonia Ex- press*.

'Dat is een boek over reizen,' zei Melissa.

Milo zei niets, bleef rondkijken.

De muur tegenover het bed werd in beslag genomen door een immense walnotehouten *armoire*, met goud ingelegd, en een brede ladenkast van vruchtbomenhout, ingelegd met motieven van kruiden en bloemen. Op die kast stonden parfumflesjes en een marmeren klok. Milo maakte het bovenste deel van de *armoire* open: een kleurentelevisie die minstens tien jaar oud leek te zijn. Erbovenop lag een televisiegids. Milo bladerde hem door. De onderste helft van de kast was leeg.

'Geen videorecorder?' vroeg hij.

'Ze houdt niet zo van films.'

Hij liep naar de ladenkast, trok laden open, stak zijn handen tussen satijn en zijde.

Melissa keek even toe en zei toen: 'Waar bent u precies naar op zoek?'

'Waar bewaart ze de rest van haar kleren?'

'Daar.' Ze wees op bewerkte houten klapdeurtjes links in de kamer. Dure deurtjes, ingelegd met wijnranken van koper, bovenaan een motief dat deed denken aan de Taj Mahal.

Milo maakte ze zonder plichtplegingen open.

Aan de andere kant ervan bevond zich een kleine, vierkante ruimte met drie deuren. De eerste deur hoorde bij een groenmarmeren badkamer met champagnekleurige spiegels en een verzonken whirlpoolbad waarin een hele familie plaats kon nemen, gouden kranen, groenmarmeren wastafel en bidet. Het medicijnkastje was door een spiegel gecamoufleerd. Milo keek erin. Aspirine, tandpasta, shampoo, lippenstiften, een paar flesjes cosmetica, halfleeg.

'Heeft ze, voorzover jij kunt nagaan, iets meegenomen?'

Melissa schudde haar hoofd. 'Dit is alles wat ze heeft. Ze gebruikt niet veel make-up.'

Achter de tweede deur bevond zich een klerenkast met de afmetingen van een kamer, met een toilettafel en een bankje in het midden, waarop alles keurig netjes op zijn plaats stond. Champagnekleurige, beklede klerenhangertjes, allemaal dezelfde kant op aan de stang. Twee muren van cederhout, twee bekleed met roze damast.

Kleren geordend naar soort, maar er viel niet veel te ordenen. Voor het merendeel japonnen in zachte kleuren. Achterin de kast een paar bontjassen, sommige nog voorzien van een prijskaartje. Misschien tien paar schoenen, waarvan drie paar gympjes. Een stel truien, opgevouwen, opgeborgen in vakken die tegen de achtermuur waren aangebracht.

Milo nam er de tijd voor, controleerde zakken, knielde en inspecteerde de vloer onder de kleren. Hij vond niets en ging naar de derde kamer.

Combinatie van bibliotheek en gymnastiekruimte. De muren van de grond tot het plafond gelambrizeerd met eikehouten planken, de vloer bedekt met hardhouten tegels, glanzend gelakt. De voorste helft ervan bedekt met rubbermatten. Een fiets, een roeiapparaat en een tredmolen op de rubbermatten, plus een rek met lichte, verchroomde korte halters. Een goedkoop digitaal horloge hing aan het stuur van de fiets. Twee ongeopende flessen Evian stonden op een kleine ijskast naast het rek met de gewichten. Milo maakte die ijskast open. Leeg. Hij liep langs de boekenplanken. Ik las de titels.

Nog meer werken van Theroux. Jan Morris. Bruce Chatwin. Atlassen, boeken met landschapsfotografie. Reisverslagen, daterend van de Victoriaanse tijd tot nu. Audubon-vogelgidsen. Allerlei andere gidsen. Zeventig jaargangen van de *National Geographic* in bruine banden. Ingebonden collecties van *Smithsonian, Oceans, Natural History, Travel, Sport Diver, Connoisseur.*

Voor het eerst sinds zijn aankomst keek Milo verward. Dat duurde echter slechts even. Hij bekeek de rest van de boekenkasten en zei: 'Ik heb de indruk dat hier sprake is van een thema.'

Melissa zei niets.

Ik zei ook niets.

Niemand durfde het voor de hand liggende onder woorden te brengen.

We liepen de slaapkamer weer in. Melissa leek ingetogen.

'Waar bewaart ze haar bankafschriften en dergelijke?' vroeg Milo.

'Dat weet ik niet. Ik weet niet of ze dergelijke dingen hier bewaart.'

'Hoezo?'

'De bankzaken worden voor haar afgehandeld door meneer Anger van de First Fiduciary Trust. Hij is de directeur. Zijn vader heeft de mijne gekend.'

'Anger,' zei Milo en schreef die naam op. 'Weet je het nummer uit je hoofd?'

'Nee, de bank staat aan Cathcart, een paar straten voorbij het punt waar je moet afslaan om hier te komen.'

'Heb je er enig idee van hoeveel rekeningen ze daar heeft?'

'Geen flauw idee. Ik heb er twee. Een spaarrekening en een rekening courant.' Betekenisvolle pauze. 'Dat wilde mijn vader zo hebben.'

'En je stiefvader? Welke bank heeft hij?'

'Daar heb ik geen idee van.' Ze kneedde haar handen.

'Heb je reden om aan te nemen dat hij in financiële problemen verkeert?'

'Dat weet ik niet.'

'Wat voor een restaurant heeft hij?'

'Hij serveert er biefstuk en bier.'

'Lijkt die zaak goed te lopen?'

'Behoorlijk goed. Hij importeert allerlei verschillende biersoorten. In San Labrador vindt men dat exotisch.'

'Over bier gesproken,' zei Milo. 'Ik zou best iets willen drinken. Een sapje of sodawater. Met ijs. Is hierboven een ijskast waar iets in staat?'

Ze knikte. 'Bij de vleugel voor het personeel is een kleine keuken. Daar kan ik wel iets voor u halen. Wilt u ook wat drinken, meneer Delaware?'

'Graag,' zei ik.

'Cola,' zei Milo.

'Twee Cola,' zei ze en wachtte.

'Wat is er?' vroeg Milo.

'Bent u hier klaar?'

Hij keek nog één keer om zich heen. 'Ja.'

We liepen de zitkamer door, de gang op. Melissa deed de deur dicht en zei: 'Twee Cola. Ik ben zo weer terug.'

Toen ze weg was, vroeg ik: 'Wat denk je ervan?'

'Wat ik ervan denk? Dat geld beslist geen geluk kan kopen. Die kamer lijkt verdomme wel een hotelsuite. Alsof ze met de Concorde is gearriveerd, alles heeft uitgepakt en de bezienswaardigheden is gaan bekijken. Hoe heeft ze in vredesnaam zo kunnen léven, zonder ergens iets van zichzelf neer te zetten? En wat heeft ze verdomme de hele dag gedáán?'

'Gelezen en haar spieren getraind.'

'Ja,' zei hij. 'Boeken over reizen. Het lijkt een misselijke grap. De visie op ironie van een derderangs filmregisseur.'

Ik zei niets.

Hij zei: 'Denk je dat ik niet meer tot medeleven in staat ben?'

'Je hebt het aldoor in de verleden tijd over haar.'

'Doe me een lol en ga niet interpreteren. Ik zeg niet dat ze dood is, alleen dat ze weg is. Ik heb het sterke gevoel dat ze van plan was er een tijdje tussenuit te gaan en eindelijk voldoende moed heeft verzameld om dat te doen. Rijdt waarschijnlijk met open ramen in die Rolls over de hoofdweg, waarbij ze de longen uit haar lijf zingt.'

'Ik weet het niet. Ik kan me niet voorstellen dat ze Melissa zomaar in de steek heeft gelaten.'

Hij lachte even, hard. 'Alex, ik weet dat ze jouw patiënte is en jij mag haar kennelijk graag, maar uit wat ik heb gezien, maak ik op dat er iets mis is met dat meisje. Je hebt gehoord dat ze zei dat haar moeder nog nooit met stemverheffing tegen haar had gesproken. Is dat normaal? Misschien is mammie eindelijk eens boos geworden. Heb je gezien hoe ze Ramp behandelt? En gehoord hoe ze me voorstelde Ramp maar eens in de gaten te houden, zonder daar een solide reden voor te hebben? Ik zou daar niet lang tegen kunnen. Natuurlijk ben ik geen kinderpsycholoog, maar dat is mammie ook niet.'

'Milo, het is een goed kind. Haar moeder is verdwenen. Dus moet je haar iets ontzien, vind je ook niet?'

'Was ze voor het vertrek van haar moeder een en al vriendelijkheid en vrolijkheid? Je hebt zelf gezegd dat ze gisteren woedend op mammie is geworden en ervandoor is gegaan.'

'Oké, ze kan moeilijk zijn. Maar haar moeder gaf om haar. Ze kunnen het heel goed met elkaar vinden. Ik kan me echt niet voorstellen dat de moeder zomaar weg is gegaan.'

'Ik wil niet beledigend worden, Alex, maar hoe goed ken jij die moeder? Je hebt haar één keer ontmoet. Ze is vroeger actrice geweest. En die wederzijdse affectie... Achttien jaar lang nooit schreeuwen tegen een kind? Tegen elk kind wordt wel eens geschreeuwd, hoe braaf het verder ook is. Dat zul je toch wel met me eens zijn? De dame moet op een kruitvat hebben gezeten. Woede om wat McCloskey haar had aangedaan. Om het verlies van haar echtgenoot. Om het vastzitten hier, vanwege haar problemen. Een reusachtig kruitvat, nietwaar? De ruzie met het kind heeft het uiteindelijk doen ontploffen. Mammie heeft lange tijd gewacht tot ze terugkwam en toen dat niet gebeurde, heeft ze besloten niet alleen meer over verre plaatsen te lezen, maar erheen te gaan om ze te bekijken.'

'Denk je dat ze terug zal komen, aannemende dat je gelijk hebt?'

'Waarschijnlijk wel. Ze heeft niet veel meegenomen. Maar wie kan het zeggen?'

'Wat gaat er nu gebeuren? Nog meer placebo's uitdelen?'

'Van nog méér is geen sprake. De placebo is nog niet eens van start gegaan. Ik heb die kamers echt goed bekeken, om te proberen me in haar in te leven. Alsof er een misdaad was gepleegd. Ik heb verdomme heel wat kamers gezien, maar de suite hier scoort hoog op de schaal van gekte. Hij voelde... leeg aan. Slechte vibraties. Ik heb in Azië oerwouden gezien die me dat gevoel gaven. Doodstil, maar je wist dat er onder het oppervlak iets gaande was.'

Hij schudde zijn hoofd. 'Moet je mij nu eens horen. Vibraties. Ik lijk wel de een of andere New Age-idioot.'

'Nee,' zei ik. 'Ik heb het ook gevoeld. Toen ik hier gisteren was, deed het huis míj denken aan een leeg hotel.'

Hij rolde met zijn ogen, trok een grimas, klauwde met zijn handen aan de lucht. 'Het *Rrrich* Motel,' zei hij met een Lugosi-accent. 'Ze schrijven zich in, maar ze schrijven zich niet uit.'

Ik lachte. Volkomen smakeloos. Maar het voelde wreed-goed aan. Net als de grappen die onder stafbesprekingen werden gemaakt in de tijd dat ik nog in een ziekenhuis werkte.

'Ik denk dat we het beste een paar dagen geduld kunnen hebben,' zei Milo. 'De kans bestaat dat ze dan terug is. Het alternatief voor mij is het onderzoek nu meteen te staken, maar daar zouden Ramp en het meisje zo van schrikken dat ze meteen naar iemand anders rennen. Bij mij zullen ze in elk geval financieel niet worden uitgekleed. Ik kan die zeventig dollar per uur net zo goed in míjn zak steken.'

'Daar had ik je nog naar willen vragen. Tegenover mij noemde je een bedrag van vijftig dollar per uur.'

'Dat had ik ook in gedachten, tot ik dit huis zag. Nu ik meer van het interieur heb gezien, spijt het me dat ik geen negentig heb gevraagd.'

'Verglijdende schaal?'

'Natuurlijk. Rijkdom moet worden gedeeld. Na een half uur in dit huis was ik al bereid op de socialistische partij te stemmen.'

'Misschien had Gina hetzelfde gevoel.'

'Hoe bedoel je dat?'

'Je hebt gezien hoe weinig kleren ze heeft. En dan die zitkamer. De manier waarop ze die opnieuw heeft ingericht. Via een postorderbedrijf. Misschien wilde ze hier gewoon weg.'

'Het kan ook omgekeerd snobisme zijn, Alex. Zoals het opslaan van dure kunstwerken op zolder.'

Ik wilde hem net vertellen over de Cassatt in het kantoor van Ursula Cunningham-Gabney, maar werd onderbroken door Melissa, die terugkwam met twee glazen. Ze werd op de voet gevolgd door Madeleine en twee gezette vrouwen van ergens in de dertig, die tot de schouders van de Franse vrouw kwamen. Een van hen had lang haar, in een vlecht, de andere had haar haren kortgeknipt. Zo ze hun witte uniformen voor de rest van de avond hadden uitgetrokken, hadden ze die nu weer aangedaan. Ze hadden zich duidelijk ook opgemaakt. Ze zagen er hyper-alert uit, keken achterdochtig: reizigers die in een vijandige haven door de douane moeten.

'Dit is rechercheur Sturgis,' zei Melissa en gaf ons de Cola. 'Hij is hier om te achterhalen wat er met mijn moeder is gebeurd. Rechercheur, mag ik u voorstellen aan Madeleine de Couer, Lupe Ortega en Rebecca Maldonado?'

'Dames,' zei Milo.

Madeleine kruiste haar armen voor haar borst en knikte. De twee andere vrouwen staarden.

Melissa zei: 'We wachten nog op Sabino, de tuinman. Hij woont in Pasadena en zal zo wel arriveren.' Tegen ons: 'Ze zaten in hun kamers te wachten en ik zag het nut daar niet van in. Misschien kunt u nu meteen beginnen? Ik heb al gevraagd...'
Ze werd onderbroken door de deurbel.
'Een seconde,' zei ze en rende de trap af. Ik keek haar na. Voordat ze de voordeur had bereikt, was Ramp daar al. Sabino Hernandez kwam naar binnen, gevolgd door zijn vijf zoons. Alle mannen hadden sportieve hemden met korte mouwen aan, plus een pantalon, en bleven keurig in het gelid staan. Ze keken om zich heen, vol ontzag vanwege de afmetingen van het huis. Ik vroeg me af hoe vaak ze in al die jaren binnen waren geweest.

We gingen de voorkamer in. Milo bleef staan, met pen en aantekenboekje paraat, de anderen gingen op het puntje van een stoel zitten. Negen jaren hadden Hernandez in een heel oude man veranderd: wit haar, gebogen schouders, halfopen mond. Zijn handen trilden voortdurend. Hij oogde te breekbaar voor lichamelijke arbeid. Zijn zoons waren in die zelfde periode uitgegroeid van jongens tot mannen en omgaven hem zoals stokken een zieke boom kunnen ondersteunen. Milo stelde zijn vragen, vroeg allen hun geheugen zorgvuldig te raadplegen. Kreeg natte ogen van de vrouwen, felle blikken van de mannen. De enige nieuwe ontwikkeling was een verslag van Gina's vertrek door ooggetuigen. Twee zonen van Hernandez waren voor het huis aan het werk geweest op het moment dat Gina Ramp was weggereden. Een van hen, Guillermo, was in de buurt van de oprit een boom aan het snoeien geweest en had haar langs zien rijden. Hij had haar duidelijk kunnen zien, omdat hij rechts van de Rolls had gestaan, waarvan het stuur aan de rechterkant zat, en omdat het portierraampje open was.
De señora had niet geglimlacht of gefronst, had alleen ernstig gekeken.
Beide handen aan het stuur.
Heel langzaam rijdend.
Ze had hem niet gezien, hem niet gedag gezegd.
Dat was een beetje ongewoon, want normaal gesproken was ze heel vriendelijk. Maar nee, ze had er niet bang of geschrokken uitgezien. Ook niet boos. Iets anders. Hij zocht naar het juiste woord, overlegde met zijn broer. Hernandez senior keek recht voor zich uit, leek buiten het gesprek te staan.
'Nadenkend,' constateerde Guillermo. Ze had gekeken alsof ze over iets nadacht.

'Heb je er enig idee van waarover?' vroeg Milo.

Guillermo schudde zijn hoofd.

Milo herhaalde de vraag voor alle anderen.

Nietszeggende gezichten.

Een van de dienstmeisjes begon weer te huilen.

Madeleine gaf haar een por en staarde recht voor zich uit.

Milo vroeg de Franse vrouw of zij er iets aan toe te voegen had.

Ze zei dat madame een geweldige vrouw was.

Non. Ze had er geen idee van waar madame naar toe was gegaan.

Non, madame had niets anders meegenomen dan haar handtas. De zwarte kalfsleren handtas van Judith Leiber. De enige handtas die ze had. Madame had geen behoefte aan veel verschillende dingen, maar wat ze had, was van een uitstekende kwaliteit. Madame was... *très classique*.

Nog meer tranen van Lupe en Rebecca.

De familie Hernandez schoof heen en weer op de diverse stoelen.

Verloren blikken in aller ogen. Ramp staarde naar zijn knokkels.

Zelfs Melissa leek uitgeput zijn.

Milo stelde voorzichtig indringende vragen, toen vasthoudender. Opereerde uitermate deskundig, zoals ik dat al meer had meegemaakt.

Bereikte er niets mee.

In de kamer werd een gevoel van hulpeloosheid tastbaar. Tijdens de vragen van Milo was niemand naar voren gekomen om namens de groep te spreken.

Eens was dat anders geweest.

Jacob lijkt een goede vriend te zijn.

Hij regelt alles.

Dutchy was nooit vervangen.

Nu dit.

Alsof het grote huis werd aangevallen door het lot en stukje voor stukje mocht instorten.

17

Milo stuurde het personeel weg en vroeg om een plek waar hij kon werken. 'Kan overal,' zei Ramp.

'De studeerkamer beneden,' zei Melissa en nam ons mee naar het raamloze vertrek met het schilderij van Goya. Het bureau dat er stond was wit, Frans en veel te klein voor Milo. Hij ging erachter zitten, probeerde het zich gemakkelijk te maken, gaf dat op en keek de muren vol boekenplanken langs.

'Leuk uitzicht.'

'Mijn vader gebruikte deze ruimte als zijn studeerkamer,' zei Melissa. 'Hij heeft hem zonder ramen ontworpen om zich maximaal te kunnen concentreren.'

'Hmmm,' zei Milo. Hij maakte bureauladen open en dicht, pakte zijn aantekenboekje en legde het op het bureau. 'Heb je hier telefoongidsen?'

'Ja,' zei Melissa en maakte een kast open onder de planken. Met een arm vol telefoongidsen liep ze naar hem toe en legde ze op het bureau neer, waardoor de onderste helft van zijn gezicht niet meer te zien was. 'In de zwarte gids bovenop staan alle telefoonnummers van de mensen in San Labrador, ook van diegenen die een geheim telefoonnummer hebben dat niet in de normale gids staat.'

Milo maakte er twee kleinere stapels van. 'Laten we maar eens beginnen met de nummers van de credit-cards.'

'Ze heeft er veel, maar ik ken geen nummers uit mijn hoofd,' zei Ramp.

'Waar bewaart ze de rekeningen?'

'Op de bank. First Fiduciary, hier in San Labrador. Daar gaan de rekeningen rechtstreeks heen en de mensen daar betalen ze.'

Milo wendde zich tot Melissa. 'Ken jij nummers?' Ze schudde haar hoofd en keek schuldig.

Milo krabbelde wat neer. 'Het nummer van haar rijbewijs?'

Stilte.

'Makkelijk te achterhalen bij de motorrijtuigenregistratie,' zei Milo, nog steeds schrijvend. 'Nu wat belangrijke gegevens. Lengte, gewicht, geboortedatum, meisjesnaam.'

'Een meter zesenzestig, ongeveer zestig kilo,' zei Melissa. 'Ze is jarig op de drieëntwintigste maart. Haar meisjesnaam is Paddock. Regina Marie Paddock.' Dat spelde ze.

'Geboortejaar?' vroeg Milo.

'Negentienzesenveertig.'

'Sofi-nummer?'

'Weet ik niet.'

'Ik heb die kaart nooit gezien,' zei Ramp. 'Glenn Anger zal het wel weten, want die doet haar belastingen.'

'Bewaart ze hier in huis dan helemaal geen papieren?' vroeg Milo.

'Voor zover ik weet niet.'

'Heeft de politie van San Labrador u niet naar al die gegevens gevraagd?'

'Nee,' zei Ramp. 'Misschien wilden ze die gegevens op het gemeentehuis achterhalen.'

'Ja,' zei Melissa.

Milo legde zijn pen neer. 'Oké. Tijd om aan de slag te gaan.' Hij pakte de telefoon.

Ramp en Melissa bleven waar ze waren.

'Jullie kunnen rustig blijven, maar ik beloof jullie dat ik alles zal afhandelen, ook als jullie gaan slapen,' zei Milo.

Melissa fronste haar wenkbrauwen en liep snel de kamer uit.

Ramp zei: 'Ik zal u met uw werk alleen laten, meneer Sturgis,' en draaide zich op zijn hielen om.

Milo begon te telefoneren.

Ik ging Melissa zoeken en vond haar in de keuken, waar ze een fles sinas pakte, de dop eraf draaide, een glas pakte en inschonk. Ze morste een beetje op het aanrecht en nam niet de moeite dat schoon te vegen.

Ze was zich mijn aanwezigheid nog steeds niet bewust, bracht het glas naar haar lippen en dronk zo snel dat ze ervan moest hoesten. Ze sloeg op haar borst, zag mij en sloeg nog harder. 'Mooi is dat,' zei ze even later en toen, met een kleiner stemmetje: 'Ik lijk niets goed te kunnen doen.'

Ik liep dichter naar haar toe, pakte een stuk van de keukenrol, scheurde dat af en veegde de gemorste limonade op.

'Dat kan ik wel doen,' zei ze, terwijl ze het stuk papier van me overnam en plekjes schoonveegde die al droog waren.

'Ik weet hoe moeilijk dit voor je is geweest,' zei ik. 'Twee dagen geleden hadden we het nog over Harvard.'

'Harvard kan me wat.'

'Hopelijk zul je er binnenkort toch naar toe kunnen.'

'Zal wel. Ik kan nu toch zeker nooit meer weg?'

Ze gooide het papier op het aanrecht en keek me aan, me uitnodigend tot een discussie.

'Uiteindelijk zul je doen wat het beste voor je is,' zei ik.

Haar ogen flikkerden onzeker, keken naar de fles limonade.

'Mijn hemel, ik heb u niet eens iets aangeboden. Sorry.'

'Hindert niet. Ik heb net een Cola op.'

Alsof ze me niet had gehoord, zei ze: 'Ik zal iets voor u inschenken.'

Uit de kast pakte ze een tweede glas. Toen ze dat op het aanrecht neerzette, maakte haar arm een onverwachte beweging, waardoor het glas over het aanrecht schoot. Ze ving het op voordat het op de grond viel, ze liet het weer vallen, probeerde het weer op te vangen. Ze staarde ernaar, haalde moeizaam adem, zei: 'Verdomme!' en rende de keuken uit.

Ik liep weer achter haar aan, zocht haar op de gehele begane grond, maar kon haar niet vinden. Ik liep de groene trap op, naar haar kamer. De deur was open. Ik zag niemand binnen, riep haar naam, kreeg geen antwoord. Ik liep de kamer in en werd overvallen door bedrieglijke herinneringen, loepzuivere herinneringen aan een plaats waar ik nog nooit eerder was geweest.

Het plafond was beschilderd met keurig geklede hovelingen in een plaats die Versailles had kunnen zijn. Rood vast tapijt op de grond. De muren waren bedekt met roze en grijs poezenbehang. Voor de ramen hing kanten vitrage. Het bed was een miniatuur van dat van haar moeder. Planken vol speeldoosjes en kleine beeldjes. Drie poppenhuizen. Een dierentuin vol speelgoedbeesten.

Exact zoals ze alles negen jaar geleden had beschreven.

De kamer waarin ze nooit had geslapen.

De enige concessie aan jongvolwassenheid was een bureau rechts van het bed, waarop een computer stond, met een printer en een stapel boeken.

Ik bekeek die boeken. Twee handboeken. *The College Game: Planning Your Academic Career. Fowler's Guide to American Universities.* Informatieve brochures van een zestal beroemde universiteiten. De brochure van Harvard voorzien van ezelsoren, een stukje papier bij de bladzijde over de psychologische faculteit.

Handboeken voor de toekomst in een kamer die had vastgehouden aan het verleden. Alsof haar geest zich had ontwikkeld, maar de rest was gestagneerd.

Had ik me jaren geleden vergist en was ze minder veranderd dan ik had gedacht?

Ik liep de kamer uit, dacht erover haar op de volgende verdiepingen te gaan zoeken, maar deed dat niet.

Ik liep weer naar beneden en stond alleen in de grote hal. Man zonder functie. Een grote marmeren klok, met een uurwerk dat zo rijk was versierd dat je bijna niet kon zien hoe laat het was, wees kwart voor twaalf aan. Gina Ramp was nu bijna negen uur weg.

Ik was hier al meer dan de helft van die tijd.

Tijd om te gaan slapen en het detectivewerk aan de beroepsmensen over te laten.

Ik ging naar de beroeps toe om hem te zeggen dat ik wegging.

Hij stond achter het bureau, zijn stropdas losgetrokken, de mouwen opgerold tot boven de ellebogen, telefoon onder zijn kin geklemd, snel schrijvend. 'Hmmm... Is hij gewoonlijk betrouwbaar?... O ja?... Werkelijk?... Ja, misschien zou ik daar eens over moeten denken. Hoe laat was dat?... Oké, ja, ik weet waar dat is. Ik waardeer het dat je op dit moment met me hebt willen spreken... Ja, ja, hoewel ik niet weet of ze er officieel bij betrokken zijn... San Labrador is dat wel... Ja, dat weet ik... Ja, bedankt. Waardeer ik. Tot ziens.'

Hij hing op en zei: 'Dat was de verkeerspolitie, sectie hoofdwegen. Het ziet ernaar uit dat mijn theorie over het rijden over de hoofdweg niet geheel onwaarschijnlijk is. De auto is mogelijkerwijs gezien. Om half vier vanmiddag, op Highway 210, in oostelijke richting, in de buurt van Azuza. Dat is ongeveer vijftien kilometer hiervandaan, dus klopt het qua tijdstip.'

'Wat bedoel je met mogelijkerwijs gezien? Waarom heeft het zo lang geduurd om dat te ontdekken als het al zo lang geleden is gebeurd?'

'De bron is een motoragent die nu geen dienst heeft. Hij was thuis naar zijn scanner aan het luisteren en hoorde toevallig het opsporingsbevel. Heeft toen getelefoneerd. Om half vier stond hij in de berm, om iemand een bon te geven die te hard had gereden, en toen zag hij de Rolls, of in elk geval een soortgelijke auto, aan de andere kant van de weg in oostelijke richting rijden. De wagen reed zo snel dat hij het kenteken niet heeft gezien, maar hij zag wel dat het een Engels nummerbord was. Is dat een antwoord op je beide vragen?'

'Wie zat er achter het stuur?'

'Ook dat heeft hij niet gezien. Had ook niet gekund, vanwege het getinte glas.'

'Is hem wel getint glas opgevallen?'

'Nee. Hij keek alleen naar de auto als geheel, is me verteld. Naar de carrosserie. Hij lijkt een soort verzamelaar te zijn en heeft een Bentley uit ongeveer dezelfde periode.'

'Een smeris met een Bentley?'

'Dat was ook mijn eerste gedachte. De man met wie ik net heb gesproken – een brigadier die werkt op het bureau in San Gabriel – is een makker van die andere kerel. Hij heeft het desbetreffende telefoontje aangenomen. Ook hij is een verzamelaar, van Corvettes. Veel smerissen verzamelen auto's en nemen bijbaantjes aan om die hobby te kunnen bekostigen. In elk geval heeft hij me verteld dat sommige oude Bentley's niet zo duur zijn. Tweeduizend of zoiets. Goedkoper dan een wrak kopen en dat zelf opknappen. Een Rolls van hetzelfde jaar kost meer, omdat die zeldzamer zijn. Er zijn echter slechts een paar honderd van die Silver Dawns gemaakt. Daarom is de wagen die agent opgevallen.'

'Het is dus waarschijnlijk de hare.'

'Waarschijnlijk wel, maar zeker is het niet. De man die hem heeft gezien, dacht dat hij zwart met grijs was, maar was daar niet zeker van. We hebben het uiteindelijk over een auto die met negentig kilometer per uur langskwam.'

'Hoeveel oude Rolls-Royces zouden er op dat tijdstip daar in de buurt hebben rondgereden?'

'Meer dan je misschien denkt. Toen de dollar nog iets waard was, schijnen er veel naar L.A. te zijn gehaald. Verder zijn er in de omgeving van Pasadena en San Labrador nogal wat verzamelaars. Toch denk ik inderdaad dat we voor negentig procent zeker van onze zaak kunnen zijn.'

'In oostelijke richting over de 210,' zei ik en stelde me de grote hoofdweg voor. 'Waar zou ze naar toe zijn gegaan?'

'Die hoofdweg eindigt ongeveer vijfentwintig kilometer verder, voor La Verne, en daar moet ze een beslissing hebben genomen. Ten noorden ligt de Angeles Crest, en ik acht haar niet het type om die te nemen. In zuidelijke richting kan ze een aantal hoofdwegen hebben genomen. De 57 gaat recht naar het zuiden, de 10 naar het strand en naar Vegas. Ze kan ook over B-wegen verder de lage heuvels in zijn gereden om Rancho Cucamonga te gaan bekijken. Wie zal het zeggen?'

'Ik denk dat ze waarschijnlijk in de buurt van de beschaafde wereld is gebleven.'

Hij knikte. 'Ja, haar type beschaving. Ik denk aan Newport Beach, Laguna, La Jolla, Pauma, Santa Fe Springs. Dat beperkt de mogelijkheden niet zo. Maar ze kan ook naar haar eigen huis in Malibu zijn gegaan.'

'Ramp heeft twee keer opgebeld, maar er werd niet opgenomen.'

'Stel dat ze niet in de stemming was om op te nemen?'

'Waarom zou ze eerst de ene kant opgaan en dan weer omdraaien?'

'Laten we eens zeggen dat dit alles impulsief is begonnen. Ze wilde gewoon een eindje rijden. Draait de hoofdweg op en rijdt verder, toevallig naar het oosten. Misschien omdat het de eerste oprit was die ze tegenkwam. Wanneer de hoofdweg eindigt, kiest ze een plaats van bestemming: huis nummer twee. Of laten we eens stellen dat ze met opzet naar het oosten is gereden. Dat betekent B-weg 10 en een heleboel andere mogelijkheden: San Berdoo, Palm Springs, Vegas en verder. Alex, ze kan naar Maine zijn gereden, als de auto dat heeft volgehouden. Ze heeft veel geld en kan de Rolls hebben laten staan wanneer die pech kreeg en snel een andere auto hebben gekocht. Reizen kost alleen tijd en geld en van beide heeft ze zat.'

'Iemand die aan pleinvrees leidt en toch het natuurschoon gaat bekijken?'

'Je hebt zelf gezegd dat ze aan de beterende hand was. Misschien heeft die hoofdweg haar nog een duwtje in de goede richting gegeven. Allemaal asfalt, geen stoplichten. Dat kan je het gevoel geven heel machtig te zijn. Het kan je het verlangen geven de regels te vergeten. Daarom komen mensen toch hierheen?'

Daar dacht ik over na. Dacht aan de eerste keer dat ik op zestienjarige leeftijd over brede wegen naar het westen was gereden. De eerste keer dat ik 's nachts door de Rockies was gegaan, gefascineerd en doodsbang. De eerste keer dat ik de bruine lucht boven het bassin van Los Angeles had zien hangen, zwart en dreigend, maar toch niet in staat de gulden belofte van de stad tegen het invallen van de schemering minder rooskleurig te maken.

'Dat denk ik wel,' zei ik.

Hij liep achter het bureau vandaan.

'Wat nu?' vroeg ik.

'Het opsporingsbevel uitbreiden. De kans is heel groot dat ze een heel eind weg is.'

'Of dat de auto dat is.'

Hij trok zijn wenkbrauwen op. 'Hoe bedoel je dat?'

'Het kan zijn dat er iets met haar is gebeurd, dat iemand anders achter het stuur van die auto zat.'

'Alex, alles is mogelijk. Maar als jij een slechte jongen was, zou je er dan met zó'n auto vandoor gaan?'

'Heb jij me niet lang geleden al verteld dat jullie alleen de stomme boeven pakken?'

'Als jij denkt dat er iets naars is gebeurd, ga je je gang maar. Op dit moment denk ik nog alleen dat een volwassene er vandoor is gegaan en dat dit geen zaak is die me een held zal maken.'

'Hoe bedoel je dat?'

'Mensen die zijn weggelopen zijn de moeilijksten binnen de categorie vermiste personen. En de rijken zijn de ergsten onder de ergsten. Omdat de rijken hun eigen regels bepalen. Ze betalen met contant geld, hoeven geen baantje te zoeken. Kunnen het achterlaten van sporen dus vermijden. Wat we net met Ramp en het meisje hebben meegemaakt, is daar een perfect voorbeeld van. De gemiddelde echtgenoot zou de nummers van de credit-cards van zijn echtgenote ergens hebben opgeschreven. Een gemiddeld echtpaar deelt dingen. Deze mensen leven los van elkaar, in elk geval financieel. Rijke mensen kennen de macht van het geld, ze beschermen dat als een ware schat.'

'Eigen bankrekeningen en eigen slaapkamers,' zei ik.

'Echt intiem, nietwaar? Hij lijkt haar niet eens te kènnen. Ik vraag me af waarom ze met hem is getrouwd. Wat dat betreft had het meisje gelijk.'

'Misschien vindt ze zijn snor mooi.'

Hij glimlachte even triest en liep naar de deur. Toen keek hij om naar de raamloze kamer en zei: 'Ontworpen om je te kunnen concentreren. Ik zou hier binnen de kortste keren hartstikke gek worden.'

Ik dacht aan een andere raamloze kamer en zei: 'Over binnenhuis-architectuur gesproken: toen ik in de kliniek van de Gabney's was, is me de overeenkomst opgevallen tussen de inrichting van het kantoor van Ursula Gabney en de zitkamer van Gina Ramp boven. Hetzelfde kleurenschema, dezelfde stijl meubels. In dat kantoor hing ook een prent van Cassatt. Moeder en kind.'

'Wat betekent dat?'

'Dat weet ik niet precies, maar als die prent een geschenk is, was het een heel genereus geschenk. De laatste keer dat ik een veilingcatalogus heb gezien, bleek dat prenten van Cassatt die in een goede conditie verkeren, veel waard zijn.'

'Hoe veel?'

'Twintig- tot zestigduizend voor een zwart-witte prent. Een gekleurde prent brengt nog meer op.'

'En die van Gabney is een gekleurde prent?'

Ik knikte. 'Lijkt heel veel op die van Gina.'

'Hoe denken therapeuten tegenwoordig over het aannemen van geschenken?'

'Het is niet verboden, maar men beschouwt het door de bank genomen wel als onethisch.'

'Welke betekenis hecht jij eraan?'

'Misschien is het niet zo betekenisvol. Ik weet het niet. Er kan eenvoudigweg sprake zijn van een te grote betrokkenheid, bezitterigheid. Ursula lijkt een hekel te hebben aan Melissa, zoals een jong kind een hekel kan hebben aan een ander kleintje. Bijna alsof ze Gina voor zichzelf wil hebben. Melissa heeft dat aangevoeld. Maar aan de andere kant kan er ook alleen sprake zijn van beroepstrots. De behandeling is intensief geweest. Ze heeft Gina heel ver gekregen, haar leven veranderd.'

'En haar meubilair.'

Ik haalde mijn schouders op. 'Misschien ben ik te ver aan het interpreteren. Patiënten beïnvloeden therapeuten ook. Ursula kan haar Cassatt zelf hebben gekocht, omdat ze Gina's prent had gezien en die mooi vond. Gezien de honoraria die de kliniek in rekening brengt, kan ze zich zo'n aankoop beslist veroorloven.'

'Hoge honoraria?'

'Heel hoge. Wanneer beide Gabney's werken, vangen ze per uur per patiënt vijfhonderd dollar. Hij driehonderd, zij tweehonderd.'

'Hebben ze nooit gehoord van gelijke beloning voor soortgelijk werk?'

'Ik denk dat zij meer werk verzet dan hij. Ik heb de indruk dat zij het merendeel van het therapeutische werk voor haar rekening neemt, terwijl hij optreedt als haar mentor.'

Hij klakte met zijn tong. 'Ze doet het beslist niet gek voor iemand die een mentor nodig heeft. Mijn hemel, vijfhonderd dollar!' Hij schudde zijn hoofd. 'Als je een paar rijke mensen met psychische problemen kunt vinden, hoef je verder nauwelijks meer iets te doen om in je levensonderhoud te voorzien.'

Hij liep verder, bleef weer staan. 'Denk je dat Ursula je niet alles heeft verteld wat ze weet?'

'Hoe bedoel je dat precies?'

'Als die twee het inderdaad zo goed met elkaar kunnen vinden als jij suggereert, kan Gina haar op de hoogte hebben gesteld van haar plannen voor de grote ontsnapping. Misschien heeft die lieve Ursula wel gedacht dat zoiets in therapeutische zin goed voor haar zou zijn. Misschien heeft ze zelfs wel geholpen met het maken van de plannen. Gina is uiteindelijk verdwenen toen ze onderweg was naar de kliniek.'

'Alles is mogelijk,' zei ik. 'Maar ik betwijfel het. Ze leek echt van streek te zijn door de verdwijning van Gina.'

'En de echtgenoot?'

'Die heeft de juiste dingen gezegd en leek niet al te gespannen te zijn. Hij beweert dat hij zich geen zorgen maakt. Dat hij zichzelf heeft geleerd dat niet te doen.'

'Dokter, genees uzelve? Het kan ook zijn dat hij niet zo goed toneel kan spelen als zijn vrouw.'

'Drie onder één hoedje?' zei ik. 'Ik dacht dat jij niet hield van samenzweringstheorieën?'

'Ik wil de stukjes van een legpuzzel in elkaar laten passen, al past op dit moment nog niets.'

'Er namen nog twee andere vrouwen deel aan die groepsgesprekken van Gina,' zei ik. 'Als ze van plan was weg te gaan, kan ze het aan die mensen hebben verteld. Toen ik Ursula vroeg of zij ondervraagd konden worden, nam ze meteen een heel verdedigende houding aan. Ze zei dat Gina buiten de kliniek niet met hen omging, dat zij ons op geen enkele manier konden helpen. Als ze iets te verbergen heeft, zou dat een vorm van tegenwerking kunnen zijn.'

Milo glimlachte. 'Tegenwerking? Ik dacht dat jullie het beroepsgeheim altijd heel hoog in het vaandel schreven?'

Ik dreigde boos te worden.

Hij gaf me een schouderklopje. 'Mijn hemel, man, vrienden kunnen elkaar toch wel de waarheid zeggen? Nu moet ik de nieuwe wending maar eens aan mijn cliënten gaan melden.'

Ramp zat aan de achterzijde van het huis in de kamer met de beschilderde balken te drinken. De gordijnen waren voor de openslaande deuren dichtgetrokken en hij staarde met halfopen ogen in het niets.
'Heren?' zei hij met een hartelijke stem toen wij binnenkwamen.
Milo vroeg hem Melissa te roepen en hij deed dat via de intercom. Toen ze niet reageerde, belde hij zonder succes enige andere kamers en keek toen hulpeloos op.
'Ik spreek haar later wel,' zei Milo en vertelde hem over het signaleren van de wagen.
'De twee-tien,' zei Ramp. 'Waar kan ze naar toe zijn gegaan?'
'Kunt u iets bedenken?'
'Ik? Nee, natuurlijk niet. Dit is allemaal zo raar. Waarom zou ze de hoofdweg hebben genomen? Ze was net weer gaan rijden. Dit is gewoon krankzinnig.'
'Het zou verstandig zijn het opsporingsbevel uit te breiden,' zei Milo.
'Natuurlijk. Doet u dat maar.'
'Dat dient te gebeuren door een politiebureau. Uw plaatselijke politie zal hier al wel van op de hoogte zijn gesteld en misschien hebben zij al actie genomen. Als u dat wilt, kan ik wel opbellen om daarnaar te vragen.'
'Graag,' zei Ramp. Hij stond op en liep de kamer door. 'Over de hoofdweg rijden. Krankzinnig. Weten ze zeker dat zij het was?'
'Nee, het enige dat ze zeker weten, was dat het een auto als de hare was,' zei Milo.
'Dan moet ze het wel zijn geweest. Hoeveel Silver Dawns zijn er verdomme?'
'Daarna moeten we de luchtvaartmaatschappijen opbellen,' zei Milo. 'Morgenochtend moeten we naar de bank om haar financiën door te spitten.'
Ramp staarde hem aan, zocht als een blinde op de tast een stoel op en ging zitten. 'In het begin hebt u al gezegd dat u dacht dat ze was weggelopen. Nu denkt u dat zeker te weten, hè?'
'Ik denk nog niets,' zei Milo met een vriendelijkheid die me verbaasde en waardoor Ramps hoofd een paar centimeter omhoogkwam. 'Ik ga stap voor stap te werk, doe die dingen die nodig zijn.'
Ergens in het huis knalde een deur.
Ramp sprong op en liep de kamer uit. Even later kwam hij terug met Melissa.
Ze had een kaki-safarivest over haar shirt aangetrokken en haar laarzen zaten vol modder en gras.
Milo herhaalde wat hij te weten was gekomen.
'De hoofdweg,' zei Melissa. Haar ene hand vond de andere en kneedde.

'Onbegrijpelijk, hè?' zei Ramp.

Ze negeerde hem, zette haar handen op haar heupen en keek Milo aan. 'Oké, dan is er in elk geval niets met haar gebeurd. Wat gaat u nu doen?'

'Tot morgenochtend opbellen. Daarna ga ik naar de bank.'

'Waarom wacht u daar tot morgen mee? Ik kan Anger nu opbellen en zeggen dat hij hierheen moet komen. Deze familie geeft hem veel werk, dus is dat wel het minste dat hij kan doen.'

'Oké. Zeg hem dat ik de bankafschriften van je moeder moet inzien.'

'Ik ga hem direct opbellen. U moet hier wachten.'

Ze liep de kamer uit.

'Jawel, mevrouw,' zei Milo.

18

Ze kwam terug met een velletje papier en gaf dat aan Milo. 'Hij verwacht u daar, op dat adres. Ik moest hem vertellen waar het om ging en heb gezegd dat ik van hem verwachtte dat hij hier zijn mond over zou houden. Wat moet ik doen terwijl u weg bent?'

'De luchtvaartmaatschappijen bellen,' zei Milo. 'Vragen of iemand een ticket heeft gekocht op naam van je moeder. Zeg dat je haar dochter bent en dat er sprake is van een noodsituatie. Als dat niet voldoende is, zeg je maar dat iemand ernstig ziek is of zo. Bel LAX, Burbank, Ontario, John Wayne en Lindbergh. Als je het echt grondig wilt aanpakken, moet je ook melding maken van de meisjesnaam van je moeder. Ik kom alleen terug als er op de bank iets heel bijzonders aan het licht komt. Hier heb je mijn telefoonnummer thuis.'

Hij schreef het nummer op de achterkant van het papiertje dat ze hem net had overhandigd, scheurde dat doormidden en gaf het aan haar.

'Bel me als u iets wijzer bent geworden,' zei ze. 'Ook als het onbelangrijk lijkt.'

'Dat zal ik doen.' Milo wendde zich tot Ramp. 'Moed houden.'

Ramp bleef in zijn stoel zitten en knikte even.

'Kan ik nog iets voor jou doen?' vroeg ik aan Melissa.

'Nee, dank u wel. Ik heb geen zin om te praten. Ik wil iets dóen. Ik hoop dat u dat niet erg vindt.'

'Natuurlijk niet.'

'Ik zal u bellen als ik u nodig heb,' zei ze.

'Uitstekend.'

'Sayonara,' zei Milo en liep naar de deur.

'Ik ga met je mee,' zei ik.

'Als je dat per se wilt mag dat. Maar als ik jou was, zou ik de kans grijpen om een dutje te doen.'

Hij was gekomen in de witte Porsche 928 van Rick. Sinds ik die auto voor het laatst had gezien, was er een draagbare scanner op het dashboard bevestigd. Die stond zacht aan.

'Mijn hemel!' zei ik en tikte tegen het ding.

'Kerstcadeautje.'

'Van wie?'

'Van mezelf,' zei hij en trapte het gaspedaal in. De Porsche zoemde. 'Ik vind nog steeds dat jij moet gaan slapen. Ramp ziet er al verwelkt uit en dat meisje loopt op adrenaline. Ze zullen je op een gegeven moment beroepshalve nodig hebben.'

'Ik ben niet moe,' zei ik.

'Te gespannen?'

'Hmmm.'

De hekken stonden open. Milo draaide linksom en nog eens linksom. We bereikten Cathcart Boulevard. Het was donker in alle winkels en kantoren. Het licht van de straatlantarens reikte nauwelijks tot de groene middenberm.

'Alle lichten aan,' zei Milo en wees op een laag pand, dat in Griekse stijl was gebouwd. Witte kalksteen. Heggen van bukshout, klein gazon met vlaggemast. FIRST FIDUCIARY TRUST BANK, FDIC, in gouden letters boven de deur.

'Wat klein,' zei ik.

'Het gaat om de kwaliteit, niet om de kwantiteit, weet je nog wel?'

Milo bracht de auto voor de bank tot stilstand. Rechts was een parkeerterrein voor twintig auto's, bereikbaar tussen twee ijzeren palen door met een ketting daartussen. De ketting was al omlaaggehaald. Een zwarte Mercedes sedan stond op de eerste parkeerplaats links. Toen we uit de Porsche stapten, ging het portier van de zwarte wagen open.

Een man stapte uit, deed het portier dicht en bleef staan, met een hand op het dak van de auto.

'Ik ben Sturgis,' zei Milo.

De man kwam naar ons toe. Hij had een grijs gabardine kostuum aan, een wit overhemd en een gele das met blauwe stippen. Bijpassend pochetje, zwarte schoenen aan zijn voeten.

'Glenn Anger, meneer Sturgis,' zei hij. 'Ik hoop dat mevrouw Ramp niet in gevaar verkeert.'

'We zijn hier om te proberen dat te achterhalen.'

'Komt u mee.' Hij liep naar de voordeur. 'Het beveiligingssysteem is al uitgeschakeld, maar daarmee zijn we er nog niet.'

Hij wees op vier sloten die in een vierkant rond de deurknop waren aangebracht. Hij pakte een grote sleutelbos en stak een sleutel in het slot rechtsboven, draaide hem om en wachtte op een klik. Hij werkte snel en efficiënt en deed me denken aan een beroepskraker.

Ik nam hem eens uitgebreid op. Een meter drieëntachtig lang, tachtig kilo zwaar, grijs, kortgeknipt haar, lang gezicht dat in het daglicht waarschijnlijk gebruind zou blijken te zijn. Kleine neus, smalle lippen, kleine oren, dicht bij zijn hoofd. Alsof hij zijn gelaatstrekken in een uitverkoop had gekocht en genoegen had genomen met een te kleine maat. Dikke, donkere wenkbrauwen deden zijn lichte ogen nog kleiner lijken dan ze waren. Hij moest ergens tussen de vijfenveertig en de vijfenvijftig zijn. Als hij uit zijn bed was gebeld, had hij zich opmerkelijk snel gefatsoeneerd. Voordat hij de vierde sleutel in het slot stak, keek hij de verlaten straat op en af. Toen keek hij naar ons.

Milo keek hem aan, een nietszeggende blik.

Anger draaide de sleutel om en duwde de deur iets open. 'Ik maak me erg veel zorgen over mevrouw Ramp. Melissa wekte de indruk dat het echt ernstig was.'

Milo knikte, neutraal.

'Wat denkt u dat ik voor u kan doen?' vroeg Anger. Toen keek hij naar mij.

'Dit is doctor Alex Delaware,' zei Milo. Alsof daarmee alles was geregeld. 'Het eerste dat u kunt doen, is me de nummers geven van haar bankrekeningen en credit-cards. Verder kunt u me op de hoogte brengen van haar financiële situatie in het algemeen.'

Anger bewoog zijn onderkaak op en neer. Hij stak een hand naar binnen, om de deurpost heen, en deed een paar lampen aan.

In de bank zag ik veel glanzend hout, een koningsblauw tapijt op de grond, koperen lampen en een plafond met een reliëf van een adelaar. Drie loketten en een deur met KLUIS erop aan de ene kant, drie bureaus met stoelen aan de andere. Midden in de ruimte een soort kiosk. Het rook er naar citroenwas en ammoniak en geld dat zo oud was dat het begon te beschimmelen. Ik had in die lege bank het gevoel een inbreker te zijn.

Anger nam ons mee naar een deur achterin, waarop W. GLENN ANGER, DIRECTEUR stond.

Twee sloten op deze deur.

Anger maakte ze open en zei: 'Komt u binnen.'

Zijn kantoor was klein en koel en rook als een nieuwe auto. Ik zag een vierkant bureau, waarop alleen een gouden pen lag en een lamp met een zwarte kap stond. Verder twee stoelen, bekleed met bruin tweed en een lage, vierkante tafel daartussenin. Op die tafel enige in leer gebonden boeken. Rechts van het bureau stond een computer op een verrijdbaar tafeltje. Aan de achtermuur hingen familiefoto's met allemaal dezelfde personen erop: een blonde vrouw die leek op een Doris Day die een half jaar lang te veel had gegeten, vier blonde jongetjes, twee prachtig getrimde golden retrievers en een knorrig ogende Siamees.

Aan de andere muren zag ik een paar diploma's van Stanford, een stel platen van Norman Rockwell, een ingelijst exemplaar van de Onafhankelijkheidsverklaring en een tot het plafond reikend rek vol atletiekonderscheidingen. Sommige dateerden van twintig jaar her en hadden als inscriptie Warren Glenn Anger. Recentere exemplaren waren toegekend aan Warren Glenn Anger jr. en Eric James Anger. Ik vroeg me af welke twee van de vier blonde jongens niet met trofeeën naar huis waren gekomen, probeerde ze op de foto's te herkennen, maar slaagde daar niet in. Ze glimlachten allemaal.

Anger ging achter zijn bureau zitten, schoof zijn manchetten iets omhoog, keek op zijn horloge. Bovenop zijn handen donker, rossig krullend haar.

Milo en ik namen op de twee andere stoelen plaats. Ik keek naar de tafel. De in leer gebonden boeken bleken ledenlijsten te zijn van drie clubs die nog steeds weigerden vrouwen en buitenlanders als leden toe te laten.

'Bent u privé-detective?' vroeg Anger.

'Ja.'

'Wat wilt u weten?'

Milo haalde zijn aantekenboekje te voorschijn. 'Om te beginnen wat mevrouw Ramp netto waard is. Hoe ze haar geld heeft belegd. Of er de laatste tijd grote bedragen zijn opgenomen.'

'Waarom wilt u dat alles weten, meneer Sturgis?'

'Ik ben ingehuurd om jacht te maken op mevrouw Ramp. Een goede jager moet zijn prooi leren kennen.'

Anger fronste zijn wenkbrauwen.

'Haar bankpatronen kunnen me iets wijzer maken omtrent haar bedoelingen,' zei Milo.

'Bedoelingen ten aanzien van wat?'

'Als ze ongewoon hoge bedragen heeft opgenomen, kan dat betekenen dat ze van plan was een reis te gaan maken.'

Anger knikte enige keren achter elkaar. 'Nu, dat is niet het geval geweest. En wat ze netto waard is... Wat zou u daar wijzer van kunnen worden?'

'Ik moet weten wat er op het spel staat.'

'Op het spel staat ten aanzien van wat?'

'Hoelang ze weg kan blijven, als ze vrijwillig is verdwenen.'

'Wilt u suggereren...'

'Ik heb het over een erfenis, voor het geval ze niet vrijwillig is verdwenen.'

Angers kaken bewogen zich heftig. 'Dat klinkt onheilspellend.'

'Niet werkelijk. Ik moet alleen mijn grenzen afbakenen.'

'Oké. Wat denkt ú dat er met haar is gebeurd, meneer Sturgis?'

'Ik heb nog te weinig informatie om ook maar iets te kunnen denken. Daarom ben ik hierheen gekomen.'

Anger leunde achterover, trok de punt van zijn das omhoog, liet die weer vallen.

'Ik maak me echt zorgen over haar welzijn, meneer Sturgis. Ik twijfel er niet aan dat u op de hoogte bent van haar probleem, haar angsten. Het idee dat ze helemaal alleen op pad is gegaan...' Hij schudde zijn hoofd.

'We maken ons allemaal zorgen,' zei Milo. 'Zullen we dus maar aan de slag gaan?'

Anger draaide zijn stoel. 'Het probleem is dat de bank in bepaalde opzichten...'

'Ik weet wat een bank moet doen en ik ben er zeker van dat u dat ook goed doet. Maar nu is er een dame zoek en haar familie wil haar zo spoedig mogelijk terug hebben. Dus kunnen we die geheimhoudingsplicht beter laten voor wat die is.'

Anger kwam niet in beweging. Hij zag eruit alsof hij met een vinger klem zat tussen de carrosserie en het portier van een auto.

'Meneer Sturgis, wie is uw cliënt?'

'Meneer Ramp en mejuffrouw Dickinson. Beiden.'

'Ik heb hier van Don niets over gehoord.'

'Hij is een beetje gespannen en probeert wat te rusten, maar u kunt hem best opbellen.'

'Gespannen?' herhaalde Anger.

'Bezorgd over het welzijn van zijn vrouw. Hoe langer ze wegblijft, hoe groter de spanning zal worden. Als we mazzel hebben, is dit alles snel opgelost en zal de familie heel dankbaar zijn jegens diegenen die hen hebben geholpen toen ze dat nodig hadden. Mensen zijn geneigd zich zoiets te blijven herinneren.'

'Ja, natuurlijk. Maar dat is een deel van mijn dilemma. Als deze zaak zichzelf oplost, heb ik ten onrechte vertrouwelijke informatie doorgegeven. Alleen mevrouw Ramp kan toestemming geven voor het verstrekken daarvan.'

'Oké. Als u dat wenst, gaan we weg en zullen meedelen dat u er de voorkeur aan hebt gegeven niet mee te werken.'

'Nee, dat hoeft niet. Melissa is meerderjarig, zij het dan net aan. Gezien de... situatie neem ik aan dat zij in afwezigheid van haar moeder zulke beslissingen kan nemen.'

'Over welke situatie hebt u het?'

'Zij is de enige erfgename van haar moeder.'

'Ramp krijgt niets?'

'Een klein bedrag.'

'Hoe klein?'

'Vijftigduizend dollar. Ik moet daaraan toevoegen dat dat de gegevens zijn zoals ik die tot op heden ken. De familie heeft het notariskantoor Wresting, Douse en Cosner. Misschien is er een nieuw testament gemaakt, hoewel ik dat betwijfel. Gewoonlijk word ik van veranderingen op de hoogte gehouden en krijg ik kopieën van alle documenten.'

'Herhaalt u die naam nog eens?' vroeg Milo en hield zijn pen paraat.

'Wresting. Douse. En Cosner. Een prima, oud kantoor. De achteroom van Jim Douse was J. Harmon Douse, een rechter van het Opperste Gerechtshof van Californië.'

'Met wie heeft mevrouw Ramp het meest te maken?'

'Met Jim junior, de zoon van Jim Douse. James Madison Douse junior.'

Milo schreef dat op. 'Hebt u zijn telefoonnummer bij de hand?'

Anger noemde zeven cijfers.

'Oké,' zei Milo. 'Die vijftigduizend dollar voor Ramp... Is dat zo geregeld voor het huwelijk?'

Anger knikte. 'Voor zover ik me kan herinneren is bepaald dat Don in ruil voor dat bedrag beloofde geen aanspraak te maken op de rest van haar bezittingen. Heel eenvoudige overeenkomst. De kortste die ik ooit heb gezien.'

'Van wie kwam dat idee?'

'Van Arthur Dickinson, de eerste echtgenoot van Gina.'

'Een stem uit het graf?'

Anger ging anders zitten en keek Milo even walgend aan. 'Arthur wilde dat Gina goed verzorgd achterbleef. Hij was zich het leeftijdsverschil tussen hen beiden zeer goed bewust en wist hoe breekbaar ze was. In zijn testament heeft hij vastgelegd dat geen enkele volgende echtgenoot van haar zou mogen erven.'

'Was dat niet in strijd met de wet?'

'Daar zou u een jurist naar moeten vragen, meneer Sturgis. Don heeft het in elk geval niet willen aanvechten. Toen niet en later ook niet.

Ik ben bij het ondertekenen van de overeenkomst geweest. Don was er tevreden mee. Meer dan dat. Hij was zelfs enthousiast. Verklaarde bereid te zijn van alles af te zien, ook van die vijftigduizend dollar. Gina was degene die aandrong op het nauwkeurig volgen van Arthurs wens.'

'Waarom?'

'De man is haar echtgenoot.'

'Waarom heeft ze niet geprobeerd hem meer te geven?'

'Dat weet ik niet. Ik kan er alleen naar raden. Ik neem aan dat ze een beetje verlegen was met de situatie. Die overeenkomst is een week voor haar huwelijk ondertekend. De meeste mensen vinden het niet prettig op zo'n moment financiën te bespreken. Don heeft haar verzekerd dat hij het helemaal niet belangrijk vond.'

'Ik heb de indruk dat hij haar niet om haar geld heeft getrouwd.'

Anger keek Milo koud aan. 'Kennelijk niet, meneer Sturgis.'

'Hebt u er enig idee van waarom hij wèl met haar is getrouwd?'

'Ik neem aan dat hij van haar híeld, meneer Sturgis.'

'Voor zover u weet zijn ze gelukkig met elkaar?'

Anger leunde achterover in zijn stoel en vouwde zijn handen voor zijn borstkas. 'Stelt u een onderzoek in naar uw eigen cliënt, meneer Sturgis?'

'Ik probeer een zo volledig mogelijk beeld voor ogen te krijgen. Melissa is dus de enige erfgename.'

'Dat klopt.'

'Wie erft wanneer Melissa overlijdt?'

'Haar moeder, meen ik, maar dat valt buiten mijn terrein.'

'Oké. Laten we ons dan weer op uw eigen terrein begeven. Hoe groot is de erfenis waarover we praten?'

Anger aarzelde. Preutsheid van een bankier. Toen zei hij: 'Ongeveer veertig miljoen. Alles uiterst conservatief geïnvesteerd.'

'Waarin, bijvoorbeeld?'

'Staatsobligaties, staatsleningen, hypotheekbanken. Gespeculeerd wordt er niet met het geld.'

'Wat is het inkomen dat ze daaruit krijgt?'

'Drieënhalf tot vijf miljoen.'

'Uitsluitend rente?'

Anger knikte. Door het praten over cijfers was hij meer ontspannen geraakt. 'Verder komt er niets binnen. Arthur heeft zich in het begin ook beziggehouden met bouw- en ontwikkelingsprojecten, maar het merendeel van zijn kapitaal is voortgekomen uit een uitvinding die hij had gedaan. De Dickinson-schoor. Iets om metaal te versterken. Alle rechten daarop heeft hij vlak voor zijn dood verkocht en dat was maar goed ook, want tegenwoordig beschikt men over modernere technieken.'

'Waarom heeft hij ze verkocht?'

'Hij was net met pensioen gegaan en wilde al zijn tijd wijden aan Gina en haar medische problemen. U bent op de hoogte van haar geschiedenis? Van de aanval die op haar is gepleegd?'

Milo knikte. 'Hebt u er enig idee van waarom ze destijds is aangevallen?'

Daar schrok Anger van. 'Ik studeerde in die tijd en heb het in de kranten gelezen.'

'Dat is niet direct een antwoord op mijn vraag.'

'Hoe luidde uw vraag precies?'

'Ik vroeg naar het motief achter die aanval.'

'Daar heb ik geen idee van.'

'Bent u op de hoogte van plaatselijke theorieën daaromtrent?'

'Ik houd me niet bezig met roddelverhalen.'

'Daar ben ik zeker van, meneer Anger, maar had u iets kunnen horen wanneer u zich daar wel mee bezighield?'

'Meneer Sturgis, u moet begrijpen dat Gina lange tijd uit de circulatie is geweest. Er wordt hier niet meer over haar geroddeld.'

'Maar in de tijd van de aanval? Of kort daarna, toen ze in San Labrador kwam wonen? Is er toen geroddeld?'

'Ik meen me te herinneren dat iedereen meende dat de maniak die het heeft gedaan, krankzinnig was. Heeft een krankzinnige een motief nodig?'

'Dat denk ik niet.' Milo bekeek zijn aantekeningen. 'Was dat zeer conservatief investeren ook een idee van Dickinson?'

'Beslist. In het testament stond precies beschreven hoe dat diende te gebeuren. Arthur was een zeer voorzichtige man, die zich alleen te buiten ging aan zijn kunstverzameling. Als hij dat had gekund, zou hij zijn kleren ook zo goedkoop mogelijk hebben gekocht.'

'Vindt u dat hij te conservatief was?' vroeg Milo.

'Ik wil daar geen oordeel over vellen. Hij had in onroerend goed kunnen investeren en dan zou het kapitaal nu aanzienlijk hoger zijn geweest. Twee- of driehonderd miljoen. Maar hij wilde zekerheid, geen risico's. Wij hebben gedaan wat ons was opgedragen, namelijk op dezelfde voet doorgaan.'

'U bent van het begin af aan zijn bankier geweest?'

'Deze bank heeft zijn belangen altijd behartigd. Mijn vader heeft de bank opgericht. Hij heeft met Arthur samengewerkt.'

Het leek Anger moeite te kosten toe te geven dat hij niet met alle eer alleen kon gaan strijken.

In zijn kantoor geen portretten van de stichter. In de grote ruimte van de bank al evenmin.

Ook geen foto's van Arthur Dickinson in het huis dat hij had gebouwd.

Ik vroeg me af waarom.

'Betaalt u al haar rekeningen?' vroeg Milo.

'Allemaal. Alleen kleine aankopen werden door haar contant betaald.'

'Hoeveel betaalt u per maand?'

'Een ogenblikje.' Arthur draaide zijn stoel naar de computer. Hij zette die aan, wachtte op de piep, drukte toetsen in en boog zich naar voren toen het scherm met letters werd gevuld.

'De rekeningen van de vorige maand bedroegen in totaal tweeëndertigduizend tweehonderdachtenvijftig dollar en negenendertig cent. De maand daarvoor iets meer dan dertigduizend. Dat is normaal.'

Milo stond op, liep achter het bureau om en keek naar het scherm. Anger wilde dat met zijn hand afschermen, maar Milo keek over hem heen en was al aan het schrijven. De bankier liet zijn hand weer zakken.

'Zoals u kunt zien, leeft de familie verhoudingsgewijs eenvoudig. Het merendeel van het budget wordt gebruikt voor de salarissen van het personeel, het onderhoud van het huis, en verzekeringspremies.'

'Geen hypotheken?'

'Nee. Arthur heeft het strandhuis contant betaald en daar gewoond terwijl het grote huis werd gebouwd.'

'Hoe zit het met de belastingen?'

'Die worden van een aparte rekening betaald. Als u dat per se wilt, kan ik het dossier opvragen, maar u zult er niets wijzer van worden.'

'Doet u het toch maar,' zei Milo.

Anger wreef over zijn kaak en typte iets in. De computer maakte kreunende geluiden. Hij wreef nogmaals over zijn kaak en ik zag dat de huid bij zijn onderkaak iets geïrriteerd was. Hij had zich geschoren voordat hij hierheen kwam.

'Hier hebt u het dossier,' zei hij. 'Vorig jaar is er aan federale en staatsbelastingen iets minder dan een miljoen dollar betaald.'

'Dan is er dus tussen de tweeënhalf en vier miljoen dollar overgebleven om mee te spelen.'

'Zo ongeveer.'

'Waar gaat dat geld naar toe?'

'Dat wordt door ons opnieuw geïnvesteerd.'

'Obligaties en aandelen?'

Anger knikte.

'Neemt mevrouw Ramp wel eens contant geld op?'
'Ze krijgt persoonlijk een toelage van tienduizend dollar per maand.'
'Een toelage?'
'Dat heeft Arthur zo bepaald.'
'Mag ze méér opnemen?'
'Het geld is van haar, meneer Sturgis. Ze kan opnemen wat ze wil.'
'Doet ze dat ook wel eens?'
'Wat?'
'Meer opnemen dan tienduizend.'
'Nee.'
'Hoe zit het met de uitgaven van Melissa?'
'Die worden gedekt door een aparte rekening.'
'Dus hebben we het over honderdtwintigduizend per jaar. Hoeveel jaren lang al?'
'Sinds de dood van Arthur.'
'Die is vlak voor de geboorte van Melissa gestorven, dus alles bij elkaar iets meer dan achttien jaar,' zei ik.
'Achttien maal twaalf is ongeveer tweehonderd maanden,' zei Milo.
'Tweehonderdzestien,' zei Anger nadenkend.
'Maal tien is meer dan twee miljoen dollar. Dat bedrag kan verdubbeld zijn wanneer mevrouw Ramp het geld op een andere bank heeft gezet en daar rente van heeft getrokken, nietwaar?'
'Ze zou geen enkele reden hebben om dat te doen,' zei Anger.
'Waar is dat geld dan gebleven?'
'Waarom denkt u dat het ergens moet zijn, meneer Sturgis? Ze zal het wel hebben uitgegeven aan persoonlijke zaken.'
'Meer dan twee miljoen aan persoonlijke zaken?'
'Meneer Sturgis, ik kan u verzekeren dat tienduizend dollar voor een vrouw van haar standing beslist niet veel is.'
'U zult wel gelijk hebben.'
Anger glimlachte. 'Je laat je makkelijk imponeren door het idee van al die nullen, maar geloof me: het is een verhoudingsgewijs gering bedrag, dat snel op is. Ik heb cliënten die meer geld uitgeven aan één enkele bontjas. Kan ik u verder nog ergens mee helpen, meneer Sturgis?'
'Hebben meneer en mevrouw Ramp gemeenschappelijke rekeningen?'
'Nee.'
'Meneer Ramp is ook een cliënt van deze bank?'
'Ja, maar ik heb liever dat u zijn financiële aangelegenheden met hemzelf bespreekt.'
'Prima. Nu graag de nummers van de credit-cards,' zei Milo.

Angers vingers vlogen over het toetsenbord. 'Drie credit-cards. American Express, Visa en MasterCard.' Hij wees. 'Dat zijn de nummers. Onder elk ervan staat het krediet dat haar is gegeven, gevolgd door de gedane uitgaven, in verband met de fiscus.'

'Is dat alles?' vroeg Milo schrijvend.

'Ja, meneer Sturgis.'

'Alles bij elkaar heeft ze dus maandelijks een krediet van zo'n vijftigduizend dollar.'

'Achtenveertigduizend en vijfhonderdvijfenvijftig dollar.'

'Ze maakt niet veel gebruik van de American Express. Van de andere credit-cards trouwens ook niet. Ze koopt kennelijk niet zo veel?'

'Hoeft ook niet. Wij zorgen voor alles,' zei Anger.

'Alsof ze een kind is,' merkte Milo op.

'Wat zei u?'

'De manier waarop ze leeft. Alsof ze een kind is. Een toelage krijgen, alles laten regelen, geen gerommel, geen gedoe.'

'Meneer Sturgis, het zal vast wel amusant zijn om rijke mensen belachelijk te maken, maar het is me opgevallen dat u ook wel van materieel amusement houdt.'

'Werkelijk?'

'Uw Porsche. Die hebt u uitgekozen omdat het merk voor u wat betekent.'

'O dat,' zei Milo en ging staan. 'Die wagen heb ik geleend. Mijn normale transportmiddel is heel wat minder betekenisvol.'

'Werkelijk?' zei Anger.

Milo keek mij aan. 'Zeg het hem.'

'Hij heeft een brommer,' zei ik. 'Handiger wanneer je iemand onopvallend in de gaten moet houden.'

'Behalve wanneer het regent,' zei Milo. 'Dan neem ik een paraplu mee.'

Toen we weer in de Porsche zaten, zei hij: 'Ik heb de indruk dat Melissa het mis had ten aanzien van de bedoelingen van stiefpapa.'

'Echte liefde? Ze slapen niet bij elkaar,' merkte ik op.

Schouderophalen. 'Misschien houdt Ramp van haar vanwege de zuiverheid van haar ziel.'

'Of misschien is hij van plan die voor het huwelijk ondertekende overeenkomst op een gegeven moment aan te vechten.'

'Wat ben jij achterdochtig! Ik moet eens diep nadenken over die toelage.'

'Twee miljoen?' zei ik. 'Meneer Sturgis, laat u niet imponeren door een paar nullen.'

'God verhoede dat.'

Hij reed langzaam Cathcart over. 'Punt is dat het wel een zinnige opmerking van die man was. Met haar inkomen kan honderdtwintig per jaar weinig lijken. Als ze het heeft uitgegeven. Maar nu ik haar kamer heb gezien, kan ik me niet indenken waar al dat geld naar toe is gegaan. Boeken, tijdschriften en trimapparatuur kosten per jaar geen honderdtwintigduizend. Ze had verdorie niet eens een videorecorder! Ze betaalt natuurlijk veel voor die therapie, maar dat is pas iets van het afgelopen jaar. Tenzij ze in het geheim aan een liefdadig doel heeft geschonken, moet ze in die achttien jaar een fiks bedrag bij elkaar hebben gekregen. Fiks, ook voor iemand die zo rijk is als zij. Misschien had ik eens onder het matras moeten kijken.'

'Het kan zijn dat de twee Cassatts met dat geld zijn betaald,' zei ik.

'Dat kan, maar dan blijft er nog meer dan genoeg over. Als ze dat op een andere bank heeft gezet, zal het moeilijk zijn dat binnen korte tijd te achterhalen.'

'Hoe zou ze met een andere bank zaken kunnen doen zonder van huis weg te gaan?'

'Als het om veel geld gaat, zijn genoeg banken bereid om naar jou toe te komen.'

'Ramp en Melissa hebben niet gesproken over bezoeken van bankiers.'

'Klopt. Misschien heeft ze het geld gewoon ergens opgeborgen. Als appeltje voor de dorst. Misschien is ze dat appeltje nu wel aan het opeten.'

Daar dacht ik over na.

'Wat is er?' vroeg Milo.

'Rijke dame die met veel geld in een Rolls rijdt. Dat schreeuwt het woord slachtoffer uit.'

Hij knikte. 'In honderd verschillende talen, verdomme.'

We reden terug naar Sussex Knoll om mijn auto op te halen. De hekken waren dicht, maar de twee schijnwerpers erboven brandden. Verwelkomende lichten. Optimisme dat in de vroege ochtenduren iets meelijwekkends had.

'Laat die auto maar,' zei ik. 'Ik haal hem morgenochtend wel op.'

Zonder iets te zeggen draaide Milo om en reed terug naar Cathcart, steeds sneller, beter met de Porsche manoeuvrerend dan ik hem ooit had zien doen. We reden naar het westen, California op, hadden het kruispunt bij Arroyo Seco binnen de kortste keren bereikt. Toen de hoofdweg op, leeg, donker en geteisterd door de wind.

Toch bleef Milo om zich heen kijken, wierp regelmatig een blik in de achteruitkijkspiegel. Toen we bij het centrum waren, draaide hij aan de knop van de scanner, om die harder te zetten en te luisteren naar het kwaad dat mensen elkaar wensten te berokkenen bij het begin van een nieuwe dag.

19

Toen ik thuiskwam, was ik nog altijd opgewonden. Ik liep naar de vijver en zag dat er nog steeds kans was op de komst van enige jonge visjes. Dat deed me goed. Ik liep terug naar het huis en ging schrijven. Maakte mezelf in een kwartier slaperig, kleedde me snel uit en rolde mijn bed in.

Ik werd die vrijdag wakker om half zeven 's morgens en belde Melissa een uur later.

'O,' zei ze en klonk teleurgesteld omdat ik het was. 'Ik heb al met meneer Sturgis gesproken. Nog geen nieuws.'

'Jammer.'

'Meneer Delaware, ik heb precies gedaan wat hij zei. Ik heb op elk vliegveld alle luchtvaartmaatschappijen gebeld. Zelfs San Francisco en San Jose, die hij niet had genoemd. Omdat ze naar het noorden kan zijn gegaan. Toen heb ik alle hotels en motels opgebeld die ik in de Gouden Gids kon vinden, maar niemand had haar ingeschreven. Ik denk dat hij begint te beseffen dat dit ernstig kan zijn.'

'Hoezo?'

'Omdat hij erin heeft toegestemd met McCloskey te praten.'

'Hmmm.'

'Is hij echt goed, meneer Delaware? Als detective?'

'De beste die ik ken.'

'Ik denk ook dat hij goed is. Ik vind hem nu aardiger dan toen ik hem pas ontmoette. Maar ik moet er echt zeker van kunnen zijn, omdat niemand zich er verder iets van aan lijkt te trekken. De politie doet niets. Chickering doet alsof hij telefoongesprekken met mij tijdverspilling vindt. En Don is weer gaan werken. Kunt u zich dat voorstellen?'

'Wat ga jij doen?'

'Hier blijven en wachten. En bidden. Ik heb niet meer gebeden sinds de tijd dat ik een klein meisje was. Voordat u me had geholpen.' Pauze. 'Het ene moment denk ik dat ze zo binnen kan komen, maar het andere word ik misselijk wanneer ik besef dat ze kan... Ik moet hier blijven. Ik wil niet dat ze thuiskomt in een leeg huis.'

'Dat is een zinnige gedachte.'

'In die tussentijd ga ik wat hotels in het noorden opbellen. Misschien ook in Nevada, omdat dat per auto eigenlijk niet zo ver weg is. Kunt u nog een andere logisch lijkende plaats van bestemming bedenken?'

'Alle staten die aan deze staat grenzen, komen in principe in aanmerking, denk ik.'

'Goede suggestie.'

'Melissa, heb je iets nodig? Is er iets dat ik voor je kan doen?'

'Nee,' zei ze snel. 'Maar hartelijk dank voor het aanbod.'

'Ik kom vandaag in elk geval naar je toe om mijn auto op te halen.'

'Best.'

'Als je dan wilt praten, moet je me dat laten weten.'

'Natuurlijk.'

'Pas goed op jezelf, Melissa.'

'Dat zal ik doen, meneer Delaware. Nu kan ik beter ophangen, om de lijn open te houden. Tot ziens.'

De telefoon blafte: 'Stùrgis.'

'Milo, ik heb net Melissa aan de telefoon gehad. Ze heeft me verteld dat jullie overleg hebben gepleegd.'

'Zij heeft gepraat en ik heb geluisterd. Als je dat overleg wilt noemen, hebben we overleg gepleegd.'

'Ik heb de indruk dat ze zichzelf druk bezighoudt.'

'Ze is de hele nacht in de weer geweest. Wat een energie heeft dat kind.'

'Te veel adrenaline,' zei ik.

'Moet ik tegen haar zeggen dat ze het wat rustiger aan moet doen?'

'Nee, laat haar voorlopig zo doorgaan. Ze verwerkt haar angst door zich nuttig te maken. Ik maak me wel zorgen over wat er zal gebeuren wanneer haar moeder niet snel komt opdagen en de verdedigingsmuur die ze heeft opgetrokken, gaat afbrokkelen.'

'Hmmm. Daar heeft ze jou voor. Als je wilt dat zij het rustiger aan gaat doen, moet je me dat direct laten weten.'

'Alsof ze tot luisteren bereid zou zijn!'

'Ware woorden,' zei hij.

'Niets nieuws dus?' vroeg ik.

'Helemaal niets, verdomme. Het opsporingsbevel is nu in de hele staat verspreid, en in Nevada en Arizona, en de credit-cards worden eveneens in de gaten gehouden. Tot dusverre zijn er geen grote aankopen mee gedaan. Je moet weten dat ze zo'n maatschappij alleen bellen wanneer het om grote aankopen gaat. De kleinere vereisen geen telefonische toestemming, dus zullen we wat dat betreft moeten wachten tot de winkeliers de bonnen hebben ingestuurd. Melissa heeft de meeste luchtvaartmaatschappijen en hotels gebeld. Er is niemand komen opdagen die bij de persoonsbeschrijving van mammie past. Ik wacht tot het paspoortenbureau om acht uur opengaat, voor het geval ze heeft besloten een verre reis te gaan maken. Melissa blijft bellen met de plaatselijke maatschappijen. Ze is een verdomd goede assistente.'

'Ze zei dat jij met McCloskey ging praten.'

'Ik heb haar gezegd dat ik dat vandaag zou doen. Kan geen kwaad nu we op geen enkele andere manier wat wijzer kunnen worden.'

'Wanneer was je van plan naar hem toe te gaan?'

'Vroeg. Ik heb Douse gebeld, die notaris, en hij zou rond negenen terugbellen. Ik wil enige dingen verifiëren die Anger me heeft verteld. Als Douse bereid is mijn vragen over de telefoon te beantwoorden, ga ik meteen daarna naar McCloskey. Zo niet, zal het een paar uur later worden. Maar McCloskey woont niet zo ver van dat notariskantoor vandaan, dus moet ik er voor twaalf uur kunnen zijn. Of ik hem daar vind of niet, is een ander verhaal.'

'Haal me op.'

'Stik je soms in je vrije tijd?'

'Die heb ik inderdaad zat.'

'Prima. Dan mag jij me trakteren op een lunch.'

Hij kwam langs om twintig minuten voor tien en toeterde. Toen ik buiten kwam, had hij zijn Fiat in de carport gezet.

'Lunch èn transport,' zei hij en wees op de Seville. Hij had een grijs pak, een wit overhemd en een blauwe das aan.

'Waar gaan we heen?'

'Richting centrum. Ik zal je zeggen hoe je moet rijden.'

Ik reed naar Sunset, pakte de 405 in zuidelijke richting en draaide toen de Santa Monica Freeway op, naar het oosten. Milo schoof zijn stoel zo ver mogelijk naar achteren.

'Hoe is het met die notaris gegaan?' vroeg ik.

'Eerst een hoop tegenstribbelen, maar uiteindelijk tot medewerking bereid. Luie vogel van nature, die heel blij was met het feit dat hij het over de telefoon kon afhandelen. In wezen heeft hij alles bevestigd wat Anger ons heeft verteld. Ramp krijgt vijftigduizend, Melissa krijgt de rest. Mammie erft alles wanneer Melissa komt te overlijden. Als ze beiden overlijden voordat Melissa kinderen heeft, gaat alles naar liefdadigheidsinstellingen.'

'Zijn er specifieke instellingen genoemd?'

'Medisch onderzoek. Ik heb hem om kopieën van alle documenten gevraagd en hij zei dat hij daar eerst schriftelijke toestemming van

Melissa voor nodig had. Dat lijkt me geen groot probleem. Ik heb hem ook gevraagd of hij er enig idee van had waaraan Gina haar toelage uitgaf. Net als Anger leek hij te denken dat honderdtwintigduizend een bedrag van niks was.'

Ongeveer anderhalve kilometer voor het knooppunt werd het druk op de weg.

'Bij Ninth afslaan,' zei Milo.

Ik reed Los Angeles Street in noordelijke richting op, langs vervallen huizen waarin cash and carry-zaken waren gehuisvest, langs parkeerterreinen waarvoor je moest betalen. In het westen wolkenkrabbers met spiegelruiten, als synthetische bergen, gebouwd op zachte bodem, met door de federale regering ter beschikking gesteld geld. In het oosten het industrieterrein dat het centrum van de stad van Boyle Heights scheidde.

In het centrum de gebruikelijke gespleten-persoonlijkheidsroutine. Snel pratende, snel lopende, keurig geklede machtswellustelingen, tycoons-in-spe, secretaresses, mensen met bloeddoorlopen ogen, vervuild, hun levensverhaal transporterend in geleende winkelwagentjes en slaapzakken vol ongedierte.

Bij Sixth Street vormde die laatste groepering de meerderheid. Horden stonden op straathoeken, zaten ineengedoken in portieken van dichtgetimmerde winkels, sliepen in de schaduw van overvolle vuilniscontainers. Bij Fifth moest ik stoppen voor een rood licht. Een taxi reed snel langs me heen, het rode licht negerend, en kwam bijna in botsing met een langharige, blonde jongeman in een mouwloos t-shirt en gescheurde spijkerbroek. De man begon luidkeels te vloeken en sloeg met getatoeëerde handen op de kofferbak van de taxi. Twee jonge geüniformeerde agenten gaven een jong Mexicaans meisje een bon omdat ze niet op het groene voetgangerslicht had gewacht, keken even naar het relletje en gingen toen door met schrijven.

Iets verderop zag ik twee magere zwarten met baseballcaps op en overjassen aan samenkomen onder de scheef hangende luifel van een half verwoest hotel. Ze bogen hun hoofden en sloegen hun handpalmen tegen elkaar met bewegingen die zo goed gecoördineerd waren dat Balanchine er de choreografie voor had kunnen schrijven. Toen haalde de ene man een kleine stapel bankbiljetten te voorschijn en boog de andere zich om iets uit zijn sok te pakken. Een snelle uitwisseling en toen ging ieder weer zijns weegs, exact de andere kant op. De hele transactie had tien seconden gevergd.

Milo zag me ernaar kijken. 'Tja, die vrije ondernemingen. Daar moeten we zijn. Zet de auto maar neer zodra je een vrij plaatsje ziet.'

Hij wees op een breed, drie verdiepingen tellend gebouw met een plat dak, aan de oostzijde van de straat. De gevel van de benedenverdieping was bedekt met beige tegels die me deden denken aan het toilet van een busstation. De rest was lichtgroen stucwerk. Bovenaan de eerste verdieping een rij ramen, voorzien van tralies, te hoog om er vanaf de straat bij te kunnen. Verder één brok steen. Vier of vijf mannen, de meesten zwart, allen in lompen gehuld, zaten slaperig bij de voordeur waarboven een neonbord was aangebracht dat in betere tijden MISSIE VAN DE EEUWIGE HOOP liet aan- en uitflitsen.

Alle parkeerplaatsen voor het gebouw waren bezet, dus reed ik tien meter verder en parkeerde achter een Winnebago waar op de achterkant MOBIELE MEDISCHE HULPPOST stond geschilderd. Een grotere groep energierijkere zwervers hing daar in de buurt rond. Minstens vierentwintig mannen en drie of vier vrouwen, pratend, schuifelend, hun armen warm wrijvend. Toen ik het contactsleuteltje omdraaide, zag ik dat ze geen medische hulp zochten, maar in de rij stonden voor een pand waar ze dollars konden krijgen voor het geven van bloed. Milo haalde een papiertje uit zijn zak, vouwde het open en zette het tegen de voorruit van de Seville. DIENSTWAGEN VAN DE POLITIE VAN LOS ANGELES.

'Goed afsluiten,' zei hij, terwijl hij zijn portier dichtsmeet.

'De volgende keer gaan we met jouw auto,' zei ik en keek naar een kale man met een oogklep op, die boos stond te oreren tegen een dode olm. 'Jij hebt het gedaan!' bleef de man herhalen, terwijl hij de stam eens in de zoveel tijd een klap gaf. Zijn handpalmen zaten onder het bloed, maar hij glimlachte.

'Geen sprake van,' zei Milo. 'Van de mijne zouden ze niets heel laten. Ga mee.'

De mannen die rondhingen bij de voordeur van het gebouw waar wij moesten zijn, hadden ons allang gesignaleerd voordat wij daar waren en naar binnen gingen. Hun schaduwen en hun stank hingen ook binnen. Sommigen keken begerig naar mijn schoeisel: bruine instapschoenen, een maand geleden gekocht, die er nog nieuw uitzagen. Ik vroeg me af hoelang je het in deze buurt met $120 000 zou kunnen volhouden.

Binnen was het erg warm en erg licht. De voorkamer was groot, lichtgroen geschilderd, vol mannen die op her en der neergezette groene plastic stoelen zaten of lagen. Op de vloeren lag zwart-grijs zeil, aan de muren niets anders dan een houten kruis, hoog opgehangen.

Nog meer lichaamsgeuren, gemengd met die van desinfecterende middelen, de stank van opgedroogde kots, de geur van iets vettigs dat stond te sudderen. Een jonge zwarte man in een wit poloshirt en bruine broek liep tussen de mannen door, met een handvol brochures, een pen en een klembord. Boven de tijger die op zijn borst was geborduurd, had hij een naamkaartje bevestigd waarop te lezen was: GILBERT JOHNSON, STUDENT, VRIJWILLIGER. Hij liep tussen de mannen door, keek af en toe op het klembord. Bleef staan om met iemand te praten. Deelde brochures uit. Kreeg af en toe een reactie.

Geen van de mannen bewoog zich veel. Voor zover ik kon zien, werd er niet gepraat. Wel waren er geluiden, van ver weg. Metaalachtig geratel en een ritmisch, eentonig gezang dat een gebed moest zijn. Ik dacht aan een station vol reizigers die de weg waren kwijtgeraakt.

Milo trok de aandacht van de zwarte jongeman. Die fronste zijn wenkbrauwen en kwam naar ons toe.

'Kan ik u helpen?' Op het klembord een lijst namen, sommige gevolgd door kruisjes.

'Ik ben op zoek naar Joel McCloskey.'

Johnson zuchtte. Hij was ergens voor in de twintig en had een breed gezicht, Aziatische ogen, een kuiltje in zijn kin en een huid die niet veel donkerder was dan die van de gebruinde Glenn Anger.

'Alweer?'

'Is hij hier?'

'U zult eerst met pater Tim moeten spreken. Een seconde.'

Hij verdween door een gang rechts van het kruisbeeld en kwam bijna meteen terug met een magere, blanke man van ergens voor in de dertig, die een zwart overhemd droeg, met een priesterboord, een witte spijkerbroek en zwart-witte baseballschoenen. De priester had zeiloren, kort, lichtbruin haar, een dunne hangsnor en magere, onbehaarde armen.

'Tim Andrus,' zei hij met een zachte stem. 'Ik dacht dat die affaire met Joel helemaal was opgelost.'

'Alleen nog een paar vragen,' zei Milo.

Andrus draaide zich om naar Johnson. 'Gilbert, ga jij maar verder met het tellen van de bedden. Het zal vanavond druk worden en we moeten precies weten waar we aan toe zijn.'

'Prima, pater.' Johnson keek nog even naar Milo en mij en ging toen terug naar de mannen, van wie zich meerderen hadden omgedraaid om ons aan te staren.

De priester glimlachte, maar kreeg geen glimlachjes terug. Hij wendde zich tot ons en zei: 'De politie is hier gisteravond behoorlijk lang geweest en mij is toen verzekerd dat alles was geregeld.'

'Zoals ik al heb gezegd, pater, gaat het slechts om een paar vragen.'

'Dit soort dingen is heel vervelend. Niet zozeer voor Joel. Die is geduldig. Maar de rest van de mannen... De meesten hebben wel eens met de politie te maken gehad. Velen zijn geestelijk gestoord. Als de normale routine wordt doorbroken...'

'Geduldig,' zei Milo. 'Goed van hem.'

Andrus lachte kort, hard. Zijn oren waren knalrood geworden. 'Ik weet wat u denkt. Weer zo'n liberale goeddoener, wiens hart bloedt. Misschien ben ik dat ook wel. Maar dat betekent niet dat ik de geschiedenis van Joel niet ken. Toen hij hier zes maanden geleden kwam, heeft hij volkomen open kaart gespeeld. Wat hij zoveel jaren geleden heeft gedaan, heeft hij zichzèlf niet vergeven. Dat was natuurlijk iets afschuwelijks en dus had ik mijn reserves om hem in dienst te nemen. Maar ik als priester ben de eerste die tot vergeven in staat moet zijn. Ieder mens heeft rècht op vergiffenis. Dus wist ik dat ik hem niet kon wegsturen. Gedurende de afgelopen zes maanden heeft hij bewezen dat ik een juiste beslissing heb genomen. Niemand is minder zelfzuchtig dan hij. Hij is niet meer de man die hij twintig jaar geleden was.'

'Dat is goed van hem,' zei Milo, 'maar toch zouden we hem graag willen spreken.'

'Is ze nog steeds niet terecht? Die vrouw die hij...'

'Heeft verbrand? Nee, nog niet.'

'Dat vind ik heel erg en zo denkt Joel er beslist ook over.'

'Heeft hij dat gezegd, pater?'

'Hij draagt nog steeds de last met zich mee van wat hij heeft gedaan, blijft het zichzelf kwalijk nemen. Door dat praten met de politie is alles weer naar boven gekomen. Hij heeft vannacht helemaal niet geslapen, heeft in de kapel geknield zitten bidden. Toen ik hem daar aantrof, heb ik met hem mee gebeden. Hij kan niets met haar verdwijning te maken hebben gehad. Hij is hier de hele week geweest en heeft dubbele diensten gedraaid. Is dit gebouw niet uit geweest. Dat kan ik onder ede verklaren.'

'Wat voor werk doet hij?'

'Alles wat gedaan moet worden. De afgelopen week heeft hij gewerkt in de keuken en de toiletten, dat laatste op zijn eigen verzoek.'

'Heeft hij vrienden?'

Andrus aarzelde. 'Vrienden die hij heeft ingehuurd om iets te doen dat niet door de beugel kan?'

'Dat vroeg ik niet, pater, maar nu u er zelf over bent begonnen: ja.'

Andrus schudde zijn hoofd. 'Joel wist dat de politie zo zou denken. Hij heeft één keer iemand ingehuurd om te zondigen en daardoor lijkt het onvermijdelijk dat hij dat nog eens zou doen.'

'Het verleden kan de toekomst het best voorspellen,' zei Milo.

Andrus streek even over zijn priesterboord en knikte. 'U hebt een ongelooflijk moeilijke baan en god zegene alle eerlijke politiemensen.

Maar fatalisme kan een van de neveneffecten zijn: het geloof dat niets ooit beter kan worden.'

Milo keek naar de mannen op de plastic stoelen. De paar die nog onze kant op staarden, wendden hun blikken af.

'Ziet u hier veel veranderingen, pater?'

Andrus draaide aan een punt van zijn snor. 'Voldoende om te blijven geloven.'

'En McCloskey is een van diegenen die uw geloof in stand houden?'

Nu werd ook de hals van de priester rood. 'Ik werk hier nu vijf jaar en geloof me: ik ben niet naïef. Ik haal geen veroordeelden van de straat in de verwachting dat ik er mensen als Gilbert van kan maken. Maar Gilbert heeft een goed thuis gehad, altijd voldoende te eten, een goede opleiding. Hij is vanuit een andere basis begonnen. Iemand als Joel moet mijn vertrouwen winnen, Gods vertrouwen winnen. Het feit dat hij referenties had, heeft hem destijds wel geholpen.'

'Referenties van?'

'Andere tehuizen zoals dit.'

'Hier in de stad?'

'Nee, in Arizona en Nieuw-Mexico. Hij heeft met de Indianen gewerkt, zes jaar van zijn leven gegeven om anderen te helpen. Daarmee was zijn wettelijke schuld ingelost en was hij een beter mens geworden. Diegenen die met hem hebben gewerkt, hadden alleen maar goede dingen over hem te zeggen.'

Milo zei niets.

De priester glimlachte. 'Ja, daardoor kon hij eerder vrijkomen. Maar hier heeft hij zich uit eigen vrije wil aangemeld. Hij werkt hier omdat hij dat wenst, niet omdat hij dat moet. En wat vrienden betreft... Die heeft hij niet. Hij laat zich nauwelijks met anderen in en ontzegt zich wereldse genoegens. Heel hard werken en bidden. Dat zijn de enige dingen die hij thans doet.'

'Klinkt alsof hij een heilige is,' zei Milo.

Woede spande het gezicht van de priester. Hij deed moeite zich te beheersen en het lukte hem weer kalm te ogen. Maar zijn stem bleef gespannen. 'Hij heeft niets te maken gehad met de verdwijning van die arme vrouw. Ik zie echt niet in waarom...'

'Die arme vróúw heeft een náám,' zei Milo. 'Gina Marie Ramp.'

'Dat weet ik.'

'Zij heeft zich ook niet met anderen ingelaten, pater. Heeft zich wereldse genoegens ontzegd. Maar in haar geval is dat niet uit eigen vrije keuze gebeurd. Meer dan achttien jaar lang, sinds degene die door McCloskey was ingehuurd haar gezicht verwoestte, heeft ze in één kamer geleefd, te bang om de wereld in te gaan. Zij is niet voorwaardelijk vrijgelaten, pater. Dus ben ik er zeker van dat u kunt begrijpen waarom heel veel mensen van streek zijn omdat zij is verdwenen. Ik hoop dat u het míj zult kunnen vergeven dat ik dit tot op de bodem wil uitzoeken. Ook wanneer dat enig ongemak voor de heer McCloskey met zich meebrengt.'

Andrus boog zijn hoofd en sloeg zijn handen ineen. Even dacht ik dat hij aan het bidden was. Maar hij keek op en bewoog zijn lippen niet. Zijn gezicht was heel bleek geworden.

'Ik hoop dat u mij mijn houding wilt vergeven. Het is een moeilijke week geweest. Twee mannen zijn in hun bed overleden, twee anderen zijn in het ziekenhuis opgenomen met het vermoeden van tuberculose.' Hij knikte in de richting van de mannen op de stoelen. 'We hebben honderd mensen meer dan we bedden hebben en het bisdom wil dat ik zelf meer geld bijeenbreng voor dit tehuis. Je zoekt naar kleine overwinningen en ik heb geprobeerd Joel als zo'n overwinning te zien.' Hij liet zijn schouders hangen.

'Misschien is hij dat ook wel, maar toch willen we hem graag spreken.'

De priester haalde zijn schouders op. 'Komt u dan maar mee.'

Hij had niet naar een politiepenning gevraagd, kende onze namen niet eens.

De eerste deur in de hal leidde naar een immense eetzaal waar etensgeuren eindelijk de stank van ongewassen lichamen wegnamen. Houten picknicktafels met pauwblauwe plastic kleedjes, in vijf lange rijen. Mannen zaten over hun eten gebogen, hielden hun bord beschermend vast. Eten zoals dat in de gevangenis gebeurde. Achter elkaar lepelen en kauwen, met alle vreugde van mechanisch speelgoed.

Bij de achterste muur een lange tafel waarop het eten warm werd gehouden, afgedekt met een glazen ruit, een aluminium plank ervoor. Mannen stonden er in de rij, met een bord in de hand, als Oliver Twist. Drie figuren in witte shirts, met schorten voor en haarnetjes om schepten het eten op.

Pater Andrus zei: 'Wilt u hier even wachten, alstublieft?' Wij bleven bij de deur staan, terwijl hij iets tegen de middelste serveerder zei. De man knikte, gaf zijn lepel aan de priester en liep naar achteren. Pater Andrus begon op te scheppen. De man in het wit veegde zijn handen aan zijn schort af en kwam onze kant op.

Hij was ongeveer een meter vijfenzestig en liep krom, waardoor hij een paar centimeter verloor die hij eigenlijk niet kon missen. Het schort reikte tot onder zijn knieën en zat vol vlekken. Hij schuifelde, tilde zijn voeten nauwelijks op van het zeil, hield zijn armen slap langs zijn lichaam, alsof ze daaraan waren vastgeplakt. Onder het haarnetje vandaan kwamen lokken wit haar die op zijn vochtige voorhoofd plakten. Het gezicht was lang en mager, maar tegelijkertijd ook kwabbig. Een scherpe neus die zich door de zwaartekracht had laten verslaan. Witte wenkbrauwen. Geen vette onderkin, wel een kwab loshangende huid, die ik zag trillen toen hij dichterbij kwam. Zijn ogen waren donker, lagen diep in hun kassen, keken heel erg moe.

Met een uitdrukkingsloos gezicht liep hij naar ons toe en zei: 'Hallo,' met een vlakke, schorre stem.

'Meneer McCloskey?'

Knikje. 'Ik ben Joel.' Lusteloos. Open poriën op neus en wangen. Diepe groeven naast een mond met droge lippen en hangende mondhoeken. Ogen bijna dicht onder de zware oogleden. Gelige hoornvliezen omgaven bijna zwarte irissen. Ik vroeg me af wanneer hij zijn lever voor het laatst had laten nakijken.

'Joel, we zijn hier om over Gina Ramp te praten.'

'Ze is nog niet gevonden.' Een constatering.

'Nee. Heb jij theorieën rond haar verdwijning die je met ons zou willen delen?'

McCloskey keek naar een van de tafels. Sommige mannen waren opgehouden met eten. Anderen keken begerig naar het eten dat nog op de bordjes lag.

'Kunnen we in mijn kamer praten?'

'Natuurlijk, Joel.'

Hij schuifelde de deur door en draaide rechtsom de gang op. We liepen langs slaapzalen vol opvouwbare bedden, sommige ervan bezet, en langs een gesloten deur met ZIEKENBOEG erop. Kreten van pijn werden door de muren van de gang weerkaatst. McCloskey draaide zijn hoofd even naar de bron van dat geluid toe, maar bleef verder lopen naar een bruin geverfde trap. Op de treden lag hard rubber en de trapleuning voelde vet aan.

Langzaam klommen we achter hem aan, drie trappen op. Nu triomfeerde de geur van desinfecterende middelen.

Hij bleef voor een gesloten deur staan met een dun kartonnen bordje waarop met een zwarte viltstift JOEL was geschreven.

In de deurknop zat een sleutelgat, maar hij draaide hem gewoon om en de deur ging open. Hij hield die open en wachtte tot wij binnen waren.

De kamer was half zo groot als de klerenkast van Gina Ramp. Op het bed lag een grijswollen deken. Verder zag ik een witgeschilderd nachtkastje en een smalle ladenkast met drie laden. Daar bovenop

een bijbel, een warmhoudplaatje, een blikopener, crackers, pinda-
kaas, een halve pot zure bietjes en een blikje smeerworst. Een kalen-
der-tekening van Jezus met stralenkrans om het hoofd keek goedkeurend neer op het bed. Een geel zonnescherm vol dode vliegen was
tot halverwege het enkele, getraliede raam omlaaggetrokken. Achter
die tralies een muur van grijze stenen. Licht kwam uit een enkel peertje dat midden aan het plafond vol schimmelplekken hing.
Nauwelijks ruimte genoeg om te staan. Ik had graag iets willen vasthouden, maar durfde niets aan te raken.
McCloskey zei: 'Gaat u zitten, als u dat wilt.'
Milo keek naar het bed en zei: 'Hoeft niet.'
We bleven alle drie staan. Dicht bij elkaar, maar mijlen van elkaar
vandaan. Zoals mensen die in de ondergrondse dicht op elkaar moe-
ten staan, maar toch een geïsoleerde positie willen innemen.
'Heb je theorieën, Joel?' vroeg Milo.
McCloskey schudde zijn hoofd. 'Ik heb erover nagedacht. Veel.
Sinds die andere politiemensen hier zijn geweest. Ik zal u zeggen wat
ik hoop dat er is gebeurd. Dat ze zich goed genoeg voelde om alleen
op stap te gaan en...'
'En?'
'En dat prettig vond.'
'Je wenst haar het allerbeste toe?'
Knikje.
'Nu je een vrij man bent en de staat je niet kan voorschrijven wat je
moet doen.'
Er verscheen een vaag glimlachje rond de bleke lippen van McClos-
key. Bij zijn mondhoeken zat iets wits, opgedroogd.
'Is er iets geestig, Joel?'
'Vrijheid. Die heb ik al lang niet meer.'
'Hetzelfde geldt voor Gina.'
McCloskey deed zijn ogen dicht en weer open, ging moeizaam op het
bed zitten, trok het haarnetje van zijn hoofd en liet zijn voorhoofd
op een hand rusten. Zijn kruin was kaal, het haar eromheen wit en
grijs, kort, piekerig. Kennelijk zelf geknipt.
Een oude man. Hoe oud? Drieënvijftig.
Hij zag eruit als zeventig.
'Wat ik haar toewens doet er niet toe,' zei hij.
'Tenzij je het nog steeds op haar hebt gemunt, Joel.'
De ogen werden weer dichtgeknepen. De nekkwab trilde. 'Ik had het
niet... Nee, ik heb het niet...'
'Wat, Joel?'
McCloskey hield het haarnetje met beide handen vast, vingers door

de mazen heen. Rekte het uit. 'Op haar gemunt.' Heel zacht fluisterend.

'Wilde je zeggen dat je het nooit op haar hebt gemunt, Joel?'

'Ja. Ik...' McCloskey krabde op zijn hoofd, schudde dat. 'Het is al heel lang geleden.'

'Inderdaad, maar de geschiedenis maakt er een gewoonte van zichzelf te herhalen,' zei Milo.

'Nee,' zei McCloskey heel rustig maar met overtuigingskracht. 'Nee, nooit. Mijn leven is...'

'Wat?'

'Voorbij. Alles is uit.'

'Wat is uit, Joel?'

McCloskey legde een hand op zijn buik. 'Het vuur. Het gevoel. Ik doe niets anders dan wachten.'

'Waarop, Joel?'

'Vrede. Het niets.' Een angstige blik op Milo, toen op Jezus.

'Ben je een gelovig man, Joel?'

'Het... helpt.'

'Waarbij?'

'Het wachten.'

Milo boog zijn knieën, zette zijn handen erop en liet zijn gezicht zakken tot hij McCloskey bijna recht in de ogen kon kijken.

'Joel, waarom heb je haar gezicht verbrand?'

McCloskey's handen begonnen te trillen. 'Nee,' zei hij en maakte een kruisteken.

'Waarom, Joel? Waarom haatte je haar zo? Wat had ze gedaan?'

'Nee...'

'Kom nu, Joel. Wat kan het je nu na al die jaren nog voor kwaad berokkenen?'

Hoofdschudden. 'Ik... Het is niet...'

'Wat?'

'Nee. Ik heb... gezondigd.'

'Beken die zonde dan, Joel.'

'Nee... Alstublieft.' Tranen. Nog meer getril.

'Joel, moet je niet een volledige bekentenis afleggen om gered te kunnen worden?'

McCloskey streek met zijn tong over zijn lippen, legde zijn handen tegen elkaar en mompelde iets.

Milo boog zich verder naar voren. 'Wat deed je, Joel?'

'Ik heb gebiecht.'

'Werkelijk?'

Knikje.

McCloskey zwaaide zijn benen op het bed en ging liggen. Armen voor zijn borst gekruist. Met open mond naar het plafond starend. Onder het schort een broek van tweed, gemaakt voor een man die vijftien kilo zwaarder en vijf centimeter langer was. In de zolen van zijn schoenen zaten meerdere gaten en er kleefden opgedroogde etensresten aan.

'Voor jou mag het dan allemaal verleden tijd zijn,' zei ik, 'maar het zou haar helpen als ze het begreep. Voor haar dochter geldt hetzelfde. Na al die jaren probeert de hele familie het nog steeds te begrijpen.'

McCloskey staarde me aan. Zijn ogen gingen heen en weer, alsof hij verkeer volgde. Zijn lippen bewogen zich, geluidloos.

Even dacht ik dat hij zou gaan praten.

Toen schudde hij heftig zijn hoofd, ging rechtop zitten, maakte het schort los en trok het over zijn hoofd uit. Zijn shirt was veel te wijd.

Hij maakte de drie bovenste knoopjes los, trok de stof naar opzij, liet een onbehaarde borst zien.

Zonder haren, maar niet zonder littekens.

Het merendeel van zijn huid had de kleur van zure melk. Maar het grootste deel van zijn linkerborst was roze, gerimpeld, rauw. Een plek die tweemaal zo breed was als een hand. De tepel was er niet meer, in plaats daarvan een holte.

Hij trok het shirt nog verder open, liet de geruïneerde huid goed zien. Een zeer snelle hartslag was zichtbaar. Zijn gezicht was wit, gespannen, bedekt met een laagje zweet.

'Heeft iemand je dat in Quentin aangedaan?' vroeg Milo.

McCloskey glimlachte en keek weer naar Jezus. Een trotse glimlach.

'Ik zou haar pijn willen wegnemen, die van haar willen overnemen. Alles.'

Hij legde een hand op zijn borst, legde er de andere arm overheen. Toen begon hij te mompelen. In het Latijn, leek het wel.

Milo keek op hem neer.

McCloskey bleef bidden.

'Een prettige dag, Joel,' zei Milo. Toen McCloskey niet reageerde, zei hij: 'Een prettige wachttijd.'

De witharige man bleef bidden.

'Joel, je mag jezelf dan kastijden, maar als je iets zou kunnen doen om ons te helpen en dat niet doet, is die zelfkastijding van je niets waard en zul je er niet door worden gered.'

McCloskey keek op — een seconde maar — de gele ogen vervuld van doodsangst. De paniek van iemand die alles op alles had gezet en er vreselijk mee de mist in was gegaan.

Toen liet hij zich op zijn knieën vallen, zo hard dat het pijn moest doen, en ging verder met bidden.

Terwijl we wegreden, zei Milo: 'Hoe luidt de diagnose?'
'Pathetisch. Als wat we net hebben gezien, niet gespeeld was.'
'Daar vraag ik juist naar. Was het gespeeld of echt?'
'Daar ben ik niet zeker van. Ik ben geneigd aan te nemen dat iemand die bereid is een huurmoordenaar in de arm te nemen, ook toneel kan spelen. Maar iets aan hem was geloofwaardig.'
'Ja, dat vond ik ook. Zou je hem schizofreen noemen?'
'Hij heeft te weinig gezegd om daarover te kunnen oordelen, maar het kan zijn. Ik denk dat het woord pathetisch passender is dan welke technische term dan ook.'
'Waardoor denk je dat hij zo ver is weggezakt?'
'Drank, drugs, gevangenis, schuldgevoelens. Een ervan of een combinatie ervan. Of alles.'
'Mijn hemel, wat klink jij hard,' zei hij glimlachend.
Ik keek naar de zwervers en verslaafden: stedelijke zombies. Een heel oude man lag te slapen op het trottoir, op zijn rug, de buik vol aangekoekt vuil, zwaar snurkend. Of misschien was hij wel niet zo oud.
'Zal wel door deze omgeving komen.'
'Mis je de groene heuvels van San Labrador?'
'Nee,' zei ik en besefte dat dat waar was. 'Wat zou je denken van een middenweg?'
Hij lachte even, om de spanning te doen afnemen. Dat lukte niet. Hij streek met een hand over zijn gezicht, trommelde met zijn vingers op het dashboard. Maakte het raampje open, deed het weer dicht, strekte zijn benen, maar zat nog steeds niet op zijn gemak.
'Denk je dat hij die borstkas van hem zelf zo heeft toegetakeld?' vroeg ik.
'Hij hoopt kennelijk dat wij dat denken. Zelfkastijding. Onzin.'
Hij gromde minachtend, maar leek zich nog steeds onrustig te voelen.
'Als pijn hem nog altijd obsedeert, kan hij anderen ook nog pijn doen?' suggereerde ik, in een poging zijn gedachten te raden.
Hij knikte. 'Al dat praten over schuld, al dat bidden. Die vent heeft ons helemaal niets wijzer gemaakt. Dus misschien is hij geestelijk helemaal niet zo erg in de war. Instinctief reken ik hem niet tot de categorie van hoofdverdachten, maar ik zou het vervelend vinden wanneer ons beider vermoedens niet juist blijken te zijn en we straks met de gebakken peren zitten.'
'Wat gaan we nu doen?'
'Stoppen bij een telefooncel. Ik wil bellen om te vragen of men al

iets heeft gehoord over die dame. Als dat niet zo is, gaan we naar Bayliss, de man van de reclassering.'
'Die is met pensioen.'
'Dat weet ik. Ik heb zijn huisadres opgevraagd voordat ik naar jou toe ging. Middenklasse-buurt. Daar moet jij je prettig voelen.'

20

Ik vond een telefooncel bij het Children's Museum en wachtte op een plaats waar je niet mocht parkeren op Milo. Hij bleef zo lang weg dat twee vrouwelijke parkeerwachters al twee maal langs me heen waren gereden en alleen werden weerhouden van het uitdelen van een bon door het velletje papier dat Milo tegen de voorruit had geplaatst. Daar genoot ik van terwijl ik toekeek hoe ouders hun jonge kinderen meenamen naar de ingang van het museum.
Milo kwam terug, rinkelde met muntjes, schudde zijn hoofd. 'Niets.'
'Met wie heb je gesproken?'
'De verkeerspolitie, een van de lakeien van Chickering en Melissa.'
'Hoe is het met haar?' vroeg ik en reed weg.
'Nog altijd hyper. Druk aan het opbellen. Ze zei dat een van de Gabney's net had gebeld: de echtgenoot. Om blijk te geven van zijn bezorgdheid.'
'De kip met het gouden ei,' zei ik. 'Ben je van plan Melissa over de Cassatt te vertellen?'
'Waarom zou ik dat moeten doen?'
Daar dacht ik over na. 'Je hebt gelijk. Het heeft geen zin haar nog meer van streek te maken.'
'Ik heb haar verteld over McCloskey. Dat hij wat mij betrof hersendood was, maar dat ik hem in de gaten zou houden. Daar leek ze wat rustiger van te worden.'
'Placebo?'
'Heb jij iets sterkers?'
Bij Third pakte ik de Harbor Freeway, draaide naar het westen af naar Highway nummer 10, ging die bij Fairfax weer af in noordelijke richting. Milo wees me de weg naar Crescent Heights en toen verder naar het noorden, waar ik linksom draaide bij Commodore Sloat, langs kantoorgebouwen reed en toen het Cathay District inging, een enclave met veel bomen en uitzonderlijk goed onderhouden Spaanse en namaak-tudor huizen.
Milo noemde een adres en ik hield halt bij een huis op een hoek, met een garage aan het uiteinde van een oprit die aan weerszijden werd

omgeven door een heg. Een twintig jaar oude Mustang, wit en glanzend, stond op die oprit. Plassen onder het chassis en een keurig opgerolde tuinslang bij de achterband.

De voortuin bestond uit een fraai groen gazon, omgeven door bloembedden: camelia's, azalea's, tuberozen, begonia's en schildzaad. In het midden een pad van kleine steentjes. Een grijsharige man in een kaki hemd, blauwe pantalon en een tropenhelm op zijn hoofd stond links in de tuin de takken van een treurwilg te inspecteren en dode bladeren te verwijderen. Uit een van zijn achterzakken hing een zeem. We stapten uit. Het verkeer op Olympic klonk als een eentonige bariton. Vogels zongen harmonieus. Geen vuiltje op de straten. De man draaide zich om toen wij het pad opliepen. Ergens rond de zestig, smalle schouders, lange armen, grote handen. Lang gezicht onder de helm, als dat van een jachthond. Witte snor en sikje, zwarte bril. Pas toen we vlak bij hem waren zag ik dat hij Afrikaanse gelaatstrekken had. Huid even licht als de mijne, vol sproeten. Ogen goudbruin, de kleur van het eikehout dat voor schoolbanken wordt gebruikt.

Hij keek ons aan en hield een hand op de boom. Liet die hand toen zakken.

'Gilbert Bayliss?' zei Milo.

'Wie bent u?'

'Ik ben Sturgis, een privé-detective die zich bezighoudt met de verdwijning van mevrouw Gina Ramp. Geruime tijd geleden is zij het slachtoffer geworden van iemand met wie u bij de reclassering te maken hebt gehad: Joel McCloskey.'

'Die goeie ouwe Joel,' zei Bayliss en zette zijn helm af. Zijn haar was dik, peper-en-zoutkleurig. 'Privé-detective.'

Milo knikte. 'Voorlopig. Ik werk normaal voor de politie van Los Angeles, maar ben op dit moment met verlof.'

'Vrijwillig?'

'Niet direct.'

Bayliss keek Milo aan. 'Sturgis. Ik ken die naam en uw gezicht ook.'

Milo vertrok geen spier.

'Ik weet het al weer,' zei Bayliss. 'U bent degene die een andere politieman op de televisie een dreun hebt verkocht. Iets over interdepartementale intriges. Het is nooit duidelijk gemaakt waar het nu precies om ging. Niet dat ik daar belangstelling voor heb. Ik ben met pensioen.'

'Gefeliciteerd,' zei Milo.

'Ik heb het verdiend. Hoelang bent u in de ijskast gezet?'

'Voor zes maanden.'

'Betaald of niet betaald?'

'Niet betaald.'

Bayliss klakte met zijn tong. 'Dus bent u in de tussentijd aan het klussen om de rekeningen te kunnen betalen. Mocht ik nooit doen. Zat me dwars aan die baan: geen ruimte om je mogelijkheden uit te breiden. Hoe bevalt het u tot dusverre?'

'Het is werk.'

Bayliss keek naar mij. 'Wie is dat? Ook een van de slechte jongens van de politie van L.A.?'

'Ik ben Alex Delaware.'

'Doctor Delaware,' vulde Milo aan. 'Hij is psycholoog en behandelt de dochter van mevrouw Ramp.'

'Melissa Dickinson,' zei ik. 'U hebt haar ongeveer een maand geleden gesproken.'

'Ik meen me iets dergelijks te kunnen herinneren. Hmmm. Psycholoog. Heb ik ooit ook willen worden. Wat ik deed was voornamelijk psychologisch werk en daar wilde ik eigenlijk best beter voor worden betaald. Heb colleges gevolgd aan de staatsuniversiteit van Californië, had kunnen afstuderen, maar had de tijd niet om een scriptie te schrijven of examens te doen, dus dat was dat.' Hij nam me wat aandachtiger op. 'Waarom gaat u met hem mee? Om iedereen te psycho-analyseren?'

'We hebben net een bezoek gebracht aan McCloskey,' zei ik. 'Rechercheur Sturgis dacht dat het zinvol zou zijn als ik hem observeerde.'

'Aha. Die goeie ouwe Joel. Hebt u echt het vermoeden dat hij iets heeft uitgespookt?'

'Ik wilde hem alleen spreken,' zei Milo.

'U wordt per uur betaald en vult zoveel mogelijk uren. Niet te hard werken, man. Ik hoef niet met u te spreken wanneer ik dat niet wil.'

'Dat besef ik, meneer...'

'Drieëntwintig jaar lang heb ik bevelen moeten opvolgen van mensen die heel wat stommer waren dan ik. Ik heb toegewerkt naar een goed pensioen, vijfentwintig jaar lang, zodat mijn vrouw en ik op reis konden gaan. Twee jaar geleden is ze zo ongemanierd geweest om me te verlaten. Zware beroerte. Ik heb een zoon die in Duitsland in het leger dient en met een Duits meisje is getrouwd. Dus heb ik de laatste twee jaar volgens mijn eigen regels geleefd. De laatste zes maanden ben ik daar echt goed in geworden. Begrijpt u?'

Milo knikte, lang en langzaam.

Bayliss glimlachte en zette zijn helm weer op. 'Ik hoop dat we het daarover eens zullen blijven.'

'In orde,' zei Milo. 'Ik zou het heel fijn vinden wanneer u ons iets over McCloskey kon vertellen dat ons kan helpen mevrouw Ramp te vinden.'

'Die goeie ouwe Joel,' zei Bayliss, streek over zijn sikje en staarde Milo aan. 'Weet u dat het gedurende die vijfentwintig jaar vaak is voorgekomen dat ik iemand een dreun wilde geven? Heb ik echter nooit gedaan, vanwege mijn pensioen. De reis die mijn vrouw en ik zouden maken. Toen u die bureaucraat een dreun gaf, heb ik moeten glimlachen. Ik was in een slecht humeur, dacht aan de dingen die waren gebeurd en die niet waren gebeurd. U hebt me aan het lachen gemaakt, een hele avond lang. Daarom kan ik me u herinneren.' Hij glimlachte. 'Gek dat u nu opeens hierheen bent gekomen. Zal het lot wel zo hebben bepaald. Komt u binnen.'

Zijn huiskamer was donker, netjes, gemeubileerd met zware meubels die nog net niet oud genoeg waren om antiek te kunnen zijn. Veel beeldjes en onderleggertjes die duidden op een vrouwenhand. Aan de muur boven de schoorsteenmantel ingelijste zwart-wit foto's van big bands en jazzcombo's, de musici allen zwart, en een close-up van een jonge, gladgeschoren Bayliss, gekleed in een witte smoking met een wit overhemd en een das, een trombone in zijn hand.

'Dat was mijn eerste liefde,' zei hij. 'Ik heb een klassieke opleiding gehad, aan Juilliard. Maar niemand wilde een zwarte trombonist hebben, dus heb ik genoegen genomen met swing en bebop en ben vijf jaar op tournee geweest met Skootchie Bartholomew. Ooit van hem gehoord?'

Ik schudde mijn hoofd.

Hij glimlachte. 'Niemand had ooit van hem gehoord. Zo goed was de band niet. Ze namen heroïne voor elk optreden en dachten daardoor dat ze beter waren dan ze waren. Ik wilde zo niet leven, dus ben ik ermee gestopt en hierheen gegaan. Ik heb gespeeld voor iedereen die naar me wilde luisteren en meegewerkt aan enige plaatopnamen. Als u naar "Magic Love" van The Sheiks luistert, kun je mij op de achtergrond horen meedoen aan dat stomme doo-wop-gedoe. Ik heb ook nog even op proef meegespeeld met Lionel Hampton.'

Hij liep naar de foto's toe en wees. 'Dat ben ik. Op de eerste rij. Veel koperblazers in die band, maar ik wist me te midden van al dat muzikale geweld staande te houden. Toen was de markt voor big bands opgedroogd en is Lionel met de voltallige band naar Europa en Japan gegaan. Daar had ik geen zin in. Ik ben weer gaan studeren en toen in rijksdienst gekomen. Sinds die tijd heb ik niet meer gespeeld. Mijn vrouw vond die foto's leuk... Ik moet ze eigenlijk vervangen door echte kunst. Wilt u koffie?'

Dat aanbod sloegen we beiden af.

'Gaat u zitten.'

Dat deden we. Bayliss nam plaats in een diepe, makkelijke stoel met bloembekleding en kanten antimakassars op de armleuningen.

'Die goeie ouwe Joel,' zei hij. 'Ik zou me over hem maar niet al te veel zorgen maken. Inzake zware vergrijpen, bedoel ik dan.'

'Waarom?' vroeg Milo.

Bayliss tikte tegen zijn hoofd. 'Daar zit bij hem niets meer in. Toen ik zijn dossier las, verwachtte ik een zware psychopaat. Toen kwam dat magere, onbeduidende mannetje binnen. Hij zei voortdurend ja meneer en nee meneer en had alle vechtlust verloren. Ik heb het niet over een hielenlikker. Niet het gedrag dat je gewoonlijk kunt verwachten van een actieve psychopaat die probeert te doen alsof hij een goeie jongen is. Elke idioot die ik door de jaren heen heb gezien, meende slimmer te zijn dan alle anderen, een act te kunnen opvoeren die ik niet zou doorzien.'

'Dat klopt, al werkt het zelden,' zei Milo.

'Inderdaad. Gek dat ze nooit de tijd nemen om zich af te vragen waarom ze het merendeel van hun leven in een cel doorbrengen. Maar die ouwe Joel was een ander geval. Hij speelde geen toneel. Hij had geen enkele fut meer.'

'Hoe vaak hebt u hem gezien?' vroeg Milo.

'Vier of vijf keer. Toen hij naar Los Angeles kwam, had hij officieel eigenlijk al niets meer met de reclassering te maken. We hebben hem verzocht contact te houden tot hij zijn draai had gevonden. Om ons in te dekken voor het geval dat. De reclassering houdt zich graag aan de regels, zodat men veel paperassen kan laten zien en kan aantonen dat juist is gehandeld wanneer er iets mis gaat en de familie van het slachtoffer in het programma van Geraldo op de televisie is te zien. Dus was het eigenlijk een formaliteit, die hij had kunnen negeren. Dat deed hij echter niet. Meldde zich een keer per week. Ik had best meer mensen zoals hij willen hebben. Vlak voordat ik met pensioen ging, had ik drieënzestig boeven die ik in de gaten moest houden en sommigen waren best aardig.'

'Gewoonlijk duurt zo'n voorwaardelijke vrijlating drie jaar,' zei Milo. 'Waarom was er bij hem sprake van zes jaar?'

'Hoorde bij de gemaakte afspraken. Toen hij vrijkwam uit Quentin, heeft hij gevraagd of hij naar een andere staat mocht. Daar heeft de reclassering zich akkoord mee verklaard, onder de voorwaarde dat hij vast werk zou vinden en de tijd zou verdubbelen. Hij heeft toen een soort Indianenreservaat gevonden, in Arizona, geloof ik. Daar is hij drie jaar gebleven en toen is hij voor drie jaar naar een andere

staat gegaan. Welke kan ik me niet meer herinneren.'
'Waarom is hij weer uit Arizona vertrokken?'
'Als ik het me goed herinner, zei hij dat zijn werk in het eerste reservaat werd gefinancierd door een fonds dat werd opgeheven, waardoor hij wel verder moest trekken. Hij is toen bij een katholieke instelling gaan werken. Zal wel gedacht hebben dat hij daar veilig was, tenzij de paus ging bezuinigen.'
'Waarom is hij naar L.A. gekomen?'
'Dat heb ik hem gevraagd, maar nauwelijks antwoord gekregen. In elk geval begreep ik weinig van wat hij zei. Hij had het over zonden en hield toen een nonsensverhaal over gered worden. Ik denk dat hij duidelijk wilde maken dat hij hier had gezondigd — tegen die vermiste dame van u — en hier een góede jongen moest zijn om de Almachtige weer gunstig te stemmen. Ik heb niet verder aangedrongen, want zoals ik al heb gezegd, hoefde hij zich officieel niet eens te melden. Het was een formaliteit.'
'Hebt u er enig idee van wat hij hier deed?'
'Voor zover ik weet werkte hij full-time op die missiepost. Toiletten schoonmaken en afwassen.'
'De Eeuwige Hoop.'
'Ja. Weer zo'n katholiek instituut. Ik heb begrepen dat hij verder zijn kamer niet afkwam, nooit omging met geboefte en nooit drugs gebruikte. Dat heeft de priester over de telefoon bevestigd. Als ik drieënzestig figuren als hij onder mijn hoede had gehad, zou mijn baan een stuk makkelijker zijn geweest.'
'Heeft hij ooit wel eens over zijn misdaad gepraat?'
'Ik ben er tegenover hem over begonnen toen hij de eerste keer bij me kwam. Had in het rechtbankverslag gelezen dat de rechter hem een monster had genoemd en zo. Dat deed ik met alle mensen die ik toegewezen kreeg. Bepaalde regels direct vastleggen, laten weten dat ik wist met wie ik te maken had, een hoop nonsens elimineren. De meesten blijven volhouden dat ze zo onschuldig zijn als een lammetje. Daar probeer je doorheen te breken. Je probeert die illusie te verstoren en hen in zichzelf te laten kijken. Alleen dan is er enige hoop. Net zoiets als psycho-analyse, nietwaar?'
Ik knikte.
'Heeft McCloskey enig inzicht in zijn eigen persoon gekregen?' vroeg Milo.
'Hoefde niet. Zei meteen tegen me dat hij waardeloos was en het niet verdiende te leven. Eén brok schuldgevoel. Ik zei tegen hem dat dat waarschijnlijk waar was en las het rechtbankverslag toen hardop voor. Hij zat ernaar te luisteren alsof het een medische behandeling

voor zijn eigen bestwil was. Hij leek wel een levende dode. Nadat ik hem een paar keer had gezien, begon ik echt medelijden met hem te krijgen, zoals je medelijden kunt hebben met een hond die is aangereden door een auto. Zoiets overkomt me niet vaak. Ik heb lang tegen mijn sympathieën gevochten.'

'Heeft hij u ooit verteld waarom hij haar gezicht zo heeft laten toetakelen?'

'Nee, meneer Sturgis,' antwoordde Bayliss. 'Ook daar heb ik hem naar gevraagd. Omdat in het dossier stond dat hij dat nooit had verteld. Hij had daar niet veel op te zeggen, mompelde wat en wilde er niet verder op doorgaan.'

Gekrab aan het sikje. Bayliss zette zijn bril af, veegde de glazen met een zakdoek schoon, zette hem weer op. 'Ik heb geprobeerd hem dienaangaande tot andere gedachten te brengen. Ik geloof dat ik heb gezegd dat het zijn plicht jegens haar was, dat hij haar eigendom was, omdat hij haar eens zoiets had aangedaan. Ik heb geprobeerd een beroep te doen op zijn geloofsovertuiging, maar dat werd geen succes. Hij zat daar maar naar de vloer te staren. Ik kon een gesprek niet langer rekken dan een minuut of tien. En hij was geen toneel aan het spelen. Daar was ik na vijfentwintig jaar werken zeker van. We hebben het over iemand die niemand is. Een absolute zombie.'

'Hebt u er enig idee van hoe hij in die toestand kan zijn beland?' vroeg ik.

Bayliss haalde zijn schouders op. 'U bent de psycholoog.'

'Oké,' zei Milo. 'Verder nog iets?'

'Nee. Wat is er precies met die vrouw gaande?'

'Ze is het huis uitgegaan en weggereden. Daarna heeft niemand nog iets van haar gehoord.'

'Wanneer is ze weggegaan?'

'Gisteren.'

Bayliss fronste zijn wenkbrauwen. 'Ze is één dag weg en dan nemen ze al een detective in de arm?'

'Dit is geen normale situatie,' zei Milo. 'Ze is heel lange tijd nauwelijks haar huis uit geweest.'

'Hoelang is heel lange tijd?'

'Sinds hij haar gezicht heeft verbrand.'

'Sinds die tijd heeft ze geleden aan een ernstige vorm van pleinvrees,' zei ik.

'O, wat vervelend.' Dat leek hij echt te menen. 'Ja, dan kan ik me indenken dat de mensen in haar omgeving zich zorgen maken.'

We gingen weer naar buiten. Bayliss keek nadenkend en liep helemaal met ons mee naar de auto.

'Ik hoop dat u haar spoedig vindt,' zei hij. 'Als ik u iets over Joel kon vertellen waar u wijzer van wordt, zou ik dat doen. Maar ik betwijfel of hij er iets mee te maken heeft.'

'Waarom?'

'Zijn inertie. Hij is als een slang waarop één keer te vaak is getrapt, waardoor hij zijn vergif is kwijtgeraakt.'

Ik reed over Olympic naar huis. Hoewel Milo zijn stoel zo ver mogelijk naar achteren had geschoven, hield hij zijn knieën opgetrokken. Kiezend voor ongemak. Hij keek naar buiten.

Bij Roxbury vroeg ik: 'Wat is er?'

Hij bleef door het raampje kijken. 'Ik zit na te denken over kerels als McCloskey. Wie weet verdomme wat werkelijk is en wat niet? Bayliss lijkt heel zeker te weten dat die rotzak geen stoom meer over heeft, maar hij heeft ook toegegeven dat hij hem nauwelijks kende. Hij heeft McCloskey aanvaard zoals die zich voordeed, voornamelijk omdat hij zich uit eigen vrije wil kwam melden en geen problemen veroorzaakte. Typerende reactie van een bureaucraat. Stront wordt door het riool gespoeld en zo lang het niet omhoogkomt door de buizen, kan het niemand iets schelen.'

'Denk je dat het de moeite waard is McCloskey in de gaten te blijven houden?'

'Als de dame niet heel snel terugkomt en ik geen nieuwe aanwijzingen kan vinden, ga ik nog eens naar hem toe om te proberen of ik hem te grazen kan nemen wanneer hij niet op zijn hoede is. Maar voor die tijd ga ik aan de telefoon zitten om te zien of ik kan achterhalen of hij met tuig is omgegaan. Had jij ook nog iets gepland?'

'Niets dringends.'

'Als je daar zin in hebt, zou je naar het strand kunnen gaan om dat tweede huis te bekijken. Voor het geval ze daar zit en dat niemand wil laten weten. Het is een lange rit en ik wil niet graag zoveel tijd verliezen, al denk ik niet dat we er iets wijzer van zullen worden.'

'Oké.'

'Hier heb je het adres,' zei hij.

Ik pakte het papiertje van hem aan en bleef rijden.

Hij keek op zijn horloge. 'Je kunt er beter snel naar toe gaan, nu de zon nog schijnt. Speel voor speurneus en laat je door het zonnetje bruinen. Neem je surfplank mee en duik de golven in.'

'Begint Watson een ouwe brombeer te worden?'

'Zoiets, ja.'

21

Geen boodschappen thuis. Ik bleef lang genoeg om de vissen te voeren, in de hoop ze op die manier weg te houden van de paar eitjes die er nog waren. Toen reed ik in westelijke richting Sunset weer op, om half drie.

Dagje naar het strand.

Ik deed net alsof het leuk zou worden.

Ik draaide de hoofdweg langs de kust op, zag blauw water en bruine lichamen.

Robin en ik hadden hier zo vaak gereden.

Linda en ik waren hier één keer geweest. De tweede keer dat we samen op stap waren gegaan.

Alleen was het anders.

Ik besloot die gedachten van me af te zetten en besteedde aandacht aan de kustlijn van Malibu. Nooit hetzelfde, altijd uitnodigend.

Kama Sutra.

Dat was waarschijnlijk de reden waarom mensen zich diep in de schulden staken om hier te mogen leven met vliegen en corrosie, het lawaai van de hoofdweg, modderlawines, branden en orkanen.

Arthur Dickinson had voor zijn huis een mooi plekje uitgezocht. Een kleine acht kilometer van Point Dume vandaan, voorbij het openbare strand van Zuma, links Broad Beach Road op, langs de rodeoring van Trancas Canyon.

Westelijk Malibu, waar motels en surfwinkels allang zijn verdwenen, ranches en boerderijen het landschapsbeeld bepalen en de zonsondergang een onwaarschijnlijke kleur heeft.

Het adres dat Milo me had gegeven, bleek aan het eind van de weg te liggen. Het was een bungalow met zijmuren van houten planken en een plat bruin dak. Achter een laag hek dat geen privacy bood. Links en rechts naast de bungalow huizen met twee verdiepingen die deden denken aan eigenaardig gevormde ijshoorntjes. Het ene was vanillekleurig gestuct en nog niet geheel afgebouwd. Het andere had de kleur van pistache-ijs met bessensaus. Beide huizen waren alleen toegankelijk via een elektronisch bediend hek. Achter vanille een groene tennisbaan. Voor pistache een bord met TE KOOP. Beide huizen voorzien van een alarminstallatie.

De bungalow van Dickinson/Ramp had dat niet. Ik maakte het hekje open en liep naar de voordeur.

Geen fraai aangelegde tuin, alleen een doornige, wilde, oranje bougainvillea, die gedeeltelijk tegen het hek op groeide. In plaats van een garage een strook cement op het zand, breed genoeg voor twee wagens. Daar midden op stond een Volkswagenbusje met een ski-rek op het dak. Geen plekje over om een Rolls-Royce te verbergen.

Ik liep dichter naar het huis toe, absorbeerde de hitte van het zand via de zolen van mijn schoenen. Ik had nog steeds een colbertje aan en een das om en voelde me een vertegenwoordiger. Ik kon de oceaan ruiken, waterdruppels boven de duinen uit zien spatten. Vloed. Bruine pelikanen vlogen in v-formatie door de lucht. Op de oceaan was iemand aan het surfen.

De voordeur was van grenehout, door wind en zout aangetast, en de deurknop was groen en korstig geworden. De ramen waren vuil en vochtig en iemand had met een vinger WAS ME op een ervan geschreven. Een glazen mobieltje boven de voordeur, dat rinkelde. Maar het geluid werd overstemd door het geraas van de oceaan.

Ik klopte. Kreeg geen reactie. Klopte weer, wachtte en liep naar een van de smerige ramen.

Een enkele kamer, niet verlicht. Moeilijk details te zien. Ik kneep mijn ogen tot spleetjes en zag links een kleine keuken met open planken. De rest van de ruimte werd in beslag genomen door een zit-slaapkamer. Futon op een vloer van dof grenehout. Een paar meubels, van goedkope rotan, met kussens die je aan Hawaï deden denken, zitzak, eenvoudige lage tafel. Aan de kant van het strand een glazen schuifpui en een overdekte patio. Ik zag er een paar klapstoelen staan. Verderop duinen en marmerkleurig water.

Er stond een man op het zand, recht voor de patio. Knieën gebogen, rug rond, bezig met een lange halter.

Ik liep om het huis heen.

Todd Nyquist. De tennisleraar stond tot zijn enkels in het zand, droeg een korte zwarte broek, een leren gordel voor gewichtheffers, vingerloze handschoenen. Hij was druk bezig met de halter, trok er grimassen bij. De ijzeren schijven aan de uiteinden van de halter hadden de afmetingen van deksels van een mangat. Twee aan elk uiteinde. Hij hield zijn ogen stevig dicht, zijn mond was open, zijn lange, gele haar was nat en hing in slierten op zijn rug. Zwetend en grommend bleef hij bezig, hield zijn rug onbeweeglijk, liet zijn armen al het werk doen. Bewoog zich op het ritme van de muziek die uit een radio bij zijn voeten schetterde.

Rock 'n roll. Thin Lizzie. 'The Boys Are Back in Town.'

Manisch ritme. Het moest een marteling zijn het bij te houden. Nyquists biceps waren ontzettend groot.

Toen hield de muziek op. Hij slaakte een schorre kreet, van de pijn of vol triomf, boog zijn knieën nog verder en liet de halter op het zand zakken, met nog altijd gesloten ogen. Hij blies met veel lawaai zijn adem uit, ging rechtop staan, schudde zijn hoofd en sproeide zweetdruppels in het rond. Ondanks het mooie weer liepen slechts weinig mensen over het strand, de meesten met een hond.

'Hallo, Todd,' zei ik. Hij stond nog niet helemaal rechtop en verloor van verrassing bijna zijn evenwicht.

Hij herstelde zich soepel. Toen deed hij zijn ogen wijd open, staarde, nam me in zich op en gaf een brede glimlach van herkenning.

'De doctor, nietwaar? Ik heb u in het grote huis ontmoet.'

'Alex Delaware.' Ik liep naar hem toe, met uitgestoken hand. Mijn schoenen vulden zich met zand.

Hij keek naar zijn gehandschoende handen en hield die in de lucht. 'Zou ik niet doen. Nogal bezweet.'

Ik liet mijn hand weer zakken.

'Ik was oefeningen aan het doen,' zei hij. 'Wat heeft u hierheen gebracht?'

'Ik ben naar mevrouw Ramp aan het zoeken.'

'Hier?' Dat leek hem oprecht bijzonder te verbazen.

'Todd, ze zijn haar overal aan het zoeken en mij is gevraagd dit huis te controleren.'

'Dat is echt vreemd,' zei hij.

'Wat?'

'Nou, alles. Haar verdwijning. Heel gek. Waar zou ze kunnen zijn?'

'Dat proberen we te achterhalen.'

'Ja. Oké. Nu, hier zult u haar niet vinden. Dat staat vast. Ze is hier nooit geweest. Niet één keer. In elk geval niet sinds ik hier woon.' Hij draaide zich om naar de oceaan, rekte zich uit, ademde in. 'Kunt u zich voorstellen dat je zo'n huis hebt maar er nooit komt?'

'Het is prachtig,' zei ik. 'Hoelang woon jij hier al?'

'Anderhalf jaar.'

'Huur je het huis?'

Zijn glimlach werd breder, alsof hij trots was op het bezit van een belangrijk geheim. Hij trok de handschoenen uit, fatsoeneerde zijn haren met zijn vingers. Nog meer zweetdruppels.

'Ik heb geruild,' zei hij. 'Tennis en persoonlijke training voor meneer Ramp, in ruil voor dit huis. Ik ben er echter niet vaak. Vorig jaar heb ik twee cruises gemaakt, naar Alaska en naar Cabo. Heb gymnastiekklessen gegeven aan oude dames. Ik geef ook les op de Brentwood Country Club en ik heb heel veel vrienden in de stad. Ik slaap hier een of twee keer per week.'

'Lijkt me een prima regeling.'

'Is het ook. Weet u voor hoeveel ze dit zouden kunnen verhuren, al is het dan wat slecht onderhouden?'

'Vijfduizend per maand?'

'Tienduizend gemiddeld per maand, in de zomermaanden achttien-tot twintigduizend. Maar meneer en mevrouw Ramp zijn zo aardig geweest me toestemming te geven hier te wonen als ik daar zin in heb. Mits ik maar naar Smogville kom om meneer te trainen als hij dat wil.'

'Hij komt hier nooit?'

Zijn glimlach verdween. 'Nee, waarom zou hij dat doen?'

'Lijkt me een leuke plek om te trainen.'

We hoorden vrouwen praten en draaiden ons om. Twee meisjes in een string-bikini, een jaar of achttien, negentien oud, liepen met een schaapshond te wandelen. De hond bleef weglopen van het water, trok aan zijn riem, liet het meisje dat de riem vasthield, het werk doen. Op een gegeven moment gaf ze de strijd op en liet zich door de hond diagonaal over het strand heen trekken. Het andere meisje jogde achter hen aan. De hond bleef staan bij het vanille-ijsje. Toen kwam het drietal onze kant op.

Nyquist was aldoor naar hen blijven kijken. Beide meisjes hadden lang, dik, door de zon uitgedroogd haar. De ene was blond, de andere had rood haar. Lang, lange benen, perfecte dijen en lachende gezichten die zo reclame konden maken voor een frisdrank. De bikini van de blondine was wit, die van het roodharige meisje felgroen. Toen ze dicht bij ons waren, bleef de hond staan, hoestte, begon zich uit te schudden. De roodharige boog zich voorover om hem een aai te geven, waardoor zware borsten vol sproeten zichtbaar werden.

Nyquist fluisterde: 'Wauw!' Toen zei hij, luider: 'Hallo, Traci, Maria!'

De meisjes draaiden zich om.

'Hoe gaat het, dames?' schreeuwde hij.

'Prima, Todd,' zei de roodharige.

'Hai, Todd,' zei de blondine.

Nyquist rekte zich uit, grinnikte en wreef over zijn buik, die wel een wasbord leek. 'Wat is er aan de hand met die ouwe Bernie? Nog steeds bang van het water?'

'Ja,' zei de roodharige. 'Hij is een lafbek.' Tegen de hond: 'Dat ben je, hè, schatje? Bernie is een ouwe lafbek van een hond.'

De hond leek de belediging te begrijpen en draaide zich om, begon in het zand te graven, hoestte weer.

'Hij lijkt verkouden,' zei Nyquist.

'Nee, alleen laf,' zei de roodharige.

'Daar valt iets aan te doen met vitamine C en B 12. Fijnmaken en door zijn eten doen.'

'Wie is dat, Todd? Een nieuwe vriend?' vroeg de blondine.

'Een vriend van de huisbaas.'

'O,' zei de roodharige glimlachend. Ze keek naar de blondine en toen naar mij. 'Gaat u Todds huur verhogen?'

Ik glimlachte.

'Een seconde,' zei Nyquist en rende op de meisjes af. Hij sloeg zijn armen om hen heen en trok hen naar zich toe. Dat wekte verbazing, maar ze tekenden er geen protest tegen aan. Hij fluisterde iets tegen hen en bleef voortdurend glimlachen. Hij masseerde de nek van de blondine, het middel van de roodharige. De hond snuffelde aan zijn enkel. Dat negeerde hij. De meisjes leken zich nu slecht op hun gemak te voelen, maar ook dat werd door Todd genegeerd. Uiteindelijk maakten ze zich uit zijn armen los.

De glimlach van Nyquist werd nog breder en hij gaf beide meisjes een klapje op hun derrière toen ze verder gingen. De hond liep achter hen aan.

Hij kwam terug. 'Sorry voor die onderbreking, maar ik moet de dames onder de duim houden.'

Mikkend op seksueel bravado, maar te overdreven. Het deed me denken aan zijn houding jegens Gina, een paar dagen geleden. Nuances van spanning waar ik toen niet veel aandacht aan had besteed.

Hij had om een frisdrank gevraagd.

Zij had gezegd dat ze Madeleine zou vragen iets voor hem klaar te maken.

Oudere vrouw, jonge dekhengst? Tennis voor de echtgenoot, andere lessen voor de vrouw des huizes?

Nauwelijks origineel, maar dat waren mensen zelden wanneer ze grenzen overschreden.

'Todd, heb je er enig idee van waar mevrouw Ramp zou kunnen zijn?' vroeg ik.

'Nee. Het is echt een mysterie. Ik bedoel... Waar had ze naar toe kunnen gaan, gezien haar angsten en zo?'

'Heeft ze met jou ooit wel eens over die angsten gesproken?'

'Nee, wij... Nee, helemaal niet. Maar als je vaak bij iemand thuis komt, vang je wel eens dingen op.' Hij keek naar het huis. 'Wilt u een biertje of iets dergelijks?'

'Nee, dank je. Ik moet terug.'

'Jammer,' zei hij, maar keek opgelucht. 'U lijkt behoorlijk goed in vorm te zijn. Traint u ook?'

'Ik doe aan hardlopen.'

'Hoeveel kilometer?'

'Tien tot vijftien per week.'

'Daar moet u mee oppassen. Slecht voor de gewrichten en ook voor de ruggegraat, omdat die te sterk worden belast.'

'Ik heb nu een apparaat waarmee je het langlaufen kunt imiteren.'

'Uitstekend. Het ultieme op het gebied van aerobics. Als u dat combineert met oefeningen die de spieren uitrekken, bewijst u zichzelf een ultieme dienst.'

'Dank voor de goede raad.'

'Graag gedaan. Als u privé getraind wilt worden, moet u me opbellen. Ik heb geen visitekaartje, maar u kunt me altijd bereiken via meneer en mevrouw... via meneer Ramp.' Hij schudde zijn hoofd. 'Dat was een stomme opmerking van me. Ik hoop dat ze haar vinden, want ze is echt heel aardig.'

Ik liep terug naar de Seville en bleef even naar de oceaan staan kijken. De windsurfer was niet meer te zien, maar de pelikanen waren terug, doken, vingen vissen. Zij werden gevolgd door zeemeeuwen en sternen die genoegen namen met de restjes. In de verte zag ik een paar grijze sigaren aan de horizon drijven. Olietankers die onderweg waren naar de kust. Ik vroeg me af hoe het zou zijn om op zee te wonen. Om voortdurend te worden herinnerd aan onbetekenendheid, aan oneindigheid.

Voordat ik daar verder over kon nadenken, hoorde ik het geraas van een motor en toen vrolijk geschreeuw. 'Hallo, meneer de huisbaas!' Een witte Volkswagen Golf, met open dak, kwam naast me tot stilstand. De blondine van het strand zat achter het stuur, met een brandende sigaret tussen haar vingers. De roodharige zat naast haar, at uit een doos Fiddle Faddle en had een geopend blikje frisdrank in haar hand. Beide meisjes hadden doorschijnende witte shirtjes over hun bikini aangetrokken, maar die niet dichtgeknoopt. Bernie zat op de achterbank, hijgend, alsof hij wagenziek was.

'Hai,' zei de roodharige. 'Leuke oude auto. Mijn vader heeft er ook zo een gehad.'

Ik glimlachte bij het idee dat de Seville antiek kon worden genoemd. Tien jaar oud. Toen ik hem kocht, zaten die twee meisjes waarschijnlijk in de derde klas.

'Bent u echt de huisbaas? Ik vraag dat omdat Traci en ik graag dichter bij het strand willen wonen. Nu wonen we bij Las Flores en het strand daar is niet geweldig. Te nat, veel stenen. We zijn bereid licht werk te doen: babysitten, huishoudelijk werk, wat dan ook. In ruil voor huisvesting. Todd zei dat hij zou helpen, maar wij vinden dat we het zelf wel kunnen regelen.'

'Sorry. Ik ken de huisbaas van Todd wel, maar ik handel niet in onroerend goed.'

Het gezicht van de blondine werd lelijk, zonder zijn schoonheid te verliezen. 'Mar, ik had al tegen je gezegd dat het geouwehoer was.' De roodharige trok haar neus op en keek gekwetst.

'Wat is er aan de hand?' vroeg ik.

'Todd. Hij heeft ons zwaar belazerd.'

'Hoe?'

'Hij zei dat u in onroerend goed zat en dat hij, als wij aardig voor hem waren, hier in de buurt een huis voor ons zou regelen. Vroeger hebben we hier gewoond, als au-pairs voor Dave Dumas en zijn vrouw, toen zij hier vorige zomer een huis hadden gehuurd. Dus denkt men nog steeds dat we hier wonen en worden we niet lastig gevallen. Maar we willen hier permanent wonen, of in elk geval op een plaats waar het droog is.'

'Dave Dumas de basketbalspeler?'

'Ja.' Gegiechel.

'Wij hebben voor de kinderen gezorgd,' zei de blondine. 'Heel grote kinderen van een héél grote man.' Ze lachte nog even en werd toen opeens ernstig.

'We zouden het echt prettig vinden hier weer te kunnen wonen. Het strand is geweldig en er worden steeds betere concerten gegeven in het Trancas Café. De vorige week is Eddie Van Halen nog komen jammen.'

'We zijn bereid ervoor te werken,' zei de roodharige. 'Todd zei dat hij wel een baan voor ons kon versieren.'

'Die ellendeling. We zullen in het vervolg niet aardig meer tegen hem zijn.' Ze gaf een dot gas. De hond schrok.

'Wat wilde hij precies van jullie?' vroeg ik.

'Hij wilde het doen voorkomen alsof wij hem geweldig vonden. Het goed vonden dat hij ons aanraakte, in uw aanwezigheid.' Ze wendde zich tot de roodharige. 'Ik had het je al gezegd, Mar.'

'In het werkelijke leven is Todd niet zo geweldig?' vroeg ik.

Gegiechel, uitgebreid. De roodharige pakte wat popcorn uit de doos en gaf het aan de hond.

'Bernie houdt van suiker,' zei ze.

'Geniet er maar van, Bernie,' zei ik, terwijl ik naar het dier toe liep en hem een aai gaf. Zijn vacht was in geen tijden doorgekamd, zat onder het zout en het stof. Terwijl ik zijn nek aaide, jankte hij van genoegen.

'Dus Todd stelt weinig voor,' zei ik.

De blondine was opeens op haar hoede. Van dichtbij was haar gezicht hard, stond op het punt oud te worden, kreeg al iets leerachtigs door te veel zon en het nemen van te veel risico's.

'U bent geen goede vriend van hem?'

'Helemaal niet. Ik ken de mensen van wie dat huis is, maar ik heb hem slechts één keer eerder gezien.'

'Dus u bent anders dan...' De blondine glimlachte, trok haar wenkbrauwen op en hield haar pols slap omhoog.

'Tra-ace, dat is grof!'

'Nou en? Híj is zo. Híj zou zich hier verlegen mee moeten voelen.'

'Bedoel je dat Todd een homo is?' vroeg ik.

'Reken maar!' zei de roodharige.

'Een homo met spieren,' zei de blondine.

'Tijdverspilling voor ons,' zei de roodharige. De hond hoestte. 'Bern, blijf bij je positieven,' zei ze.

'Daarom hadden we er zo de pest in,' zei de blondine. 'Hij gebruikte ons om net te doen alsof hij meisjes aardig vindt. Misschien heeft hij een mannelijk lijf, maar zijn kop is beslist niet mannelijk.'

'Hoe weten jullie dat hij een homo is?' vroeg ik.

De blondine lachte en gaf opnieuw een dot gas. 'We staan heus niet toe te kijken hoe hij het dóet of zoiets dergelijks.'

'Bij hem lopen mannen voortdurend in en uit,' zei de roodharige. 'Hij zegt dat hij hen tráint, maar ik heb hem een keer de hand van een andere vent zien vasthouden en hen zien zoenen.'

'Verdorie, dat heb je mij nooit verteld,' zei haar vriendin en gaf haar een por in haar zij.

'Het is ook al lang geleden. Toen woonden we nog bij Grote Dave.'

'Grote Dave,' herhaalde de blondine giechelend.

'Hoelang geleden was dat?' vroeg ik.

Beiden keken alsof ze met een lastig probleem aan het worstelen waren.

Uiteindelijk zei de roodharige: 'Lang geleden. Misschien vijf weken. Todd en die andere kerel liepen over dit pad. Ik was Bernie aan het uitlaten en heb gezien dat ze elkaars hand vasthielden. Toen stapte die andere kerel zijn auto in, een witte 560 SEC met van die dure wieldoppen. Todd boog zich de auto in en gaf hem een kusje.'

'Jasses,' zei de blondine.

'Ik vond het nogal lief,' zei de roodharige en keek alsof ze dat meende. Maar dat medeleven paste niet bij haar en even later begon ze zenuwachtig te lachen.

'Kun je je herinneren hoe die andere man eruitzag?' vroeg ik.

Ze haalde haar schouders op.

'Hij was oud.'

'Hoe oud?'

'Ouder dan u.'

'Ergens in de veertig?'

'Ouder.'

'Misschien was het Todds vader,' zei de blondine meesmuilend. 'Je mag je vader toch zeker wel een kus geven, Mar?'

Ze keken elkaar aan. Schudden hun hoofd, giechelden nog wat.

'Geen sprake van,' zei de roodharige. 'Dit was de ware liefde.' Ze keek nadenkend. 'Die ouwe vent zag er voor een ouwe vent eigenlijk best wel goed uit. Een soort oudere Tom Selleck.'

'Had hij een snor?' vroeg ik.

'Dat denk ik wel. Misschien. Ik kan me alleen herinneren dat hij me aan Tom Selleck deed denken. Een óúde Tom Selleck. Lekker bruin, brede borst.'

'Waarom zijn zoveel van die mannen flikker? Doodzonde,' zei de blondine.

'Komt omdat ze rijk zijn, Trace,' zei de roodharige. 'Ze kunnen van alles en nog wat kopen, lipoproteïne, noem maar op.'

De blondine raakte haar platte buik even aan. 'Als ik die hulpmiddelen ooit nodig heb, mag je me om zeep brengen.' Ze stak haar hand in de doos Fiddle Faddle en zocht.

'Niet alles aanraken,' zei de roodharige en trok aan de doos.

De blondine bleef hem vasthouden. 'Een amandel. Kijk!' Ze zette de noot tussen haar tanden, keek naar mij, streek er met haar tong overheen en klemde haar kaken langzaam op elkaar.

'Heb je die oude man hier voor het laatst vijf weken geleden gezien?' vroeg ik.

'Ja,' zei de roodharige.

'Kunt u iets voor ons doen?' vroeg de blondine.

'Zoals ik al heb gezegd, zit ik niet in het onroerend goed, maar ik ken wel een paar van die mensen. Ik zal eens informeren. Schrijven jullie je naam en telefoonnummer maar op.'

'Prima!' zei de roodharige stralend. Toen keek ze weer ernstig. 'Wat is er?'

'Ik heb geen pen bij me.'

'Geen probleem,' zei ik en bood weerstand aan de neiging om te knipogen. Ik liep naar de Seville terug, vond in het handschoenenvakje een balpen en een oude garagerekening. Die gaf ik haar. 'Schrijf het maar op de achterkant.'

Ze schreef, terwijl ze de doos als bureau gebruikte en de blondine toekeek. De hond drukte een natte neus tegen de rug van mijn hand en nieste van dankbaarheid toen ik hem weer begon te aaien.

'Hier.' De roodharige gaf me het papiertje.

Maria en Traci. Handschrift vol lussen. Hartjes boven de i's. Een

adres aan Flores Mesa Drive. Een telefoonnummer met als kengetal
A 456.
Ik glimlachte en zei: 'Prima. Ik zal doen wat ik kan. In de tussentijd
wens ik jullie veel succes.'
'Hebben we al,' zei de blondine.
'Wat?' vroeg de roodharige.
'Succes. We krijgen altijd wat we hebben willen, hè, Mar?'
Gegiechel en een stofwolk toen de Golf vooruitschoot.
Ik keek hen na, naar het noordelijk deel van Broad Beach Road.
Toen waren ze uit mijn gezichtsveld verdwenen. Het duurde even
voordat het tot me doordrong dat zij van de leeftijd van Melissa
waren.

Ik draaide terug naar de hoofdweg.
Oudere man en jonge dekhengst.
Oudere man met een snor, gebruind.
Heel wat bruine, besnorde mannen in L.A.. Veel witte Mercedessen
ook.
Maar als Don een 560 SEC met dure wieldoppen had, durfde ik wel
een gokje te wagen.
Ik reed naar huis en was al een gokje aan het wagen zonder daar echt
bewijzen voor te hebben. Ik gaf Ramp de rol van Nyquists minnaar
en interpreteerde de spanning die ik tussen Nyquist en Gina had waar-
genomen nu anders.
Nog een macho-charade zijnerzijds?
Woede van háár kant?
Wist ze het?
Had het iets te maken met die zinspelingen van haar op het verande-
ren van levensstijl?
Afzonderlijke slaapkamers.
Afzonderlijke bankrekeningen.
Afzonderlijke levens.
Of had ze het van Ramp geweten toen ze met hem trouwde?
Waarom was híj met háár getrouwd nadat hij zo lang vrijgezel was
geweest?
Gina's bankier en notaris leken er zeker van te zijn dat hij haar niet
om haar geld had getrouwd en noemden die voor het huwelijk afge-
sloten overeenkomst als bewijs.
Maar dergelijke overeenkomsten konden worden aangevochten, net
als testamenten, en levensverzekeringsgelden konden worden geïnd
zonder er bankiers of notarissen van op de hoogte te stellen.
Misschien had een erfenis er ook niets mee te maken. Misschien had

Ramp voor de goede, conservatieve burgers van San Labrador alleen een dekmantel nodig.

Eigen huis en haard en een kind dat hem intens haatte.

Wat zou meer typerend Amerikaans kunnen zijn?

22

Even na vijf uur was ik thuis. Milo was er niet. Hij had een nieuwe boodschap op zijn antwoordapparaat gezet. Zakelijk. Laat alstublíeft een boodschap achter. Ik vroeg hem me alstublíeft te bellen wanneer hij daar de gelegenheid toe had.

Ik belde San Labrador en kreeg Madeleine aan de telefoon.

Mademoiselle Melissa voelde zich niet goed. Ze sliep.

Non, monsieur was er ook niet.

Niet helemaal normale stem. Klik.

Ik betaalde rekeningen, ruimde het huis op, gaf de vissen nog wat te eten en zag dat ze er moe uitzagen, vooral de vrouwtjes. Ik trainde een half uur op het langlaufapparaat en nam een douche.

Toen ik weer op mijn horloge keek, was het half acht.

Vrijdagavond.

Avond om uit te gaan.

Zonder er diep over na te denken belde ik San Antonio. Een man nam op met een achterdochtig: 'Hallo?' Toen ik naar Linda vroeg, zei hij: 'Met wie spreek ik?'

'Een vriend uit Los Angeles.'

'O. Ze is in Behar, het ziekenhuis.'

'Haar vader?'

'Ja. U spreekt met Conroy, haar oom en zijn broer. Ik ben vandaag vanuit Houston hierheen gekomen.'

'Meneer Overstreet, u spreekt met Alex Delaware. Ik hoop dat het niet ernstig is.'

'Dat zou ik ook graag willen hopen, maar tot mijn spijt moet ik zeggen dat het niet zo is. Mijn broer leek vanmorgen even dood te gaan. Ze hebben hem gereanimeerd, maar het was niet makkelijk. Problemen met de bloedsomloop en de nieren. Hij ligt nu op de intensive care. De hele familie is er. Ik ben alleen teruggekomen om wat spullen op te halen en op dat moment belde u.'

'Dan zal ik u niet langer ophouden.'

'Dank u.'

'Wilt u Linda zeggen dat ik heb gebeld? Als ik iets voor haar kan doen, moet ze me dat laten weten.'

'Dat zal ik doen en dank voor het aanbod.'
Klik.

Verkeerde reden om het te doen, maar ik deed het toch.
'Hallo.'
'Alex! Hoe is het met je?'
'Heb je voor vanavond al een afspraak gemaakt?'
Ze lachte. 'Een afspraak? Nee, ik zit hier maar, bij de telefoon.'
'Zin om uit te gaan?'
Nog meer gelach. Waarom klonk dat zo goed?
'Ik weet het niet. Mijn moeder heeft me altijd voorgehouden dat ik
niet met een jongen op stap moest gaan als hij me dat niet op zijn
laatst woensdagavond had gevraagd.'
'Die goeie ouwe mam.'
'Ja, maar ten aanzien van andere dingen kon ze een hoop onzin uit-
kramen. Hoe laat?'
'Over een half uurtje.'

Ze kwam de voordeur van haar atelier uit op het moment dat ik de
auto voor het gebouw tot stilstand bracht. Ze droeg een zwartzijden
shirt met col, een strakke zwarte spijkerbroek, weggestopt in laarzen
van zwart suède. Lippenstift, oogschaduw, glanzend, krullend haar.
Ik verlangde naar haar, heel erg. Voordat ik uit kon stappen had ze
het andere portier al geopend, ging naast me zitten, straalde hartstocht uit. Een hand in mijn haar. Een kus voordat ik de kans had op
adem te komen.
We vrijden wild. Ze beet me enige keren, leek bijna boos. Net toen
ik geheel buiten adem dreigde te raken, liet ze me los en vroeg: 'Waar
gaan we eten?'
'Ik dacht aan een Chinees.' Ik dacht aan alle keren dat we in bed
hadden gegeten. 'We zouden het natuurlijk ook kunnen afhalen en
dan hier blijven.'
'Geen sprake van. Ik wil uitgaan.'
We reden naar een Chinees in Brentwood — bekend menu, papieren
lantarens maar betrouwbaar — en aten een uur lang. Toen gingen
we naar een club in Hollywood, waar we vroeger veel plezier hadden
gehad. Geen van ons beiden was er ooit met iemand anders geweest.
Nu was de ambiance anders: zwartfluwelen muren, moordzuchtig
ogende uitsmijters met paardestaarten en steroïde-gezichten. Ver-
schaalde rook en vijandigheid. Aan de tafeltjes nachtbrakers, mensen die de een of andere trip bijna achter de rug hadden en eisten te
worden geamuseerd, omdat er anders wat zou zwaaien.

De eerste paar acts waren voor die menigte totaal niet interessant: beginnelingen die met onduidelijke stem grappen stonden te maken waar hun vrienden altijd hard om hadden moeten lachen, maar die het aan Sunset Boulevard niet deden. Trieste clowns die wild in het rond draaiden, als dronken mensen op schaatsen, wankelden gedurende stiltes die pijnlijker waren dan ik ooit tijdens een therapie had ervaren, manische woordenmassa's over hun lippen lieten komen. Even voor middernacht ging het allemaal wat soepeler, maar nog even onvriendelijk: gladde, modieus geklede jonge mannen en vrouwen die waren gevormd op de pottenbakkersschijf van late talkshows en de schuine geestigheden debiteerden die ze op de televisie niet kwijt konden. Humoristische opmerkingen over relaties, gekleurd door rassehaat. Zeer onaardige etnische grappen. De obsceniteit droop er van af.

Was de stad gemener geworden, of ik toleranter?

Ik keek naar Robin. Zij schudde haar hoofd. We gingen weg. Nu mocht ik het portier wel voor haar openen. Zodra ze zat, drukte ze zich tegen het nu weer gesloten portier aan en bleef zo zitten.

Ik begon te rijden. Pakte haar hand. Ze kneep een paar keer in de mijne en liet die toen weer los.

'Slaperig?' vroeg ik.

'Nee, helemaal niet.'

'Alles in orde?'

'Hmmm.'

'Waar zullen we naar toe gaan?'

'Zou je het erg vinden gewoon een eindje te rijden?'

'Zeker niet.'

Ik reed op Fountain, in westelijke richting. Draaide rechtsom bij La Cienega, stak Sunset over, reed naar de Hollywood Hills, klom langzaam omhoog, tot ik een rustige buurt had bereikt, met straten vol haarspeldbochten, vernoemd naar vogels.

Robin bleef tegen het portier aan zitten, als een zenuwachtige liftster. Ogen gesloten, zonder iets te zeggen, gezicht van mij afgewend. Ze sloeg haar benen over elkaar en legde een hand op haar buik, alsof die zeer deed.

Even later strekte ze haar benen en hield haar hoofd naar achteren. Ik vroeg me af of ze soms toch in slaap was gevallen. Maar toen ik de radio aanzette en een jazz-programma had gevonden, zei ze: 'Leuk.'

Ik bleef rijden, zonder er een idee van te hebben waarheen, en kwam ergens bij Coldwater Canyon uit. Ik reed verder naar Mulholland Drive en ging linksaf.

Een stuk bos, toen open plaatsen met steile rotsen boven de San Fernando Valley. Vijftig vierkante mijl vol licht en beweging, loerend door de nachtlucht, door de boomtoppen.

Felle lichten, pseudo-stad.

Ik ging langzamer rijden, genoot van het uitzicht, lette op mensen die met een hond aan het rennen waren en andere kleine ergernissen. Robin deed haar ogen open. 'Waarom stoppen we hier niet even?' De eerste parkeerkommen waren bezet door andere auto's. Een paar kilometer voorbij het kruispunt met Coldwater vond ik een plekje, overschaduwd door eucalyptussen. Ik zette er de auto neer en deed de koplampen uit. Net ver van Beverly Glen vandaan. Even naar het zuiden rijden en we zouden thuis zijn, of in elk geval zou ik dan thuis zijn.

Ze zat nog steeds tegen het portier aan en keek naar het dal.

'Mooi,' zei ik. Ik zette de auto op de handrem en rekte me uit.

Ze glimlachte. 'Net een prentbriefkaart.'

'Het is fijn bij je te zijn.' Ik pakte weer haar hand. Ditmaal kneep ze niet in de mijne. Haar huid was warm maar inert.

'Hoe gaat het met je vriendin in Texas?' vroeg ze.

'Het gaat slechter met haar vader. Hij ligt in het ziekenhuis.'

'Vervelend.'

Ze draaide het raampje open, stak haar hoofd naar buiten.

'Alles met jou in orde?'

'Dat denk ik wel,' zei ze en trok haar hoofd weer naar binnen. 'Alex, waarom heb je me opgebeld?'

'Ik was eenzaam,' zei ik, zonder erbij na te denken. Het klonk meelijwekkend en dat stond me niet aan. Zij leek er echter door op te vrolijken. Ze pakte mijn hand en speelde met mijn vingers.

'Ik zou ook best een vriend kunnen gebruiken,' zei ze.

'Je hebt er al een.'

'Ik heb het niet makkelijk gehad. Ik wil niet gaan jammeren. Ik weet dat ik daar de neiging toe heb en daar verzet ik me tegen.'

'Ik heb je nooit als een jammerkont gezien.'

Ze glimlachte.

'Wat is er?'

'Dennis. Die klaagde vaak over mijn gejammer.'

'Dan kan die boerenkinkel een hoge boom in.'

'Hij is niet zomaar weggegaan. Ik heb hem buiten de deur gezet.'

Ik zei niets.

'Ik was zwanger geworden en heb abortus laten plegen. Heeft een week geduurd voordat ik dat besluit had genomen. Toen ik het tegen hem zei, was hij het er meteen mee eens. Bood aan ervoor te betalen.

Het maakte me boos dat hij er niet door in conflict kwam met zichzelf. Dat het zo eenvoudig voor hem was. Dus heb ik hem mijn huis uit getrapt.'

Opeens was ze de auto uit, liep naar de motorkap en bleef daar staan. Ik ging naast haar staan. Op de grond lag een dik tapijt van naalden van eucalyptusbladeren. Het rook er naar hoestdrankjes. Er reden een paar auto's langs, toen stilte, toen weer een optocht van koplampen. Eindelijk een stilte die voortduurde.

'Ik voelde me zo eigenaardig toen ik het had ontdekt,' zei ze. 'Ik walgde van mezelf omdat ik zo zorgeloos was geweest. Ik was ook blij dat ik, in biologische zin, tot een zwangerschap in staat was. En ik was bang.'

Ik bleef zwijgen, probeerde mijn eigen gevoelens te verwerken. Woede: al die jaren dat we samen waren geweest. De voorzichtigheid die wij hadden betracht. Verdriet...

'Je haat me,' zei ze.

'Natuurlijk niet.'

'Ik zou het je niet kwalijk nemen als je het wel deed.'

'Robin, zoiets kan gebeuren.'

'Het overkomt andere mensen.'

Ze liep verder. Ik sloeg mijn armen om haar middel, voelde weerstand, liet haar weer los.

'De procedure op zich stelde niets voor. Mijn gynaecologe heeft het in de behandelkamer gedaan. Zei dat we er heel vroeg bij waren. Alsof het een ziekte was. Vacuüm-extractor en een rekening voor de verzekeringsmaatschappij alsof het om een gewone curettage ging. Later heb ik kramp gehad, maar heel erg was het niet. Ik heb een paar dagen Tylenol geslikt en toen niets meer.'

Haar stem klonk nu vlak en dat maakte me van streek.

'Het belangrijkste is dat alles met jou in orde is,' zei ik en had het gevoel een zin uit een scenario voor te dragen.

'Daarna ben ik paranoïde geworden,' ging ze verder. 'Stel dat die extractor schade had aangebracht en ik nooit meer zwanger zou kunnen raken? Stel dat God me wilde straffen omdat ik het leven in mij had gedood?'

Ze liep een stukje verder. 'Iedereen praat er zo abstract over. Die paranoia heeft een maand geduurd. Ik kreeg uitslag, overtuigde mezelf ervan dat ik kanker had. De dokter zei dat er niets met me aan de hand was en ik geloofde haar. Toen ging het ook een paar dagen goed. Daarna kwamen die gevoelens weer terug. Ik heb ertegen gevochten en die strijd gewonnen. Overtuigde mezelf ervan dat ik zou blijven leven. Toen heb ik weer een maand lang aan één stuk door gehuild. Vroeg me af hoe het had kunnen zijn... Ook dat hield op. Maar iets van het trieste gevoel is gebleven, op de achtergrond. Het is er nog. Soms heb ik bij het glimlachen het gevoel te huilen. Het is alsof er een gat zit. Hier.' Ze wees op haar buik.

Ik pakte haar schouders en het lukte me haar om te draaien. Drukte haar gezicht tegen mijn colbertje.

'Met hèm, verdorie,' zei ze met haar gezicht tegen de stof. Toen dwong ze zichzelf me aan te kijken. 'Hij was net zoiets als een hap uit een snackbar, die een gaatje vult. Nogal obsceen dat het nu juist met hem is gebeurd, vind je ook niet? Net zoiets als een van die afschuwelijke grappen die vanavond werden gedebiteerd.'

Ze had droge ogen. Mijn ogen begonnen zeer te doen.

'Alex, soms lig ik 's nachts nog wakker en vraag me dingen af. Het lijkt alsof ik ben veroordeeld tot afvragen.'

We staarden elkaar aan. Er kwam weer een karavaan auto's voorbij.

'Wat een uitstapje, hè? Jammeren, jammeren en nog eens jammeren,' zei ze.

'Houd daarmee op. Ik ben blij dat je het me hebt verteld.'

'Echt waar?'

'Ja, ik... Ja.'

'Ik zal het begrijpen als je me haat.'

'Waarom zou ik je háten?' vroeg ik, opeens boos. 'Ik kòn geen rechten op je doen gelden. Het heeft niets met mij te máken gehad.'

'Dat is waar,' zei ze.

Ik liet haar schouders los, hief mijn armen ten hemel, liet ze weer langs mijn lichaam vallen.

'Ik had mijn mond moeten houden,' zei ze.

'Nee, het hindert niet, al voel ik me op dit moment wel beroerd. Voornamelijk om wat jíj hebt moeten meemaken.'

'Voornamelijk?'

'Oké. Ik vind het ook vervelend geen deel van je leven te hebben uitgemaakt toen het gebeurde.'

Ze knikte triest, omarmde die somberheid. 'Jij zou hebben gewild dat ik het kind hield, hè?'

'Ik weet niet wat ik zou hebben gewild. Het is te theoretisch en het heeft geen zin het jezelf zo kwalijk te nemen. Je hebt geen misdaad gepleegd.'

'O nee?'

'Nee,' zei ik en pakte haar schouders weer vast. 'Ik ken het verschil. Mensen die met opzet wreed, bééstachtig, jegens elkaar zijn. God weet hoe vaak dat op dit moment gebeurt, daar in die lichtshow.'

Ik draaide haar om, zodat ze naar het dal kon kijken. Dat liet ze toe.

Ik ging verder. 'Het beroerde is dat degenen die zich schuldig zouden móeten voelen, zich nooit schuldig voelen. De goede mensen zijn degenen die zichzelf kwellen. Ga daar niet aan meedoen. Je bewijst niemand een dienst door geen onderscheid te maken.'

Ze keek me aan, leek te luisteren.

Ik zei: 'Je hebt een vergissing gemaakt, die binnen het grotere perspectief heus niet hemeltergend is. Je zult er bovenop komen. Je zult verder gaan. Als je baby's wilt hebben, zul je die krijgen. In die tussentijd moet je proberen een beetje van het leven te genieten.'

'Geniet jij van het leven, Alex?'

'Dat probeer ik in elk geval wel. Daarom neem ik knappe vrouwen een avondje mee uit.'

Ze glimlachte. Er rolde een traan over haar wang.

Ik sloeg mijn armen om haar heen, van achteren. Voelde haar buik. Stevige spieren onder een zacht laagje. Ik streelde haar buik.

Ze huilde.

'Toen je me opbelde, was ik blij en bezorgd,' zei ze.

'Bezorgd waarover?'

'Ik was bang dat het net zo zou worden als een paar dagen geleden. Niet dat ik daar niet van heb genoten. Het was geweldig. Voor het eerst in heel lange tijd dat ik weer echt genot heb ervaren. Maar daarna...' Ze legde haar hand op de mijne en drukte. 'Ik denk dat ik wil zeggen dat ik op dit moment een vriend echt goed zou kunnen gebruiken. Meer nog dan een minnaar.'

'Zoals ik al heb gezegd, heb je die ook.'

'Dat weet ik, door naar jou te luisteren en je zo te zien. Ja, dat weet ik.'

Ze draaide zich om en we omhelsden elkaar.

Een auto reed snel voorbij, en ving ons even in het licht van de koplampen. In het geopende raampje een tienergezicht: 'Maak er wat van, makker!'

We keken elkaar aan. En lachten.

Ze ging met me mee terug naar huis en ik maakte een warm bad voor haar klaar. Daar lag ze een half uurtje in te weken, kwam er roze en slaperig weer uit. We gingen in bed liggen en speelden gin rummy terwijl we afwezig naar een western op de televisie keken. Om twee uur 's nachts hadden we twaalf spelletjes gespeeld en ieder zes keer gewonnen. Het leek een goede tijd om te gaan slapen.

Die zaterdag belde Milo me niet terug. Geen nieuws uit San Labrador. Ik belde op, kreeg Madeleine weer aan de telefoon. Mij werd meegedeeld dat Melissa nog sliep.

Robin en ik brachten het merendeel van de dag samen door. Brunch en inkopen doen op Farmer's Market, een ritje naar de Self-Realization Fellowship in Pacific Palisades om naar het meer en de zwanen te kijken. Een licht diner in een visrestaurant in de buurt van Sunset Beach, toen om zeven uur terug naar haar huis, waar zij de band van haar antwoordapparaat afdraaide en ik de dienst belde om te vragen of er nog boodschappen voor me waren achtergelaten.

Niets voor mij, maar een beroemde zanger had haar de afgelopen drie uur drie keer per uur gebeld. Beroemde bariton, schor van paniek.

Rob, noodsituatie. Zondag concert in Long Beach. Net terug van een optreden in Miami. Patty's brug kapotgegaan door de vochtigheid. Rob, bel me op in de Sunset Marquis. Alsjeblieft, Rob. Ik blijf daar.

'Geweldig,' zei ze en zette het antwoordapparaat uit.

'Klinkt nogal ernstig.'

'Inderdaad. Als hij zelf opbelt in plaats van dat door een roadie te laten doen, betekent het dat hij een zenuwinzinking nabij is.'

'Wie is Patty?'

'Een van zijn gitaren. Een tweeënvijftig Martin D-achtentwintig. Hij heeft er nog twee. Laverne en... De andere ben ik vergeten. Ze zijn genoemd naar de Andrew Sisters. Hoe heette die andere ook al weer?'

'Maxene.'

'Inderdaad. Patty en Laverne en Maxene. Allemaal tweeënvijftigers, opeenvolgende serienummers. Ik heb instrumenten nog nooit zo hetzelfde horen klinken. Maar natuurlijk móet hij morgen op Patty spelen.'

Ze schudde haar hoofd en liep het keukentje in. 'Wil je iets drinken?'

'Nee, dank je.'

'Weet je dat zeker?' Gespannen, omkijkend naar de telefoon.

'Ja. Ga je hem niet opbellen?'

'Vind je dat niet erg?'

Ik schudde mijn hoofd. 'Ik ben best moe. Jij kunt een oude man behoorlijk uitputten.'

Ze wilde reageren, maar op dat moment rinkelde de telefoon. Ze nam op en zei: 'Ja, ik ben net thuis... Nee, je kunt hem beter hierheen brengen. Ik kan hem hier beter repareren... Oké, tot zo meteen.'

Ze hing op, glimlachte en haalde haar schouders op.

Ze liep met me mee naar de auto en kuste me licht. Een gesprek werd vermeden. Ik liet haar alleen om te werken en wilde zelf van het leven gaan genieten.

Daar was ik echter te onrustig voor. Nadat ik een eindje had gereden, hield ik halt bij een benzinestation en gebruikte de telefoon om nogmaals te proberen Milo te bereiken.

Nu nam Rick op. 'Alex, hij is net binnengekomen en meteen weer weggegaan. Zei dat hij nog een tijdje bezig zou zijn, maar dat je hem moest bellen. Hij heeft mijn auto genomen, met de telefoon. Ik zal je het nummer geven.'

Ik schreef dat op, bedankte hem, verbrak de verbinding en draaide het andere nummer. Milo nam meteen op.

'Sturgis.'

'Met mij. Wat is er aan de hand?'

'De auto is een paar uur geleden gevonden. Morris Dam, bij San Gabriel Canyon.'

'En...'

'Geen spoor van haar. Alleen de auto.'

'Weet Melissa het al?'

'Ze is hier. Ik heb haar opgehaald.'

'Hoe is het met haar?'

'Ze lijkt in een shock te verkeren. De paramedici hebben even naar haar gekeken en zeiden dat ze in lichamelijk opzicht in orde was, maar wel in de gaten moest worden gehouden. Kun jij me advies geven over hoe ik haar moet aanpakken?'

'Blijf bij haar en zeg me hoe ik bij jullie moet komen.'

23

Bij Lincoln draaide ik de hoofdweg op. Het was erg druk tot de afslag van de 134 in oostelijke richting. Bij Glendale werd het rustiger en toen ik in de buurt van de 210 was, had ik de hoofdweg voor mezelf. Ik reed sneller dan gewoonlijk, langs de noordkant van Pasadena, passeerde de oprit die Gina Ramp twee dagen daarvoor waarschijnlijk had genomen.

Eenzame weg, nog eenzamer gemaakt door de duisternis, de stad scheidend van de kalkachtige woestijn aan de voet van de San Gabriel Mountains. Bij daglicht zou je er de bouw van premiewoningen kunnen zien, van fabrieken. Nu was dat alles genadig aan het oog onttrokken door een avond zonder sterren aan de hemel. Een slechte avond om naar iemand te moeten zoeken.

Anderhalve kilometer voor de afrit naar Highway 39 ging ik langzamer rijden, om de plaats te kunnen bekijken waar de politieman de Rolls-Royce had gezien. De hoofdweg werd in tweeën gedeeld door cementen geluidsbarrières met de hoogte van een raam. Het enige dat de man had kunnen zien, zelfs voor een autoliefhebber als hij, moest de bovenkant van het radiateurscherm zijn geweest, en de kleur van de wagen.

Verbazingwekkend dat hij íets had gezien.

Maar hij had gelijk gehad.

Ik draaide de hoofdweg af, Azuza Boulevard op, en reed door de buitenwijken van een stad die oogde alsof zij de jaren vijftig nooit was vergeten. Bemande pompstations, kleine winkels, allemaal donker. Af en toe werd een bord leesbaar in het licht van een straatlantaren. TUIG EN ZADELS. CHRISTELIJKE BOEKHANDEL. BELASTINGADVISEUR. Iets verderop een moderne minimarkt, geopend, maar niemand in de winkel. De man achter de kassa leek te slapen.

Ik stak een spoorbaan over en Highway 39 veranderde in de San Gabriel Canyon Road. De Seville rammelde op oud asfalt, reed door een wijk vol trieste kleine huisjes en terreinen vol stacaravans, van de weg gescheiden door muren van sintels en cementblokken.

Geen graffiti. Dat betekende dat ik op het platteland moest zijn. Auto's en pickups stonden geparkeerd in kleine voortuinen. Oude auto's en pickups, geen enkele wagen die ooit klassiek zou worden. De Rolls zou hier even sterk zijn opgevallen als eerlijkheid tijdens een verkiezingscampagne.

De weg begon te klimmen, huizen moesten wijken voor stallen en paardenranches. Een verlicht bord honderd meter verderop markeerde de ingang van het Angeles Crest National Forest. Een kiosk waar men inlichtingen kon krijgen, was dichtgetimmerd. De lucht begon lekker te ruiken. Voor me zag ik een geasfalteerde tweebaansweg die door het graniet heen sneed. Verder duisternis.

Ik liet me de weg wijzen door mijn koplampen en blind vertrouwen. Ik ging nog harder rijden. Iets verderop hoorde ik een dof, mechanisch gestotter. Dat werd luider, oorverdovend, leek op me neer te dalen.

Bovenaan mijn voorruit zag ik twee sets kersrode lichten verschijnen. Ze kwamen omlaag, tot ze recht in mijn ogen schenen, gingen toen weer omhoog en naar het noorden. Zoeklichten van helikopters, die boomtoppen en spleten beschenen, over de berghellingen streken, in het oosten even iets glanzends lieten zien.

Na een bocht weer een glimp van water.

Daarna beton. Betonblokken, een glooiend afvoerkanaal.

Ik probeerde het licht van de schijnwerpers te volgen, zag de dam vierhonderd meter boven het wateroppervlak uitsteken.

Waterbouw-architectuur met ronde hoeken.

Naast de weg een bord. MORRIS DAM EN RESERVOIR. L.A. VLOEDKE-RING.

Het was lang geleden dat een vloedkering in het zuidelijke deel van Californië nodig was geweest. De huidige droogte duurde al vier jaar. Toch moest het reservoir heel diep zijn. Honderden miljoenen liters water, inktzwart, geheimzinnig.

Milo had me gezegd dat ik in de buurt van de dam moest letten op een smalle weg. De eerste twee weggetjes die ik zag, waren afgesloten door een hek. Een kleine acht kilometer verderop, waar de weg een scherpe bocht maakte om de noordelijke rand van het reservoir heen, zag ik de door hem bedoelde weg: lichtbakens, amberkleurige zwaai-lichten op oranje en witte schragen. Diverse voertuigen, sommige met stationair draaiende motor, die witte rook de uitlaat uitstootte. Politiemensen uit Azuza, blanken en zwarten. Sheriffs uit Los Angeles. Drie jeeps van parkwachters. Ambulance van de brandweer.

Achter een van de jeeps buitenlandse wagens. Ricks witte Porsche en een witte Mercedes 560 SEC. Met dure wieldoppen.

Een hulpsheriff stapte de weg op en hield me staande. Een jonge vrouw met een blonde paardestaart. Een figuur dat het beige uniform meer stijl gaf dan het verdiende.

Ik stak mijn hoofd naar buiten door het geopende portierraam.

'Sorry, meneer, maar deze weg is afgesloten.'

'Ik ben psycholoog en de dochter van mevrouw Ramp is mijn pa-tiënte. Mij is gevraagd hierheen te komen.'

Ze vroeg me naar mijn naam, naar papieren om dat te verifiëren. Nadat ze mijn rijbewijs had bekeken, zei ze: 'Een moment. Wilt u de motor alvast afzetten?'

Ze liep naar de zijkant van de weg, sprak in een radio en liep knikkend naar me terug.

'U kunt uw auto hier laten staan, met de sleuteltjes erin. Mits u het niet erg vindt dat ik hem wegrijd als dat nodig mocht zijn.'

'Geen probleem.'

'Ze zijn allemaal daar beneden. Loopt u voorzichtig, het is behoorlijk steil.' Ze wees op een openstaand hek.

Het pad liep tussen mesquitebomen en jonge coniferen door en had de breedte van één voertuig. Het was geplaveid, maar zo te voelen pas kort geleden. Het asfalt had een lichtremmende werking, maar toch moest ik schuin lopen om mijn evenwicht niet te verliezen op de helling van vijftig graden.

Pas toen ik zo'n vierhonderd meter had gelopen, kon ik beneden een vlak stuk grond zien dat naar een kleine houten steiger leidde die tegen de oever van het reservoir stootte. Op hoge palen waren sterke lantarens bevestigd. Er liepen veel geüniformeerde mensen rond. Ze keken naar iets links van de steiger, probeerden boven het geraas van de helikopters uit te komen wanneer ze iets zeiden. Vanaf de plaats waar ik stond, kon ik niets verstaan.

Ik liep verder naar beneden en zag wat een ieders aandacht had getrokken: een Rolls-Royce, het achterste deel in het water, de voorwielen een eind boven de grond. Het portier aan de bestuurderskant hing open aan scharnieren die aan de middenpost waren bevestigd. Portieren die oude Lincoln Continentals ook hadden: zelfmoordportieren.

Ik zag Don Ramp in hemdsmouwen naast Chickering naar de auto staan staren. Hij hield een hand op zijn hoofd en had met zijn andere stof van zijn pantalon vastgepakt, alsof hij letterlijk probeerde niet uit elkaar te vallen.

Milo zag ik niet direct. Op een gegeven moment ontdekte ik hem buiten de lichtcirkels. Hij had een geruit shirt en een spijkerbroek aan en hield een arm om Melissa heen geslagen. Over haar schouders lag een donkere deken. Ze stonden met hun rug naar de auto toe. De lippen van Milo bewogen zich. Ik kon niet zien of Melissa naar hem luisterde.

Ik liep naar hen toe.

Milo zag me aankomen en fronste zijn wenkbrauwen.

Melissa keek mijn kant op, maar maakte zich niet los uit Milo's arm. Haar gezicht was wit en bewegingloos, als een Kabuki-masker.

Ik liet haar naam over mijn lippen komen.

Ze reageerde niet.

Ik pakte haar beide handen en kneep erin.

'Ze zijn nog beneden,' zei ze met een heel vlakke stem.

'De duikers,' zei Milo als een ervaren tolk.

Een van de helikopters cirkelde laag rond boven het reservoir, gebruikte de felle lamp om het zwarte water her en der te verlichten. Iemand schreeuwde. Melissa trok haar handen los en draaide zich om, in de richting van dat geluid.

Een van de parkwachters was met een zaklantaren bij de oever in de weer. Er kwam een duiker in een duikpak omhoog. Hij trok zijn masker weg en schudde zijn hoofd. Toen hij uit het water stapte, kwam er een andere duiker omhoog. Beiden begonnen hun tanks los te gespen, evenals hun loodceinturen.

Melissa kreunde als een knarsende versnellingsbak en schreeuwde: 'Nee!' Toen rende ze hun kant op. Milo en ik gingen achter haar aan. Ze stond bij de duikers en schreeuwde: 'Nee! Jullie mogen er nu niet mee ophouden!'

De duikers deden een paar stappen naar achteren en legden hun spullen op de grond. Ze keken naar Chickering, die hun kant op was gekomen, samen met een hulpsheriff. Enkele andere mannen keken onze kant op. Ramp leek nog steeds alleen naar de auto te kunnen kijken.

'Hoe is de stand van zaken?' vroeg Chickering aan de duikers. Hij droeg een donker kostuum, wit overhemd, donkere das. Op de neuzen van zijn schoenen zat modder. Achter hem verzamelden zich uniformen, waakzaam, als een nachtploeg die dolgraag op pad wilde gaan.

'Pikzwart,' zei een van de duikers. Hij keek even ongemakkelijk Melissa's kant op en concentreerde zich toen weer op de inspecteur van de politie van San Labrador. 'Echt pikdonker, meneer.'

'Gebruik dan lampen!' schreeuwde Melissa. 'Mensen duiken 's nachts altijd met lampen erbij.'

'Juffrouw,' zei de duiker. 'We...' Hij zocht naar woorden. Hij was jong, niet veel ouder dan zij. Sproeten, donzig blond snorretje onder een vervellende neus. Algen hingen aan zijn kin. Hij begon te klappertanden en moest zijn kaken op elkaar klemmen om daar een einde aan te maken.

De andere duiker, die net zo jong was, zei: 'We hebben ook lampen gebruikt, juffrouw.' Hij boog zich en raapte iets op van de grond. Lamp in zwarte huls, bevestigd aan een stevig touw. Hij zwaaide de lamp een paar keer door de lucht en legde hem toen weer neer. 'Deze lampen zijn uitermate geschikt voor dit soort... Het probleem is dat het hier zelfs bij daglicht behoorlijk donker is. 's Nachts...' Hij schudde zijn hoofd, wreef zijn armen warm, keek naar de grond.

De blonde duiker had van die gelegenheid gebruik gemaakt om verder weg te lopen. Hij ging op één been staan, trok een zwemvlies uit, ging op zijn andere been staan. Iemand gaf hem een deken die identiek was aan die welke Melissa over haar schouders had. De andere duiker keek er verlangend naar.

'Het is verdorie een reservoir!' riep Melissa. 'Het is drinkwater. Hoe kan dat nu modderig zijn?'

'Niet modderig, wel ondoorzichtig. Natuurlijke kleur van het water. Komt door de mineralen. Als u hier overdag komt, zult u een heel diepgroene kleur zien...' Hij zweeg en keek om zich heen, alsof de anderen zijn woorden moesten bevestigen.

De hulpsheriff liep naar voren. Hij zag eruit als een man van een jaar of vijfenvijftig en in zijn grijze ogen lag een vermoeide blik. Volgens zijn naamkaartje heette hij GAUTIER. Onder dat naamkaartje vele onderscheidingen.

'Juffrouw Dickinson, we doen echt alles om uw moeder te vinden,' zei hij en liet een regelmatig gebit zien, waarop tabaksvlekken zaten. 'De helikopters zullen verder zoeken en boven de hoofdweg halve cirkels draaien met een diameter van ruim dertig kilometer, waardoor ook de Crest Highway ruimschoots wordt meegenomen. Wat het reservoir betreft het volgende. De boten die de directie van de dam ter beschikking heeft gesteld zodra de auto was ontdekt, hebben het wateroppervlak letterlijk meter voor meter afgezocht. De helikopters doen dat nu nogmaals, om helemaal zeker van onze zaak te kunnen zijn. Maar in het water kunnen we op dit moment echt niets meer doen.'

Hij sprak zacht en nadrukkelijk, probeerde iets afschuwelijks over te brengen zonder afschuwelijk over te komen. Als Gina onder het wateroppervlak was, hoefde men geen haast te maken.

Melissa keek hem nijdig aan, kneedde haar handen, bewoog haar lippen.

Chickering fronste zijn wenkbrauwen en liep een stap dichter naar haar toe.

Melissa deed haar ogen dicht, hief haar handen ten hemel en slaakte een kreet die door merg en been ging. Toen sloeg ze beide handen voor haar gezicht, klapte dubbel, alsof ze kramp had. 'Nee, nee, nee!'

Milo wilde naar haar toe gaan, maar ik was er eerder en hij trok zich terug. Ik pakte haar schouders vast en trok haar naar me toe.

Ik hield haar stevig vast en geleidelijk aan ontspande ze zich. Te veel. Ik legde een vinger onder haar kin en duwde haar gezicht omhoog. Ze voelde koud aan, als plastic. Het leek alsof ik bezig was een etalagepop in de juiste houding te zetten.

Bij bewustzijn. Normaal ademhalend. Maar haar ogen waren statisch, konden zich niet richten. Ik wist dat ze op de grond zou vallen wanneer ik haar losliet.

De menigte geüniformeerde mannen keek toe. Ik nam haar mee.

Ze kreunde en daar reageerden enige mensen ontdaan op. Een man draaide zich om, gevolgd door anderen. Geleidelijk aan gingen allen terug naar de Rolls.

Chickering en Gautier bleven nog bij mij in de buurt staan. Chickering staarde me aan, verbaasd en geïrriteerd, schudde zijn hoofd en liep toen ook naar de Rolls. Gautier keek hem met opgetrokken wenkbrauwen na. Hij draaide zich naar mij om, observeerde Melissa even en keek bezorgd.

'Het is in orde,' zei ik. 'We gaan hier weg wanneer u daar geen bezwaar tegen hebt.'

Gautier knikte. Chickering keek naar het water.

Don Ramp stond alleen, tot zijn enkels in de modder. Op de een of andere manier leek hij opeens een breekbare, oude man te zijn geworden.

Ik probeerde zijn aandacht te trekken, meende dat ook te hebben gedaan toen hij zich naar mij toe draaide.

Maar hij staarde langs me heen met ogen die even modderig waren als zijn schoenen.

De helikopters waren verder gevlogen, in noordelijke richting, aan het gezoem te horen. Opeens leken mijn zintuigen te zijn verscherpt. Ik hoorde water op de oever klotsen. Ik rook het bladgroen van het lage struikgewas, de stinkende koolwaterstof van de lekkende brandstof van de voertuigen.

Melissa bewoog zich, leek ook bij haar positieven te komen.

Opende zich, als een wond. Huilde zacht, ritmisch, luider, een hoog gejank dat boven het water en de mannen op de oever danste.

Milo fronste zijn wenkbrauwen en verplaatste zijn gewicht van zijn ene voet op de andere. Hij had achter me gestaan en dat was me niet opgevallen.

Misschien kwam Ramp door die beweging bij uit zijn trance. Hij liep naar ons toe, een zestal wankele passen. Toen bedacht hij zich en draaide zich om.

24

Milo en ik namen Melissa mee naar mijn auto, we droegen haar half. Hij ging terug naar de Rolls en ik reed haar naar huis, klaar om aan een therapie te beginnen. Ze legde haar hoofd tegen de hoofdsteun en deed haar ogen dicht. Toen ik onderaan de bergweg was, snurkte ze zacht.

De hekken van het huis aan Sussex Knoll stonden open. Ik droeg haar naar de voordeur en klopte aan. Na wat een lange tijd leek deed Madeleine de deur open, gekleed in een witkatoenen kamerjas die ze tot haar hals had dichtgeknoopt. Geen verrassing op het brede gezicht; ze zag eruit als iemand die gewend was verdriet alleen te verwerken. Ik liep langs haar heen, de immense voorkamer in, en legde Melissa op een van de banken neer.

Madeleine liep snel weg en kwam terug met een deken en een kussen. Ze ging op haar knieën zitten, tilde Melissa's hoofd op, schoof het kussen eronder, trok haar gympjes uit, legde de deken over haar heen en stopte de hoeken onder haar voeten.

Melissa draaide op haar zij, haar gezicht naar de rugleuning van de bank. Ze veranderde nog enige keren van houding, toen kwam er een hand te voorschijn, met uitgestoken duim. De hand wurmde zich helemaal onder de deken vandaan en de duim werd op de onderlip gelegd.

Madeleine zat nog altijd geknield en veegde het haar weg uit Melissa's gezicht. Toen ging ze staan, streek de kamerjas glad en keek me hard, hongerig aan, informatie eisend.

Ik kromde een vinger en ze liep achter me aan de kamer door, tot we buiten de gehoorsafstand van Melissa waren.

Toen we halt hielden, stond ze heel dicht bij me, moeizaam ademhalend, haar grote borsten zwoegend. Haar haren waren strak ingevlecht. Ze had wat eau de cologne opgedaan, die naar rozenwater rook.

'Alleen de auto, monsieur?'

'Helaas wel.' Ik vertelde haar over de zoekactie door helikopters.

Haar ogen bleven droog, maar ze veegde ze wel snel af met haar knokkels.

'Misschien is ze ergens in het park,' zei ik. 'Als dat zo is, zullen ze haar zeker vinden.'

Madeleine zei niets, trok aan een vinger tot die knakte.

Melissa maakte zuigende geluiden rond haar duim.

Madeleine keek naar haar en toen weer naar mij. 'Blijft u hier, monsieur?'

'Voorlopig wel.'

'Ik blijf hier ook, monsieur.'

'Prima, dan kunnen we om beurten de wacht houden.'

Daar reageerde ze niet op.

Ik vroeg me af of ze me soms niet goed had verstaan. 'We zullen om beurten bij haar waken, zodat ze niet alleen is.'

Ook daar reageerde ze niet op. Ze stond daar maar, als een blok graniet.

'Madeleine, wil je me iets vertellen?' vroeg ik.

'*Non*, monsieur.'

'Ga dan rustig slapen.'

'Ik ben niet moe, monsieur.'

We zaten elk aan een kant van de bank waarop Melissa doezelde. Madeleine stond een paar keer op om de deken recht te trekken, hoewel Melissa zich nauwelijks bewoog. Geen van ons beiden zei iets. Eens in de zoveel tijd knakte een vinger van Madeleine. Na de negende keer rinkelde de deurbel. Zo snel als haar forse gestalte dat toeliet liep ze naar de deur, maakte die open en liet Milo binnen.

'Monsieur Sturgis.' Opnieuw honger naar nieuws.

'Hallo, Madeleine.' Hij schudde zijn hoofd en gaf haar snel een klopje op haar hand. Toen keek hij langs haar heen en vroeg: 'Hoe gaat het met ons meisje?'

'Slaapt.'

Hij liep de kamer in en ging bij Melissa staan. Haar duim had ze nog in haar mond. Een paar plukken haar waren losgeraakt en bedekten haar gezicht als een sluier. Hij leek ze te willen wegvegen, hield zich in en fluisterde: 'Hoelang slaapt ze al?'

'Sinds ik haar in de auto heb gezet.'

'Kan dat kwaad?'

Wij liepen van de bank vandaan. Madeleine liep dichter naar Melissa toe.

'Gegeven de omstandigheden niet,' zei ik.

'Ik blijf bij haar, monsieur Sturgis,' zei Madeleine.

'Prima. Meneer Delaware en ik gaan naar de studeerkamer hier beneden.'

Ze knikte.

Terwijl Milo en ik naar de raamloze kamer liepen, zei ik: 'Je lijkt een vriendin te hebben gekregen.'

'Die ouwe Maddy? Niet direct een vrolijke tante, maar ze is loyaal en kan lekkere koffie zetten. Ze komt uit Marseille. Ik ben daar twintig jaar geleden geweest, op de terugweg vanuit Saigon.'

Op het kleine witte bureau lagen allerlei velletjes papier met aantekeningen van Milo. Op een schrijftafeltje nog meer aantekeningen en een telefoon. De antenne ervan was uitgeschoven. Milo duwde hem in.

'Hier is Melissa aan het werk geweest,' zei hij en wees op de tafel. 'Hier hebben we de Info Commando-centrale ingericht. Ze is een slim meisje. IJverig. We hebben de hele dag getelefoneerd. Daar werden we niets wijzer van, maar zij liet zich daardoor niet ontmoedigen. Ik heb jonge rechercheurs meegemaakt die lang niet zo goed met frustratie konden omgaan.'

'Zij was gemotiveerd.'

'Ja.' Hij ging achter het bureau zitten.

'Hoe hebben jullie die auto ontdekt?' vroeg ik.

'Om zeven uur hadden we even een eetpauze ingelast. Ze maakte een grapje. Zei dat ze niet naar Harvard zou gaan, maar privé-detective zou worden. Eerste keer dat ik haar zag glimlachen. Ik dacht dat ik haar in elk geval de kans bood haar gedachten te verzetten. Terwijl we aan het eten waren, heb ik routinematig Baldwin Park gebeld.

Deed ik één keer bij elke nieuw aangetreden ploeg, om mezelf niet onmogelijk te maken. Verwachtte niet er wijzer van te worden. Maar het meisje dat opnam, zei dat ze net een Rolls hadden gevonden en gaf toen nadere details. Melissa moet de blik op mijn gezicht hebben gezien, want ze liet haar eten vallen. Dus moest ik het haar vertellen en toen stond ze erop met me mee te gaan.'

'Beter dan hier te moeten rondhangen en afwachten.'

'Dat zal haast wel.' Hij stond op, liep naar de schrijftafel en wees met de neus van zijn schoen op een vlek in het tapijt. 'Tonijn met mayonaise. Fraaie vetvlek.'

Hij keek naar het portret van Goya en wreef in zijn ogen. 'Voordat dat gebeurde, heeft ze me iets verteld van alles wat ze heeft meegemaakt, hoe jij haar hebt geholpen. Het kind heeft in achttien jaar heel wat moeten verwerken. Ik heb haar te hard beoordeeld, nietwaar? Ik was te bevooroordeeld.'

'Kan gebeuren. Het hoort bij je beroep,' zei ik. 'Je hebt kennelijk iets goeds gedaan, want ze vertrouwt je.'

'Ik dacht echt niet dat het daar zo beroerd zou worden.' Hij draaide zich om en keek me aan. Voor het eerst zag ik dat hij zich nodig moest scheren en zijn haren vet waren. 'Wat een verdomde ellende.'

'Wie heeft de auto gevonden?'

'Een parkwachter die zijn normale ronde maakte. Hij zag het hek openstaan, wilde het dichtmaken en besloot toen een kijkje te gaan nemen. Daar beneden komen mensen die voor de dam werken, om watermonsters te nemen. Het gewone publiek mag er niet bij, want ze hebben geen behoefte aan lui die in het water pissen. Het hek was niet op slot, maar dat lijkt niet zo eigenaardig te zijn, want soms vergeten de mensen van de dam het af te sluiten. In elk geval had hij alsnog bijna niet de moeite genomen naar beneden te gaan om een kijkje te nemen.'

'Niemand heeft de wagen vanaf de dam gezien?'

Hij schudde zijn hoofd. 'Dat deel van het reservoir ligt een paar kilometer van de dam vandaan en de mensen daar houden hun ogen gewoonlijk gericht op meters en dergelijke apparatuur.'

Milo ging weer zitten, keek naar de papieren op het bureau, bladerde ze afwezig door.

'Wat denk jij dat er is gebeurd?' vroeg ik.

'Waarom ze daarheen is gereden en toen die weg af is gegaan? Wie zal het zeggen? Chickering heeft veel ophef gemaakt over die fobie van haar. Hij is ervan overtuigd dat ze de weg was kwijtgeraakt, in paniek raakte en op zoek was naar een plekje om zichzelf weer onder controle te krijgen. De anderen geloofden dat. Vind jij het een zinnige verklaring?'

'Misschien. Als ze ademhalingsoefeningen wilde doen en haar medicijn wilde innemen, moet ze behoefte hebben gehad aan privacy. Maar hoe is de auto in het water terechtgekomen?'

'Lijkt een ongeluk te zijn geweest. Ze had de auto dicht bij het water neergezet. Volgens de bandensporen vijfenveertig centimeter ervandaan. Versnelling stond in zijn vrij. Voor dat model moet je de versnelling in zijn achteruit zetten wanneer de motor niet meer draait. Ze was niet direct een ervaren chauffeur en men denkt dat ze de macht over de wagen heeft verloren en het water in is gerold. Oude Rolls-Royces schijnen servo-trommelremmen te hebben die pas na enige seconden in werking treden. Als de handrem niet is aangetrokken, kunnen ze nog wat doorrijden nadat het contactsleuteltje is omgedraaid en dan moet je echt hard op de gewone rem trappen om tot stilstand te komen.'

'Waarom is die auto dan niet helemaal in het water gerold?'

'Uit de muur van de dam steken stalen flenzen. Soort traptreden, voor het onderhoud. De achterwielen zijn tussen een paar van die dingen klem komen te zitten. Goed klem. Volgens de mensen van de sheriff zullen ze een windas nodig hebben om de wagen los te trekken.'

'Stond het portier bij de bestuurdersplaats open toen die parkwachter de wagen vond?'

'Ja. Het eerste dat hij heeft gedaan, was kijken of er iemand klem zat. De auto was leeg en het water reikte tot de stoelen. Het portier kan bij toeval open zijn gegaan. Het klapt naar achteren open en dus kan de zwaartekracht een rol hebben gespeeld. Het kan ook zijn dat ze heeft geprobeerd eruit te komen.'

'Hoe denkt men in het algemeen over de vraag of haar dat laatste is gelukt?'

Hij keek weer naar de papieren, pakte er een paar, verfrommelde ze, liet ze als een bal op het bureau liggen. 'Men denkt dat ze haar hoofd heeft gestoten toen ze probeerde uit de wagen te komen, of door de schrik buiten bewustzijn is geraakt en in het water is gevallen. Het reservoir is diep, ook al is het hier al zo lang droog. Verder geen aflopende bodem zoals bij een zwembad. Ze zou binnen een paar seconden diep zijn gezonken. Melissa zei dat ze niet goed kon zwemmen. Dat ze het zwembad hier al in geen jaren had gebruikt.'

'Melissa heeft gezegd dat ze water haatte,' zei ik. 'Dus wat had ze daar dan in vredesnaam te zoeken?'

'Wie zal dat verdomme kunnen zeggen? Misschien hoorde het bij haar zelf-therapie. Iets onder ogen zien dat je angst aanjaagt. Vind je dat zinnig?'

'Nee,' zei ik. 'Kun je je je eigen commentaar nog herinneren toen die auto voor het eerst was gesignaleerd? We waren op de kaart naar de 210 aan het kijken en jij dacht dat het onwaarschijnlijk was dat ze naar het noorden was gegaan, naar Angeles Crest, omdat dat lastig terrein is.'

'Wat wil je daar precies mee zeggen?'

'Dat weet ik niet. Maar dit idee van een tragisch voorval is volledig gebaseerd op de veronderstelling dat ze alleen was. Stel dat iemand met haar mee is gegaan en zich zo van haar heeft ontdaan? Het lichaam heeft verzwaard om zeker te weten dat het zou zinken, toen heeft geprobeerd de wagen het water in te duwen, om de indruk van een ongeluk te wekken, wat faalde door die flenzen?'

'Waar had die andere persoon dan naar toe moeten gaan?'

'Het bos daar is immens groot. Je hebt ooit zelf tegen me gezegd dat je daar een lijk prima zou kunnen verbergen.'

'Ik wist niet dat je zo aandachtig naar me luisterde.'

'Dat doe ik altijd.'

Hij verfrommelde nog enige papieren en streek met een hand over zijn gezicht.

'Alex, ik werk al heel wat jaren bij de politie, dus hoef je me er niet toe over te halen van mensen het slechtste te verwachten. Tot dusverre schreeuwt echter niets in de richting van vuil spel. Zeg me maar eens wie en waarom.'

'Wie verdenk je gewoonlijk het eerst wanneer een rijke vrouw overlijdt?'

'De echtgenoot. Maar deze man profiteert er niet van, dus wat zou zijn motief kunnen zijn?'

'Misschien profiteert hij er wel van. Ondanks de opmerkingen van Anger en die notaris kan een voor een huwelijk gesloten overeenkomst wel degelijk worden aangevochten. Gezien de grootte van de eventuele erfenis zou hij al veel wijzer worden van een toewijzing van een of twee procent. Uitkeringen van levensverzekeringen kunnen worden opgenomen zonder notarissen en accountants in te schakelen. Verder heeft hij nog een geheim.' Ik vertelde hem wat ik in Malibu had gehoord.

Hij schoof de stoel achteruit naar de boekenplanken, strekte zijn benen maar leek zich nog niet comfortabel te hebben geïnstalleerd. 'Die ouwe macho-Don heeft dan inderdaad een groot geheim.'

'Dat zou kunnen verklaren waarom hij zo vijandig was toen hij jou voor het eerst ontmoette. Van de televisie wist hij wie jíj was en hij zal zich wel zorgen hebben gemaakt dat jij dit van hem wist.'

'Hoe had ik dat nu in vredesnaam kunnen weten?'

'Gemeenschappelijke contacten in de homo-wereld?'

'Hmmm. Ik ben inderdaad een activist en heb een rechtstreekse verbinding met de homo-wereld.'

'Hij had dat op geen enkele manier kunnen weten tenzij hijzelf actief
is in dat wereldje. Gegeven het feit dat hij de mensen van San Labrador van eten voorziet, acht ik dat onwaarschijnlijk. Misschien
was het geen rationele reactie. Misschien voelde hij jouw aanwezigheid als een bedreiging. Deed die hem denken aan zijn geheim.'

'Een bedreiging. Weet je dat ik ook aan de mogelijkheid heb gedacht
dat hij iets van mij wist? Ik dacht dat hij een homofobische fascist
was, die me de deur uit wilde zetten, maar daar toch van afzag. Omdat hij het leek te vergeten, heb ik dat tot nu toe eigenlijk ook gedaan.'

'Toen hij eenmaal inzag dat je je op Gina concentreerde en niet op
hem, zal hij wel hebben gedacht dat zijn geheim veilig was.'

Milo glimlachte zuur. 'Het heeft niet lang geduurd voordat zijn geheim geen geheim meer was.'

'Nu ik er nog eens over nadenk, vermoed ik dat hij er van het begin
af aan aan heeft gedacht. Hij was de eerste die melding maakte van
het strandhuis en heeft daar twee keer naar toe gebeld. Hij zal wel
hebben gedacht dat dat voldoende zou zijn. Hij kon op geen enkele
manier weten dat ik erheen zou gaan. Zelfs toen is het nog toeval
geweest dat ik het heb ontdekt. Als Nyquist het er niet iets te dik
bovenop had gelegd met die twee meisjes en ik hen later niet opnieuw
tegen was gekomen, zou ik niets hebben vermoed.'

'Wat is die Nyquist verder voor een figuur?'

'Blond, knap om te zien, doet aan gewichtheffen, surft. Volgens de
meisjes lopen mannen bij hem in en uit. Hij beweert hen te trainen.'

'Wat een cliché.'

'Vond ik ook, toen ik vermoedde dat Gina met hem aan het romme-
len was.'

Hij trok zijn wenkbrauwen op. 'Wanneer was dat?'

'Helemaal aan het begin, maar ik ben me er gisteren pas echt bewust
van geworden. De eerste keer dat ik hier was, waren Gina en ik beneden naar Melissa aan het zoeken, na hun ruzie. Ramp en Nyquist
kwamen thuis van een partijtje tennis. Toen ging Ramp weg om te
douchen en bleef Nyquist om onduidelijke redenen rondhangen. Hij
vroeg Gina om iets te drinken en op de een of andere manier klonk
dat geil. Niet expliciet. Het kwam door de manier waarop hij het zei.
Ze moet het ook hebben gehoord, want ze zette hem meteen op zijn
plaats. Dat vond hij niet prettig, maar hij hield zijn mond. Het duurde alles bij elkaar nog geen minuut en ik was het vergeten tot ik

Nyquist met die meisjes op het strand voor dekhengst zag spelen. Toen vertelden die meisjes me over hem en Ramp en besefte ik dat het allemaal slechts camouflage moest zijn geweest.'

'Misschien was het dat niet.'

'Hoe bedoel je dat?'

'Misschien is Todd een creatief heerschap.'

'Die van beide walletjes eet?'

Hij glimlachte. 'Dat is wel eens eerder gebeurd.'

Ik was al die tijd blijven staan, besefte dat en ging zitten.

'Geld, jaloezie en hartstocht,' zei ik. 'Een bundel klassieke motieven voor de prijs van één. Kun je je nog herinneren dat Melissa zei dat Gina vriendelijkheid en verdraagzaamheid in een man waardeerde? Misschien vond ze Ramp aardig omdat hij niet alleen tolerant stond tegenover haar fobie. Misschien doelde ze op het feit dat hij haar gerommel met Nyquist aanvaardde en/of enige andere seksueel ge-kleurde verkenningstochten. Stel echter dat die verdraagzaamheid niet wederzijds was? Ontrouw is iets anders dan het laten blijken van een seksuele voorkeur die niet algemeen wordt geaccepteerd. Als Gina heeft ontdekt dat ze Nyquist met Ramp moest delen, kan dat haar gek hebben gemaakt.'

'Ze had ook gek kunnen worden van het feit dat Ramp homo of biseksueel was zònder dat zij en Nyquist iets hadden,' zei Milo.

'Hoe dan ook, ze kan iets hebben ontdekt waardoor ze tot de con-clusie kwam dat het welletjes was. Dat het tijd was om te ontsnappen, psychisch en fysiek. Om een reuzenstap te nemen door een open deur.'

'Ramp zal niet blij zijn als ze hem buiten de deur zet.'

Ik knikte. 'Geen landhuis, geen strandhuis, geen tennisbaan meer. Mensen raken gewend aan een zekere luxe. En als men ooit de reden zou ontdekken waarom ze zich van hem heeft laten scheiden, zou hij heel wat meer verliezen dat luxe alleen. Dan zou hij San Labrador moeten verlaten.'

'Het kan zijn dat ze zijn geheim bewust in de openbaarheid heeft willen brengen,' zei Milo. 'Als mensen boos zijn kunnen ze zoiets doen, zonder zich iets aan te trekken van de mogelijke consequenties.'

'Dat is waar, maar ik heb niets gemerkt van vijandigheid tussen Gina en Ramp. Melissa ook niet en je kunt er zeker van zijn dat ze daar terdege op heeft gelet.'

'Ja,' zei Milo. 'Maar ze zijn beiden acteur geweest. Dus moeten ze huwelijksgeluk hebben kunnen voorwenden. Is dat niet de normale gang van zaken in San Labrador? De stiff upper lip tot in het extreme doorgevoerd?'

'Inderdaad. Wat kunnen we verder doen?'

'Als je wilt vragen of ik Chickering of de sheriffs ertoe zou kunnen overhalen een onderzoek naar Ramp in te stellen op basis van zijn privé-seksleven, kun je het antwoord zelf wel bedenken. Moet ik er zelf eens dieper induiken? Dat zou mijns inziens geen kwaad kunnen.'

'Nog een dagje naar het strand?' vroeg ik.

'Help me onthouden dat ik mijn surfplank meeneem.'

'Heb je McCloskey nog gezien?'

'Ik ben er vanmiddag naar toe gegaan. Hij sliep toen ik arriveerde. Ik heb mijn hele repertoire afgedraaid, maar niets kon hem uit zijn evenwicht brengen. Ik begin te denken dat die man echt maf is. Niets in de bovenkamer.'

'Dat betekent niet zonder meer dat hij niet iemand in de arm kan hebben genomen om haar opnieuw te grazen te nemen.'

Hij gaf geen antwoord, leek met zijn gedachten elders te zijn.

'Wat is er?'

'Ik denk na over Ramp. Het zou prettig zijn te weten in hoeverre Gina van zijn seksuele voorkeur op de hoogte was. Denk je dat ze erover heeft gesproken met die therapeuten?'

'Dat is mogelijk, maar ik denk niet dat we dat ooit van hen te horen zullen krijgen.'

'Hebben dode mensen ook recht op de bescherming van in vertrouwen gegeven informatie?'

'In ethisch opzicht wel. Hoe het juridisch zit, weet ik niet precies. Als er een vermoeden van een vuil spel bestaat, kan het zijn dat ze uiteindelijk worden gedwongen hun dossiers ter inzage te geven. Verder zullen ze dergelijke informatie beslist niet uit zichzelf verstrekken. Publiciteit kan voor hen slechts schadelijk zijn.'

'Inderdaad. Een patiënte in een meer zal hun niet direct de Nobelprijs voor de geneeskunde bezorgen.'

Ik dacht terug aan het zwarte water en bleef daaraan denken. Ruim dertig meter diep, troebel water. 'Als ze op de bodem van dat reservoir ligt, hoe groot is dan de kans dat haar lichaam wordt gevonden?'

'Klein. Zoals die duiker al zei, is het een immens groot reservoir en is het water troebel. Je kunt het niet leegpompen zoals je dat met een meer eventueel zou kunnen doen. Bovendien is het zo diep dat men wellicht diepzee-uitrustingen nodig heeft. We hebben het dus over veel geld en veel tijd, met weinig kans op succes. De mensen van de sheriff stonden niet direct te springen om de daarvoor benodigde formulieren in te vullen.'

'De sheriff heeft daar de jurisdictie?'

'Hmmm. Chickering was blij dat met nadruk te kunnen verklaren. Men was algemeen van mening dat de natuur maar zijn loop moest hebben.'

'Wat betekent?'

'Wachten tot ze aan het wateroppervlak komt drijven.'

Ik stelde me dat voor en vroeg me af hoe ik Melissa zou kunnen troosten als dat gebeurde.

Ik vroeg me af wat ik haar moest vertellen wanneer ze wakker werd...

'Denk jij dat er een kans is dat ze uit de auto is ontsnapt en terug is gekomen naar de oever?'

Hij keek me verbaasd aan. 'Ben je van plan je moord-scenario te laten voor wat het is?'

'Ik ben de alternatieven aan het bekijken.'

'Als dat zo is, waarom heeft ze dan niet gewoon bij de weg gewacht tot er iemand langskwam? Veel verkeer is er niet, maar op een gegeven moment zou ze zijn gevonden.'

'Ze kan in een shocktoestand hebben verkeerd, gedesoriënteerd zijn geraakt. Ze kan zelfs haar hoofd hebben verwond en af en toe het bewustzijn hebben verloren.'

'Ze hebben geen bloedsporen gevonden.'

'Je hoeft niet te bloeden als je een hersenschudding hebt.'

'Ergens naar toe gelopen... Als je zoekt naar een goede afloop, geef ik je weinig kans. Tenzij die helikopters haar verdomd snel vinden. Er zijn meer dan vijftig uren verstreken. Als ik zou mogen kiezen op welke manier ik dood wilde gaan, zou ik de voorkeur geven aan het meer.'

Hij ging weer staan. Begon te ijsberen.

'Kun je tegen nog meer narigheid?' vroeg hij.

Ik spreidde mijn armen, stak mijn borst vooruit. 'Kom maar op.'

'Er zijn minstens twee andere scenario's die we nog niet in overweging hebben genomen. Een: ze heeft de oever bereikt, wachtte bij de weg en is door iemand opgepikt. Iemand die geen goede bedoelingen met haar had.'

'Een psychopatische chauffeur?'

'Alex, het is een alternatief. Aantrekkelijke vrouw in een natte jurk, hulpeloos. Dat zou mensen met een bepaalde... smaak aanspreken. We hebben het vaak genoeg gezien. Vrouwen die op een hoofdweg waren gestrand en werden meegenomen door een goede Samaritaan die geen goede Samaritaan bleek te zijn.'

'Niemand verdient zoveel lijden.'

'Sinds wanneer heeft verdienen met zoiets wat te maken?'

'Wat is het tweede alternatief?'

'Zelfmoord. Gautier, de sheriff, opperde dat idee. Meteen nadat Melissa en jij waren vertrokken, begon Chickering aan iedereen te vertellen dat jij haar psychiater was en stak toen een hele monoloog af over de problemen van Gina. Slechte genen. Hij zei dat er in San Labrador veel excentrieke mensen woonden. Hij mag dan de paleizen van rijke mensen bewaken, maar erg aardig vindt hij hen niet. In elk geval kwam Gautier toen met dat idee van een zelfmoord. Er zijn kennelijk wel eens eerder mensen in het reservoir gesprongen. Chickering vond het prachtig.'

'Wat had Ramp daarop te zeggen?'

'Ramp was er niet. Chickering zou zijn mond niet hebben opengetrokken als Ramp erbij was geweest. Hij besefte niet eens dat ik meeluisterde.'

'Waar was Ramp?'

'Op de hoofdweg. Hij begon er beroerd uit te zien en het ambulancepersoneel heeft hem toen meegenomen naar de ambulance, voor een ECG.'

'Is alles met hem in orde?'

'Het ECG was in orde, maar hij zag er echt beroerd uit. Toen ik wegging, kreeg hij nog steeds thee en medeleven.'

'Was hij toneel aan het spelen?'

Milo haalde zijn schouders op.

'Ondanks de ideeën van Chickering denk ik niet aan een zelfmoord,' zei ik. 'Toen ik met haar sprak, wees helemaal niets op een depressie. Integendeel. Ze was optimistisch. Twintig jaar lang zijn pijn en ellende haar deel geweest en in die tijd heeft ze alle gelegenheid gehad om over een zelfmoord te denken. Waarom zou ze die dan wel serieus in overweging nemen wanneer ze eindelijk enige vrijheid heeft?'

'Vrijheid kan angstaanjagend zijn.'

'Een paar dagen geleden meende jij nog dat ze door die vrijheid high kon zijn geworden en naar Vegas was gereden om er eens uitgebreid van te genieten.'

'Een mening kan veranderen,' zei hij. Toen: 'Het lijkt jou altijd te lukken mijn leven gecompliceerder te maken.'

'Wat is een betere basis voor een vriendschap?'

25

We gingen naar Melissa kijken. Ze lag op haar zij, met haar gezicht naar de rugleuning van de bank, de deken om zich heen als een strakke cocon.

Madeleine zat bij haar voeten op de bank. Slechts een klein deel van haar stevige billen maakte contact met het kussen. Ze was iets aan het haken, vormloos en roze, en concentreerde zich op haar handen. Ze keek op toen we binnenkwamen.

'Is ze wakker geweest?' vroeg ik.

'*Non*, monsieur.'

'Is meneer Ramp al thuis?' vroeg Milo.

'*Non*, monsieur.' Haar vingers hielden op met haken.

'Zullen we haar naar bed brengen?' stelde ik voor.

'*Oui*, monsieur.'

Ik tilde Melissa op en droeg haar de trap op, naar haar kamer. Madeleine en Milo kwamen achter me aan. Madeleine deed het licht aan, dimde dat, sloeg de dekens op het hemelbed terug. Ze was lang bezig met het instoppen van Melissa, trok toen een schommelstoel naar het bed en ging zitten. Uit een zak van haar kamerjas haalde ze het haakwerk te voorschijn en legde het op haar schoot. Ze bleef heel stil zitten, zorgde ervoor niet te schommelen.

Melissa ging anders liggen, op haar rug. Haar mond hing open en ze haalde langzaam en regelmatig adem.

Milo keek er even naar en zei toen: 'Ik ga weg. Wat doe jij?'

Ik herinnerde me de angst van een klein meisje en zei: 'Ik blijf nog even.'

Milo knikte.

'Ik blijf ook,' zei Madeleine en pakte het handwerkje.

'Prima,' zei ik tegen haar. 'Ik ga naar beneden. Roep me als ze wakker wordt.'

'*Oui*, monsieur.'

Ik ging in een van de fauteuils zitten en dacht aan de dingen die me uit mijn slaap hielden. De laatste keer dat ik op mijn horloge keek, was het even na enen. Ik viel in slaap, zittend, werd wakker met stijve ledematen en een kurkdroge mond, mijn armen vol tatoeages.

Verward, slaperig, ging ik rechtop zitten. De tatoeages veranderden van kleur.

Blauwe, rode, groene vlekken.

Het zonlicht kwam door de kanten vitrage naar binnen, door het glas-in-lood.

Zondag.

Ik had het gevoel heiligschennis te hebben gepleegd: alsof ik in een kerk in slaap gevallen was.

Tien voor half acht.

Doodstil huis.

Het rook er muf. Misschien had het er altijd al zo geroken.

Ik wreef in mijn ogen en probeerde helder na te denken. Met enige pijn ging ik staan, streek mijn kleren glad, liet een hand over de baardstoppels glijden, rekte me uit tot het me duidelijk werd dat de stijfheid niet van zins was meteen te verdwijnen.

In de gastenbadkamer bij de grote hal plensde ik water in mijn gezicht, masseerde mijn schedel. Toen ging ik naar boven.

Melissa sliep nog, haren op het kussen uitgespreid, te perfect om toeval te kunnen zijn.

Het deed me denken aan een Victoriaanse begrafenisfoto. Engelachtige kinderen in met kant beklede kisten.

Ik zette dat idee van me af en glimlachte Madeleine toe.

Het roze ding was nog steeds vormloos, maar wel een stuk groter. Ik vroeg me af of ze had geslapen. Haar voeten waren bloot en groter dan de mijne. Op de grond naast de schommelstoel stonden netjes een paar corduroy pantoffels. Daarnaast een telefoon, die ze van het nachtkastje van Melissa had gepakt.

'*Bonjour*,' zei ik.

Ze keek op, grimmig, met heldere ogen, handwerkte sneller.

'Monsieur.' Ze boog zich en zette de telefoon op zijn plaats terug.

'Is meneer Ramp thuisgekomen?'

Blik op Melissa. Hoofdschudden. De stoel kraakte.

Melissa deed haar ogen open. Madeleine keek me beschuldigend aan. Ik liep naar het bed toe.

Madeleine begon te schommelen. De stoel klaagde luider.

Melissa keek me aan.

Ik glimlachte en hoopte dat ik er niet te beroerd uitzag.

Haar ogen werden groter. Ze bewoog haar lippen, leek ergens mee te worstelen.

'Hallo,' zei ik.

'Ik... wat...' Haar ogen schoten onrustig heen en weer, bleven dat doen. Een uitdrukking van paniek op haar gezicht. Ze liet zich terugvallen in het kussen, deed haar ogen dicht en weer open.

Ik ging zitten en pakte haar hand. Zacht en warm. Voelde haar voorhoofd. Warm, maar niet koortsig.

Madeleine schommelde sneller.

Melissa kneep in mijn vingers. 'Ik... wil... mamma.'

'Ze zijn haar nog steeds aan het zoeken, Melissa.'

'Mamma.' Tranen. Ze deed haar ogen dicht.

Madeleine was er, met een zakdoek voor Melissa en een verwijtende blik voor mij.

Even later sliep Melissa weer.

Ik wachtte tot ze dieper in slaap was, kreeg wat ik nodig had van Madeleine en liep terug naar beneden.

Lupe en Rebecca waren aan het stofzuigen en het schoonmaken. Toen ik langs hen liep, wendden ze hun ogen af.

Ik ging het huis uit, het roestige licht in dat het bos om het huis heen een grijze tint gaf. Ik maakte het portier van de Seville open en op dat moment kwam een witte Saab Turbo keihard de oprit op. Hij stopte. Het contactsleuteltje werd omgedraaid en beide Gabney's stapten uit. Ursula had gereden.

Ze had een strak grijs pakje aan met een witte blouse en was minder opgemaakt dan in de kliniek. Ze zag er vermoeider, maar ook jonger uit. Alle haartjes op hun plaats, echter zonder glans.

Haar echtgenoot had de cowboy-uitrusting verwisseld voor een bruin jasje, een beige pantalon, schoenen van chocoladebruin suède, een wit overhemd en een groene das.

Ze wachtte tot hij haar arm had vastgepakt. Het verschil in lengte tussen hen leek bijna komisch, maar dat effect werd weerlegd door hun zeer ernstige gezichtsuitdrukking. Ze liepen naar me toe, keurig in de pas, als slippedragers.

'Doctor Delaware, we hebben de politie regelmatig gebeld en net het afschuwelijke nieuws van inspecteur Chickering gehoord,' zei Leo Gabney. Zijn vrije hand veegde zijn hoge voorhoofd af. 'Afschuwelijk.'

Zijn vrouw beet op haar lip. Hij gaf haar een klopje op haar arm.

'Hoe is het met Melissa?' vroeg ze heel zacht.

'Die slaapt,' zei ik en verbaasde me over die vraag.

'O?'

'Dat lijkt op dit moment de beste manier waarop ze zich kan verdedigen.'

'Niet ongewoon,' zei Leo. 'Terugtrekken uit zelfbescherming. Ik twijfel er niet aan dat u weet hoe belangrijk het is haar goed in de gaten te houden, omdat het soms het begin kan zijn van een langdurige depressie.'

'Ik zal haar in de gaten houden,' zei ik.

'Heeft ze iets gekregen om haar te laten slapen?' vroeg Ursula.

'Voor zover ik weet niet.'

'Goed. Ze kan beter geen tranquillizers krijgen. Om...' Ze beet weer op haar lip. 'Het spijt me zo. Ik... Dit is echt...' Ze schudde haar hoofd, zoog haar lippen naar binnen, keek naar de lucht. 'Wat kun je op zo'n moment zeggen?'

'Afschuwelijk,' zei haar echtgenoot. 'Je kunt zeggen dat het afschuwelijk is, en pijn voelen omdat je je moet neerleggen bij het feit dat woorden zo ontoereikend kunnen zijn.'

Hij gaf haar nog een paar klopjes. Ze keek langs hem heen, naar de perzikkleurige gevel van het grote huis. Haar ogen leken niet scherp te kunnen zien.

'Afschuwelijk,' zei hij weer, als een professor die een discussie op gang probeert te brengen. Toen: 'Wie kan met zekerheid zeggen hoe bepaalde dingen zich ontwikkelen?'

Toen zijn vrouw daar niet op reageerde en ik al evenmin, zei hij: 'Chickering suggereerde zelfmoord, speelde de amateur-psycholoog. Pure onzin en dat heb ik ook tegen hem gezegd. Ze heeft nooit iets laten merken van een depressie, direct of indirect. Integendeel. Ze was een sterke vrouw, gezien alles wat ze had meegemaakt.'

Hij zweeg opnieuw, betekenisvol. Ergens hoorde ik een spotvogel. Gabney keek vermoeid en wendde zich tot zijn vrouw. Zij was ergens anders.

'Heeft ze tijdens de therapie ooit een opmerking gemaakt die zou kunnen verklaren waarom ze naar dat reservoir is gegaan?' vroeg ik.

'Nee. Het feit dat ze alleen op pad is gegaan, was al een pure improvisatie,' zei Leo. 'Dat is nu juist het vervelende. Als ze niet was afgeweken van het behandelingsplan, zou niets van dit alles zijn gebeurd. Tot op heden is ze altijd heel meegaand geweest.'

Ursula bleef nog altijd zwijgen. Zonder dat ik het zag, maakte ze haar arm los uit de greep van haar echtgenoot.

'Was ze, los van die pleinvrees, nog op een andere manier aan stress onderhevig?' vroeg ik.

'Nee,' zei Gabney. 'Haar stress-niveau was láger dan ooit tevoren. Ze ging schitterend vooruit.'

Ik wendde me tot Ursula. Ze bleef naar het huis kijken, maar schudde wel haar hoofd.

'Nee,' bevestigde ze.

'Collega, waarom stelt u die vragen?' vroeg Leo Gabney. 'U gelóóft toch zeker ook niet dat het zelfmoord was?' Hij bracht zijn gezicht dichter bij het mijne. Een van zijn ogen was lichter blauw dan het andere. Beide keken helder, strak. Eerder nieuwsgierig dan uitdagend.

'Ik probeer het alleen op de een of andere manier te verklaren.'

Hij legde een hand op mijn schouder. 'Dat kan ik begrijpen. Dat is niet meer dan natuurlijk. Maar ik vrees dat we moeten constateren dat ze haar vooruitgang heeft overschat en is afgeweken van het behandelingsplan. Ik ben bang dat we er nooit iets van zullen kunnen begrijpen.'

Hij zuchtte en veegde zijn voorhoofd weer af, al was dat droog. 'Wie weet beter dan wij therapeuten dat de mens graag vasthoudt aan de ergerlijke gewoonte onvoorspelbaar te zijn? Ik neem aan dat diegenen onder ons die daar niet tegen kunnen, fysica hadden moeten studeren.'

Het hoofd van zijn vrouw maakte een scherpe kwartslag.

'Natuurlijk neem ik het haar niet kwalijk,' zei hij. 'Ze was een lieve vrouw, die het allemaal goed bedoelde, die meer heeft geleden dan een mens ooit zou mogen lijden. Het is gewoon een van die ongelukkige... dingen.' Schouderophalen. 'Wanneer je veel jaren praktijk hebt uitgeoefend, leer je een tragedie te aanvaarden. Dat leer je beslist.'

Hij wilde Ursula's arm pakken. Ze liet zich even door hem aanraken, liep toen snel de bordestrap op. Haar hoge hakken tikten op het steen en haar lange benen leken te fraai om echt snel te kunnen lopen. Ze zag er tegelijkertijd sexy en verloren uit. Bij de voordeur legde ze haar handen plat op het hout, alsof dat een genezende kracht had.

'Ze is te teerhartig, trekt zich dingen te veel aan,' zei Gabney heel zacht.

'Ik wist niet dat dat een gebrek was.'

Hij glimlachte. 'Geef uzelf nog een paar jaar de tijd.' Toen: 'U neemt dus de verantwoordelijkheid voor het emotionele welzijn van deze familie op u?'

'Alleen dat van Melissa.'

Hij knikte. 'Ze is beslist kwetsbaar. Aarzel alstublieft niet met ons contact op te nemen wanneer we iets kunnen doen.'

'Zou ik het dossier van mevrouw Ramp mogen inzien?'

'Dat denk ik wel. Hoezo?'

'Hetzelfde antwoord als op de vraag van daarnet, denk ik. Ik probeer er iets van te begrijpen.'

Professoraal glimlachje. 'Daar zal haar dossier u niet bij helpen. Daar staan geen... spannende dingen in. Wij vermelden geen anekdotes, geven geen gedetailleerde beschrijvingen van elke spiertrekking of knipoog van een patiënt, hebben niets op met die schitterende Oedipus-achtige herinneringen en droomsequenties waar de scenarioschrijvers in Hollywood zo dol op lijken te zijn. Mijn onderzoek heeft aangetoond dat dergelijke zaken vrijwel niet van invloed zijn op het resultaat van de therapie. De therapeut schrijft om het idee te hebben nuttig bezig te zijn, maar neemt nooit de moeite alles nog eens terug te lezen. Als hij dat doet, zal hij trouwens merken dat hij er niets aan heeft. Dus hebben wij een manier bedacht om heel effectief een dossier bij te houden. Symptomen noteren, gebaseerd op gedrag. Objectief bepaalde doelstellingen.'

'Zijn er verslagen van de groepsbesprekingen?'

'Die hebben we niet, omdat we zulke besprekingen niet als therapie zien. Ongestructureerde groepssessies hebben op zich erg weinig behandelingswaarde. Twee patiënten met identieke symptomen kunnen hun pathologie op een heel andere manier hebben gekregen. Elke patiënt heeft zich verkeerde dingen eigen gemaakt volgens een volstrekt uniek patroon. Wanneer een patiënt eenmaal is veranderd, kan het zinnig zijn dat hij met anderen praat, die ook vooruitgang hebben geboekt. We organiseren die gesprekken alleen omdat ze sociaal ondersteunend kunnen werken.'

'Men mag weer met anderen omgaan als beloning voor het feit dat het goed gaat?'

'Inderdaad. We zorgen er echter voor dat dergelijke gesprekken positief blijven. Informeel. We maken geen aantekeningen en doen verder ook niets waardoor ze te klinisch kunnen lijken.'

Ik herinnerde me wat Ursula had gezegd over Gina's plan om in de groep over Melissa te spreken en zei: 'Ontmoedigt u het spreken over hun problemen?'

'Ik geef er de voorkeur aan een positieve houding te versterken.'

'Dan zult u nu wel voor een uitdaging worden geplaatst. U zult de anderen moeten helpen te verwerken wat er met Gina is gebeurd.'

Hij bleef me aankijken, stak een hand in zijn zak en haalde er een pakje kauwgum uit. Hij haalde twee stukjes uit het papier, stopte ze in zijn mond en begon te kauwen.

'Als u haar dossier wilt lezen, zal ik daar een kopie van maken,' zei hij.

'Hartelijk dank.'

'Waar moet ik het naar toe sturen?'

'Uw vrouw heeft mijn adres.'

'Ah.' Weer een blik op Ursula. Ze was weggelopen van de deur, kwam langzaam de trap af.

'Dus de dochter slaapt?' vroeg hij.

'Ja.'

'Hoe gaat het met de echtgenoot?'

'Die is nog niet thuis. Enige suggesties ten aanzien van zijn psyche?'

Hij hield zijn hoofd schuin, het zonlicht in, waardoor zijn witte haar een aureool werd. 'Lijkt me best een aardige kerel. Ietwat passief. Ze zijn niet lang getrouwd, dus kent hij het ziektebeeld van haar niet goed.'

'Is hij betrokken geweest bij de behandeling?'

'Hij heeft het weinige dat van hem werd verwacht, gedaan. Wilt u me even excuseren?'

Hij draaide me zijn rug toe en liep snel naar de trap. Daar pakte hij de hand van zijn vrouw vast. Probeerde een arm om haar schouders te leggen, maar bleek daar te klein voor te zijn. In plaats daarvan sloeg hij een arm om haar middel en nam haar mee naar de Saab. Hij hield het portier voor haar open, hielp haar in te stappen. Zijn beurt om te rijden. Toen kwam hij weer naar mij toe en stak zijn zachte hand uit.

We schudden elkaar de hand.

'We waren gekomen om te helpen,' zei hij, 'maar ik heb de indruk dat we hier op dit moment weinig kunnen doen. Laat het ons alstublieft weten wanneer dat verandert. Succes met het kind. Dat zal ze zeker nodig hebben.'

Madeleine had me gedetailleerd de weg gewezen en ik kon de Tankard moeiteloos vinden.

Zuidwestelijke deel van Cathcart Boulevard, even buiten de stadsgrenzen van San Labrador. Luxe winkels en bedrijven. Jacaranda's in volle bloei. Op de middenberm schitterende purperen bloesem.

Ik zette de auto neer en zag een cocktail-lounge op een straathoek. Iets dat je in San Labrador nergens kon aantreffen. Twee drankwinkels, de ene een wijnhandel, de andere gespecialiseerd in sterke drank.

De Tankard and Blade zag er bescheiden uit. Twee verdiepingen, niet bijzonder groot, op een stuk grond van 250 vierkante meter dat voornamelijk als parkeerterrein diende. Grof aangebracht wit stucwerk, bruine balken, nep-rieten dak. De toegang tot het terrein was afgesloten door een ketting. Ramps Mercedes stond aan de andere kant daarvan, waardoor mijn deductievermogen werd bevestigd. Iets verderop stonden nog een paar auto's: een twintig jaar oude bruine Chevrolet Monte Carlo met een dak van wit vinyl dat zijn beste tijd had gehad en een rode Toyota Celica.

De voordeur bestond uit paneeltjes gebobbeld, gekleurd glas die in oud eiken waren gevat. Aan de deurknop hing een handbeschreven kartonnen bord: ZONDAGBRUNCH GEANNULEERD. DANK U.

Ik klopte, kreeg geen antwoord. Deed net alsof ik het recht had binnen te komen en klopte tot mijn knokkels er zeer van deden.

Uiteindelijk ging de deur open en zag ik een geïrriteerd kijkende vrouw met een sleutelbos in haar hand.

Ergens midden in de veertig, een meter vijfenzestig lang, een kilo of vijfenzestig. Figuur in de vorm van een zandloper, benadrukt door haar kleding: maxi-jurk met wijde lange mouwen en een vierkant uitgesneden hals die zo laag was dat het dal tussen twee stevige borsten, vol sproeten, zichtbaar was. Het lijfje van de jurk was van witte katoen, de rok was bedrukt met een roodbruin paisley-motief. Een zwartfluwelen choker om haar hals, met in het midden een imitatie-camee van koraal.

Iemands idee van een ouderwets dienstertje.

Ze had een goed gezicht: hoge jukbeenderen, ferme vierkante kin, volle, felrood gestifte lippen, klein wipneusje, ver uit elkaar staande bruine ogen met te donkere en te lange wimpers. Heel lange ringen in haar oren.

In het licht van een bar zou ze wel een stuk lijken, evenals in de ogen van mensen die al een paar borrels achter de kiezen hadden. Maar in het ochtendlicht zag ik een te sterk gepoederde huid, zorgelijke lijntjes, het begin van hangwangen, een wanhopige trek om haar mond.

Ze bekeek me alsof ik iemand van de belastingdienst was.

'Ik wil meneer Ramp graag spreken.'

Ze tikte met felrode nagels op het kartonnen bord. 'Kunt u niet lezen?'

'Ik ben doctor Delaware, degene die Melissa behandelt.'

'O.' De zorgelijke lijntjes werden dieper. 'Wilt u hier even wachten?' De deur ging dicht en werd op slot gedaan. Even later maakte ze hem weer open. 'Het spijt me, maar... U had moeten... Ik ben Bethel.' Stak snel haar hand uit. Voordat ik die kon drukken, zei ze: 'De moeder van Noel.'

'Prettig kennis met u te maken, mevrouw Drucker.'

Aan haar gezichtsuitdrukking was te zien dat ze er niet aan gewend was met 'mevrouw' te worden aangesproken. Ze liet mijn hand los, keek de boulevard langs. 'Komt u binnen.'

Ze deed de deur achter me dicht en opnieuw op slot.

De lichten in het restaurant brandden niet. Door de weinige glas-in-loodramen kwam licht met de kleur van afwaswater naar binnen. Mijn pupillen hadden er moeite mee zich aan te passen. Toen ze geen pijn meer deden, zag ik een lange ruimte met zitjes links en rechts, de banken en stoelen bekleed met rood leer. Op de grond een licht-bruin tapijt. Op de tafels wit linnen en tinnen onderzettertjes, glazen van groen glas, stevig ogende borden. De muren bestonden uit ver-ticale planken van grenehout, die de kleur van rosbief hadden. Op planken vlak onder het plafond allerlei bierpullen, minstens honderd, vele voorzien van een gezicht met dode porseleinen ogen. Wapenrus-tingen die rekwisieten van een studio leken, waren op strategische plaatsen in het restaurant opgesteld. Aan de muren hingen goeden-dags en slagzwaarden, naast stillevens van voornamelijk dode vogels en konijnen.

Een geopende deur achterin stelde me in staat een glimp op te vangen van een keuken van roestvrij staal. Links was een bar in de vorm van een hoefijzer met een leren blad; daarachter een spiegel. Een serveerboy van roestvrij staal stond midden op het tapijt, leeg, met uitzondering van een spit en een reeks grote messen waarmee je een bizon zou kunnen opereren.

Ramp zat aan de bar, met zijn gezicht naar de spiegel, een arm slap langs zijn lichaam, zijn voorhoofd tegen de andere hand gedrukt. Bij zijn elleboog een glas en een fles Wild Turkey.

Gekletter uit de keuken, toen stilte.

Een ongezonde stilte. Net als de meeste etablissementen die bedoeld zijn om gasten te ontvangen, leek het restaurant zonder hen doods. Ik liep naar de bar. Bethel Drucker bleef bij me. Toen ik er was gearriveerd, vroeg ze: 'Kan ik iets voor u inschenken, meneer?' Alsof er opeens wel een brunch werd geserveerd.

'Nee, dank u.'

Ze liep naar Ramp, boog zich diep voorover, probeerde zijn aandacht te trekken. Hij reageerde daar niet op. Het ijs in zijn glas dreef op tweeënhalve centimeter bourbon. Het blad van de bar rook naar zeep en drank.

'Wil je nog wat water?' vroeg Bethel.

'Oké.'

Ze pakte het glas, vulde het uit een plastic fles Evian en zette het weer voor hem neer.

'Dank je,' zei hij, maar raakte het niet aan.

Ze keek hem nog even aan en liep toen naar de keuken.

Zodra we alleen waren, zei hij: 'U hebt me kennelijk makkelijk kunnen vinden.' Hij sprak zo zacht dat ik dichter naar hem toe moest lopen om hem te kunnen verstaan. Ik ging naast hem op een kruk zitten. Hij kwam niet in beweging.

'Toen u niet thuis kwam, heb ik me afgevraagd waar u kon zijn en dit leek me een redelijke gok.'

'Ik heb geen thuis. Niet meer.'

Ik zei niets. Op de spiegel keek het daarop afgebeelde meisje uit Sankt Pauli met Arische vreugde op ons neer.

'Ik ben nu een gast, een ongewenste gast,' zei hij. 'Hoe is het met Melissa?'

'Die slaapt.'

'Ja, dat doet ze veel. Als ze van streek is. Elke keer wanneer ik met haar probeerde te praten, doezelde ze weg.'

Geen wrok in zijn stem. Alleen berusting. 'Heel wat om over van streek te zijn. Nog voor geen twintig miljard zou ik willen meemaken wat zij heeft meegemaakt. Ze heeft een beroerd stel kaarten in handen gekregen... Had ze mij maar...'

Hij zweeg, raakte het glas water aan, deed geen poging dat op te pakken.

'Nu heeft ze in elk geval één ding waarover ze zich geen zorgen meer hoeft te maken.'

'Hoe bedoelt u dat?'

'Ik heb het over mezelf. Geen boze stiefvader meer. Ze heeft eens die film gehuurd, in een videozaak. *De stiefvader*. Heeft die telkens weer bekeken, beneden in de kleine studeerkamer. Heeft daar nooit naar een andere film gekeken, houdt niet eens van films. Ik ben een keer gaan zitten om er samen met haar naar te kijken. Ik wilde contact leggen. Had popcorn voor ons beiden gemaakt. Ze viel in slaap.'

Hij trok zijn schouders op. 'Ik zal er nu niet meer komen.'

'Wanneer hebt u besloten weg te gaan?' vroeg ik.

'Ongeveer tien minuten geleden. Of misschien meteen al. Wat maakt het uit?'

Geen van ons beiden zei enige tijd iets. De spiegel weerkaatste het beeld van ons, in het licht met de kleur van afwaswater. Onze gezichten waren nauwelijks te zien, vervormd door onregelmatigheden in het glas en het geschilderde gezicht van het grinnikende Fräulein. Ik kon wel voldoende zien om te beseffen dat hij er afschuwelijk uitzag. Ik zag er niet veel beter uit.

'Ik begrijp verdomme niet waarom ze het heeft gedaan,' zei hij.

'Wat?'

'Daarheen gaan, zich niet aan die afspraak houden met de kliniek. Ze brak nooit met regels.'

'Nooit?'

Hij draaide zich om en keek me aan. Ongeschoren, dikke ogen met wallen eronder. Een oude man; de spiegel was nog aardig voor hem geweest. 'Ze heeft me eens verteld dat ze als kind op school altijd tienen haalde. Niet omdat ze studeren zo prettig vond, maar gewoon omdat ze bang was dat de docenten boos op haar zouden worden. Omdat ze bang was het niet goed te doen. Verder was ze heel puriteins. Ook toen we in de studio werkten en iedereen behoorlijk losbandig was, heeft ze haar normen nooit verlaagd.'

Ik vroeg me af wat er met die normen kon zijn gebeurd bij het ontmoeten van Todd Nyquist. 'Chickering schijnt serieus te denken dat het zelfmoord is,' zei ik.

'Chickering is een verdomde idioot. Het enige waar hij talent voor heeft, is het stilhouden van dingen. Daar betalen ze hem voor.'

'Wat voor dingen?'

Hij deed zijn ogen dicht, schudde zijn hoofd, draaide zich weer om naar de spiegel. 'Wat denkt u? Mensen die zichzelf voor gek zetten. Ze komen hier binnen, zuipen zich een stuk in hun kraag, willen naar huis rijden en worden spinnijdig wanneer ik het Noel verbied de autosleutels aan hen te overhandigen. Dan bel ik Chickering. Hoewel dit Pasadena is, komt hij meteen en neemt hen mee naar huis. Hij of een van zijn mensen. Ze doen het met hun eigen auto's, zodat niemand iets bijzonders zal opvallen. Geen bekeuring en de auto van zo'n gek wordt keurig netjes op de eigen oprit geparkeerd. Hetzelfde geldt ten aanzien van aardige oude dames die winkeldiefstallen plegen, of kinderen die dope roken, mits ze maar uit deze omgeving komen.'

'Wat gebeurt er met buitenstaanders?'

'Die worden in de gevangenis gezet.' Grimmige glimlach. 'We hebben geweldige misdaadstatistieken.' Hij streek met een vinger over zijn lippen. 'Daarom hebben we geen plaatselijke krant. Daar dank ik God nu overigens voor. Ik vond het vroeger vervelend, omdat ik niet kon adverteren, maar nu dank ik er God voor.'

Hij drukte beide handen tegen zijn gezicht.

Bethel kwam de keuken uit, met biefstuk en eieren. Ze zette het bord voor hem neer en liep snel weer weg.

Na lange tijd keek hij op. 'Hebt u van het strand genoten?'

Toen ik niet reageerde. zei hij: 'Ik had u al gezegd dat ze daar niet zou zijn. Waarom hebt u in vredesnaam de moeite genomen erheen te gaan?'

'Omdat rechercheur Sturgis me dat had gevraagd.'

'Die goeie ouwe rechercheur Sturgis. Wíj hebben elkaars tijd verspild, nietwaar? Doet u gewoonlijk wat hij van u vraagt?'

'Gewoonlijk vraagt hij niets van me.'

'Niet direct een vervelend karweitje, hè? Naar het strand rijden, wat zon pakken, navraag doen naar de cliënt.'

'Het is er mooi,' zei ik. 'Komt u er vaak?'

Zijn kaakspieren spanden zich. Hij raakte zijn whiskyglas aan. Toen zei hij: 'Vroeger wel. Een paar keer per maand. Kon Gina er nooit toe overhalen met me mee te gaan.' Hij draaide zich om en keek me weer aan. Staarde.

Ik bleef hem aankijken.

'Niets gaat boven de combinatie van zon en strand,' zei hij. 'Je moet je bruine kleur bijhouden. De perfecte gastheer en zo spelen. Ik moet een bepaalde standaard hoog houden.'

Hij hief zijn glas, nam een slokje.

'De laatste paar dagen zijn voor u niet prettig geweest,' zei ik.

'Inderdaad.' Holle lach. 'Eerst dacht ik dat het niets te betekenen had. Dat Gina de weg kwijt was geraakt en meteen terug zou komen. Toen ze er donderdagavond nog niet was, begon ik te denken dat ze misschien inderdaad een eind was gaan rijden omdat ze vrij wilde zijn, zoals Sturgis had gezegd. Toen ik dat idee eenmaal had gekregen, kon ik het niet van me afzetten. Ik bleef me afvragen of het kwam door iets dat ìk had gedaan. Ik werd er gek van. En wat blijkt het dan te zijn? Een stom òngeluk. Jezus Chr... Ik had moeten weten dat het niet aan ons lag. We konden het geweldig met elkaar vinden, hoewel het zo... zo...'

Hij slaakte een gekwelde kreet, pakte het glas en smeet dat naar de spiegel. Het gezicht van het Fräulein barstte; glas viel op de bar.

Niemand kwam de keuken uit. 'Proost. *Skol. Santé,*' zei hij. Toen draaide hij zich weer naar mij om. 'Waarom bent u eigenlijk hier? Wilt u eens bekijken hoe een flikker eruitziet die niet voor zijn flikker-zijn uit durft te komen?'

'Klopt. Ik probeer een beetje te begrijpen wat er is gebeurd. Om Melissa te kunnen helpen.'

'Begint u er al iets van te begrijpen?'

'Nog niet.'

'Bent u er ook een?'

'Een wat?'

'Een flikker. Net als die Sturgis. Net als ik en...'

'Nee.'

'Hoe was Melissa als klein meisje?'

Dat vertelde ik hem, legde de nadruk op het positieve, zorgde ervoor niets te vermelden dat vertrouwelijk was.

'Ja, dat dacht ik al wel. Ik zou graag... O, verdomme.'

Hij ging opmerkelijk snel staan. Liep naar de keukendeur en riep: 'Noel!'

De jonge Drucker kwam naar binnen, met een theedoek in zijn hand, een rood jasje over een t-shirt en een spijkerbroek heen.

'Je kunt gaan. Meneer Delaware zegt dat ze slaapt,' zei Ramp. 'Als je daar wilt wachten tot ze wakker wordt, vind ik dat prima. Hier heb ik niets meer voor je te doen. Maar eerst moet je thuis mijn koffer pakken. Kleren en zo. Neem de grote blauwe koffer maar die in mijn kast staat. Breng die hierheen op een moment dat het je schikt. Wanneer doet er niet toe. Ik blijf hier.'

'Ja, meneer,' zei Noel en was duidelijk slecht op zijn gemak.

'Hebt u dat gehoord? Meneer, zei hij,' zei Ramp tegen mij. 'Respectvolle jongen, die het ver zal brengen. Harvard moet op zijn tellen passen!'

Noel wist zich nu helemaal geen raad meer.

Ramp zei: 'Zeg tegen je moeder dat ze rustig de keuken uit kan komen. Ik zal hier niets van eten. Ik ga een dutje doen.'
De jongen liep de keuken weer in.
Ramp keek hem na. 'Alles zal veranderen,' zei hij. 'Alles.'

26

Net toen ik wilde wegrijden, kwam Noel het restaurant uit. Hij zag me en liep snel naar de Seville. Hij had het rode jasje uitgetrokken en een kleine rugzak bij zich. GREENPEACE stond op zijn T-shirt.
Ik maakte het portierraampje open.
'Wat is er, Noel?'
'Ik vroeg me af hoe het met Melissa gaat.'
'Ze lijkt het merendeel van de tijd te slapen. Het kan zijn dat alles nog niet volledig tot haar is doorgedrongen.'
'Ze is een heel...' Hij fronste zijn wenkbrauwen.
Ik wachtte.
'Het is moeilijk onder woorden te brengen,' zei hij.
Ik maakte het andere portier open. 'Stap in.'
Hij aarzelde even, haalde de rugzak van zijn schouders, legde hem in de auto en ging zitten. Toen zette hij de rugzak op zijn schoot. Aan zijn gezichtsuitdrukking zag ik dat hij verdriet had en graag meer wilde weten.
'Mooie auto,' zei hij. 'Uit achtenzeventig?'
'Negenenzeventig.'
'De nieuwe zijn lang niet zo goed. Te veel plastic.'
'Ben ik met je eens.'
Hij speelde met de riemen van de rugzak.
'Je zei dat het je moeite kostte iets ten aanzien van Melissa onder woorden te brengen?'
Hij fronste zijn wenkbrauwen. Een vingernagel schuurde langs een riem. 'Ik wilde alleen zeggen dat ze heel bijzonder is. Uniek. Als je alleen naar haar kijkt, ben je geneigd aan te nemen dat ze heel anders is dan ze is. Ik weet dat het seksistisch klinkt, maar de meeste knappe meisjes lijken zich alleen druk te maken over oppervlakkige dingen. Hier in de buurt in elk geval.'
'Je bedoelt in San Labrador?'
Hij knikte. 'Voor zover ik dat kan beoordelen. Ik weet het niet. Misschien is het typerend voor heel Californië. Of voor de hele wereld. Ik heb nooit ergens anders gewoond sinds ik een klein jochie was, dus kan ik daar niet over oordelen. Daarom wilde ik hier weg: een

nieuwe omgeving proberen.'

'Harvard.'

Knikje. 'Ik heb veel universiteiten aangeschreven en had nooit verwacht door Harvard te worden aangenomen. Toen dat wel gebeurde, besloot ik dat ik erheen wilde, mits ik de financiën zou kunnen regelen.'

'Is dat laatste je gelukt?'

'In wezen wel. Ik had het kunnen redden, met mijn spaargeld en nog een jaartje hard werken ergens halverwege mijn studie.'

'Je hàd het kunnen redden?'

'Ik weet niet of ik er verstandig aan doe nu weg te gaan.' Hij trok zenuwachtig aan de riemen.

'Hoezo?'

'Ik kan haar toch niet alleen laten nu ze dit moet doormaken? Ze heeft sterkere, diepere gevoelens dan andere mensen. Ze is het enige meisje dat ik ooit heb ontmoet dat zich echt druk maakt over belangrijke dingen. De eerste keer dat we elkaar ontmoetten, kon ik al heel makkelijk met haar praten.'

Pijn in zijn ogen.

'Sorry,' zei hij en wilde het portier openmaken. 'Sorry dat ik u lastig heb gevallen. Ik vind het eigenlijk ook een beetje oneerlijk van mezelf dat ik met u praat.'

'Waarom?'

Hij masseerde zijn nek. 'Toen Melissa u de eerste keer belde met de vraag of ze naar u toe mocht komen, was ik bij haar.'

In gedachten draaide ik het gesprek nog eens af. Melissa die zich enige keren excuseerde, die me liet wachten, een hand op de hoorn legde. Gedempte geluiden.

'En?' zei ik.

'Ik was ertegen dat ze naar u toe ging. Ik heb tegen haar gezegd dat ze geen... dat ze het zelf kon oplossen. Zij zei dat ik me met mijn eigen zaken moest bemoeien en dat u geweldig was. Nu ben ik met u aan het praten.'

'Noel, dat is onbelangrijk. Laten we terugkomen op wat je eerder zei. Dat Melissa uniek is. Dat ben ik met je eens. Verder zeg je eigenlijk dat je een unieke band met haar hebt en dat je bang bent haar alleen te laten nu ze je nodig heeft.'

Hij knikte.

'Wanneer zou je naar Boston moeten vertrekken?'

'Begin augustus. De colleges beginnen in september, maar je moet er al eerder zijn, om je te oriënteren.'

'Heb je al een hoofdvak in gedachten?'

'Misschien internationale relaties.'

'Wil je de diplomatieke dienst in?'

'Dat denk ik niet. Ik zou liever iets gaan doen waardoor ik betrokken raak bij het politieke beleid. Op het Ministerie van Buitenlandse Zaken, of dat van Defensie. Als je de manier bestudeert waarop een regering werkt, moet je wel concluderen dat de mensen achter de schermen de dingen gedaan krijgen. Soms kunnen beroepsdiplomaten enige invloed uitoefenen, maar meestal niet.' Stilte. 'Ik denk ook dat ik meer kans zou hebben op zo'n baan achter de schermen.'

'Hoezo?'

'Ik heb heel wat gelezen over de buitenlandse dienst. Je familie, je achtergrond, je kennissen zijn van meer belang dan wat je feitelijk kunt presteren. Ik heb nauwelijks familie. Alleen mijn moeder en mijzelf.'

Dat zei hij zakelijk, zonder zelfmedelijden.

'Vroeger had ik het daar moeilijk mee,' ging hij verder. 'Hier in de buurt vindt men afkomst heel belangrijk. En dan doelen ze op geld dat minstens twee generaties oud is. Nu besef ik dat ik in feite behoorlijk veel geluk heb gehad. Mam steunt me enorm en ik heb altijd alles gehad wat ik nodig had. In feite heeft een mens niet zo veel nodig. Ik heb ook kunnen zien wat er met veel rijke kinderen gebeurt, de ellende waarin ze door eigen toedoen terechtkomen. Daarom heb ik echt respect voor Melissa. Ze is waarschijnlijk een van de rijkste meisjes in San Lab, maar handelt daar niet naar. De eerste keer dat ik haar zag, was ze naar de Tankard gekomen met een paar andere jongeren. Ik was druk bezig mijn moeder te helpen. Die andere jongeren deden alsof ik niet bestond. Melissa nam de tijd om alsjeblieft en dank je wel te zeggen en toen de anderen naar het parkeerterrein liepen, bleef zij nog even een praatje maken. Zei dat ze me een keer had gezien tijdens een gymnastiekwedstrijd. Vroeger deed ik veel aan gymnastiek, voordat mijn studie veel tijd opslokte. Ze was niet flirterig. Helemaal niet. We raakten verder aan de praat en bleken het meteen heel goed met elkaar te kunnen vinden. Alsof we oude vrienden waren. Ze bleef komen en we werden echt goede vrienden. Ze hielp me met van alles. Ik wil haar nu helpen. Is het zeker dat haar moeder...'

'Nee, niet zeker,' antwoordde ik. 'Maar het ziet er niet goed uit.'

'Dat is afschuwelijk.' Hij schudde zijn hoofd. Krabde aan de rugzak. 'God, wat afschuwelijk. Het zal vreselijk zijn voor haar.'

'Heb je mevrouw Ramp goed gekend?'

'Niet echt. Eens in de zoveel weken ging ik de auto's wassen. Af en toe kwam ze dan even een kijkje nemen. Om u de waarheid te zeggen interesseerden die auto's haar niet. Ik zei een keer dat ik ze fantastisch vond en toen zei zij dat ze dat misschien wel waren, maar dat ze voor haar niets anders waren dan metaal en rubber. Toen bood ze meteen excuses aan, omdat ze niet had bedoeld mijn werk te kleineren. Ze leek een dame van klasse. Misschien een beetje... afstandelijk. Ik vond dat de manier waarop ze leefde... Melissa en ik hebben vaak... Ik denk dat ik meer medeleven voor haar had moeten opbrengen. Als Melissa zich dat herinnert, zal ze me waarschijnlijk haten.'

'Melissa zal zich jouw vriendschap herinneren.'

Enige tijd zei hij niets. Toen: 'Het is meer dan vriendschap. In elk geval van mijn kant. Van haar ben ik niet helemaal zeker.'

Hij keek me recht aan, smekend om goed nieuws.

Het enige dat ik kon bieden, was een glimlach.

'Geweldig,' zei hij. 'Ik zit hier over mezelf te praten terwijl ik aan Melissa zou moeten denken. Ik moet er nu maar eens naar toe gaan en de koffer van meneer Ramp inpakken. Denkt u dat hij echt van plan is weg te gaan?'

'Dat zul jij waarschijnlijk beter weten dan ik.'

'Ik weet niets,' zei hij snel.

'Hij en Melissa lijken geen gelukkig gezin te kunnen vormen.'

Dat negeerde hij. Hij pakte de rugzak van zijn schoot en wilde het portier openen. 'Ik moet gaan.'

'Heb je een lift nodig?'

'Nee, dank u. Ik heb mijn eigen auto. De Celica die daar staat.' Hij stapte half uit, draaide zich weer naar mij om.

'Ik wilde u eigenlijk in eerste instantie vragen of ik iets zou moeten doen om haar te helpen.'

'Zorg dat je er bent wanneer ze gezelschap nodig heeft. Luister naar haar als ze praat, maar voel je niet gekwetst wanneer ze dat niet doet en maak je daar ook geen zorgen over. Heb geduld wanneer ze echt van streek raakt, zeg niet tegen haar dat alles in orde is terwijl het dat niet is. Er is iets ergs gebeurd en dat kun je niet veranderen.'

Hij bleef me aankijken en knikte. Groot, bijna griezelig concentratievermogen. Ik verwachtte half dat hij pen en papier zou pakken om aantekeningen te maken.

'Als ik jou was, zou ik mijn eigen plannen niet drastisch wijzigen,' ging ik verder. 'Als Melissa de eerste schok eenmaal heeft verwerkt, zal ze haar leven verder moeten leven. Ze kan nog erger van streek raken wanneer jij je plannen niet gewoon doorvoert. Op die manier kan ze zich schuldig tegenover jou gaan voelen, al is dat helemaal je bedoeling niet. Op dit moment is onafhankelijkheid voor Melissa heel erg belangrijk. Ze heeft een andere last op haar schouders niet nodig en kan het je zelfs kwalijk gaan nemen.'

'Ik heb nooit...' begon hij. Hij keek naar de volgepakte rugzak, tilde die op, liet hem met een doffe klap weer op zijn knieën vallen.

'Boeken?' vroeg ik.

'Studieboeken. Voor tentamens die ik deze herfst wilde doen. Ik wilde vroeg beginnen, omdat de concurrentie onder de eerstejaars erg groot is. Ik neem ze aldoor mee, maar heb er nog geen letter in gelezen.' Verlegen glimlach.

'Lijkt me een goed plan.'

'Hmmm. Ik voel me verplicht uit te munten wanneer ik erheen ga.'

'Verplicht jegens wie?'

'Mijn moeder. Don, meneer Ramp. Hij heeft zich bereid verklaard de eerste twee jaar financieel bij te springen wanneer ik het niet red. Als ik die eerste twee jaar hoge cijfers haal, kom ik het derde jaar wel voor een beurs in aanmerking.'

'Hij verwacht kennelijk veel van je.'

'Ik denk dat het hem deugd doet dat mam en ik zo goed vooruit gaan. Hij heeft haar een baan gegeven toen zij... toen we het moeilijk hadden.' Even pijn in zijn ogen. Vage glimlach om dat te compenseren. 'Hij heeft ons huisvesting geboden, op de eerste verdieping van de Tankard. Geen liefdadigheid. Mam is voor hem gaan werken. Ze is de beste serveerster die iemand zich kan wensen. Als hij er niet is, draait zij de tent, valt zelfs in voor de kok. Maar hij is ook de beste baas die je je kunt wensen. Heeft me de Celica gegeven. Heeft gezorgd dat ik bij Melissa thuis kon gaan werken.'

'Melissa lijkt jouw gevoelens ten aanzien van hem niet te delen.'

Hij keek berustend. 'Vroeger vond ze hem wel aardig. Toen zij hier nog gewoon een klant was, praatten ze vaak met elkaar en gaf hij haar gratis drankjes. Zij is degene die hem aan haar moeder heeft voorgesteld. De problemen begonnen toen het tussen die twee serieus werd. Ik heb haar vaak duidelijk willen maken dat hij niet veranderd was, dat hij dezelfde persoon was en zij hem alleen met andere ogen was gaan bekijken, maar...'

Vage glimlach.

'Maar wat?'

'Zulke dingen zeg je niet tegen Melissa. Als ze eenmaal een idee in haar hoofd heeft, laat ze zich daar niet van afbrengen. Ik vind dat niet erg. Jongeren zijn vaak helemaal niet in idealen geïnteresseerd. Zij houdt vast aan haar principes en conformeert zich niet zomaar. Laat ik drugs maar eens als voorbeeld nemen. Ik heb altijd geweten hoe slecht die zijn omdat ik... door alles wat ik heb gelezen. Maar van iemand als Melissa zou je verwachten dat ze er wel iets voor voelde, omdat ze populair is, er goed uitziet en geld zat heeft. Toch heeft ze ze nooit gebruikt.'

'Populair?' zei ik. 'Ze heeft nooit over vrienden gesproken, behalve over jou. Ik heb ook niemand langs zien komen.'

'Ze is kieskeurig, maar iedereen vond haar aardig. Ze had op school aan van alles en nog wat kunnen meedoen, maar ze had het druk met andere dingen.'

'Zoals?'

'Voornamelijk haar studie.'

'En verder?'

Hij aarzelde en zei toen: 'Haar moeder. Het was alsof het dochterzijn haar belangrijkste taak in dit leven was. Ze heeft eens tegen me gezegd dat ze het gevoel had dat ze altijd voor haar moeder zou moeten zorgen. Ik heb getracht haar ervan te overtuigen dat dat niet juist was, maar toen werd ze echt boos. Zei dat ik niet wist hoe het was. Ik heb er toen niet verder over gediscussieerd. Ze zou alleen maar bozer zijn geworden en ik vind het niet prettig als ze boos wordt.'

Hij liep weg voordat ik nog iets kon zeggen. Ik keek toe hoe hij in de Toyota stapte en wegreed, na de ketting te hebben verwijderd. Twee handen aan het stuur.

Jongen die het ver zal brengen.

Hoffelijk, beleefd, ijverig, bijna afschrikwekkend eerlijk.

In sommige opzichten Melissa's geestelijke tweelingbroer. Ik kon me de band tussen hen indenken.

Kon ze daarom niet over hem denken zoals hij dat graag zou willen? Een goede jongen. Te goed om waar te kunnen zijn?

De antenne van mij als therapeut was door dit gesprek uitgetrokken, maar ik wist niet precies waarom.

Of misschien vulde ik mijn hoofd met veronderstellingen om de werkelijkheid te ontwijken. Het onderwerp waar nauwelijks over was gesproken.

Blauwe lucht, zwart water.

Iets wits, drijvend...

Ik startte de Seville en reed de stadsgrens van San Labrador over.

Melissa was wakker, maar praatte niet. Ze lag op haar rug, met haar hoofd tegen drie kussens aan, haar haren in een vlecht, vastgebonden bovenop haar hoofd, dikke oogleden. Noel zat naast haar, in de schommelstoel die Madeleine een uur geleden nog bezet had gehouden. Hij hield haar hand vast, keek beurtelings tevreden en gespannen.

Madeleine had haar uniform weer aan en zeilde door de kamer als een klein scheepje in een haven, meerde af bij meubelstukken, stofte, trok recht, maakte laden open en dicht. Op het nachtkastje stond een kom pap die koud was geworden en nu een brok beton leek. De gordijnen waren dicht, om het felle middaglicht buiten te houden.

Ik boog me naar Melissa toe en zei haar gedag. Ze gaf me een zwak glimlachje. Ik kneep in haar vrije hand. Vroeg of ik iets voor haar kon doen.

Hoofdschudden. Ze leek weer negen jaar oud.

Ik bleef bij haar. Madeleine stofte nog wat af en zei: 'Ik ga naar beneden, *mon petit choux*. Wil je iets eten?'

Melissa schudde haar hoofd.

Madeleine pakte de kom met pap en liep naar de deur. 'Monsieur, doctor, kan ik voor u iets te eten halen?'

Dat aanbod en het 'doctor' betekenden dat ik iets goed moest hebben gedaan.

Ik besefte dat ik honger had. Maar zelfs als ik dat niet had gehad, had ik het aanbod aangenomen.

'Dank u. Iets lichts zou lekker zijn.'

'Biefstuk? Of lamskoteletjes?'

'Een lamskoteletje graag.'

Ze knikte, stopte de stofdoek in een zak en liep de kamer uit.

Toen ik alleen was met Noel en Melissa, voelde ik me net een ongewenste chaperonne. Ze leken zich in elkaars gezelschap zo goed op hun gemak te voelen dat ik niets anders dan een derde wiel aan de wagen kon zijn.

Al spoedig had ze haar ogen weer dicht. Ik liep de gang op, langs gesloten deuren, naar de achterzijde van het huis met de wenteltrap die Gina Ramp die eerste dag af was gegaan om Melissa te zoeken. Een trap die ook omhoogging, naar een somber ogende gang.

Ik liep naar boven en zag daar dubbele deuren van cederhout.

Ouderwetse ijzeren sleutel in het slot. Ik maakte de deur open en liep een donkere ruimte in. Op de tast zocht ik de lichtschakelaar en draaide die om. Ik bevond me op een immense zolder. Meer dan dertig meter lang, minstens vijftien meter breed, stoffige planken van grenehout op de grond, cederhouten muren, her en der balken aan het plafond, kale peertjes aan onbeschermde elektriciteitsdraden die aan de balken waren bevestigd. Aan beide zijden erkers, met zeildoek voor de ramen.

In het rechter deel van de ruimte stonden meubels, lampen, hutkoffers en leren koffers die me deden denken aan de tijd toen men nog alleen per spoor kon reizen. Verder allerlei objecten, geordend gerangschikt: stenen en bronzen beelden, inktsetjes, klokken, opgezette vogels, snijwerk van ivoor, ingelegde dozen. Allerlei hertegeweien, sommige op een plankje gespijkerd, andere bijeengebonden met leren riemen. Opgerolde kleden, dierehuiden, asbakken van olifantsvoeten, glazen schemerlampen die van Tiffany konden zijn. Een staande poolbeer, met glazen ogen, vergeeld, grommend, een poot in de lucht, in de andere een aan bloedarmoede lijdende zalm.

Het linker deel was bijna leeg. Verticale opbergrekken langs een van de muren. Een schildersezel in het midden. Doeken en ingelijste schilderijen. Op de ezel een zwart doek – niet helemaal maagdelijk. Ik zag vage potloodlijnen. De houten lijst was aan het vermolmen; het doek was niet meer strak gespannen.

Een schildersdoos van grenehout. De schuif was roestig, maar ik kon de doos toch met mijn vingernagels open krijgen. Ik zag een twaalftal penselen, de stelen onder de verfvlekken, de borstels hard, een roestend paletmes en tubes verf die volledig waren uitgedroogd. De bodem van de kist was bedekt met papieren. Ik pakte die. Knipsels uit *Life, National Geographic, American Heritage.* Uit de jaren vijftig en zestig. Voornamelijk landschappen en zeegezichten. Inspirerende foto's, veronderstelde ik. Een foto tussen twee vellen papier. Iets op de achterkant geschreven. Zwarte inkt, mooi, vloeiend handschrift.

5 maart 1971
Restauratie?

Kleurenfoto, goede kwaliteit, glanspapier.

Twee mensen, een man en een vrouw, die voor paneeldeuren stonden. De voordeuren van dit huis. Perzikkleurig stucwerk om het hout heen.

De vrouw had de lengte en het figuur van Gina Dickinson. Slank, met uitzondering van een bolle buik. Ze droeg een witzijden jurk en witte schoenen, die fraai afstaken tegen het donkere hout. Op haar hoofd een breedgerande zonnehoed van wit stro. Blonde haartjes bij haar slanke hals. Het gezicht onder de hoed in verband gewikkeld, als een mummie, de oogkassen vlak en zwart als rozijnen in een sneeuwpop.

In één hand een boeket witte rozen. De andere hand rustte op de schouder van de man.

Kleine man, hoofd tot Gina's schouder reikend. Een jaar of zestig. Breekbaar. Hoofd te groot voor zijn lichaam. Armen onevenredig lang. Korte benen. Geitachtige gelaatstrekken onder dun grijs haar. Een man die zo lelijk was dat het bijna iets nobels kreeg.

Hij had een donker, driedelig kostuum aan dat waarschijnlijk van goede snit was, maar die snit kon het foutieve ontwerp van de natuur niet voldoende compenseren.

Ik herinnerde me dat Anger, de bankier, had gezegd dat kunst het enige was waaraan hij veel geld uitgaf, dat hij zijn kleren zo mogelijk graag heel goedkoop zou hebben gekocht.

Geen portretten van hem in het huis...

De estheet...

Zijn houding was formeel: een hand in de zak van zijn vest, de andere om zijn bruid heen geslagen. Maar de ogen waren afgewend, wetend dat de camera ook op speciale dagen wreed was, maar dat speciale dagen desalniettemin moesten worden vastgelegd.

Hij had de foto onderin de schildersdoos bewaard.

Om inspiratie op te doen, net als met die foto's uit de tijdschriften? Ik bekeek het doek op de ezel eens aandachtiger. De potloodlijnen kregen een coherente vorm. Twee ovalen. Gezichten. Gezichten op dezelfde hoogte. Wang tegen wang. Daaronder het begin van torso's. Normale afmetingen. Het rechtse figuur met een platte buik.

Kunst als revisionisme. Arthur Dickinsons poging tot een meesterwerk.

5 maart 1971.

Melissa was in juni van dat jaar geboren.

Er viel me nog iets op. Oudere, kleinere, huiselijke man. Langere, jongere, beeldschone vrouw.

De Gabney's. De manier waarop Leo zonder succes had geprobeerd een arm om de schouders van zijn vrouw heen te slaan.

Hij had een normale lengte, het verschil was minder dramatisch, maar de parallel was opvallend.

Misschien kwam het omdat de Gabney's die morgen op die zelfde plaats hadden gestaan.

Misschien was ik niet de enige wie het was opgevallen.

Identificatie tussen therapeute en patiënte.

Dezelfde smaak ten aanzien van mannen.

Dezelfde smaak ten aanzien van binnenhuisarchitectuur.

Wie had wie beïnvloed?

Raadsels over de kip en het ei die me in het kantoor van Ursula al door het hoofd waren geschoten, kwamen direct weer in alle hevigheid naar boven.

Ik liep naar een van de verticale rekken. Handgeschreven labels vermeldden kunstenaar, titel, beschrijvende gegevens, aankoopdata, ontstaansdata.

De collectie was in alfabetische volgorde opgeborgen.

Cassatt, tussen Casale en Corot in.

Acht opbergruimten.
Twee ervan leeg.
Ik las de labels.

Cassatt, M. Moeders kus. ca. 1891. Aquatint met drogenaald. Catalogus: Breeskin, nummer 159.

Cassatt, M. Moederlijke liefkozing. Aquatint met drogenaald. Catalogus: Breeskin, nummer 150.

De andere zes waren er wel. Ingelijst, met glas ervoor. Ik pakte ze een voor een. Allemaal zwart-wit. Geen afbeeldingen van moeder en kind.
De twee beste etsen verdwenen.
Een voor de grijze kamer van de patiënte, een voor de therapeute.
Ik herinnerde me het gedrag van de Gabney's vanmorgen.
Leo die probeerde meelevend over te komen, maar er wel terdege voor had gezorgd dat ik wist dat hij Chickerings zelfmoord-theorie onzin vond.
Onder controle houden van de aangebrachte schade.
Ursula die op een heel ander niveau opereerde.
De deuren aanrakend alsof die naar een heiligdom leidden.
Of een schatkamer.
Ik dacht aan het geld dat Gina tot haar beschikking had gehad. Twee miljoen...
Waren de cadeautjes niet bij een ets gebleven?
Therapie als een pad naar de rijkdom?
Afhankelijkheid en angst konden kanker in de ziel veroorzaken. Diegenen die hem konden genezen, konden zelf hun prijs bepalen.
Ik dacht aan geschenken die mij waren aangeboden. Voornamelijk dingen die kinderen zelf hadden gemaakt: pannelappen, lijstjes die van rietjes waren gemaakt, tekeningen, beeldjes van klei. Mijn werkkamer thuis stond er vol mee.
Bij volwassenen had ik er een gewoonte van gemaakt alleen symbolische cadeaus als bloemen of bonbons aan te nemen. Een fruitmand.
Alles wat veel en blijvende waarde had, had ik afgewezen. Het was soms heel erg moeilijk dat op een vriendelijke manier te doen.
Niemand had mij ooit een zeldzaam kunstwerk in handen gestopt.
Toch vond ik het prettig te denken dat ik óók dat niet zou hebben aangenomen.
Niet dat het aanvaarden van geschenken een misdaad was; in ethisch opzicht lag het ergens tussen een vergrijp en een slecht beoordelings-

vermogen in. En ik was zeker geen heilige die immuun was voor de genoegens van een cadeautje.

Maar ik had gestudeerd om een bepaalde baan naar behoren te kunnen vervullen en de meeste zich hun verantwoordelijkheden bewuste therapeuten waren het erover eens dat een aanzienlijk geschenk van een van beide partijen aan de andere de kans op een goede therapie verkleinde.

De Gabney's waren het daar kennelijk niet mee eens.

Misschien werden de regels versoepeld omdat zij op huisbezoek gingen; ik bedacht me hoeveel tijd ik in dit huis had doorgebracht.

Zoeken op de zolder.

Maar míjn bedoelingen waren nobel.

In tegenstelling tot?

Melissa had de band tussen haar moeder en Ursula met groeiende achterdocht bekeken.

Ze is heel erg... ze is koud. Ik heb het gevoel dat ze me wil buiten-sluiten.

Reacties waaraan niemand aandacht had besteed, ook ik niet, omdat Melissa een opgewonden standje was, een kind dat worstelde met afhankelijkheid en scheiding en zich bedreigd voelde door een ieder die dicht in de buurt van haar moeder kwam.

Een klein meisje dat te vaak loos alarm sloeg?

Had dat alles iets te maken met het lot van Gina?

Het leek me verstandig nog eens een bezoek te brengen aan de kliniek, hoewel ik er niet zeker van was hoe ik de Gabney's moest benaderen.

Het dossier van Gina ophalen, om portokosten uit te sparen?

Ik was toch in de buurt en besloot even binnen te wippen...

En dan?

God was de enige die dat wist.

Vandaag was het zondag. Het zou moeten wachten.

In die tussentijd moest ik me bezighouden met de lamskoteletjes. Een maaltijd die, daar durfde ik mijn hoofd onder te verwedden, perfect zou zijn. Jammer dat ik nu aanzienlijk minder honger had.

Ik bracht de zolder van Arthur Dickinson weer in zijn oorspronkelijke staat terug en ging naar beneden.

27

Ik at alleen, in de grote, donkere eetkamer, en voelde me eerder een ingehuurde hulp dan een heer des huizes. Toen ik om tien voor twee wegging, waren Melissa en Noel nog in de slaapkamer zacht en serieus met elkaar aan het praten.

Ik was van plan naar huis te gaan, maar merkte dat ik langs de kliniek van de Gabney's reed. Een grijze Lincoln en een Mercury stationcar met houten zijkanten stonden voor de kliniek geparkeerd. De Saab van Ursula stond achteraan op de oprit.

De groep van Gina, die een dag eerder bijeenkwam? Een sessie die snel was georganiseerd in verband met haar dood? Of een andere groep die onder leiding van de toegewijde therapeute aan het praten was?

Twee uur. Als men vasthield aan het schema van een tot drie uur, zou de sessie over een uur voorbij zijn. Ik besloot het huis in de gaten te houden en in die tussentijd Milo te bellen.

Ik zocht naar een telefoon. Aan de overkant van de straat huizen. Verder naar het zuiden ook. Maar iets naar het noorden zag ik een rij winkels: een gebouw van voor de oorlog, opgetrokken uit goud-kleurige baksteen, ingelegd met leistenen. Bruine luifels boven elke winkel. Ik reed er langzaam langs. Het eerste etablissement was een restaurant. Daarna een makelaar, een snoepwinkel en een antiekzaak met kapstokken en tafeltjes op het trottoir. Weer verderop een aantal gebouwen waarin ondernemingen waren ondergebracht, daarna flat-gebouwen.

Ik keerde en reed naar het restaurant terug.

Leuke bistro. LA MYSTIQUE geheten. Naam aangebracht in art nou-veau-letters op de ramen, omgeven door een krans. Witte en crème-kleurige petunia's in een bloembak onder een van de ramen. Daar-boven een soort spandoek waarop BRUNCH stond.

Binnen stonden acht tafeltjes met blauw-wit geruite tafellakens, ma-deliefjes en lavendel in glazen vaasjes, witte stoelen en muren, Europese toeristische posters, een open keuken achter een lage schei-dingswand van plexiglas waar een Spaans ogende man met een koks-muts op druk in de weer was. Twee tafeltjes waren bezet door con-servatief geklede vrouwen van middelbare leeftijd, in groepjes van twee. Op hun borden voornamelijk groenkleurige hapjes. Zodra ik binnenkwam, keken ze even op en speelden toen verder met hun eten. Een blonde vrouw met een opvallende boezem, een jaar of dertig oud, kwam naar me toe met een menukaart in haar hand. Ze had een rond, vriendelijk gezicht en glimlachte nogal zenuwachtig. Ze had haar haren in een knotje opgestoken, waar ze een zwart lintje omheen had gedaan, en ze droeg een knielange, zwarte gebreide jurk die de boezem benadrukte maar de rest van haar figuur niet flatteer-de. Toen ze dichter bij me was, zag ik dat de glimlach gespannen was.

Spanning omdat ze net met de zaak gestart waren?
Spanning omdat ze nog niet uit de rode cijfers waren?
'Hallo,' zei ze. 'U kunt gaan zitten waar u wilt.'
'Daar dan graag,' zei ik. 'Hebt u een telefoon waarvan ik gebruik kan maken?'
'Achterin,' zei ze. Ze wees op de klapdeuren links van de keuken. De telefoon hing aan een muur tussen de toiletten in. Na tweemaal rinkelen hoorde ik de nieuwe zakelijke boodschap van Milo weer. Ik zei dat ik een paar dingen met hem wilde bespreken en waarschijnlijk rond vier uur terug zou zijn in het huis van Melissa. Toen draaide ik de kunstgalerie in Beverly Hills waarmee ik al eerder zaken had gedaan en vroeg naar de eigenaar.
'U spreekt met Eugene De Long.'
'Eugene, je spreekt met Alex Delaware.'
'Hallo, Alex. Ik weet nog niets naders over de Marsh. We zijn nog steeds op zoek naar iets dat in een aanvaardbare staat verkeert.'
'Dank je. In feite bel ik je op om te vragen of je me kunt vertellen hoeveel een kunstwerk, of eigenlijk twee werken van dezelfde kunstenaar, waard zijn. Niets formeels, alleen een indicatie.'
'Oké. Waar gaat het om?
'Gekleurde etsen van Cassatt.'
Moment stilte. 'Ik wist niet dat jij je dergelijke dingen kon veroorloven.'
'Was het maar waar. Ik vraag het voor een vriend.'
'Wil die vriend kopen of verkopen?'
'Misschien verkopen.'
'Over welke etsen heb je het?'
Dat vertelde ik hem.
'Een seconde,' zei hij en liet me toen enige minuten wachten. 'Ik heb hier de bedragen die soortgelijke werken de laatste tijd op veilingen hebben opgebracht. Zoals je weet is de conditie van het papier in zulke gevallen van het allergrootste belang, dus kan ik er niet zeker van zijn zonder die etsen zelf te hebben gezien. Cassatt was echter een perfectioniste, die er niet tegen opzag van voren af aan te beginnen wanneer ze ergens niet tevreden mee was, dus is elk werk dat in een redelijke conditie verkeert, ook al interessant. Vooral wanneer het om gekleurde etsen gaat. Als die etsen waar jij het over hebt in een uitstekende conditie verkeren, heb je een paar juweeltjes in handen. Ik zou er van de juiste cliënt een kwart miljoen voor kunnen krijgen. Misschien meer.'
'Per stuk of voor beide?'
'Per stuk. Zeker nu. De Japanners zijn dol op het impressionisme en

Cassatt staat bovenaan hun lijst van Amerikaanse kunstenaars. Ik denk dat haar belangrijkste schilderijen binnenkort zeven cijfers gaan opbrengen. De etsen zijn in feite een mengeling van westerse en Aziatische gevoelens. Zij is sterk beïnvloed door Japanse etsers en daardoor is ze zo bij hen in trek. Voor een echt fraaie ets kan ik misschien wel driehonderdduizend krijgen.'

'Dank je, Eugene.'

'Graag gedaan. Zeg tegen je vriend dat hij een prima investering in handen heeft, maar dat Cassatt nog niet absoluut is doorgebroken. Toch hoeft hij niet naar New York te gaan wanneer hij tot verkoop besluit.'

'Dat zal ik doorgeven.'

'*Bonsoir*, Alex.'

Ik deed mijn ogen dicht en stelde me enige tijd een reeks nullen voor. Toen draaide ik de dienst die mijn telefoontjes aannam en kreeg te horen dat Robin had gebeld.

Ik belde haar atelier. Toen ze opnam, zei ik: 'Hai. Met mij.'

'Hai. Ik wilde alleen even weten hoe het met je ging.'

'Vrij goed. Ik ben hier nog steeds bezig.'

'Waar?'

'Pasadena. San Labrador.'

'Oud geld, oude geheimen,' zei ze.

'Als je eens wist hoe precies je de spijker op zijn kop sloeg!'

'Ik heb een buitenzintuiglijk waarnemingsvermogen. Als ik ooit geen gitaren meer kan maken, ga ik me met theebladeren bezighouden.'

'Of de handel in aandelen.'

'O nee. Ik ben niet zo dol op een gevangenis.'

Ik lachte. 'Hoe is het met jou?'

'Prima.'

'Hoe gaat het met de gitaar van meneer De Paniekvogel?'

'Had eigenlijk nauwelijks iets te betekenen. Ik denk dat hij tegenwoordig te vaak nuchter is en daardoor gaat overdrijven. Van een noodsituatie was geen sprake.'

Ik lachte weer. 'Ik zou je graag weer willen zien als ik het wat minder druk heb.'

'Oké. Als je het wat minder druk hebt.'

Stilte.

'Binnenkort,' zei ik, hoewel ik daar op geen enkele manier zeker van kon zijn.

'Dat is nog beter.'

Ik liep het restaurantgedeelte weer in. Op de tafel stonden een mandje brood en een glas ijswater. Twee van de lunchende vrouwen waren vertrokken; de andere twee waren de rekening aan het controleren met een zakrekenmachientje en gefronste wenkbrauwen.

Het brood rook vers, maar door de 'lichte' maaltijd van Madeleine had ik totaal geen honger meer. De vrouw die me had ontvangen, zag dat ik het broodmandje opzij schoof en schrok daarvan. Ik pakte de menukaart. De twee klanten gingen weg. De vrouw pakte de cheque op, keek ernaar, schudde haar hoofd. Nadat ze het tafeltje schoon had geveegd, kwam ze naar mij toe, met een pen paraat. Ik bestelde de duurste koffie die ik op de kaart kon vinden; een driedubbele espresso met Napoleon-cognac, en een schaaltje reuzenaardbeien.

Ze bracht de aardbeien als eerste en die waren inderdaad reusachtig groot. De koffie kwam even later, dampend.

Ik glimlachte haar toe. Ze keek bezorgd.

'Alles naar wens, meneer?'

'Ja. Prachtige aardbeien.'

'Halen we uit Carpenteria. Wilt u er wat slagroom bij?'

'Nee, dank u.' Ik glimlachte en keek naar buiten. Vroeg me af wat zich achter de gevel afspeelde. Berekende hoeveel uur behandeld moest worden om een ets te kopen die een kwart miljoen dollar waard was. Probeerde te bepalen hoe ik de Gabney's zou aanpakken.

Toen de eigenaresse een paar minuten later terugkwam, had ik een derde van de koffie op, en twee aardbeien.

'Is er iets niet naar wens, meneer?'

'Nee, alles is prima.' Ik nam een slokje om dat te bewijzen en prikte toen de allergrootste aardbei aan mijn vork.

'We importeren onze koffie,' zei ze. 'Simpson and Veroni kopen bij dezelfde groothandel, maar zij rekenen er wel het dubbele voor.'

Ik had er geen idee van wie Simpson and Veroni waren, maar ik glimlachte, schudde mijn hoofd en zei: 'Prijzen!' Mijn medeleven maakte geen indruk. Als dit haar gebruikelijke onpersoonlijke manier van doen was, begreep ik wel waarom het publiek niet voor dit etablissement stond te dringen.

Ik nam nog een slok en begon aan de aardbei.

Ze bleef nog even bij mijn tafeltje staan, liep toen naar de keuken en begon te overleggen met de kok.

Ik keek weer naar buiten. Keek op mijn horloge. Vijf over half drie. Nog iets minder dan een half uur. Wat zou ik tegen Ursula Gabney zeggen?

De vrouw met de grote boezem kwam de keuken uit met een zondagskrant onder een arm, ging aan een van de tafeltjes zitten en begon te lezen. Toen ze het eerste deel uit had, keek ze op en onze blikken kruisten elkaar. Ze wendde haar ogen snel af. Ik dronk de rest van mijn koffie op.

'Wilt u nog iets anders?' vroeg ze, zonder op te staan.

'Nee, dank u.'

Ze bracht me de rekening. Ik gaf haar een credit-card. Ze nam die aan, keek ernaar, haalde een formuliertje, kwam daarmee terug en vroeg: 'Bent u echt doctor?'

Ik besefte hoe ik eruit moest zien. Kleren waarin ik had geslapen, niet geschoren.

'Ik ben psycholoog,' zei ik. 'Aan de overkant is een kliniek en ik moet straks met een van de artsen daar gaan praten.'

'Hmmm,' zei ze en keek weifelend.

'Maakt u zich geen zorgen,' zei ik met mijn beste glimlach. 'Een patiënt ben ik niet. Ik heb lang achter elkaar door moeten werken in verband met een noodsituatie.'

Dat leek haar niet echt gerust te stellen, dus pakte ik mijn papieren en liet die aan haar zien.

Ze ontspande zich iets en zei: 'Wat voor dingen doen ze daar?'

'Dat weet ik niet precies. Hebt u wel eens problemen gehad vanwege hen?'

'O nee, maar je ziet er zo weinig mensen naar binnen en naar buiten gaan. Geen bord dat vermeldt wat men daar doet. Ik zou niet eens hebben geweten dat het een kliniek was wanneer een van mijn klanten me dat niet had verteld. Daardoor ben ik me gaan afvragen wat ze daar doen.'

'Ik weet er zelf ook weinig van. Mijn specialiteit is het werken met kinderen. Een van mijn patiënten is het kind van een vrouw die hier vroeger werd behandeld. Misschien is zij u wel eens opgevallen. Ze reed in een oude Rolls-Royce, zwart en grijs.'

Ze knikte. 'Ik heb zo'n auto een paar keer gezien, maar het is me nooit opgevallen wie er achter het stuur zat.'

'De eigenaresse van die auto is een paar dagen geleden verdwenen. Het kind heeft het daar heel moeilijk mee. Ik ben hierheen gekomen om te kijken of zij me iets wijzer kunnen maken.'

'Verdwenen? Hoe bedoelt u dat?'

'Ze is op weg gegaan naar de kliniek, maar daar nooit verschenen. Sindsdien heeft niemand haar gezien.'

'O. Weet u...' zei ze en schudde toen haar hoofd.

'Wat is er?'

'Niets... Het zal wel niets te betekenen hebben. Ik moet me niet bemoeien met dingen waarmee ik niets te maken heb.'

'Als u iets weet...'

'Nee,' zei ze nadrukkelijk. 'Het gaat niet om de moeder van die patiënte van u. Wel over een van hun andere patiënten, de klant over
wie ik het had. Degene die me heeft verteld dat het een kliniek was.
Ze kwam hier vaak en er leek niets mis met haar te zijn. Ze zei dat
ze bang was geweest de deur uit te gaan, een fobie, en dat ze daarom
behandeld werd, maar dat het nu een stuk beter met haar ging. Je
zou hebben verwacht dat ze die kliniek daar dankbaar voor was en
er graag kwam. Maar dat leek niet zo te zijn. Ik hoop dat u me niet
gaat citeren, want ik kan er echt geen verdere ellende bij gebruiken.'
Ze bekeek de door mij ingevulde cheque. 'U moet het totaalbedrag
nog opschrijven, en uw handtekening plaatsen.'
Dat deed ik, met een fooi van vijfentwintig procent.
'Dank u,' zei ze.
'Graag gedaan. Waarom dacht u dat die vrouw de kliniek niet prettig
vond?'
'De manier waarop ze erover sprak. De vele vragen die ze stelde.
Over hen.' Ze keek naar de overkant van de straat. 'Niet meteen.
Pas nadat ze hier een paar keer was geweest.'
'Wat voor vragen?'
'Hoelang ze hier al waren. Daar had ik geen idee van, want ik was net
hierheen verhuisd. Of de artsen en de andere patiënten hier wel eens
kwamen. Dat was een makkelijke vraag. Niemand. Behalve Kathy. Zo
heette ze. Ze leek nergens bang van te zijn. In feite was ze nogal agressief.
Maar ik vond haar aardig. Ze was vriendelijk en vond mijn eten lekker.
Ze kwam hier vaak en het idee van een vaste klant stond me aan. Toen
kwam ze op een dag gewoon niet meer. Opeens.' Ze knipte met haar
vingers. 'Zo maar. Ik vond het vreemd. Vooral omdat ze niet had verteld
dat haar behandeling was beëindigd. Toen u zei dat die andere vrouw
was verdwenen, moest ik daaraan denken. Hoewel Kathy niet echt ver-
dwénen is. Ze kwam hier gewoon niet meer.'
'Hoelang geleden was dat?'
Ze dacht na. 'Ongeveer een maand. Eerst dacht ik dat het iets met
het eten te maken had, maar ze kwam dáár ook niet meer. Ik kende
haar auto. Ze kwam regelmatig op de maandag- en de donderdag-
middag. Om kwart over drie kwam ze hier pasta eten, of mosselen,
met een cappuccino royale en een croissant met rozijnen. Ik waardeerde dat omdat deze zaak nog niet zo lekker draait. We moeten
onze aanwezigheid nog kenbaar maken. Mijn echtgenoot zegt al
maandenlang dat hij dit heeft voorzien. Vorige week ben ik een
brunch op de zondag gaan serveren, maar veel mensen hebben we er
nog niet mee getrokken.'
Ik klakte meelevend met mijn tong.

Ze glimlachte. 'Ik heb deze bistro La Mystique genoemd. Mijn man zegt dat het enige mysterie is wanneer ik moet sluiten, dus moet ik bewijzen dat hij het mis heeft. Daarom waardeerde ik het zo dat Kathy hier regelmatig kwam. Ik vraag me nog steeds af wat er met haar is gebeurd.'

'Herinnert u zich haar achternaam?'

'Waarom vraagt u dat?'

'Ik probeer in contact te komen met iedereen die de moeder van mijn patiënte heeft gekend. Een klein detail zou ons in principe al wat wijzer kunnen maken.'

Ze aarzelde en zei toen: 'Een seconde.'

Ze liep weer naar de keuken. Terwijl ik wachtte, keek ik naar de kliniek. Er ging niemand naar binnen, niemand kwam naar buiten. Geen teken van leven achter de ramen.

Ze kwam terug met een vierkant, geel papiertje.

'Dit is het adres van de zuster van Kathy. Ze heeft me dat in het begin gegeven, als referentie, omdat ze met een cheque betaalde en haar credit-card geregistreerd stond in een andere staat. Ik heb willen bellen, maar dat is er nooit van gekomen. Als u haar spreekt, wilt u haar dan de hartelijke groeten van me doen? Ik heet Joyce.'

Ik pakte het papiertje aan. Keurige drukletters, met rode viltstift geschreven.

KATHY MORIARTY
P/A ROBBINS
ASHBOURNE DRIVE 2012
ZUID-PASADENA

Een telefoonnummer dat begon met 795.

Ik stopte het papiertje in mijn portefeuille, stond op en zei: 'Hartelijk dank. Het was allemaal erg lekker.'

'U hebt alleen aardbeien en koffie gehad. U moet eens terug komen als u honger hebt. We zijn echt goed.'

Ze liep terug naar haar tafeltje en haar krant.

Ik stond op, keek naar buiten, zag beweging. Een statig ogende, grijsharige vrouw stapte in de Lincoln. De stationcar reed al weg.

Tijd voor een praatje met Ursula.

Maar toen ik op het trottoir stond, werd dat plan de grond in geboord. De Saab reed bliksemsnel achteruit de oprijlaan af, stopte even, racete verder naar het noorden.

Toen ik achter het stuur van de Seville zat, was ze uit mijn gezichtsveld verdwenen.

Ik bleef me enige tijd zitten afvragen waarom ze zo snel was vertrokken, maakte het handschoenenvakje open, pakte mijn Thomas Guide en zocht Ashbourne Drive op.

Het huis was behoorlijk groot en werd omgeven door vele esdoorns en pijnbomen. Een Plymouth-vrachtwagentje stond op de oprijlaan, naast allerlei kleine fietsjes en wagentjes. Drie stenen traptreden leidden naar de voordeur. In die voordeur een klein koperen deurtje, op ooghoogte aangebracht.

Ik belde aan. De kleine deur werd op een kier geopend en een paar donkere ogen keken naar buiten. Binnen het lawaai van de geluidsband bij een tekenfilm. De ogen vernauwden zich tot spleetjes.

'Ik ben Alex Delaware en ik zou mevrouw Robbins graag willen spreken.'

'Evewachte.'

Ik wachtte, streek mijn kleren glad, kamde mijn haren met mijn vingers. Ik hoopte dat mijn nette overhemd en stropdas de indruk zouden wekken dat de baardstoppels modieus waren.

Het deurtje ging weer open. Blauwe ogen. Zich samentrekkende pupillen.

'Ja?' Jonge stem, licht nasaal.

'Mevrouw Robbins?'

'Wat kan ik voor u doen?'

'Ik ben doctor Alex Delaware en probeer uw zuster Kathy te vinden.'

'Bent u een vriend van Kathy?'

'Nee, maar we hebben wel een gemeenschappelijke kennis.'

'Doctor. Welk beroep oefent u uit?'

'Ik ben klinisch psycholoog. Het spijt me dat ik u zo overval, en ik ben zonder meer bereid u aan de hand van papieren te laten zien dat ik ben wie ik zeg te zijn.'

'Doet u dat dan maar eens.'

Ik liet ze een voor een zien.

'Wie kennen Kathy en u beiden?' vroeg ze toen.

'Mevrouw Robbins, dat is iets dat ik echt persoonlijk met haar moet bespreken. Als u mij haar nummer wilt geven, zal ik u het mijne geven en dan kan ze mij bellen.'

De blauwe ogen keken van links naar rechts. Het deurtje werd gesloten en de grote geopend. Een vrouw van achter in de dertig kwam naar buiten, de veranda op. Een meter zevenenzeventig, slank, roodblond haar, kortgeknipt. De blauwe ogen diep in een lang gezicht vol sproeten. Volle lippen, puntige kin, iets uitstekende oren. Ze droeg een topje met korte mouwen en horizontale rood-witte strepen, een witte canvasbroek en tennisschoenen zonder sokken. Kleine diamanten in haar oren. Ze had een van de Las Labradoras kunnen zijn.

'Jan Robbins,' zei ze en nam me van top tot teen op. Haar nagels waren lang maar niet gelakt. 'We kunnen beter buiten praten.'

'In orde,' zei ik en was me bewust van elke kreukel in mijn pak. Pas toen ik iets achteruit was gelopen, deed ze de voordeur dicht. 'Waarom bent u op zoek naar Kathy?'

Ik vroeg me af hoeveel ik kon zeggen. Had Kathy Moriarty haar zuster verteld over die sessies in de kliniek? Ze had er met Joyce heel openlijk over gesproken, maar vreemden leken vaak de veiligste figuren om confidenties aan te doen.

'Het is ingewikkeld,' zei ik. 'Het zou echt beter zijn wanneer ik rechtstreeks met uw zuster kon spreken.'

'Dat zal best. Ik zou ook graag rechtstreeks met haar willen spreken, maar ik heb al meer dan een maand lang niets van haar gehoord.'

Voordat ik iets kon zeggen, ging ze verder. 'Dat is niet de eerste keer in haar carrière.'

'Wat voor carrière?'

'In de journalistiek. Ze heeft gewerkt voor de *Boston Globe* en de *Manchester Union Leader*, maar nu werkt ze zelfstandig. Ze probeert haar eigen boeken gepubliceerd te krijgen en dat is haar een paar jaar geleden ook gelukt. Over verdelgingsmiddelen. *De slechte aarde.*'

Ik zei niets.

Ze glimlachte. Met enige voldoening, meende ik. 'Het was niet direct een bestseller.'

'Komt ze oorspronkelijk uit New England?'

'Nee, uit Californië. We zijn beiden opgegroeid in Fresno. Na haar opleiding is ze teruggegaan naar de oostkust, omdat ze de westkust een culturele woestijn vond.'

Ze keek even naar de vrachtwagen en de fietsjes en fronste haar wenkbrauwen.

'Is ze teruggekomen in verband met een of ander literair project?'

'Ik neem aan van wel. Ze heeft het me nooit verteld. Ze praatte nooit over haar werk. Vertrouwelijke bronnen, natuurlijk.'

'Dus u hebt er geen idee van wat ze aan het doen was?'

'Totaal niet. We zijn niet... We zijn heel verschillend. Ze is hier niet vaak geweest.'

Ze sloeg haar armen over elkaar. 'Hoe bent u eigenlijk te weten gekomen dat ik haar zuster ben?'

'Ze heeft u als referentie opgegeven toen ze in een restaurant met een cheque wilde betalen. De eigenaresse heeft me uw adres gegeven.'

'Oké. Zal wel kloppen. Mazzel dat die cheque niet ongedekt was.'

'Heeft ze financiële problemen?'
'Ze geeft graag veel geld uit. Luister. Ik moet echt weer naar binnen. Het spijt me dat ik u niet kan helpen.'
Ze wilde zich omdraaien.
'Dus u vindt het niet erg dat ze al een maand weg is.'
Ze draaide zich bruusk om. 'Voor dat boek over verdelgingsmiddelen is ze meer dan een jaar lang door het hele land op reis geweest. We hoorden nooit iets van haar, tenzij ze geld nodig had. Ze heeft ons niets terugbetaald. Het enige dat we kregen, was een gesigneerd exemplaar van haar boek. Mijn echtgenoot is als jurist verbonden aan een chemisch bedrijf, dus zult u zich kunnen voorstellen hoe hij dat waardeerde. Een jaar daarvoor is ze naar El Salvador geweest, ook in verband met een of ander geheimzinnig onderzoek. Zes maanden lang was ze spoorloos. Geen telefoontje, niet eens een prentbriefkaart. Mijn moeder was dodelijk ongerust, maar dat onderzoek heeft geen verhaal opgeleverd. Nee, ik vind het inderdaad niet erg. Ze zal wel weer achter de een of andere intrige aan zitten.'
'Wat voor intriges interesseren haar normaal gesproken?'
'Alles wat riekt naar samenzwering. Ze ziet zichzelf graag als een verslaggeefster-annex-detective. Ze vindt nog steeds dat de moord op Kennedy een uitermate fascinerend tafelgesprek kan opleveren.'
Pauze. Filmgeluiden uit het huis. 'Dit is belachelijk. Ik ken u niet. Ik zou niet met u moeten praten. In het onwaarschijnlijke geval dat ik snel iets van haar hoor, zal ik haar zeggen dat u haar wilt spreken. Waar woont u?'
'In het westelijke deel van Los Angeles,' zei ik. 'Hebt u een recent adres van haar?'
Ze dacht even na. 'Dat zal ik u geven. Als zij mijn adres aan anderen geeft, kan ik hetzelfde doen.'
Ik pakte een pen en gebruikte mijn knie als tafeltje. Het was een adres aan Hilldale Avenue.
'Het westelijke deel van Hollywood, dichter bij u in de buurt,' zei ze.
Ze stond daar alsof ze me uitdaagde.
'Dank u. Nogmaals sorry dat ik u heb gestoord,' zei ik.
'Oké,' zei ze en keek weer naar het vrachtwagentje. 'Ik weet dat ik hard klink, maar lange tijd heb ik geprobeerd haar te helpen. Zij gaat echter haar eigen weg, wat er ook...' Ze raakte haar mond aan, alsof ze zichzelf met geweld tot zwijgen wilde dwingen. 'We zijn heel anders, dat is alles. *Vive la différence.* Daar geloven jullie psychologen toch in?'

28

Om kwart over vier was ik terug bij Sussex Knoll. Noels Celica stond voor de deur, evenals een bruine Mercedes two-seater met een DODGER BLUE-sticker op de achterbumper en een antenne op de kofferbak.
Madeleine deed open.
'Hoe is het met haar?'
'Ze is nog steeds boven, maar heeft wat soep gegeten.'
'Heeft meneer Sturgis opgebeld?'
'*Non*. Maar anderen...' Ze knikte in de richting van de voorkamer en trok haar bovenlip op. Een samenzweerderig gebaar. Ik was nu een insider.
'Zíj wachten,' zei ze.
'Op wie?'
Ze haalde haar schouders op.
We liepen samen naar de kamer toe. Bij de deur draaide ze zich om en ging verder naar de achterzijde van het huis.
Glenn Anger en een zwaargebouwde, vrijwel kale man van ergens in de vijftig zaten in de fauteuils, de benen over elkaar geslagen, op hun gemak. Beiden droegen donkerblauwe kostuums, witte overhemden, dassen en bijpassende pochetjes. De stropdas van Anger was roze, die van de andere man geel.
Toen ik vlak bij hen was, gingen ze staan en knoopten hun colbertjes dicht. De kale man was een meter drieëntachtig lang en had het lijf van een gewichtheffer die enige tijd niets meer aan zijn conditie had gedaan. Zijn gezicht was vierkant en dik, de nek fors, zijn huid even fraai gebruind als die van Anger en Don Ramp in de tijd voordat de problemen waren gekomen. Hij had nog een paar bruingrijze haarslierten, die langs zijn gezicht hingen, en een toefje haar boven op zijn hoofd.
'Ik neem aan dat uw werkzaamheden hier zijn afgelopen,' zei Anger en keek grimmig voldaan. Tegen de kalende man: 'Dit is een van de detectives die zijn ingehuurd om Gina te zoeken, Jim.'
'Niet direct,' zei ik. 'Ik ben Alex Delaware, de psycholoog die Melissa behandelt.'
Anger keek stomverbaasd en toen geërgerd.
'Meneer Sturgis, de detective, is een vriend van me,' zei ik. 'Ik heb de familie naar hem verwezen. Ik was toevallig bij hem toen we een bezoek brachten aan uw kantoor.'
'Ik begrijp het. Nu, dat is...'
'Het spijt me dat ik me toen niet uitgebreider heb voorgesteld, maar

het leek op dat moment niet belangrijk.'

'Ik veronderstel dat het dat ook niet was,' zei Anger.

De kale man schraapte zijn keel.

Anger zei: 'Mag ik u voorstellen aan Jim Douse, Gina's notaris?'

Eén kant van de mond van Douse glimlachte. Hij gaf me een hand, waardoor een manchetknoop met een monogram zichtbaar werd. Zijn hand was groot en verbazingwekkend ruw – weekeinden die niet achter een bureau werden doorgebracht – en hij boog zijn vingers zo dat onze handpalmen nauwelijks contact maakten. Misschien had hij nog niet bepaald hoe vriendelijk hij jegens mij wilde zijn, misschien wist hij als heel sterke man dat hij voorzichtig moest zijn een ander geen pijn te doen.

'Meneer Delaware,' zei hij met een schorre rokersstem. Boven zijn pochetje uit waren de punten van twee sigaren te zien. 'Psycholoog? Die mensen gebruik ik soms wel eens voor een proces.'

Ik knikte en vroeg me af of die opmerking bedoeld was om het ijs te breken, of als dreigement.

'Hoe gaat het met de kleine?' vroeg hij.

'De laatste keer dát ik haar heb gezien, was ze aan het rusten. Ik ga zo meteen weer naar boven om naar haar te kijken.'

'Cliff Chickering heeft me het afschuwelijke nieuws verteld,' zei Anger. 'Vanmorgen, in de kerk. Jim en ik zijn hierheen gekomen om te kijken of we iets kunnen doen. Wat een ellende. Ik had nooit kunnen denken dat het zo ver zou komen.'

Douse keek hem aan alsof bespiegelen een vergrijp was, schudde toen zijn hoofd als een vertraagd bewijs van medeleven.

'Is de zoekactie gestaakt?' vroeg ik.

Anger knikte. 'Chickering zei dat ze er een paar uur geleden mee waren gestopt. Hij is ervan overtuigd dat ze op de bodem van dat reservoir ligt.'

'Hij is er ook van overtuigd dat ze dat zelf zo heeft geregeld,' zei ik.

Anger keek ongemakkelijk.

Douse zei: 'Ik heb de heer Chickering gesuggereerd dat een theorie door feiten moet worden geschraagd.' Hij hief zijn kin en streek met een vinger langs de binnenkant van de boord van zijn overhemd.

Anger zei: 'Het was een beroerd ongeluk, dat is duidelijk. Ze had daar in de buurt helemaal niet moeten rijden.'

'Heren, als u me nu wilt excuseren?' zei ik. 'Ik ga naar Melissa.'

'Brengt u haar onze condoléances over,' zei Anger. 'Als ze graag wil dat we naar boven komen, zullen we dat doen. Zo niet, zijn we beschikbaar zodra zij zich in staat acht alles te regelen.'

'Wat moet er dan allemaal worden geregeld?'

'De nieuwe status-quo moet worden vastgelegd. Zo snel mogelijk. Paperassen moeten worden ingevuld. Routinewerk. De regering wil zichzelf altijd wat te doen geven. Alles moet nauwkeurig volgens de voorschriften worden gedaan, anders krijgen we problemen.'

'Ze is te jong om dat alles te kunnen regelen,' zei Anger. 'Hoe sneller wij alles hebben afgehandeld, hoe beter.'

'Te jong om papieren te lezen en te ondertekenen?' vroeg ik.

'Te jong om zo'n hele procedure aan te kunnen,' zei Anger. 'De lasten van het beheren en managen van haar vermogen en zo.'

'Ze moet andere dingen met haar leven doen,' zei Douse. 'Dat zult u als psycholoog toch wel met me eens zijn?'

Ik had het gevoel te zijn beland in een vergadering van een subcommissie van de senaat. 'U bedoelt in feite te zeggen dat ze haar eigen geld niet zou moeten beheren?'

Er viel een stilte, als het doek van een toneel.

'Het is ingewikkeld,' zei Douse. 'Allerlei stomme regels.'

'Omdat het bezit zo groot is?'

Anger tuitte zijn lippen en keek onrustig naar de meesterwerken aan de muren.

Douse zei: 'Meneer Delaware, ik kan geen details met u bespreken tenzij mij duidelijk is dat u binnen dit alles een belangrijke rol gaat spelen. In algemene zin wil ik u echter wel het volgende zeggen. Zonder een concreet bewijs dat mevrouw Ramp is overleden, zal het lange tijd duren voordat vaststaat dat de erfgename recht op de erfenis heeft en die ook krijgt toegewezen, plus alle rechten die daarbij horen.'

Hij zweeg en keek me aan. Toen ik me niet bewoog, ging hij verder. 'Ik heb lange tijd gezegd en dat bedoel ik ook. We hebben met meerdere jurisdicties te maken. Van lokale tot federale, vanwege de belastingwetgevingen. Nu heb ik het alleen nog maar over de basisoverdracht. Daarnaast zullen haar rechten moeten worden beschermd, moeten de successierechten worden betaald, moeten er gevolmachtigden worden benoemd, plus een voogd.'

'Een voogd?' vroeg ik. 'Melissa is meerderjarig. Waarom heeft ze dan nog een voogd nodig?'

Anger keek naar Douse. Douse keek naar hem.

Een tenniswedstrijd met de ogen. De bal kwam uiteindelijk terecht bij de bankier.

'Meerderjarigheid is één ding, competentie is iets anders,' zei hij.

'Wilt u suggereren dat Melissa niet competent genoeg is om haar eigen zaken te kunnen behartigen?'

Anger keek weer naar de schilderijen.

'De term zaken beschrijft in de verste verte niet waar het om gaat,'
zei Douse. Hij duidde met een armgebaar de grootte van de kamer
aan. 'Hoeveel achttienjarigen zouden in staat zijn iets dat zo groot
is als dit, te kunnen beheren? Ik weet dat die van mij er zeker niet
toe in staat zijn.'
'Die van mij ook niet,' zei Anger. 'In dit geval moeten we de emotionele stress en de familiegeschiedenis er nog eens aan toevoegen.'
Hij wendde zich tot mij. 'Daar zou u meer over kunnen zeggen.'
Het klonk als een uitnodiging. Ik voldeed niet aan het verzoek te
reageren.
Douse raakte zijn kale hoofd aan. 'Ik ben van mening, als haar jurist
en als ouder, dat ze haar hersens moet gebruiken om te proberen zo
optimaal mogelijk op te groeien. God weet dat dat gegeven de omstandigheden al moeilijk genoeg voor haar zal zijn.'
'Dat staat vast,' zei Anger. 'Meneer Delaware, ik heb vier kinderen
thuis, allemaal tieners en twintigers, en wij worden door de mangel
gehaald. Als je een tiener of een jongvolwassene heel veel geld geeft,
zou je hem of haar net zo goed een geladen wapen in handen kunnen
geven.'
'Hebt u kinderen?' vroeg Douse aan mij.
'Nee.'
Beiden glimlachten veelbetekenend.
'Zoals ik al heb gezegd, kan ik geen nadere mededelingen doen, tenzij
u een uitgebreidere rol in deze gaat vervullen,' zei Douse en speelde
met een knoopje van zijn colbert.
'Wat voor een rol?'
'Als u bereid bent haar uitgebreid als psycholoog te gaan behandelen
en het beheer van Melissa's emotionele zaken coördineert met het
beheer van de financiële aspecten van haar leven door mij en Glenn,
zou uw standpunt in aanmerking worden genomen bij elke belangrijke beslissing die moet vallen. Bovendien zou u er goed voor worden
betaald.'
'Laat me eens kijken of ik u goed heb begrepen,' zei ik. 'U zou graag
willen dat ik u help met te laten vaststellen dat Melissa in psychisch
opzicht niet in staat is haar eigen zaken te behartigen, zodat er een
voogd kan worden aangesteld die haar geld gaat beheren.'
Daar bleek Anger van te schrikken.
'Fout,' zei Douse. 'We willen niets. Het welzijn van òns staat hier
niet op het spel. We denken alleen aan het háre. Als oude vrienden
van de familie, als ouders en als beroepsmanagers. Verder proberen
we op geen enkele manier uw oordeel of uw mening te beïnvloeden.
Dit gesprek dat, zoals ik u even in herinnering wil brengen, spontaan

is ontstaan, is eenvoudigweg een afspiegeling van een bespreking van zaken die in zekere mate dringend zijn geworden door een reeks onvoorziene gebeurtenissen. Simpel gezegd zullen we enige zaken verdraaid snel moeten regelen.'

'Meneer Delaware, u moet weten dat het geld nog niet van Melissa is,' zei Anger. 'Niet in de wettelijke zin. Ze zou het zeer moeilijk los kunnen krijgen voordat alle procedures zijn afgerond, en zoals Jim al zei, draaien de raderen van de bureaucratie zeer langzaam. Het proces kan maanden in beslag nemen, of nog langer. In die tussentijd moet zij kunnen leven, moet dit huishouden draaien, het huis worden onderhouden, salarissen uitbetaald. Om nog maar te zwijgen over het feit dat de investeringen door een web van regels moeten worden geloodst. Dergelijke dingen behoren soepel te gaan. Voor zover ik kan nagaan, zou het benoemen van een voogd het beste zijn.'

'Wie zou de voogd worden? Don Ramp?'

Douse schraapte zijn keel en schudde zijn hoofd.

'Nee, dat zou ingaan tegen de geest zo niet de letter van het testament van Arthur Dickinson.'

'Wie dan wel?'

Weer een doodse stilte. Ergens in het grote huis voetstappen. Een stofzuiger jammerde. De telefoon rinkelde, één keer.

'Mijn kantoor heeft deze familie al lang gediend,' zei Douse. 'Het lijkt beslist logisch die traditie voort te zetten.'

Ik zei niets. Hij knoopte zijn colbertje los, pakte een kleine portefeuille van krokodilleleer, haalde daar een wit visitekaartje uit en gaf me dat plechtig, alsof het iets waardevols was.

J. MADISON DOUSE JR.
NOTARIS

WRESTING, DOUSE EN COSNER
S. FLOWER STREET 820
LOS ANGELES, CA. 90017

Douse zei: 'De stichter was opperrechter Douse.'

Hij voegde er niet aan toe dat die man zijn oom was geweest. Hij verwarde aangedikte discretie met klasse.

Anger verknalde dat door te zeggen: 'Jims oom.'

Douse schraapte zijn keel zonder zijn mond open te doen. Het klonk als een diep, stierachtig gesnuif.

Anger herstelde de schade snel. 'De families Douse en Dickinson hebben al jarenlang een hechte band die is gebaseerd op onvoorwaarde-

lijk vertrouwen. Arthur heeft zijn zaken aan Jims vader toever-
trouwd, in een tijd dat die zaken nog heel wat ingewikkelder waren
dan nu. Uw patiënte zou er het meest bij zijn gebaat wanneer haar
belangen op de beste manier worden behartigd, meneer Delaware.'
'Op dit moment zou mijn patiënte er het meest bij zijn gebaat zich
emotioneel te leren verdedigen, zodat ze het verlies van haar moeder
kan verwerken,' zei ik.
'Inderdaad,' bevestigde Anger. 'Daarom zouden Jim en ik nu juist
graag alles zo snel mogelijk geregeld willen zien.'
'Het probleem is het handhaven van continuïteit,' zei Douse. 'Elke
stap die we tot nu toe hebben gezet, had officieel de goedkeuring van
mevrouw Ramp nodig. Hoewel ze zich nauwelijks heeft beziggehouden met het actieve, dagelijkse beheer, eiste de wet van ons dat we
met haar overlegden. Nu zij niet langer beschikbaar is, zijn we verplicht om...'
'Te overleggen met de erfgename,' vulde ik aan. 'Dat zult u wel heel
vervelend vinden.'
Douse knoopte zijn colbertje dicht en boog zich naar voren. Zijn
voorhoofd was gefronst en hij snoof alsof hij elk moment in de aanval kon gaan. 'Meneer Delaware, uit uw woorden proef ik iets strijd-
lustigs, wat totaal onnodig is gezien de feiten waarmee we te maken
hebben.'
'Misschien,' zei ik. 'Of misschien staat me gewoon het idee niet aan
te worden gevraagd beroepshalve te liegen. Ook wanneer uw bedoelingen goed zíjn. Melissa is niet incompetent. In de verste verte niet.
Ze kan volkomen normaal en helder nadenken en heeft ook geen last
van een andere geestelijke stoornis waardoor haar beoordelingsver-
mogen is aangetast. Wie kan bepalen of ze volwassen genoeg is om
veertig miljoen dollar te beheren? Howard Hughes en Leland Belding
waren niet veel ouder toen zij het beheer van hun erfenis op zich
moesten nemen en geen van hen heeft het er slecht van afgebracht.
Banken en notariskantoren verknallen echter nog wel eens iets.'
'Dat heeft niets te maken met...' begon Anger, die rood aanliep.
'In wezen komt het erop neer dat elke beslissing om het beheer over
haar financiën aan derden over te dragen, door Melissa moet worden
genomen,' zei ik. 'En dat dient vrijwillig te gebeuren.'
Douse drukte zijn vingertoppen even tegen elkaar, meerdere keren
achtereen. Het had een parodie van een applaus kunnen zijn. Zijn
ogen waren klein en keken me strak aan.
'U zult zonder enige twijfel niet degene zijn die het verzoek krijgt te
oordelen over haar competentie. Uw aarzeling dienaangaande is
overduidelijk.'

'Wat betekent dat? Dat er een expert van buitenaf wordt ingehuurd, die met grof geschut moet komen?'

Zijn gezichtsuitdrukking bleef neutraal terwijl hij op een gouden Cartier-horloge keek, dat veel te klein leek voor zijn pols, en opnieuw de manchetknoop met monogram liet zien.

'Prettig kennis met u te hebben gemaakt, meneer Delaware.' Tegen Anger: 'Glenn, dit is duidelijk het juiste moment niet geweest om op bezoek te komen. We komen terug als ze hier beter tegen opgewassen is.'

Anger knikte, maar leek uit zijn evenwicht te zijn. Hij had geen prijzen behaald voor het uitvechten van openlijke conflicten.

Douse raakte zijn elleboog aan en het tweetal liep langs me heen naar de hal. Daar kwamen ze oog in oog te staan met Melissa, die vanachter een grote boekenkast te voorschijn kwam. Ze droeg haar haren in een paardestaart. Ze had een zwarte blouse aan, over een knielange kaki-rok, geen kousen, zwarte sandalen. In haar rechterhand hield ze een roze balletje geklemd: een papieren zakdoekje.

'Melissa,' zei Anger en keek triest, alsof hij moest weigeren een lening te verstrekken, 'het spijt me zo van je moeder, schatje. Je kent meneer Douse?'

Douse stak een hand uit.

Melissa strekte haar hand en liet het zakdoekje zien. Douse trok zijn hand terug.

'Meneer Douse, ik weet wie u bent, maar ik geloof dat we elkaar nog nooit hebben ontmoet.'

'Het spijt me dat dat onder deze omstandigheden moet gebeuren,' zei de notaris.

'Ja. Heel aardig van u om hierheen te komen en dat op een zondag.'

'De dag is onbelangrijk in kwesties als deze,' zei Anger. 'We kwamen langs om te informeren hoe het met jou gaat, maar meneer Delaware heeft ons meegedeeld dat je rustte en we waren net van plan weg te gaan.'

'Meneer Douse,' zei ze, Anger negerend en dichter op de andere man toe lopend. 'Meneer Douse, mag ik u dringend aanraden eventuele ideeën om mij te beroven meteen te vergeten? In orde, meneer Douse? Nee, u hoeft niets te zeggen. U gaat nu weg. Nu meteen. U beiden. Nu! Mijn nieuwe notaris en mijn nieuwe bankier zullen binnenkort contact met jullie opnemen.'

Nadat ze waren vertrokken, schreeuwde ze van woede en liet zich huilend tegen me aan vallen.

Noel kwam de trap afgerend, keek bang en verward en leek haar graag te willen troosten. Hij zag haar tegen mij aan staan en hield halverwege de trap halt.

Ik gaf hem een teken dat hij verder moest komen door mijn hoofd even naar achteren te bewegen.

Hij kwam heel dicht bij haar staan en zei: 'Melissa?'

Ze bleef huilen, drukte haar hoofd zo hard tegen mijn borstbeen dat het zeer deed.

Uiteindelijk deed ze een stap naar achteren, met rode ogen en een van woede vertrokken gezicht.

'Die rotzakken! Hoe hebben ze dit kunnen doen? Ze is nog niet eens... O...'

Ze stikte in haar woorden, draaide zich op haar hielen om, rende naar een muur en sloeg daar keihard met haar vuisten op.

Noel keek me aan, vroeg me om raad. Ik knikte en hij liep naar haar toe. Ze liet zich door hem meenemen, de voorkamer in. Daar gingen we zitten.

Madeleine kwam binnen, keek boos maar tegelijkertijd voldaan, alsof haar ergste vermoedens ten aanzien van het mensdom waren bevestigd. Opnieuw vroeg ik me af wat zij van dat alles had gehoord. Nog meer voetstappen.

De twee andere dienstmeisjes verschenen achter Madeleine. Ze zei iets en zij maakten zich snel uit de voeten.

Madeleine liep naar Melissa toe en raakte even naar hoofd aan. Melissa keek op en glimlachte door haar tranen heen.

'Zal ik iets te drinken voor je halen?' vroeg Madeleine.

Melissa gaf geen antwoord.

'Thee voor ons allemaal, alstublieft,' zei ik.

Madeleine liep weg. Melissa zat ineengedoken onder de beschermende onderarm van Noel, met opeengeklemde kaken. Ze scheurde het papieren zakdoekje aan flarden en liet die op de grond vallen.

Madeleine kwam terug met thee, honing en melk op een zilveren dienblad. Ze schonk in, gaf Noel een kop, die door hem naar Melissa's lippen werd gebracht.

Melissa dronk, verslikte zich, sputterde.

We wilden haar alle drie helpen. Het armgezwaai had onder andere omstandigheden komisch kunnen zijn.

Toen ze weer tot bedaren was gekomen, bracht Noel de kop opnieuw naar haar lippen. Ze nam een slokje, begon te kokhalzen, bracht haar hand naar haar borst en slaagde erin de slok binnen te houden. Toen ze een derde van de thee had opgedronken, knikte Madeleine goedkeurend en liep de kamer uit.

Melissa raakte Noels hand aan en zei: 'Zo is het genoeg. Dank je wel.'

Hij zette het kopje neer.

Zij zei: 'Die rotzakken. Het is niet te geloven.'

'Wie?' vroeg Noel.

'Mijn bankíer en mijn notáris. Zij proberen me financieel een poot uit te draaien.' Tegen mij: 'Hartelijk dank dat u het voor me hebt opgenomen, meneer Delaware. Ik weet wie mijn ware vrienden zijn.'

Noel bleef verward. Ik gaf hem een kort verslag van het gesprek met Anger en Douse. Elk woord leek hem woedender te maken.

'Die idioten,' zei hij. 'Je kunt beter andere mensen in de arm nemen.'

'Inderdaad. Ik heb net gedaan alsof dat al was gebeurd en je had de uitdrukking op hun gezichten eens moeten zien.'

Vage glimlach. Noel bleef ernstig.

'Meneer Delaware, kent u een goed notariskantoor?' vroeg Melissa.

'Nee, maar ik kan daar wel achter komen.'

'Dat zou ik bijzonder waarderen. Wilt u ook informeren naar welke bank ik het beste toe kan gaan?'

'Ik denk dat zo'n notaris je wel een bank kan aanraden.'

'Prima. Hoe eerder hoe beter, voordat die griezels iets gaan proberen. Het is mogelijk dat ze al actie tegen mij aan het ondernemen zijn.'

Opeens kreeg ze een idee en haar ogen werden groot. 'Ik zal Milo vragen hun gangen na te gaan. Hij kan wel achterhalen wat ze van plan zijn. Ze zullen me al wel een poot hebben uitgedraaid, denkt u ook niet?'

'Wie zal het zeggen?'

'Ze hebben nu niet direct aangetoond eerbaar te zijn. Ze kunnen moeder al deze jaren ook hebben bedonderd.' Ze deed haar ogen dicht.

Noel trok haar dichter tegen zich aan. Dat stond ze toe, maar ze ontspande zich niet.

Opeens gingen haar ogen weer open. 'Misschien heeft Don wel met hen onder één hoedje gespeeld...'

'Nee,' zei Noel. 'Zoiets zou Don nooit...'

Ze onderbrak hem door een snelle diagonale beweging van haar arm. 'Jij ziet deze kant van hem, maar ik zie een andere.'

Noel zweeg.

Melissa's ogen werden immens groot. 'O, mijn god!'

'Wat is er?' vroeg ik.

'Misschien hebben ze zelfs iets te maken gehad met... met... met wat er is gebeurd. Misschien wilden ze haar geld hebben en...'

Ze vloog overeind, waardoor Noel zijn evenwicht verloor. Met droge ogen, de handen tot vuisten gebald. Een vuist kwam op ooghoogte en trilde.

'Ik zal die rotzakken te grazen nemen. Iedereen die haar kwaad heeft berokkend, zal daarvoor moeten boeten!'

Noel ging staan. Ze hield hem op armslengte van zich af. 'Nee, het is in orde. Met mij zal alles in orde komen. Ik weet nu waar ik sta.'

Ze begon door de kamer te lopen. Cirkelend, dicht bij de muren, als iemand die leert schaatsen. Grote stappen, steeds sneller, tot ze bijna rende. Ze keek boos, stak haar onderkaak vooruit, sloeg met een vuist op de handpalm van haar andere hand.

Doornroosje, gewekt door de boosaardige kus van de achterdocht.

Woede die de plaats van angst innam. Onverenigbaar was met angst.

Zo had ik de afgelopen herfst een hele school behandeld. Had haar jaren geleden dezelfde les geleerd.

De woede van dit kind was witheet. De uitdrukking op haar gezicht bijna die van een wilde.

Ik keek toe en kon aan niets anders denken dan aan een hongerig dier in een kooi.

Psychische vooruitgang, nam ik aan.

29

Milo arriveerde kort daarna, gekleed in een bruin pak en gewapend met een glanzende, zwarte aktentas. Melissa vertelde hem meteen wat er was gebeurd.

'Pàk hen,' zei ze.

'Ik zal het nagaan,' zei hij, 'maar dat zal enige tijd vergen. In die tussentijd moet je een notaris in de arm nemen en liefst ook een jurist.'

'In orde. Wil je er alsjeblieft snel werk van maken? Wie weet wat ze al hebben gedaan en nog van plan zijn.'

'In elk geval zijn ze nu gewaarschuwd,' zei hij. 'Als ze iets van plan zijn geweest dat niet door de beugel kan, zullen ze daar voorlopig wel even van afzien.'

'Inderdaad,' bevestigde Noel.

Milo vroeg aan Melissa: 'Hoe gaat het verder met je?'

'Beter... Ik zal hierdoorheen komen. Dat moet ik wel. Als je wilt dat ik iets doe, kan dat best.'

'Voorlopig wil ik dat je goed voor jezelf zorgt.'

Ze wilde bezwaar aantekenen.

'Nee, ik stuur je niet met een kluitje in het riet,' zei Milo. 'Ik meen het. Voor het geval ze blijven aandringen.'

'Hoe bedoel je dat?'

'Die jongens zijn kennelijk vast van plan de touwtjes in handen te nemen. Als ze een rechter ervan kunnen overtuigen dat er iets mis is met jou, maken ze wat dat betreft een kans. Het kan zijn dat ik iets belastends over hen te weten kom, maar zeker is dat niet. Terwijl ik aan het graven ben, zullen zij ammunitie verzamelen. Hoe beter jij bent, lichamelijk zowel als geestelijk, hoe minder ammunitie ze zullen hebben. Dus pas goed op jezelf.'

Hij keek mijn kant op. 'Als je moet schreeuwen, schreeuw dan tegen hèm. Dat is zijn baan.'

Ze liet zich door Noel meenemen naar boven. 'Klopt haar verhaal?' Ik knikte. 'Een stelletje schatten. Deden aanvankelijk alsof ze heel bezorgd waren en kwamen toen met het grote plan. Wel een beetje stom om zich zo in de kaart te laten kijken.'

'Hoeft niet per se,' zei hij. 'In de meeste gevallen hadden ze er succes mee gehad, omdat een gemiddelde achttienjarige zich zou laten intimideren en erin zou toestemmen haar zaken te laten behartigen door een paar maatkostuums. Er zijn tal van psychiaters die zich akkoord zouden hebben verklaard met wat ze jou hebben aangeboden.' Hij krabde aan zijn neus. 'Het zou interessant zijn te weten wat ze werkelijk op het oog hebben.'

'Vuil gewin, zou ik zo denken.'

'De vraag is hoevéél gewin. Willen ze zo veel mogelijk geld naar zich toe trekken, of willen ze alleen het beheer in handen houden zodat ze hun honoraria een paar procent omhoog kunnen halen? Mensen die leven van de rijken, krijgen de neiging te gaan denken dat ze rècht hebben op dat geld.'

'Het kan ook zijn dat ze enige slechte investeringen hebben gedaan en dat geheim willen houden,' zei ik.

'Zou niet de eerste keer zijn. Er zijn veel misschiens, maar de belangrijkste vraag die wij elkaar moeten stellen, is of ze iets kunnen aanvoeren dat in de ogen van een rechter belangrijk is. Alex, kàn ze met zoveel geld omgaan? Hoe gaat het in emotioneel opzicht met haar?'

'Daar ben ik niet zeker van. Ze is zeer snel veranderd van een slaperig in een boos meisje, maar als je in aanmerking neemt wat ze heeft moeten doormaken, is dat niet pathologisch.'

'Indien je dat zo voor een rechtbank zegt, maakt ze geen schijn van kans.'

'Milo, iedereen zou moeite hebben met het beheren van veertig miljoen dollar. Zelfs als ik de koning van de wereld was, zou ik een kind nog niet zo ontzettend veel geld geven. Er is echter geen psychische reden om haar incompetent te laten verklaren. Ik kan haar steunen.'

'Wat zou er in het ergste geval kunnen gebeuren? Ze verspeelt alles en moet met niets opnieuw beginnen. Ze is intelligent, kan iets zinnigs met haar leven doen. Misschien zou dat het allerbeste zijn dat haar kan overkomen.'

'Financieel bankroet als een therapeutische techniek? Goed excuus voor de artsen om hun honoraria te verhogen.'

Milo glimlachte. 'In die tussentijd zal ik Anger en die andere man eens nader bekijken, al zal het niet makkelijk zijn om snel door zo'n wapenrusting heen te prikken. Ze heeft echt juridische hulp nodig.'

'Ik was van plan daarover iemand op te bellen.'

'Prima.' Hij pakte zijn aktentas.

'Is die nieuw?' vroeg ik.

'Vandaag opgehaald. Ik moet een imago in stand houden nu ik privé-detective ben geworden.'

'Heb je de boodschap gehoord die ik een paar uur geleden op je antwoordapparaat heb ingesproken?'

'Meerdere dingen te bespreken. Jawel. Maar ik heb het ook erg druk gehad met het verzamelen van informatie. Zullen we eens uitwisselen?'

Ik wees op een van de fauteuils.

'Nee, laten we maken dat we hier wegkomen. Ik heb behoefte aan wat frisse lucht. Mits jij weg kunt, natuurlijk.'

'Dat zal ik even gaan bekijken.'

Ik liep de trap op, naar Melissa's kamer. Toen ik wilde kloppen, keek ik door een kier van de deur en zag Melissa en Noel, volledig aangekleed, naast elkaar op het bed liggen, met hun armen om elkaar heen. Haar vingers in zijn haren. Zijn armen om haar middel, haar onderrug strelend. Blote voeten, de tenen elkaar rakend.

Voordat ze me hadden gezien, liep ik op mijn tenen weg.

Milo stond in de grote hal en sloeg een aanbod van Madeleine om wat eten voor hem te maken af.

'Ik zit vol,' zei hij en klopte op zijn buik. 'Maar hartelijk bedankt.'

Ze keek hem aan alsof hij een halsstarrige zoon was.

We glimlachten en vertrokken.

Toen we buiten stonden, zei hij: 'Ik heb gelogen. Ik heb in feite vreselijke honger en zij zal waarschijnlijk lekkerder eten kunnen klaarmaken dan welk restaurantje ook. Maar dat huis begint op mijn zenuwen te werken; er wordt tè goed voor me gezorgd.'

'Ik heb dat gevoel ook. Denk je eens in hoe Melissa zich in dat opzicht moet voelen.'

'Hmmm,' zei hij en startte de motor. 'Nu zal ze het verder alleen

moeten redden. Heb jij een voorstel over een restaurant?'
'Inderdaad.'

Etenstijd. La Mystique was leeg. Toen we voor de deur tot stilstand kwamen, zei Milo: 'Mijn hemel, we zullen eerst in de bar moeten wachten!'
'Dat is de kliniek van de Gabney's,' zei ik en wees op het grote bruine huis. De ramen waren donker, de oprit was leeg.
'Beetje griezelig,' zei Milo, die er met samengeknepen ogen naar keek. Hij draaide zich weer om. 'Is dit restaurant soms een uitkijkpost van je?'
'Niets anders dan een warme, vriendelijke rustplaats voor de vermoeide reiziger.'

Joyce schrok toen ze me weer zag, maar verwelkomde me alsof ik een lang verloren gewaand familielid was en wees me dezelfde tafel aan de voorkant. Daar bij het raam zouden we erg opvallen, dus vroeg ik om een tafeltje achterin.
We bestelden twee flesjes Grolsch en die kwam ze brengen. 'We hebben vandaag gepocheerde baars en kalfs-*vino* als specialiteit,' zei ze en begon gedetailleerd te beschrijven hoe beide gerechten werden bereid.
'Ik neem de baars,' zei ik.
Milo bekeek de menukaart. 'Hoe is de entrecôte?'
'Uitstekend, meneer.'
'Dan neem ik die. Heel licht gebakken en met een dubbele portie aardappels erbij.'
Ze liep naar de keuken en begon te koken.
Wij tikten met onze glazen tegen elkaar en namen een slok.
Ik zei: 'Volgens Anger heeft Chickering verklaard dat de zoekactie naar Gina is gestaakt.'
'Dat verbaast me niet. Ik heb om half twee vanmiddag voor het laatst contact gehad met de sheriffs. Ze zeiden dat er in het park geen spoor van haar was gevonden.'
'De dame in het meer.'
'Ziet er wel naar uit.' Hij streek met een hand over zijn gezicht. 'Oké. Tijd om informatie uit te wisselen. Wie begint?'
'Ga je gang.'
'In wezen heb ik me met Hollywood beziggehouden. Heb met filmmensen gepraat en ex-filmmensen en mensen die zich altijd bij hen in de buurt ophouden.'
'Crotty?'

'Nee. Crotty is een paar maanden geleden overleden.'
'O.' Ik dacht aan de oude smeris van de afdeling zedendelicten die een homo-activist was geworden. 'Ik dacht dat dat AZT bij hem succes had.'
'Dat dachten we allemaal, maar helaas was dat niet zo. Is op de veranda gaan zitten van de boerderij die hij in de heuvels had gekocht en heeft zich een kogel door zijn kop gejaagd.'
'Triest.'
'Ja. Uiteindelijk heeft hij toch laten blijken iets als een echte smeris te kunnen doen. In elk geval heb ik in cinemaville het volgende gehoord. In die goeie oude tijd hebben Gina, Ramp en McCloskey het goed met elkaar kunnen vinden. Vanaf het midden tot het einde van de jaren zestig had Premier Studios een stel spelers vast onder contract. McCloskey behoorde niet tot die groep, maar was wel altijd bij hen in de buurt en begon zijn modellenbureau door het nemen van foto's van die mensen: aantrekkelijke gezichten van beide seksen. Uit alles wat ik heb gehoord, blijkt dat het een behoorlijk wild stel was, dat veel dronk, drugs gebruikte en feesten organiseerde, hoewel niemand iets negatiefs over Gina te melden had. Dus als ze heeft gezondigd, heeft ze dat in stilte gedaan. De meesten zijn in carrièreopzicht nergens gekomen. Gina had de meeste kans op succes, maar die was door die aanval met zuur definitief verkeken. De studio wist dat er elke dag uit Iowa rijen nieuwe mooie meiden per bus arriveerden. Die kregen een kortlopend contract en werden aan de kant gezet zodra ze rimpels kregen.'
'Ramp heeft me nooit verteld dat hij McCloskey goed kende.'
Milo zette de aktentas op zijn schoot, maakte hem open, zocht en pakte een fotoportefeuille van bruin, gemarmerd papier. Daarin zat een zwart-wit foto met het logo van Apex Studios, een besneeuwde berg, links onderaan. De foto was genomen in de een of andere nachtclub. Of misschien was het alleen een decor. Leren bank, muur met spiegels, tafel met wit tafellinnen, zilver bestek, kristallen asbakken en sigarettendozen. Een twaalftal knappe mensen van ergens in de twintig, in modieuze avondkleding. Fotogeniek glimlachend, glazen heffend, rokend.
Gina Prince geboren Paddock zat in het midden, blond en mooi, in een jurk met een boothals die op de foto grijs leek en een parelketting die haar lange, gave hals accentueerde. De gelijkenis met Melissa was opvallend.
Don Ramp zat naast haar, gebruind, gezond ogend, zonder snor. Joel McCloskey zat aan haar andere kant, met strak achterover gekamde haren, knap om te zien. Zijn glimlach was anders dan die van

de anderen. Het onzekere grijnsje van een buitenstaander. De sigaret die hij vasthield, was tot het filter opgebrand.

Twee andere gezichten, een man en een vrouw, die ik niet herkende. Een gezicht, aan een van de uiteinden van de tafel, dat ik wel herkende.

Ik wees op een brunette met een scherp gezicht, gekleed in een gevaarlijk laag uitgesneden zwarte jurk. 'Dat is Bethel Drucker. Noels moeder. Ze heeft nu blond haar, maar ze is het zonder enige twijfel. Ik heb haar vandaag ontmoet. Ze werkt voor Ramp als serveerster in zijn restaurant. Noel en zij wonen daarboven.'

'Mijn hemel. Een grote, gelukkige familie.' Milo haalde een ander papier uit zijn aktentas. 'Zij moet dus Becky Dupont zijn. *Nom du cinéma.*' Hij boog zich naar voren en pakte de foto bij een hoek vast. 'Knappe vrouw. Royale rondingen.'

'Is nog zo.'

'Knap of royale rondingen?'

'Beide, al is ze wel wat ouder geworden.'

Hij keek naar de keuken, waar Joyce en de kok samen aan het werk waren. 'Ik zal je één ding zeggen. Die ouwe Becky/Bethel hield van drugs. Downers en Quaaludes, volgens mijn bronnen. Niet dat je daar bronnen voor nodig hebt. Kijk maar eens naar haar ogen.'

Ik bekeek het fraai besneden gezicht aandachtig en zag wat hij bedoelde. Grote, donkere ogen, half gesloten, de oogleden hangend. Een deel van de iris zichtbaar, dof, dromerig en afwezig. Anders dan McCloskey glimlachte zij echt gelukkig, maar de geamuseerdheid had niets te maken met het feestje.

'Dat klopt met iets dat Noel vandaag tegen me heeft gezegd,' zei ik. 'Dat hij altijd al had geweten dat drugs slecht waren. Hij wilde dat nader uitleggen, maar veranderde toen van gedachten en zei dat hij erover had gelezen. Een intense jongen, puriteins, op zichzelf georiënteerd. Bijna te goed om waar te kunnen zijn. Als hij heeft gezien wat dat wilde leven met zijn moeder deed, zou dat er de verklaring van kunnen zijn. Iets aan hem zette mijn antenne uit. Misschien is het dat geweest.'

Ik gaf hem de foto terug. Voordat hij die opborg, keek hij er nog even naar. 'Het lijkt alsof iedereen iedereen kent en Hollywood zijn klauwen in San Labrador heeft gezet.'

'Weet je iets van de twee andere mensen op die foto?'

'De man is een van mijn bronnen, wiens naam ik niet zal noemen. Het meisje was een sterretje in spe, een zekere Stacey Brooks. Is overleden in 1971, bij een auto-ongeluk, waarschijnlijk moord. Zoals ik al zei, was het een wild stel.'

'Sterretjes die met hun bazen de koffer indoken?'

'Dat, en andere dingen. Ze moesten zich op feesten laten zien, aardig zijn tegen potentiële financiers en andere hoge pieten. In wezen dienden ze beschikbaar te zijn om het allerlei verschillende mensen naar de zin te maken. Ramp was bijzonder veelzijdig: knappe begeleider van dames, *sub rosa* amusement voor de heren. Hij deed wat hem werd opgedragen. De studio heeft hem ervoor beloond met een paar kleine rollen, voornamelijk in westerns en politiefilms.'

'En McCloskey?'

'Mijn bronnen herinneren zich hem als een opschepperige kerel die graag de stoere bink uithing. Een goedkope Brando, tandenstoker in de mond, altijd zinspelend op vrienden in New Joisey, maar toch niet in staat iemand echt een rad voor ogen te draaien. Verder haatte hij flikkers en meldde dat graag zonder dat hem ernaar werd gevraagd. Misschien was het zo, misschien was hij latent homoseksueel en trok hij daarom zo fel van leer. Niemand lijkt te weten met wie hij, behalve Gina, nog meer naar bed is geweest. Ze herinneren zich wel zijn aanstootgevende persoonlijkheid en het feit dat hij veel drugs gebruikte: speed, cocaïne, hasj, pillen. Toen het slecht ging met zijn bureau, is hij een tijdje dealer geweest. Leverde aan mensen van de studio. Toen begon hij diensten van zijn bureau aan te bieden in ruil voor dope en dat werd zijn ondergang. De modellen wilden contant betaald krijgen en hij had geen geld meer.'

'Is hij als dealer ooit gearresteerd?'

'Nee. Waarom vraag je dat?'

'Ik vroeg me af of hij soms mede door toedoen van Gina met de politie in aanraking was gekomen. Of dat hij dat dacht. Dat zou een reden voor die aanval geweest kunnen zijn.'

'Dat zou het zeker geweest kunnen zijn, maar voor die aanval is hij nooit gearresteerd.'

Joyce kwam brood brengen. Toen ze weer weg was, zei ik: 'Stel dat zijn homofobie een dekmantel was voor het feit dat hij zelf een homo was. Gina heeft dat ontdekt en toen is het tot een soort confrontatie gekomen. Misschien heeft ze wel gedreigd het in de openbaarheid te brengen. Daardoor is McCloskey woedend geworden en heeft hij Findlay in de arm genomen om haar een lesje te leren. Dat kan verklaren waarom hij heeft geweigerd over zijn beweegredenen te praten. Het zou hem hebben vernederd.'

'Kan zijn. Maar waarom zou zíj zoiets hebben willen doen?'

'Goede vraag.'

'Misschien was het veel eenvoudiger,' zei Milo. 'McCloskey, Gina en Ramp zijn begonnen aan een driehoeksverhouding en McCloskey is op een gegeven moment gek geworden. Kun je je de foto nog herinneren? Zij is als het ware het vleesbeleg van de sandwich. Het zal wel historie zijn en niets te maken hebben met haar verdwijning. Het heeft ons alleen wat wijzer gemaakt ten aanzien van meneer Ramp.'

'Welvarende zakenman die is vergeten dat hij ooit dat soort diensten heeft verleend.'

'Ja. Ook toen we op zoek waren naar zijn vrouw en McCloskey een mogelijke verdachte was, heeft hij niet over die slechte oude tijd gepraat, al was hij dan ook zelf degene die met een beschuldigende vinger naar McCloskey heeft gewezen. Je zou hebben verwacht dat hij bereid was ons alles te vertellen waardoor we haar wellicht konden vinden.'

'Tenzij er niets te vertellen was. Als Gina niet wist waarom McCloskey haar dit had aangedaan, waarom zou Ramp het dan wel moeten weten?'

'Je kunt gelijk hebben. Het is echter wel duidelijk dat Gina zich van zijn seksuele voorkeur bewust moet zijn geweest toen ze met hem trouwde. Biseksuele kerels zijn tegenwoordig niet bijzonder in trek als huwelijkskandidaten. Lichamelijk en maatschappelijk een groot risico. Maar dat heeft haar er niet van weerhouden.'

'Aparte slaapkamers,' zei ik. 'Geen risico's.'

'Ja, maar welke aantrekkingskracht had hij dan op haar?'

'Hij is een aardige vent. Tolerant jegens haar levensstijl, dus accepteert ze ook de zijne. Verder lijkt hij zachtaardig te zijn. Hij heeft een oude vriendin als Bethel in huis genomen en is bereid het collegegeld voor Noel te betalen. Misschien had Gina na alle ellende die ze had meegemaakt, eerder behoefte aan compassie dan aan seks.'

'Oude vriendin,' herhaalde Milo. 'Ik vraag me af hoe Bethel het vindt als serveerster te werken terwijl haar ex-makkers in het perzikkleurige paleis wonen.'

'Noel zinspeelde erop dat zijn moeder en hij het heel moeilijk hebben gehad. Het kan zijn dat deze baan voor haar al een gigantische stap vooruit was.'

'Kan,' zei Milo en pakte een stukje brood.

'Je blijft telkens terugkomen op Ramp,' zei ik.

'Ik ben vandaag naar het strand geweest om met Nyquist te praten, maar die woont daar niet meer. Buurman zei dat hij gisteravond al zijn spullen in een vrachtwagentje heeft gepakt en met onbekende bestemming is vertrokken. Op de Brentwood Country Club zeiden ze dat hij vandaag niet was verschenen om de afgesproken tennislessen te geven en niet eens de moeite had genomen op te bellen.'

'Ramp wil ook weg. Vroeg Noel een koffer voor hem te pakken.

Misschien komt het door het trauma van het verlies van Gina en is hij het toneelspelen moe. Toch zal het interessant zijn te zien of hij het testament gaat aanvechten, of het geld opstrijkt van een levensverzekering waarvan niemand op de hoogte was. Om nog maar te zwijgen over de vermiste twee miljoen. Wie zou zich dat geld beter hebben kunnen toeëigenen dan de echtgenoot?'

'Dan zou Melissa gelijk krijgen.'

'We weten waar Ramp was op de dag dat Gina verdween, maar hoe zit het met Todd? Misschien heeft hij haar verleid om dichter bij die twee miljoen te komen. In elk geval is hij iemand die ze een lift zou hebben gegeven wanneer hij in de buurt van het huis met autopech langs de kant van de weg had gestaan. Nu gaan hij en Ramp alle twee weg.'

'Ramp is nog in de buurt. Ik ben langs zijn restaurant gereden toen ik onderweg was naar het huis. Zijn Mercedes stond op het parkeerterrein en ik heb even naar binnen gekeken. Hij was stomdronken. Bethel bemoederde hem als een hen. Ik ben met mijn auto aan de overkant van de weg gaan staan, om dat restaurant een tijdje in de gaten te houden. Geen spoor van Nyquist.'

'Milo, als Ramp van plan is er met hem vandoor te gaan, waarom zou hij mij dat dan hebben verteld?'

'Omdat hij zichzelf een aanvaardbare reden wilde geven om weg te gaan. Overweldigd door verdriet is die arme stakker vertrokken zonder een cent op zak en zonder huis. Zodat niemand zal vermoeden dat hij samen met Todd op Tahiti is. Niet dat de kans groot is dat iemand hem gaat verdenken. Officieel is er geen misdaad gepleegd. Ik heb het op mijn eentje te druk om zijn gangen ook nog eens na te gaan, naast die van Nyquist, Anger en Douse. Ik heb geen enkele goede reden om tegen Melissa te zeggen dat Ramp een hogere prioriteit geniet dan Anger en Douse, omdat ik dat niet met feiten kan staven en die twee al bezig zijn actie te ondernemen tegen haar. Bovendien zou ze er waarschijnlijk nog meer door van streek raken en dat vind ik op dit moment niet constructief.'

'Ik ook niet.'

Hij dacht even na. 'Ik zal opbellen naar iemand die ik ken en die toevallig een echte vergunning als privé-detective heeft, al maakt hij er niet vaak gebruik van. Niet bijzonder briljant of creatief, maar wel geduldig. Hij kan Don in de gaten houden, terwijl ik me met de financiën bemoei.'

'En Nyquist dan?'

'Nyquist zal waarschijnlijk niets doen zonder Ramp.'

Het eten werd gebracht. Milo sneed, kauwde en zei: 'Lekker.'

We aten enige minuten lang.

'Nu ben ik aan de beurt,' zei ik.

'Een seconde. Ik ben nog een paar dingetjes aan de weet gekomen die te maken hebben met Gina's eerste echtgenoot, Dickinson. Kun je je de grap van Anger nog herinneren over de kleren van die man? Het blijkt dat Dickinson maatkostuums nodig had omdat hij een dwerg was.'

'Dat weet ik. Ik heb een foto van hem gevonden.'

Zijn ogen schitterden van verrassing. 'Waar?'

'Op de zolder van het grote huis.'

'Ben je op je eentje voor archeoloog gaan spelen? Goed van je. Ik heb helemaal geen foto's van hem kunnen vinden. Hoe zag hij eruit?'

Ik beschreef Arthur Dickinson, en Gina als mummie-bruid.

'Eigenaardig,' zei Milo. 'Eerste echtgenoot een oude dwerg, tweede echtgenoot een normaal postuur, maar geïnteresseerd in jongens. Alles bij elkaar denk ik zo dat de dame niet veel belangstelling voor het lichamelijke kon opbrengen.'

'Pleinvrees,' zei ik. 'De klassieke Freudiaanse verklaring daarvoor luidt dat het een symptoom is van het onderdrukken van seksuele gevoelens.'

'Geloof jij dat?'

'Niet altijd, maar in dit geval misschien wel. Het ondersteunt mijn theorie dat Gina met Ramp is getrouwd omdat ze behoefte had aan vriendschap. Het feit dat ze elkaar van vroeger kenden, moet hebben geholpen bij het tot stand komen van een band zodra Melissa hen eenmaal met elkaar in contact had gebracht. Oude vrienden die aan wederzijdse behoeften tegemoet komen. Komt vaak voor.'

'Ik heb nog meer over Arthur. Hij lijkt zich ook met films te hebben beziggehouden. In financieel opzicht. Hij heeft enige keren te maken gehad met Apex Studios. Ik heb hem tot dusverre nog niet in verband kunnen brengen met een film waarin Gina, Ramp of een van die andere aantrekkelijke gezichten hebben gespeeld en ik kan ook nog niet bewijzen dat hij hen kende voor het proces tegen McCloskey. Maar ik ben geneigd te zeggen dat het een redelijke mogelijkheid is.'

'De oom van Jim Douse was opperrechter Douse,' zei ik.

'Hamerende Harmon? Ik kan me herinneren dat Anger dat heeft verteld. Wat wil je daarmee zeggen?'

'Was hij niet een van de rechters tijdens het proces tegen McCloskey?'

Hij dacht na. 'Wanneer was dat? 1969? Nee, toen was Harmon al vertrokken en werd zijn taak overgenomen door weekhartigere jongens.'

'Toch moet hij als opperrechter in ruste nog behoorlijk wat invloed hebben gehad,' zei ik. 'Arthur Dickinson was een cliënt van zijn kantoor. Stel dat het geen toeval was dat Jacob Dutchy voor dat proces tot jurylid werd benoemd?'

'Stel dat. Mijn hemel, man! Jij bent dol op samenzweringen!'

'Het leven heeft me van mijn onschuld beroofd.'

Hij glimlachte en sneed weer een stuk vlees af. 'Wat heeft dat alles te maken met onze dame in het meer?'

'Misschien niets. Maar waarom vraag je daar McCloskey niet naar? Met alles wat we nu weten kun je hem er misschien toe brengen zijn mond open te doen. Ondanks al onze theorieën over ingewikkelde financiële motieven kan het zijn dat wraak het motief voor die aanval op Gina was. McCloskey heeft zijn woede negentien jaar laten stomen, is toen teruggevallen in een oude gewoonte en heeft iemand betaald om haar te grazen te nemen.'

'Ik weet het niet. Ik geloof echt dat die kerel geestelijk niets voorstelt. Voor zover ik heb kunnen nagaan, heeft hij geen bekende boeven als makkers. Hangt rond op die missiepost en speelt de zondaar die boete aan het doen is.'

'Stel dat het woord spéélt in dit verband het belangrijkste is. Slechte acteurs kunnen na verloop van tijd beter worden.'

'Dat is inderdaad waar. Ik zal hem nog een kans geven om te biechten. Vanavond. Kan in financieel opzicht toch niets doen tot de banken hun deuren openen.'

Joyce kwam naar ons toe om te vragen of alles naar wens was. Onze complimenten deden haar blozen van genoegen. In elk geval had iemand nu verder een goede dag. Ze gaf ons koffie en een dessert van het huis. Milo nam een hap chocoladecake en zei: 'Geweldig. Heerlijk! Zo lekker heb ik hem nog nooit geproefd.' Nu straalde ze helemaal.

'Oké, nu ben jij aan de beurt,' zei Milo toen Joyce eindelijk was vertrokken.

Ik vertelde hem wat de Cassatts waard waren.

'Tweevijftig. Mijn hemel, dat is een hoop geld.'

Ik knikte. 'Er zit een vies luchtje aan en ik ben waarschijnlijk niet de enige die vermoedt dat de Gabney's niet zuiver op de graat zijn.'

Ik vertelde wat ik te weten was gekomen over Kathy Moriarty.

'Een journaliste?'

'Ja, een journaliste die graag voor detective speelt. Volgens haar zuster was ze dol op samenzweringen en deed ze niets liever dan die aan de kaak stellen. Ze komt uit New England. Heeft in Boston gewerkt, waar de Gabney's vroeger ook actief waren. Dat leidt me tot het vermoeden dat ze iets bijzonders te weten is gekomen over wat ze daar hebben gedaan en naar L.A. is gekomen om dat verder uit te zoeken. Ze heeft zich voorgedaan als iemand met pleinvrees en zich aangesloten bij de groep om te spioneren en belastend materiaal te verzamelen.'

'Klinkt redelijk, maar ze vragen wel gigantische honoraria. Wie heeft de rekeningen van Moriarty betaald?'

'Haar zuster zei dat Kathy altijd om geld vroeg.'

'Veel geld?'

'Dat weet ik niet. Misschien had ze financiële steun gekregen van een krant of een uitgever. Ze heeft al een boek geschreven en gepubliceerd. Al meer dan een maand lang heeft niemand iets van haar gehoord. Dat betekent dat twee leden van de groep van vier zijn verdwenen. Kathy's zuster heeft echter wel gezegd dat zoiets voor haar typerend is. Eén ding staat vast: ze had geen last van pleinvrees. Dus moet ze de Gabney's aan het bespioneren zijn geweest.'

'Alex, je hebt het over een tweede financiële zwendel,' zei Milo. 'De Gabney's die Gina een poot uitdraaien, net als Anger en de notaris.'

'Drie zwendelpraktijken wanneer we Ramp en Nyquist ook in aanmerking nemen.'

'Sluit je aan bij de club,' zei Milo. 'Steek een naald in de ader van de rijke dame.'

'Veertig miljoen dollar betekent behoorlijk grote aderen,' zei ik. 'Ook twee miljoen zou al voldoende zijn geweest om de raderen in beweging te brengen. Ik vind vooral de Gabney's verdacht. Vanwege Kathy Moriarty. Misschien moesten ze wel van Boston naar L.A. verhuizen om een schandaal te voorkomen.'

'Omdat Hàrvard een schandaal wilde voorkomen.'

Ik knikte. 'Die universiteit zou helemaal een reden hebben om zoiets in de doofpot te stoppen. Toch moet Kathy Moriarty het spoor op de een of andere manier hebben opgepikt en hebben besloten erachteraan te gaan.'

Milo at nog wat cake, likte zijn lippen af en zei: 'Uit wat jij me hebt verteld, kan ik opmaken dat de Gabney's in professioneel opzicht in behoorlijk hoog aanzien staan.'

'Dat klopt. Leo Gabney zou waarschijnlijk tot de top tien behoren wanneer er een lijst bestond van experts op het gebied van gedragstherapieën. Ursula is met haar twee studies ook bijzonder. Maar zelfs een succesvolle therapeut kan niet rekenen op een oneindig inkomen. Je verkoopt tijd en een dag telt slechts zoveel uren die je in rekening kunt brengen. Zelfs met hun honoraria zouden ze lang moeten werken om zich een Cassatt te kunnen veroorloven. Verder heb ik de indruk dat Leo verbitterd is. De eerste keer dat ik hem sprak, heeft hij verteld dat hij een zoon door een brand heeft verloren. Die wond is duidelijk nooit geheeld. Hij gaf er de rechter de schuld van, omdat die zijn vrouw tot voogd had benoemd. Hij gaf er het hele juridische systeem de schuld van. Misschien verwerkt hij zijn woede door dat systeem te tarten.'

'Misdaad als een persoonlijke wraakneming. Dat zal best een kick geven. Ja, waarom niet? Maar heeft Ursula ook een rekening te vereffenen?'

'Ursula is zijn protégée. Uit wat ik heb gezien, heb ik de indruk dat zij doet wat hij haar opdraagt, al lijkt ze echt van streek te zijn door de verdwijning van Gina. Misschien is zij de zwakke schakel. Ik was van plan vandaag met haar te praten, maar ze was vertrokken voordat ik daar de kans toe had gekregen.'

'Protégée, zei je? Maar die ets hangt wel in háár kantoor.'

'Misschien is die ets alleen het topje van de ijsberg.'

'Kunst voor haar, contant geld voor hen beiden? Gezien de prijzen van die Cassatts zou twee miljoen niet veel voorstellen.'

'We hebben alleen van Anger gehoord hoeveel Gina per maand in handen kreeg. Hij kan zijn computer zo hebben geprogrammeerd dat alleen te zien is wat hij wil laten zien.'

'Waarom zou Gina de Gabney's geld geven?'

'Uit dankbaarheid, omdat ze van hen afhankelijk is. Dezelfde reden waarom leden van een bepaalde sekte alles aan hun goeroe geven.'

'Het kan een lening zijn geweest.'

'Dat kan, maar ze is er niet meer om die terug te vorderen, nietwaar?' Hij fronste en duwde de cake van zich af. 'Ramp en Nyquist en nu die ellendige therapeuten van haar. Verdachte hitparade.'

'Net zoiets als mieren die over het karkas van een tor kruipen.'

Milo smeet zijn servet op tafel. 'Wat weet je verder nog over die Moriarty?'

'Alleen haar adres. Westelijke deel van Hollywood.' Ik pakte het papiertje dat Jan Robbins me had overhandigd en gaf dat aan hem.

'We zijn bijna buren. Zes straten van mijn huis vandaan. Kan achter haar hebben gestaan bij de kassa van de supermarkt,' zei Milo.

'Ik wist niet dat jij naar een supermarkt ging.'

'Ik sprak symbolisch.' Hij zette de aktentas op zijn knieën, haalde zijn aantekenboekje te voorschijn en schreef het adres op.

'Ik kan er langsgaan, om te kijken of ze er nog woont,' zei hij. 'Zo niet, dan zal zij verder moeten wachten, want ik heb al zoveel te doen.

Als jij dit eens nader wilt bekijken, is dat wat mij betreft prima.'
'Krijg ik dan ook een splinternieuwe privé-detective-aktentas?'
'Die zul je zelf moeten kopen. We hebben het hier over een vrije
onderneming.'

30

Ik betaalde de rekening en Milo maakte een praatje met Joyce. Hij
gaf haar nog een complimentje over haar eten, leefde met haar mee
ten aanzien van de problemen van het runnen van een klein restaurant
en sprak op een gegeven moment over Kathy Moriarty alsof dat de
eerstvolgende logische stap was. Feiten kon ze niet geven, maar wel
een fysieke beschrijving van de journaliste: midden of achter in de
dertig, normale lengte en bouw, kortgeknipt bruin haar, blozende
wangen ('zoals je die bij een Iers meisje zou verwachten'), lichte ogen,
blauw of groen. Toen scheen ze opeens te beseffen dat ze meer had
gegeven dan genomen, sloeg haar armen over elkaar en vroeg: 'Waarom wilt u dat alles weten?'
Milo hield zijn hoofd scheef en nam haar mee naar de achterkant
van het restaurant, onnodig omdat wij de enige klanten waren. Hij
liet haar zijn politiepapieren zien. Ze deed haar mond open, maar
zei niets.
'Het is belangrijk dat u hierover tegen niemand iets zegt,' zei hij.
'Natuurlijk. Is er iets...'
'Niemand loopt gevaar, ook u niet. We zijn alleen bezig met een
routine-onderzoek.'
'Over die... kliniek?'
'Zit u ten aanzien daarvan iets dwars?'
'Zoals ik die meneer al heb verteld, is het beslìst eigenaardig dat er
zo weinig mensen komen en gaan. Dan ga je je afvragen wat ze daar
doen.'
'Dat kan ik me indenken.'
Ze rilde en leek van de samenzwering te genieten. Milo verkreeg nog-
maals haar belofte hier haar mond over op slot te houden. We ver-
lieten het restaurant en gingen terug naar Sussex Knoll.
'Denk je dat zij een geheim kan bewaren?' vroeg ik.
'Wie zal het zeggen?'
'Niet zo belangrijk?'
Hij haalde zijn schouders op. 'Wat kan er in het ergste geval gebeuren? De Gabney's krijgen te horen dat iemand vragen aan het stellen
is. Als zij niets gemeens in de zin hebben, zal het vuurtje zo zijn

gedoofd. Als ze dat wel hebben, worden ze misschien bang en doen iets overhaasts.'

'Zoals?'

'De Cassatt verkopen, of misschien snel nog meer contant geld in handen krijgen, waardoor we zullen weten dat ze nog meer van Gina in hun bezit hebben gehad.'

Gina. Hij liet haar naam heel gemakkelijk over zijn lippen komen, alsof ze een goede bekende van hem was, hoewel ze elkaar nooit hadden ontmoet. De intimiteit van een rechercheur van de afdeling moordzaken. Ik dacht aan alle anderen die hij nooit had ontmoet, maar toch zo goed kende...

'Is dat wat jou betreft in orde?' vroeg hij.

'Wat?'

Hij lachte. 'Dat maakt veel duidelijk.'

'Wat?'

'Dat jij naar huis moet gaan om wat te slapen.'

'Ik voel me prima. Wat zei je?'

'Dat je eerst wat moet slapen en dan morgenochtend naar dat adres van Moriarty toe moet gaan. Wanneer het een flatgebouw is, moet je met de huisbaas of de manager praten, als je zo iemand kunt vinden. Ook met andere huurders.'

'Wat is mijn premisse?'

'Je wàt?'

'Mijn reden om die vragen over haar te stellen. Ik ben niet van de politie.'

'Aan Hollywood Boulevard kun je moeiteloos een politiepenning kopen. Even goed als de mijne.'

'Mijn hemel, wat zijn we bitter.'

Hij grinnikte boosaardig. 'Oké, je wilt een premisse hebben. Zeg dat je een oude vriend bent, die net vanaf de oostkust hier is gearriveerd. Je wilt haar opzoeken omwille van die goede oude tijd. Of je bent een neef. Jullie plannen binnenkort een familiereünie en niemand kan haar vinden. Verzin maar iets. Je hebt haar zuster ontmoet, dus moet zoiets realistisch kunnen overkomen.'

'Bedrog is heerlijk om de ochtend wat te kruiden, nietwaar?'

'Mijn hemel man, op bedrog draait deze hele wereld.'

Toen we voor het huis parkeerden, kwam Noel Drucker de voordeur uit met een grote blauwe koffer met het logo van een ontwerper.

'Ze is in haar kamer aan het schrijven,' zei hij.

'Wat aan het schrijven?'

'Het heeft iets te maken met die man van de bank en de notaris, denk

ik. Ze is door het dolle heen en wil die mensen een proces aandoen.'
Milo wees op de koffer. 'Voor de baas?'
Noel knikte.
'Heb je er enig idee van waar hij gaat wonen?'
'Ik denk dat hij bij ons zal blijven tot hij iets anders heeft gevonden.
Bij mijn moeder en mij. Boven de Tankard. Dat appartement is van
hem.'
'Jullie huren het van hem?'
'Nee, we mogen er gratis wonen.'
'Heel aardig van hem.'
Noel knikte. 'Hij is ook een aardige baas. Ik wou...' Hij stak een
hand op. 'Laat maar.'
'Moet moeilijk voor je zijn om zo tussen twee vuren in te zitten,' zei
ik.
Hij haalde zijn schouders op. 'Het is een soort oefening, denk ik.'
'Voor een studie internationale betrekkingen?'
'Voor de werkelijke wereld.'
Hij stapte in de rode Celica en reed weg.
Milo keek zijn achterlichten na tot ze niet meer te zien waren. 'Aar-
dige jongen.' Alsof hij net met een bedreigde diersoort in aanraking
was gekomen.
Hij sloeg met de aktentas tegen zijn been en keek op de Timex. 'Half
tien. Ik moet een paar telefoontjes plegen. Daarna ga ik naar de mis-
siepost om te proberen meneer Hersendood iets te ontfutselen.'
'Als Melissa me niet nodig heeft, kan ik met je mee.'
Hij fronste zijn wenkbrauwen. 'Wanneer ga je dan slapen?'
'Daar ben ik te opgefokt voor.'
Even zweeg hij. 'Oké. Hij is gek en misschien zullen we iets hebben
aan jouw opleiding. Maar doe me een genoegen en ga naar huis om
even te slapen. Op een gegeven moment is de benzine op.'
'Ja, mam.'

Melissa zat in de raamloze kamer voor een groeiende stapel papieren
achter het bureau.
Ze keek geschrokken op toen wij binnenkwamen en ging zo snel staan
dat enige papieren op de grond vielen. 'Ik ben een strategie aan het
bedenken,' zei ze. 'Ik probeer manieren te verzinnen om die ròtzak-
ken te grazen te nemen.'
Milo pakte de papieren op, keek er even naar en legde ze op het
bureau. Neutraal. 'Heb je al iets gevonden?'
'Iets wel, eigenlijk. Ik denk dat ik alles moet nagaan wat ze van het
begin af aan hebben gedaan. Ik bedoel dat ze hun boeken zullen

moeten openen en dat ik alles zal laten nakijken. In elk geval zullen
ze daar zo van schrikken dat ze vergeten mij een poot uit te draaien
en dan kan ik me concentreren op het te grazen nemen van hèn.'
'Een goede aanval is de beste verdediging,' zei ik.
'Inderdaad.' Ze sloeg haar handen in elkaar. Er was kleur op haar
wangen en haar ogen straalden, ongezond. Milo bekeek haar aan-
dachtig, maar dat viel haar niet op. 'Hebt u al met advocaten kunnen
spreken, meneer Delaware?'
'Nog niet.'
'Wilt u dat dan wel zo snel mogelijk proberen? Alstublieft?'
'Ik zou het nu kunnen proberen.'
'Dat zou geweldig zijn. Hartelijk dank.' Ze gaf me de telefoon die
op haar bureau had gestaan.
'Ik wil wel iets drinken,' zei Milo.
Ze keek naar hem en toen naar mij. 'Prima. Laten we dan maar wat
uit de keuken gaan halen.'

Toen ik alleen was, draaide ik het nummer van Mal Worthy in Brentwood. Een antwoordapparaat, op het bandje de stem van zijn derde
vrouw. Ik begon een boodschap in te spreken en hij nam op.
'Alex, ik wilde je al opbellen. Er komt een vette kluif aan. Twee
psychologen die uit elkaar gaan en drie ècht verknipte kinderen. Ik
vertegenwoordig de echtgenote en het lijkt een van de naarste gevech-
ten om de voogdij te worden die je ooit te zien zult krijgen.'
'Klinkt leuk.'
'Reken maar. Hoe ziet je agenda er over een week of vijf uit?'
'Die heb ik niet voor me liggen, maar ik denk dat ik dan wel vrij zal
zijn.'
'Prima. Je zult het geweldig vinden. Twee van de meest krankzinnige
mensen die je ooit zult ontmoeten. Het idee dat zij andere mensen...
Hoe gaat het trouwens met jouw vakgebied?'
'Ik wil het over jouw vakgebied hebben, want ik heb een verwijzing
nodig.'
'Waarvoor?'
'Erfenis en successierechten.'
'Normale afhandeling of kan er een proces van komen?'
'Kan beide.' Ik gaf hem een korte samenvatting van de situatie van
Melissa, liet namen, getallen en andere identificerende details weg.
'Suzy LaFamiglia, als je cliënt geen bezwaar heeft tegen een vrouw,'
zei hij.
'Een vrouw zou prima zijn.'
'Ik zeg dat alleen omdat het je zou verbazen te horen hoeveel mensen

nog binnenkomen met een eisenpakket. Geen vrouw, niet iemand die tot een minderheid behoort. Jammer voor hen, want Suzy is de allerbeste. Heeft ook een accountantsdiploma. Ze heeft lange tijd voor een groot kantoor gewerkt, tot ze haar de toegang tot de maatschap bleven weigeren omdat ze de verkeerde genitaliën had. Ze is aan een proces begonnen, heeft de zaak buiten de rechtszaal geschikt en is rechten gaan studeren met het geld dat ze toen kreeg. Is als de beste van haar jaar afgestudeerd. Ze is bekend in de filmwereld, omdat ze voor veel mensen geld terug heeft gekregen van de studio's. Indien een financiële situatie zo precair is dat ik er ondanks mijn ruime ervaring geen raad mee weet, zou ik meteen naar haar gaan.'

Hij lachte om zijn eigen grapje.

'Klinkt me perfect in de oren voor mijn cliënt,' zei ik.

Hij gaf me een telefoonnummer. 'Century City East. Ze heeft een hele verdieping in een van de torens. Over dat andere bel ik je nog wel. Je zult genieten van die twee snauwende therapeuten.'

Ik hing op.

Milo kwam terug zonder Melissa, met een blikje calorie-arme Coke. 'Ze is in de badkamer aan het overgeven,' zei hij.

'Wat is er gebeurd?'

'Ze was opeens op. Begon weer stoer te praten, dat ze die rotzakken te grazen zou nemen. Ik zei iets terug en toen was ze opeens aan het huilen en kokhalzen.'

'Ik heb je naar haar zien kijken als een rechercheur. Toen heb je haar de kamer mee uitgenomen op het moment dat ik ging opbellen. Waarom?'

Hij keek ongemakkelijk.

'Wat is er?' vroeg ik.

'Oké, ik ben kwaaddenkend. Daar word ik voor betaald.' Hij aarzelde. 'Ik wilde haar niet die kamer uit hebben, maar ik wilde haar wel alleen hebben zodat ik haar eens goed kon bekijken zonder dat jij namens haar tussenbeide kwam. Omdat haar recente gedrag me dwars zat. Het zette me aan het denken. Tijdens het etentje hebben we één mogelijkheid over het hoofd gezien. Een zeer lelijke mogelijkheid, maar soms zijn die de belangrijkste.'

'Melissa?' vroeg ik en voelde mijn maag zich verkrampen.

Hij wilde zich omdraaien, deed dat niet, keek mij aan. 'Alex, ze is de enige erfgename. Veertig miljoen dollar. En ze is bereid ervoor te vechten terwijl het lijk nog niet eens koud is.'

'Er is geen lijk.'

'Bij wijze van spreken. Je moet me niet op woorden vangen.'

'Heb je dit net bedacht?'

Hij schudde zijn hoofd. 'Ik denk dat het vanaf het begin al door mijn achterhoofd heeft gespeeld. Vanwege mijn opleiding. Als er geld in het geding is, moet je op zoek gaan naar de persoon die daarvan profiteert. Ik heb die neiging onderdrukt, of misschien wilde ik gewoon niet aan die mogelijkheid denken.'

'Milo, ze vecht omdat ze haar verdriet in woede heeft vertaald. Ze is in de aanval gegaan in plaats van zich te laten verpletteren. Ik heb haar tijdens de therapie geleerd dat te doen. Volgens mij is het nog steeds een goede methode.'

'Misschien. Ik zeg alleen dat ik in een normale situatie al eerder meer aandacht aan haar zou hebben besteed.'

'Dat kun je niet serieus menen.'

'Ik heb niet gezegd dat het waarschijnlijk is, maar wel dat we het over het hoofd hebben gezien als mogelijkheid. Niet wíj, maar ìk. Mijn opleiding heeft me geleerd het ergste te denken. Toch heb ik dat niet gedaan. Dat zou niet zijn gebeurd wanneer ik nog gewoon voor de politie aan het werk was geweest.'

'Nu, dat heb je niet gedaan. Dus waarom neem je dan niet een tijdje vakantie van die manier van denken?' Ik had mijn stem verheven.

'Hé, vermoord de boodschapper niet.'

'Ze heeft er de kans niet toe gehad. Ze was hier toen haar moeder verdween.'

'Die jonge Drucker kan er wel de kans toe hebben gehad. Waar was hij?'

'Dat weet ik niet.'

Hij knikte, maar zonder voldoening. 'Volgens mij is hij zo stapel op haar dat hij het vuil tussen haar nagels nog zou kunnen opeten en dat kaviaar zou noemen. Verder zorgde hij voor de auto's van de familie. Gina zou hem zeker een lift hebben gegeven en je hebt zelf al gezegd dat hij je antenne in werking stelde.'

'Ik heb niet gezegd dat ik bij hem iets psychopatisch voelde.'

'Oké.'

Ik voelde een barstende koppijn opkomen. 'Geen schijn van kans, Milo. Geen schijn van kans.'

'Alex, het is beslist ook niet iets dat ìk graag zou willen geloven. Ik vind het meisje aardig en ik werk nog steeds voor haar. Ze was daarnet alleen iets te hard en fanatiek. Telkens maar weer herhalen dat ze die rotzakken te grazen zou nemen. Ik heb in de keuken tegen haar gezegd dat ik de indruk had dat ze dat kennelijk dolgraag wilde doen. Toen stortte ze in. Ik voelde me ellendig omdat ik haar aan het huilen had gemaakt, maar ook beter omdat ze opeens weer een kind leek te

worden. Als ik iets heb gedaan dat ontherapeutisch is, spijt me dat.'
'Nee,' zei ik. 'Als het zo dicht aan het oppervlak lag, zou het vroeg
of laat toch zijn gebeurd.'
'Ja,' zei hij.
Geen van ons beiden bracht onder woorden wat we dachten: stel dat
het waar is.
Opeens voelde ik me moe en ging in een stoel bij de telefoontafel
zitten. Ik hield het papiertje met het telefoonnummer van Suzy La-
Famiglia tussen mijn vingers. 'Ik heb een jurist voor haar. Vrouw,
gehard, fanatiek, gaat graag een gevecht aan met het systeem.'
'Klinkt goed.'
'Klinkt als iemand zoals Melissa zou kunnen worden,' zei ik.

31

Toen Melissa de vijfzijdige kamer weer inkwam, zag ze er allesbehalve
volwassen uit. Haar schouders waren gebogen, ze liep langzamer en ze
depte haar mond met een velletje wc-papier. Ik gaf haar het telefoon-
nummer van de juriste en ze bedankte me met een heel zachte stem.
'Zal ik namens jou bellen?'
'Nee, dank u. Ik doe het wel. Morgen.'
Ik liet haar achter het bureau plaatsnemen. Ze keek vaag Milo's kant
op en schonk hem een glimlachje.
Milo glimlachte terug en keek naar zijn blikje Coke. Ik was er niet
zeker van met wie ik meer te doen had.
Melissa zuchtte en legde een hand onder haar kaak.
'Hoe gaat het met je, meisje?' vroeg ik.
'Ik weet het niet. Het is allemaal zo... Ik heb het gevoel dat ik alleen...
Alsof ik geen... Ik weet het niet.'
Ik raakte haar schouder aan.
'Wie ben ik nu in de maling aan het nemen?' vroeg ze. 'Tegen hen
vechten? Ik stel niets voor. Wie zou bereid zijn naar me te luisteren?'
'Die juriste zal namens jou vechten. Nu moet je je concentreren op
jezelf, goed op jezelf passen,' zei ik.
'Ik denk dat u gelijk hebt,' zei ze na lange tijd.
Weer een lange stilte. Toen: 'Ik ben echt alleen.'
'Hier zijn veel mensen die om je geven, Melissa.'
Milo keek naar de vloer.
'Ik ben echt alleen,' zei ze met een griezelige verbazing. Alsof ze in
recordtijd een doolhof door was gekomen en toen bij een afgrond
bleek te staan.

'Ik ben moe,' zei ze. 'Ik denk dat ik ga slapen.'

'Wil je graag dat ik bij je blijf?'

'Ik wil met iemand slapen. Ik wil niet alleen zijn.'

Milo zette het blikje op de tafel en liep de kamer uit.

Ik bleef bij Melissa, zei troostende woorden die niet veel effect leken te hebben.

Milo kwam terug met Madeleine. De grote vrouw ademde moeizaam en keek geagiteerd, maar toen ze bij Melissa stond, was haar gezichts-uitdrukking teder. Ze streelde Melissa's haar, boog zich naar haar toe en trok haar tegen haar boezem.

'Ik blijf bij je slapen, *chérie*. Kom mee.'

Toen we wegreden van het huis, zei Milo: 'Oké, ik ben een stomme idioot geweest.'

'Je denkt dus niet dat ze daarnet toneel aan het spelen was?'

Hij remde hard bij het uiteinde van de oprijlaan en keek me aan. 'Alex, wil je verdomme het mes nog eens ronddraaien?'

Zijn tanden waren te zien, leken geel in het licht van de felle lamp boven het hek.

'Nee,' zei ik en was voor het eerst in al die jaren dat ik hem kende, bàng voor hem. Had het gevoel een verdachte te zijn. 'Nee, ik meen het. Kan ze dit niet hebben gespeeld?'

'Wil je me zeggen dat jíj denkt dat ze een psychopaat is?' Hij schreeuwde nu en sloeg met een grote hand op het stuur.

'Ik weet niet wàt ik moet denken,' zei ik even luid. 'Jij blijft ideeën opperen.'

'Ik dacht dat dat nu juist de bedoeling was.'

'Het was de bedoeling haar te hèlpen.'

Hij stak zijn gezicht naar voren, alsof dat een wapen was.

Loerde mijn kant op, ging toen weer normaal zitten en streek met zijn handen door zijn haar. 'Verdomme. Dit is een fraaie toestand.'

'Zal wel komen door slaaptekort.'

'Zal wel. Ga je toch liever slapen?'

'Nee.'

Hij lachte. 'Ik ook niet. Sorry dat ik zo tegen je ben uitgevallen.'

'Het spijt mij ook. Zullen we het maar gewoon vergeten?'

Hij legde zijn handen weer op het stuur en reed verder, uitermate voorzichtig, langzaam. Nam gas terug bij elk kruispunt, ook als er geen stopbord stond. Keek in alle spiegels, hoewel de straten leeg waren.

Bij Cathcart zei hij: 'Alex, ik ben niet in de wieg gelegd voor een baan als privé-detective. Te weinig gestructureerd, te veel vage gren-

zen. Ik heb mezelf voorgehouden dat ik anders ben, maar dat is geouwehoer. Ik ben paramilitair, net als alle anderen op het bureau.
Ik heb een wereld nodig waarin het een kwestie is van wij-tegen-hen.'
'Wie zijn die wíj?'
'De gemene blauwe uniformen. Ik vind het prèttig gemeen te zijn.'
Ik dacht aan de wereld waarmee hij zoveel jaren de strijd had aan-
gebonden. Waar hij de strijd opnieuw mee zou aanbinden, over een
paar maanden; waarin hij door andere politiemensen weer zou worden gedwongen met hèn in contact te komen, hoeveel van die hèns
hij ook achter de tralies liet verdwijnen.
'Je hebt niets gedaan dat niet door de beugel kon,' zei ik. 'Ik heb
instinctief gereageerd, als haar beschermer. Het zou nalatig van je
zijn geweest als je haar niet als verdachte in aanmerking had genomen. Het zou nalatig zijn haar niet als een verdachte te blíjven be-
schouwen indien de feiten daartoe aanleiding geven.'
'De feiten,' herhaalde hij. 'Daar hebben we er nog niet zo veel van.'
Hij leek nog iets te willen zeggen, maar we waren bij de oprit naar
de hoofdweg en hij hield zijn mond dicht, terwijl hij de Porsche een
dot gas gaf. Er was weinig verkeer richting stadscentrum, maar toch
werd er zoveel lawaai gemaakt dat elk gesprek onmogelijk was.
We bereikten de missiepost even na tienen en parkeerden halverwege
het blok. Het rook er naar rijpend afval, zoete wijn en nieuw asfalt,
maar merkwaardigerwijs ook naar bloemen, waarvan de geur leek te
worden meegenomen door het westelijke briesje, alsof de betere delen
van de stad via de luchtpost wilden herinneren aan het bestaan van
betere huizen en tuinen.
De gevel van de missiepost zwom in kunstlicht en kreeg daardoor, in
combinatie met het licht van de maan, een ijswitte kleur. Vijf of zes
armoedig geklede mannen stonden bij de ingang en luisterden of pre-
tendeerden te luisteren naar twee mannen die netjes waren gekleed.
Toen we dichterbij kwamen, zagen we dat die laatsten ergens in de
dertig waren. De ene was lang en mager, met wasachtig ogend blond
haar, dat heel kort was geknipt en een eigenaardig donkere snor die
bij zijn mondhoeken recht omlaagging en op een crocquet-wicket
leek. Hij droeg een bril met een zilveren montuur, een grijs lichtge-
wicht kostuum en mokkakleurige laarzen met rits. De mouwen van
het kostuum waren iets te kort. Zijn polsen waren immens. Een aantekenboekje, identiek aan dat van Milo, werd in een hand vastgehouden, evenals een pakje Winstons.
De tweede man was klein, breedgebouwd en donker, gladgeschoren,
een baby-face. Smalle ogen en dito lippen, gekleed in een blauwe
blazer en een grijze pantalon. Hij was degene die het meeste zei.

Wij zagen de twee mannen en profil, zij zagen ons niet.

Milo liep naar de langste man toe en zei: 'Brad.'

De man draaide zich om en staarde. Een paar armoedzaaiers staarden eveneens. De donkere man hield op met praten, keek naar zijn partner, toen naar Milo. De daklozen begonnen weg te lopen, alsof ze waren vrijgelaten. 'Blijven staan, makkers,' zei de donkere man. De zwervers bleven staan, sommigen mompelden iets. De donkere man keek zijn partner met een opgetrokken wenkbrauw aan.

De man die door Milo Brad was genoemd, zoog zijn wangen naar binnen en knikte.

De andere man nam de zwervers mee, van ons vandaan.

De langere man keek toe tot ze buiten gehoorsafstand waren en draaide zich toen weer om naar Milo. 'Sturgis. Wat prettig je te zien.'

'Hoezo?'

'Ik heb gehoord dat je hier vandaag al eerder bent geweest en daarom ben jij iemand met wie ik wil praten.'

'Werkelijk?'

De rechercheur pakte de sigaretten over in zijn andere hand. 'Twee bezoekjes op één dag, heel toegewijd. Word je per uur uitbetaald?'

Milo zei: 'Wat is er aan de hand?'

'Waarom heb je belangstelling voor McCloskey?'

'Dat heb ik je al verteld toen ik een paar dagen geleden contact met je opnam.'

'Vertel het me dan nog maar eens.'

'De dame wier gezicht hij heeft verbrand, is nog spoorloos. Echt verdwenen. Haar familie wil nog altijd graag weten of er sprake kan zijn van een verband.'

'Echt verdwenen. Hoe bedoel je dat?'

Milo vertelde hem over de Morris Dam.

Het gezicht van de blonde man bleef uitdrukkingsloos, maar de hand om het pakje sigaretten spande zich. Dat besefte hij, fronste zijn wenkbrauwen, bekeek het pakje, trok aan het cellofaan, gebruikte zijn vingertoppen om de hoeken recht te strijken.

'Triest. De familie zal er wel behoorlijk door van streek zijn.'

'Ze zijn geen feest aan het organiseren.'

De blonde man probeerde te glimlachen. 'Je hebt hem al twee keer te grazen genomen. Waarom nu nog eens?'

'Omdat hij die eerste keren niet veel te zeggen had.'

'En je dacht dat je hem ervan zou kunnen overtuigen dat hij nu zijn mond wel open moet doen.'

'Zoiets, ja.'

'Zoiets.' De blonde man keek naar de donkere man, die nog altijd stond te oreren tegen de zwervers.

'Brad, wat is er aan de hand?' vroeg Milo.

De blonde man raakte even de rand van zijn bril aan. 'Het kan zijn dat het leven gewoon gecompliceerd is geworden.'

Hij zweeg, bestudeerde Milo. Toen Milo niets zei, haalde de blonde man een sigaret uit het pakje, stak die tussen zijn lippen en sprak eromheen. 'Het ziet ernaar uit dat we samen in zaken moeten gaan.'

Weer een stilte, in afwachting van een reactie.

Zeshonderd meter verderop het geraas van de hoofdweg. Dichterbij het geluid van brekend glas. De donkere man bleef met de zwervers praten. Ik kon niet horen wat hij zei, maar de toon was bevoogdend. De zwervers leken bijna in slaap te vallen.

De blonde rechercheur zei: 'McCloskey lijkt met een ongelukkige situatie te zijn geconfronteerd.' Hij staarde Milo aan.

'Wanneer?'

De rechercheur stak een hand in zijn broekzak, alsof het antwoord daar te vinden was. Hij haalde een wegwerpaansteker te voorschijn en gaf zichzelf vuur. In het licht van de aansteker zag ik dat zijn huid ruw en bobbelig was. Het scheren had zijn sporen nagelaten. 'Paar uur geleden, zo ongeveer.' Door de brilleglazen en de rook keek hij met samengeknepen ogen naar mij, alsof het doen van die mededeling mij tot iemand had gemaakt waarmee rekening gehouden diende te worden.

'Vriend van de familie,' zei Milo.

De lange man bleef mij aandachtig opnemen, rookte zonder de sigaret uit zijn mond te halen. Hij was cum laude afgestudeerd in het stoïcijns-zijn.

Milo zei: 'Meneer Delaware, rechercheur Bradley Lewis, afdeling moordzaken. Rechercheur Lewis, doctor Alex Delaware.'

Lewis blies rookkringetjes uit. 'Hmmm. Een doctor.'

'Hoe is het gebeurd, Brad?' vroeg Milo.

'Word jij ervoor betaald de familie het goede nieuws te brengen?'

'Zij zal er niet door terugkomen, maar ik kan me niet voorstellen dat ze hier rouwig om zullen zijn.' Hij herhaalde zijn vraag.

Lewis aarzelde even en zei toen: 'Steegje, een paar blokken verderop naar het zuiden en het oosten. Het industrieterrein tussen San Pedro en Alameda. Auto versus voetganger, auto wint door een knock-out in de eerste ronde.'

'Als die man is doorgereden na het veroorzaken van een ongeluk, waarom zijn jullie hier dan bezig?'

'Wat een detective,' zei Lewis. 'Hé, doe je ooit wel eens politiewerk?'

Gegrinnik.

Milo zei niets, bewoog zich niet.

Lewis rookte en zei: 'Volgens de technici heeft die auto geen enkel risico willen nemen. Heeft hem een keer overreden, is toen nog minstens twee keer over hem heen gegaan, om helemaal zeker te kunnen zijn. We hebben het over een ware pizza.'

Hij wendde zich tot mij, haalde de sigaret tussen zijn lippen vandaan en grijnsde plotseling wolfachtig. 'U ziet eruit als een beschaafde heer, maar uiterlijke schijn kan bedriegen, nietwaar?'

Ik glimlachte terug. Zijn grijns verbreedde zich, alsof we net een geweldige grap hadden uitgewisseld.

Hij stak een nieuwe sigaret met de eerste op, trapte die laatste uit op het trottoir. 'U hebt toch niet toevallig uw Mercedes, BMW of wat dan ook gebruikt om die arme McCloskey uit zijn ellende te verlossen? Bij een snelle bekentenis kunnen we allemaal naar huis gaan,' zei hij tegen mij.

Ik bleef glimlachen. 'Het spijt me, maar ik moet u teleurstellen.'

'Verdorie,' zei Lewis. 'Ik haat zulke raadsels.'

'Was de auto Duits?' vroeg Milo.

Lewis trapte met de hak van een laars op het cement en blies rook door zijn neus uit. 'Ben jij soms van de pers?'

'Brad, is er een reden waarom je me dat níet zou vertellen?'

'In de eerste plaats ben jij een bùrger.'

Milo zei niets.

Lewis zei: 'In de tweede plaats misschien een verdachte.'

'Oké, Brad. Zijn we hier verdomme soms bezig aan een aflevering van *Murder She Wrote*?'

Nu keek hij Lewis strak aan. Ze waren even lang, maar Milo was zo'n vijfentwintig kilo zwaarder. Lewis staarde terug, rokend, met een nietszeggend gezicht, en reageerde niet.

Milo fluisterde één enkel woord, dat klonk als 'Gonzales'.

Lewis leek iets onzekerder te worden. De sigaret zakte, schoot omhoog toen zijn kaakspieren zich spanden.

'Sturgis, ik kan geen fouten maken,' zei hij. 'Er is hier op zijn minst sprake van een belangenconflict. Wij gaan toch ook niet naar Pasadena om dit met de familie te bespreken?'

'Die familie bestaat op dit moment uit een àchttienjarig meisje dat net heeft gehoord dat haar moeder dood is en dat niet eens een lichaam kan begraven, omdat dat op de bodem van dat verdomde reservoir ligt. De sheriff wacht tot het boven komt drijven.'

'Des te meer reden...'

'Als dat gebeurt, zal het voor haar heel aangenaam zijn, nietwaar, Brad? Het identificeren van een lijk dat tijden in het water heeft gelegen. In die tussentijd is ze de laatste paar dagen voortdurend thuis geweest en er zijn talloze ooggetuigen die dat kunnen bevestigen, dus is zíj beslist niet degene die dat stuk ellende heeft overreden en ook niet degene die iemand heeft ingehuurd om dat namens haar te doen. Maar als je denkt dat je wijzer wordt door naar haar toe te gaan en haar echt volledig overstuur te maken, ga je je gang maar. Neem contact op met hun juridisch adviseur en notaris, een man wiens oom Hamerende Harmon Douse was. Inspecteur Spain heeft het altijd prettig gevonden wanneer zijn mensen eigen initiatief toonden.'

Lewis rookte snel en staarde naar zijn sigaret alsof die iets verbazingwekkends was.

'Als het nodig is, zal ik zeker naar haar toe gaan,' zei hij, maar zijn stem miste overtuigingskracht.

'Ga je gang, Brad,' zei Milo.

De donkere rechercheur stuurde de zwervers weg. Ze verspreidden zich. Sommigen gingen de missiepost in, anderen liepen de straat af. Hij kwam naar ons toe en veegde zijn handpalmen aan zijn blazer af.

'Dit is de beroemde Milo Sturgis,' zei Lewis tussen snelle trekken aan zijn sigaret door.

De kleinere man keek verbaasd.

Lewis zei: 'Kampioen zwaargewicht van het westelijk deel van L.A. Heeft een ronde in de ring gestaan met Frisk.'

Nog even verwarring, toen verscheen er een begrijpende uitdrukking op het baby-face. Even later gevolgd door een uitdrukking van walging. Een paar harde bruine ogen keek nu naar mij.

'En dat is de therapeut van de familie die belangstelling heeft voor ons slachtoffer.'

De andere rechercheur knoopte zijn colbertje dicht en keek naar Milo alsof hij een drijvend lijk was.

'Esposito, nietwaar?' zei Milo. 'Je hebt vroeger gewerkt in Devonshire.'

Esposito zei: 'Jij bent hier al eerder geweest en hebt met de overledene gesproken. Waarover?'

'Niets. Hij wilde niet praten.'

'Dat vroeg ik niet. Waarover wilde je precíes met de overledene spreken?'

Milo zweeg, woog even zijn woorden. 'Een mogelijk verband tussen hem en de dood van de moeder van mijn cliënte.'

Esposito leek dat niet te hebben gehoord. Het lukte hem zijn lichaam verder van Milo te verwijderen terwijl zijn hoofd dichter naar hem toe kwam. 'Wat heb jíj aan òns te vertellen?'

'Tien tegen een dat het iets stoms zal blijken te zijn,' zei Milo. 'Ga maar eens praten met de bewoners van dit fraaie stadje om te achterhalen wie als laatste van McCloskey te weinig hasj heeft gekregen.'

'Je kunt je adviezen voor je houden,' zei Esposito en liep verder van Milo vandaan. 'Ik wil informatie hebben.'

'Ik ben bang dat ik je die niet kan geven.'

Lewis zei: 'Sturgis, de hasj-theorie kan in dit geval geen stand houden. Hier wonen geen mensen die auto's hebben.'

'Af en toe hebben ze voor één dag wel eens een baantje,' zei Milo. 'Chaufferen, dingen bezorgen. Het kan ook zijn dat McCloskey iemand heeft ontmoet die zijn gezicht niet mooi vond. Hij had ook geen mooi gezicht.'

Lewis rookte en zei niets.

Esposito zei: 'Briljant.' Tegen mij: 'Hebt u er iets aan toe te voegen?' Ik schudde mijn hoofd.

'Wat kan ik zeggen?' zei Milo. 'Jullie zullen voor de variatie eens een keer het raadsel moeten ontrafelen van wie het heeft gedaan.'

'En jij hebt niets te melden waardoor we die persoon zouden kunnen identificeren?' vroeg Esposito.

'Jouw gok is even goed als de mijne,' zei Milo glimlachend. 'Nu ja, misschien niet zó goed, maar ik ben er zeker van dat je hard je best zult doen dat te verbeteren.'

Hij liep langs hen heen, naar de voordeur van de missiepost. Ik wilde achter hem aan gaan, maar Lewis hield me tegen. 'Sturgis, wacht eens even.'

Milo keek om. Zijn voorhoofd was gefronst.

'Wat heb je daar nu nog te zoeken?' vroeg Lewis.

'Ik wil de pater spreken. Tijd om te biechten.'

'Prima. Tijdens het luisteren zal die priester een baard krijgen,' zei Esposito snierend.

Lewis lachte, maar het klonk plichtmatig. 'Misschien is dit er niet het meest geschikte moment voor,' zei hij tegen Milo.

'Brad, ik zie geen gele tape.'

'Misschien is het niet het meest optimale moment.'

Milo zette zijn handen op zijn heupen. 'Wil je zeggen dat ik hier niet mag komen omdat het slachtoffer hier ooit heeft geslapen, terwijl al die zwervers rustig in en uit kunnen lopen? Dat zal Harmon junior prachtig vinden, Brad. De eerstvolgende keer dat hij en de inspecteur elkaar op de golfbaan tegenkomen, zullen ze daar smakelijk om lachen.'

'Hoelang ben je nu op non-actief? Drie maanden? Je begint je al te

gedragen als een van die dure heren juristen.'
'Onzin,' zei Milo. 'Brad, jij bent degene die de onzichtbare tape in handen heeft. Jij bent degene die opeens heel voorzichtig is geworden.'
Esposito zei: 'Die onzin hoeven we niet te slikken.' Hij knoopte zijn blazer los. Lewis hield hem tegen, puffend als een schoorsteen. Toen liet hij de sigaret op het trottoir vallen, keek naar het smeulen, liep weg.
'Hé!' zei Esposito.
'Stik,' zei Lewis zo woest dat Esposito zijn mond hield. Tegen mij: 'U kunt doorlopen.'
Dat deed ik. Milo legde een hand op de deurknop.
'Zorg ervoor dat je niets verknalt,' zei Lewis. 'En ga ons niet voor de voeten lopen. Dat meen ik. Het kan me geen bal schelen hoeveel ellendige juristen je achter je hebt staan. Goed begrepen?'
Milo duwde de deur open. Voordat die dichtging, hoorde ik Esposito mompelen: '*Maricon.*'
Toen gelach, heel geforceerd, heel boos.

In de grote ruimte stond de televisie aan. De een of andere politiefilm. Zo'n veertig paar dichtvallende ogen volgden de armzalige fantasie.
'Thorazinestad,' zei Milo met een ijskoude stem. Woede als therapie.
We waren halverwege de ruimte toen pater Tim Andrus de hoek om kwam, met een grote kan koffie op een aluminium wagentje. Op de onderste plank van het karretje plastic bekertjes. Het overhemd van de priester was olijfkleurig, vaal, de knieën van zijn verkleurde blauwe spijkerbroek waren wit. Hij droeg dezelfde gymschoenen die hij de eerste keer aan had gehad; een van de veters was los.
Hij fronste zijn wenkbrauwen, hield halt, draaide scherp van ons vandaan en duwde het wagentje tussen rijen half slapende mannen door. De wielen van het wagentje spoorden niet goed en bleven telkens steken. Andrus liep moeizaam verder tot hij bij de televisie was.
Hij boog zich diep voorover, fluisterde iets tegen een van de mannen, een jonge blanke met wilde ogen en te kleine kleren aan die hem deden lijken op een te groot baby-dier. Niet veel ouder dan een kind, ergens rond de twintig misschien, het babyvet nog niet verdwenen, de huid onder het sikje zacht. Maar dat beeld van onschuld werd volledig teniet gedaan door het vieze haar en de schurftige huid.
De priester sprak traag tegen hem, met eindeloos geduld. De jongeman luisterde, ging langzaam staan en begon met trillende vingers een stapel bekertjes uit het cellofaan te halen. Hij schonk een kop koffie voor zichzelf in en wilde die naar zijn lippen brengen. Andrus

raakte zijn pols aan en de jongen aarzelde, verbaasd.

Andrus glimlachte, zei weer iets, duwde de pols van de jonge man zo dat de beker voor de neus van een van de zittende mannen werd gehouden. De man pakte hem vast. De jongeman met het sikje staarde naar het bekertje en liet het toen los. Andrus zei iets en gaf hem een ander bekertje, dat hij begon vol te schenken. Sommige mannen waren opgestaan en vormden een rij voor de koffie.

Andrus gebaarde naar een vervuilde man die ineengedoken op de eerste rij zat. De man stond op en liep hinkend naar de priester toe. Hij en de jongen stonden zij aan zij, zonder naar elkaar te kijken. De priester glimlachte en gaf opdrachten, liet de wachtenden zich in twee rijen opstellen. Hij bleef aanwijzingen geven en prijzen tot het ritme van volschenken en uitdelen bekend was en de rij naar voren schuifelde. Toen kwam hij naar ons toe.

'Wilt u alstublieft weggaan? Ik kan niets voor u doen.'

'Pater, we willen u alleen een paar vragen stellen. Alstublieft,' zei Milo.

'Het spijt me, meneer... Ik kan me uw naam niet meer herinneren, maar ik kan absoluut niets voor u doen en ik zou het echt waarderen als u nu wegging.'

'Ik heet Sturgis, pater, en u bent mijn naam niet vergeten, want die had ik tegenover u niet genoemd.'

'Dat klopt,' zei de priester. 'De politie heeft dat daarnet wel gedaan. Ze hebben me ook meegedeeld dat u níet van de politie bent.'

'Ik heb ook nooit iets anders beweerd, pater.'

Andrus kreeg rode oren en trok aan zijn dunne snor. 'Nee, dat geloof ik ook, maar u hebt wel geïmpliceerd dat u van de politie was. Meneer Sturgis, ik heb de hele dag met bedrog te maken. Dat hoort bij mijn werk. Het betekent echter niet dat ik het prettig vind.'

'Het spijt me,' zei Milo. 'Ik was...'

'Excuses zijn niet nodig, meneer Sturgis. U kunt uw berouw tonen door weg te gaan en mij voor mijn mensen te laten zorgen.'

'Pater, zou het verschil hebben uitgemaakt wanneer ik u had verteld dat ik een smeris ben die tijdelijk met verlof is?'

Verbazing op het magere gezicht.

'Wat hebben ze u verteld, pater?' vroeg Milo. 'Dat ik het politie-apparaat uitgetrapt was? Dat ik een doodzonde had begaan?'

Andrus' gezicht werd rood van woede. 'Ik... Het heeft echt geen zin om dergelijke zaken te bespreken, meneer Sturgis. Het belangrijkste is dat ik niets voor u kan doen. Joel is dood.'

'Dat weet ik.'

'Dus kunt u geen belangstelling meer hebben voor dit tehuis.'

'Hebt u er enig idee van wie verantwoordelijk is voor zijn dood?'
'Kan u dat iets schelen, meneer Sturgis?'
'Totaal niet. Maar als ik daardoor beter kan begrijpen waarom mevrouw Ramp is overleden...'
'Waarom ze... O...' Andrus deed zijn ogen dicht en snel weer open.
'Mijn hemel.' Hij zuchtte en drukte een hand tegen zijn voorhoofd.
'Dat wist ik niet. Het spijt me.'
Milo vertelde hem over de Morris Dam. Een langere en zachtaardigere versie van het verhaal dan tegenover Lewis.
Andrus schudde zijn hoofd en maakte een kruisteken.
'Pater, heeft Joel toen hij nog in leven was iets tegen u gezegd waaruit u zou kunnen opmaken dat hij weer contact had opgenomen met mevrouw Ramp of een van haar familieleden?'
'Nee, absoluut niet. Het spijt me, meneer Sturgis, maar ik wil hier niet verder op doorgaan.' De priester keek naar de rij wachtenden bij de koffie. 'Alles wat Joel me heeft verteld, is in vertrouwen geschied. Dat vertrouwen mag ik van de Kerk niet beschamen, ook niet nu hij dood is.'
'Dat begrijp ik volkomen, pater. Ik ben hier alleen naar toe gekomen om nog eens met hem te praten omdat de dochter van mevrouw Ramp het verlies zo vreselijk moeilijk kan verwerken. Ze was enig kind en is nu een wees. Ik weet dat niets wat u zegt daar iets aan kan veranderen, maar als u enig licht kunt werpen op wat er met haar moeder is gebeurd, zou dat haar helpen om verder te leven. In elk geval heb ik dat van haar therapeut gehoord.'
'Ja,' zei Andrus. 'Dat kan ik wel begrijpen. Dat arme kind.' Hij dacht even na. 'Nee, dat kan haar niet helpen.'
'Wat, pater?'
'Meneer Sturgis, ik weet níets. Joel heeft me nooit iets verteld dat het verdriet van dat arme meisje minder groot zou kunnen maken. Maar als hij dat wel had gedaan, zou ik u om eerder genoemde reden toch niet kunnen helpen. Dus is het misschien wel goed dat hij daar niet over heeft gesproken. Het spijt me, maar zo staan de zaken ervoor.'
'Hmmm,' zei Milo.
Andrus schudde zijn hoofd en duwde de knokkels van een vuist tegen zijn voorhoofd. 'Ik geloof dat ik niet helemaal duidelijk ben geweest. Ik heb een lange dag achter de rug en na een lange dag ben ik vaak niet meer zo coherent. Ik zou best wat koffie kunnen gebruiken. Zit veel cichorei in, maar we beknibbelen niet op de cafeïne. Helpt de mannen bij het afkicken. Wilt u ook een beker?'
'Nee, dank u. Nog een seconde van uw tijd. Hebt u er enig idee van

wie Joel kan hebben gedood?'
'De politie lijkt te denken dat het een van die dingen is die in een wijk als deze kunnen gebeuren.'
'Bent u het daarmee eens?'
'Ik neem aan dat ik geen reden heb om het er niet mee eens te zijn. Ik heb zoveel dingen gezien die volkomen onzinnig zijn...'
'Is er iets rond de dood van McCloskey dat u onzinnig lijkt?'
'Nee, niet echt.' Weer een blik richting koffie.
'Had McCloskey een reden om op de plaats te zijn waar hij is doodgereden, pater?'
Andrus schudde zijn hoofd. 'Geen mij bekende reden. Hij was voor ons geen boodschappen aan het doen. Dat heb ik ook al tegen de politie gezegd. De mannen maken soms wandelingen die gezien hun conditie verbazingwekkend lang zijn. Het is alsof dat in beweging zijn ervoor zorgt dat ze blijven beseffen dat ze nog leven. De illusie van een doel, hoewel ze nergens naar toe kunnen.'
'De eerste keer dat we hier waren, had ik de indruk dat Joel zelden de deur uitging.'
'Dat is ook zo.'
'Dus was hij niet een van diegenen die lange wandelingen maken.'
'Klopt.'
'Weet u waar hij naar toe ging als hij wel eens een keer de deur uitging?'
'Nee. Niet echt...' Andrus zweeg; zijn oren waren knalrood.
'Wat is er, pater?'
'Het zal wel heel gemeen en bevooroordeeld klinken, maar toen ik hoorde wat er was gebeurd, dacht ik in eerste instantie dat iemand van de familie – de familie van mevrouw Ramp – had besloten wraak te nemen. Hem had weggelokt en in een hinderlaag had laten lopen.'
'Waarom dacht u dat?'
'Ze hebben er beslist reden toe. Verder vond ik het gebruik van een auto... een keurige manier van doen voor iemand die tot de middenklasse behoort. Niet verplicht om dicht bij het slachtoffer in de buurt te komen, hem te ruiken of aan te raken.'
De priester staarde weer een andere kant op. Omhoog. Naar het kruisbeeld.
'Lelijke gedachten, meneer Sturgis, en ik ben er niet trots op. Ik was boos. Ik had veel in hem geïnvesteerd en nu... Toen besefte ik dat ik wreed was en alleen aan mezelf dacht. Onschuldige mensen verdacht die zelf al heel wat te lijden hadden gehad. Ik had het recht niet dat te doen. Nu u me over mevrouw Ramp hebt verteld, heb ik nog sterker het gevoel...'

Hij schudde zijn hoofd.

'Hebt u over dat vermoeden gesproken met de rechercheurs?' vroeg Milo.

'Het was eigenlijk geen vermoeden, alleen even een gedachte die door mijn hoofd schoot. Een onaardige gedachte, opgeroepen door de schok van het bericht. Nee, ik heb er niet over gesproken. Maar zíj zijn er wel over begonnen, vroegen of iemand van de familie Ramp hier was geweest. Ik heb gezegd dat ik alleen u heb gezien.'

'Hoe reageerden ze toen u dat zei?'

'Ik had niet de indruk dat ze het serieus namen. Ze leken zomaar met suggesties te komen, schoten voor de boeg. Het had er alle schijn van dat ze niet van plan waren erg veel tijd aan deze zaak te besteden.'

'Wat heeft u dat idee gegeven?'

'Hun houding. Daar ben ik aan gewend. De dood komt hier regelmatig op bezoek, maar dat levert weinig interviews op tijdens de nieuwsberichten van zes uur.' Het gezicht van de priester betrok. 'Nu ga ik alweer oordelen, en er is zo veel werk te doen. U moet me excuseren, meneer Sturgis.'

'Natuurlijk, pater, en dank voor uw tijd. Als u zich iets herinnert, iets dat het meisje zou kunnen helpen, laat u me dat dan alstublieft weten.'

Op de een of andere manier was er een visitekaartje in Milo's hand terechtgekomen. Hij gaf het aan de priester. Voordat Andrus het in de zak van zijn spijkerbroek stopte, kon ik er een glimp van opvangen. Wit papier. Milo's naam in stevige zwarte letters boven het woord ONDERZOEK. Nummer van zijn telefoon thuis en piepercode in de hoek rechtsonder.

Milo bedankte Andrus nogmaals. Andrus keek gekweld.

'Rekent u alstublieft niet op me, meneer Sturgis. Ik heb u alles verteld wat ik u vertellen kan.'

We liepen terug naar de auto en ik zei: 'Ik heb u alles verteld wat ik u vertellen kàn, zei hij. Niet alles wat hij wéét. Ik denk dat McCloskey zijn ziel voor hem heeft blootgelegd, als een formele biecht, of om raad te vragen. In elk geval zal hij jou niet wijzer maken.'

'Ik heb vroeger ook met een priester gepraat.'

We liepen zwijgend verder.

Toen we onderweg waren naar San Labrador, vroeg ik: 'Wie is Gonzales?'

'Wat zeg je?'

'De naam die je tegenover Lewis noemde. Het leek indruk op hem te maken.'

355

'O, dat is een oud verhaal. Gonsal*ves*. Lewis heeft op mijn bureau gewerkt toen hij nog een uniform droeg. Had gestudeerd en was geneigd te denken dat hij slimmer was dan alle anderen. Gonsalves is een zaak die hij heeft verknald. Geweldpleging thuis die hij niet serieus genoeg nam. De vrouw wilde de echtgenoot laten opsluiten, maar Lewis dacht dat hij het met zijn kandidaatsexamen in de psychologie wel aankon. Heeft een gesprek met hen gevoerd en voelde zich lekker. Een uur later heeft de echtgenoot zijn vrouw met een scheermes aan stukken gesneden. Toen wist Lewis zich met zijn houding geen raad. Ik had zijn carrière kunnen ruïneren, maar heb er schriftelijk weinig ophef over gemaakt en hem er mondeling doorheen gekletst. Daarna werd hij harder, voorzichtiger, verknalde geen zaken meer. Werd een paar jaar later tot rechercheur benoemd, op het hoofdbureau in het centrum.'

'Hij lijkt je er niet al te dankbaar voor te zijn.'

'Klopt.' Hij hield het stuur wat steviger vast. Anderhalve kilometer verderop ging hij door. 'Toen ik hem de eerste keer opbelde om te vragen naar McCloskey en die missiepost, was hij zeer koel maar beleefd. Gezien die affaire met Frisk is dat het beste waar ik op kan hopen. Vanavond heeft hij een stukje amateurtoneel ten beste gegeven omwille van dat varken van een macho dat als zijn partner dienst doet.'

'Wij tegen hen,' zei ik.

Hij reageerde niet. Het speet me dat ik erover was begonnen. Ik probeerde hem wat vrolijker te stemmen en zei: 'Fraai visitekaartje. Wanneer heb je dat gekregen?'

'Paar dagen geleden. Sneldrukkerij aan La Cienega, toen ik onderweg was naar de hoofdweg. Heb er vijfhonderd gekregen, tegen groothandelsprijs. Verstandige investering, nietwaar?'

'Zou kunnen.'

'Hoezo?'

'Kan een gewild object voor verzamelaars worden.'

Hij trok een grimas, stak een hand in zijn zak en haalde er nog een kaartje uit.

Ik pakte het aan, voelde het dunne maar stevige papier en zei: 'Klasse.'

'Ik vind velijnpapier mooi. Kun je altijd als tandenstoker gebruiken.'

'Of als bladwijzer.'

'Ik weet nog iets constructievers,' zei hij. 'Je kunt er huisjes mee bouwen en die dan omverblazen.'

32

Bij het huis aan Sussex Knoll zette hij zijn auto naast de Seville neer.
'Wat ga je nu doen?'
'Slapen, stevig ontbijten en me dan verdiepen in dat tuig van de financiële wereld.' Hij zette de Porsche in zijn vrij en gaf een dot gas.
'En McCloskey?' vroeg ik.
'Ik was niet van plan naar zijn begrafenis te gaan.'
Gas. Getrommel op het stuur.
'Heb je er enig idee van wie hem heeft gedood en waarom?' vroeg ik.
'Alle ideeën die ik heb, heb je op de missiepost al gehoord.'
'Oké,' zei ik.
'Oké,' zei hij en reed razendsnel weg.

Mijn huis leek klein en vriendelijk. De lichten in de vijver waren door de tijdklok uitgeschakeld en het was te donker om te zien hoe het met de eitjes ging. Ik sleepte me naar boven, sliep tien uur, werd maandag wakker en moest meteen denken aan Gina Ramp en Joel McCloskey, opnieuw met elkaar verbonden door pijn en doodsangst. Bestond er een verband tussen de Morris Dam en wat er in dat steegje was gebeurd? Of was McCloskey domweg niets anders dan een stuk vuilnis geweest in die sloppenwijk?
Moordenaar met een auto. Ik moest denken aan Noel Drucker. Hij kon bij heel wat auto's komen en had tijd zat nu de Tankard voor onbepaalde tijd was gesloten. Waren zijn gevoelens voor Melissa zo sterk dat hij erdoor van het rechte pad was geraakt? Zo ja, had hij dan zelfstandig gehandeld, of op verzoek van Melissa?
En hoe zat het met Melissa? Het idee dat ze iets anders kon zijn dan de weerloze wees zoals Milo haar tegenover de rechercheurs had afgeschilderd, maakte me misselijk. Maar ik had haar temperament met eigen ogen mogen aanschouwen. Ik had gezien hoe ze haar verdriet omzette in fantasieën over wraakneming op Anger en Douse.
Ik herinnerde me haar en Noel, in elkaars armen op het bed. Was het plan om een einde te maken aan het leven van McCloskey tijdens een soortgelijke omhelzing ontstaan?
Ik dacht aan iemand anders.
Ramp. Als die man onschuldig was aan de verdwijning van Gina, had hij daar misschien wel wraak voor genomen.
Hij had redenen te over om McCloskey te haten. Had hij achter het stuur van die auto gezeten, of had hij iemand ingehuurd? Ultieme gerechtigheid?
Todd Nyquist zou er een perfecte kandidaat voor zijn. Hoe zou ie-

mand een atleet uit het westelijke deel van Los Angeles in verband
kunnen brengen met de dood van een man met hersenletsel in een
heel ander deel van de stad?

Of misschien had Noel het namens Ràmp gedaan en niet namens
Melissa.

Of misschien waren al die mogelijkheden onjuist.

Ik ging op de rand van het bed zitten.

Ik kreeg in een flits een beeld voor ogen.

De littekens op Gina's gezicht.

Ik dacht aan de gevangenis waarheen McCloskey haar voor de rest
van haar leven had gezonden.

Waarom zou ik tijd verspillen door me af te vragen waarom hij was
gestorven? Zijn leven was een en al ellende geweest. Wie zou hem
missen, behalve pater Andrus? En de gevoelens van de priester waren
waarschijnlijk eerder abstract theologisch dan puur menselijk.

Milo had gelijk gehad er verder geen aandacht aan te besteden.

Ik was spelletjes met mijn geest aan het doen, terwijl ik mezelf veel
beter nuttig kon maken.

Ik stond op, rekte me uit en zei hardop: 'Opgeruimd staat netjes.'

Ik trok een kaki-broek aan, een overhemd, een das en een tweed-jasje
en reed naar het westelijke deel van Hollywood.

Het adres dat Kathy Moriarty's zuster me had gegeven, lag tussen
Santa Monica Boulevard en Sunset. Het huis was een lelijke doos
met de kleur van een krant die een week oud was, bijna tot het dak
afgeschermd door een onverzorgde heg. Het dak was plat, bedekt
met zwart geschilderde Spaanse tegels. Geschilderd door een ama-
teur. Her en der was terracotta te zien met de kleur van slecht geverfde bruine schoenen.

De heg eindigde bij een korte, verzakte oprit. Asfalt vocht met on-
kruid op de centiméters die niet in beslag werden genomen door een
oude gele Oldsmobile die onder de vogelpoep zat. Ik zette mijn auto
neer aan de overkant van de straat, liep over een droog, gemaaid
gazon dat harder was dan het asfalt. Met vier passen was ik bij drie
traptreden die naar de veranda leidden. Drie namen in zwartmetalen
letters waren rechts van de grijze planken deur gespijkerd. Een stukje
plakband, dat inmiddels ook de kleur van oud papier had, was over
de bel geplakt. Bij die bel een kaartje waarop met rode balpen KLOP-
PEN stond geschreven. Ik volgde de instructie op en werd daar enige
seconden later voor beloond door een slaperig klinkende mannenstem. 'Een ogenblikje.'

Toen, vanachter het grijze hout: 'Ja?'

'Ik ben Alex Delaware en ik ben op zoek naar Kathy Moriarty.'
'Waarom?'
Ik dacht aan Milo's suggestie een list te gebruiken, besloot dat ik daar geen trek in had en koos voor iets dat technisch gezien waar was.
'Haar familie heeft haar al enige tijd niet gezien.'
'Haar familie?'
'Haar zuster en zwager, de heer en mevrouw Robbins uit Pasadena.'
De deur ging open. Een jongeman met een aantal penselen in zijn rechterhand nam me van top tot teen op. Geen verbazing, geen achterdocht. Alleen een kunstenaarsoog.
Hij was achter in de twintig, lang, solide gebouwd, met donker haar dat naar achteren was gekamd en samengebonden in een dertig centimeter lange paardestaart die over zijn linker sleutelbeen bungelde. Zijn gelaatstrekken waren zacht, hij had een laag, plat voorhoofd en uitstekende wenkbrauwen. Hij deed me denken aan een mensaap, eerder een gorilla dan een chimpansee, en die indruk werd versterkt door de zwarte wenkbrauwen die elkaar boven zijn neus raakten en de zwarte stoppels op zijn wangen en zijn hals, tot de grens van het borsthaar. Hij droeg een zwart mouwloos T-shirt van polyester, met het logo van een fabriek van skateboards in rode letters erop; een wijd vallende, gebloemde oranje-groene bermuda en rubbersandalen. Op zijn armen dik, donker en krullend haar, tot even boven de elleboog. De huid daarboven was onbehaard en wit met spieren die indrukwekkend konden zijn, maar kennelijk nooit waren getraind. Op een biceps een opgedroogde lichtblauwe verfvlek.
'Sorry dat ik je stoor,' zei ik.
Hij keek naar de penselen en toen weer naar mij.
Ik haalde mijn portefeuille te voorschijn, pakte het visitekaartje dat Milo me gisteravond had gegeven en gaf dat aan hem.
Hij bekeek het, glimlachte, bekeek mij en gaf het terug.
'Ik dacht dat je zei Del-en-nog-iets te heten.'
'Sturgis is de baas. Ik werk met hem samen.'
'Een detective,' zei hij. 'Zo zie je er niet uit. In elk geval lijk je niet op de detectives die je op de televisie ziet. Zal de bedoeling juist wel zijn, hè? *Très in*communicado.'
Ik glimlachte.
Hij bekeek me nog eens. 'Marlowe, ik zou jou de rol toebedelen van een jurist: een verdediger, geen aanklager. Of misschien van de een of andere professor.'
'Werk je in de filmwereld?' vroeg ik.
'Nee.' Hij lachte en bracht een penseel naar zijn lippen. Die liet hij

weer zakken en zei: 'Of misschien toch wel. Ik ben schrijver.' Meer gelach. 'Net als iedereen in deze stad. Maar ik schrijf geen scenario's. De hemel verhoede dat.'

Hij lachte hoger, langdurig, bijna giechelend. 'Heb jij er ooit wel eens een geschreven?'

'Nee.'

'Ik voorzie in mijn levensonderhoud door het maken van grafische kunst. Fotorealisme met een verfspuit, om produkten te verkopen. In mijn vrije tijd ben ik graag gewoon aan het schilderen.' Hij zwaaide met de penselen door de lucht. 'En om bij mijn gezonde verstand te blijven, schrijf ik. Korte stukjes, postmoderne essays. Ik heb er een paar kunnen publiceren in de *Reader* en de *Weekly*. Stedelijke fictie, op stemmingen gebaseerd: welke invloed muziek, geld en L.A. hebben op de belévingswereld van de mensen. De verschillende dingen die L.A. bij mensen òproept.'

'Interessant,' zei ik, maar klonk niet erg overtuigend.

'Het interesseert je geen barst,' zei hij vrolijk. 'Jij wilt gewoon je werk doen en naar huis gaan, naar je eenzame privé-detective-bedje, nietwaar?'

'Een man heeft een hobby nodig.'

'Ja,' zei hij. Hij pakte de penselen in zijn linkerhand, stak zijn rechterhand uit en zei: 'Richard Skidmore.'

We gaven elkaar een hand, hij deed een stap naar achteren en zei: 'Kom binnen.'

Het interieur van het kleine huis maakte duidelijk dat het voor de oorlog goedkoop moest zijn gebouwd. Kleine, donkere kamers die naar oploskoffie en afhaalmaaltijden roken, naar marihuana en naar terpentine. Muren met raufaserbehang, gewelfde deuropeningen, tinnen wandlampjes, allemaal zonder peertje. Op een bakstenen schoorsteenmantel boven een open haard Presto-houtblokken die nog niet waren uitgepakt. Goedkoop meubilair, waaronder enige meubels van plastic en ijzeren buizen die eigenlijk voor een gebruik buitenshuis bedoeld waren, her en der neergezet op versleten houten vloerplanken. Kunst en alles wat erbij hoorde, vreemd gevormde, met de hand gespannen schildersdoeken, potten en tubes verf, penselen die in bakjes stonden te weken. Overal kunst, behalve aan de muren. In het midden van de kamer een schildersezel, onder de verf, omgeven door proppen papier, kapotte pennen en stompjes houtskool. Een tekentafel en een verstelbare stoel waren neergezet in een deel van de kamer dat de eethoek leek te zijn, naast een compressor die was verbonden met een verfspuit.

De muren waren kaal, maar ik zag een stuk wit papier dat boven de schoorsteenmantel was vastgespijkerd. In het midden stond met kalligrafische letters:

Dag van de Locusten,
Schemering van de wormen,
Nacht van de levende angst.

'Mijn roman,' zei Skidmore. 'Zowel de titel als de eerste regel. De rest komt als ik er mijn aandacht weer bij kan houden. Is altijd een probleem voor me geweest, maar de laatste presidenten hebben met hetzelfde geworsteld, nietwaar?'
'Heb je Kathy Moriarty door je schrijven leren kennen?' vroeg ik.
'Werken, werken, werken, Marlowe? Hoeveel betaalt baas Sturgis om zo gewetensvol te zijn?'
'Hangt van de zaak af.'
'Heel goed,' zei hij glimlachend. '*Ontwijkend antwoord*. Weet je dat het ècht geweldig is dat je zomaar langs bent gekomen? Daarom word ik zo graag wakker in L.A. Je kunt nooit weten wanneer een zogenaamd àrchetype aanklopt.'
Nog een keurende blik. Ik begon me een stilleven te voelen.
'Ik denk dat ik je in mijn volgende verhaal ga gebruiken,' zei hij. 'Dat noem ik dan: De privé-detective: de dingen die hij ziet en de dingen die hèm zien.'
Hij tilde enige doeken vol abstracte klodders van een plastic chaiselongue op en smeet ze zonder pardon op de grond. 'Ga zitten.'
Dat deed ik. Hij ging recht voor me op een houten krukje zitten.
'Dit is geweldig. Bedankt dat je langs bent gekomen.'
'Woont Kathy Moriarty hier?'
'Achter het huis. In het garage-appartement.'
'Wie is de huisbaas?'
'Dat ben ik,' zei hij trots. 'Heb het huis geërfd van mijn grootvader. Ouwe flikker, vandaar deze locatie. Is er twintig jaar na de dood van mijn grootmoeder voor uitgekomen en ik was de enige van de familie die hem toen is blijven opzoeken. Dus heb ik alles gekregen toen hij stierf: het huis, de auto, honderd aandelen in IBM. Prettig.'
'Mevrouw Robbins zegt dat ze Kathy al meer dan een maand niet heeft gezien. Wanneer heb jij haar voor het laatst gezien?'
'Gek,' zei hij.
'Wat?'
'Dat haar zuster iemand inhuurt om naar haar te zoeken. Ze konden het niet goed met elkaar vinden, althans vanuit Kathy's standpunt bezien.'

'Waarom?'

'Botsing van twee culturen, zonder enige twijfel. Kathy vond haar zuster bekakt.'

'En dat is Kathy niet?'

'Klopt.'

Ik vroeg hem weer wanneer hij haar voor het laatst had gezien.

'Ook ongeveer een maand geleden.'

'Wanneer heeft ze voor het laatst de huur betaald?'

'Ik reken honderd dollar per maand en dat is eigenlijk een grap, niet-waar? Ik ben niet voor huisbaas in de wieg gelegd.'

'Wanneer heeft Kathy voor het laatst betaald?'

'Aan het begin.'

'Waarvan?'

'Het begin van ons compagnonschap. Ze was heel gelukkig dat ze zo goedkoop woonruimte kon vinden. Het is inclusief gas en zo, omdat er maar één meter is en het zo lastig is om dat te laten veranderen. In het begin heeft ze me meteen voor tien maanden betaald, en dat betekent tot en met december.'

'Tien maanden. Dan woont ze hier dus sinds februari?'

'Dat zal wel. Vrij kort na nieuwjaar. Ik heb de garage-appartementen gebruikt voor een feest. Kunstenaars en schrijvers en schitterende mensen die net deden alsof ze dat ook waren. Toen ik aan het opruimen was, heb ik besloten het ene appartement te verhuren en het andere als opslagruimte te gebruiken. Zodat ik niet in de verleiding kon komen nog eens een feest te geven en naar al die slechte dialogen te moeten luisteren.'

'Was Kathy voor dat feest uitgenodigd?'

'Waarom zou ze dat geweest moeten zijn?'

'Omdat ze schrijft.'

'Nee. Ik heb haar pas leren kennen na het feest.'

'Hoe?'

'Door een advertentie in de *Reader*. Ze kwam als eerste en ik vond haar aardig. Recht door zee, geen geouwehoer. Een echte sapfische.'

'Een sapfische?'

'Zoals op Lesbos.'

'Is zij lesbisch?'

'Reken maar!' Brede glimlach. 'Mijn hemel, haar zuster lijkt je niet volledig te hebben geïnformeerd.'

'Daar lijkt het wel op.'

'Zoals ik al zei: een botsing van twee culturen. Marlowe, kijk niet zo geschokt. We zitten hier in Hòllywood. Iedereen is homofiel of oud of beide. Of zoals ik. Ik leid een kuis leven tot iets monogaams en heteroseksueels en betekenisvols mijn pad kruist.' Getrek aan de paardestaart. 'Laat je hierdoor geen rad voor ogen draaien. Ik ben rechts. Twee jaar geleden bezat ik zesentwintig overhemden en vier paar fraaie instapschoenen. Die staart heb ik laten groeien opdat de buren zich wat meer op hun gemak zouden voelen. Ik haal de waarde van de huizen hier al omlaag omdat ik niet bereid ben mijn huis met de grond gelijk te maken zodat ze er iets superduurs en luxueus voor in de plaats kunnen bouwen.'

'Heeft Kathy een vaste vriendin?'

'Heb ik nooit gezien en ik vermoed van niet.'

'Hoezo?'

'Haar persoonlijkheid. Het lijkt alsof ze kort geleden iets heel vervelends heeft meegemaakt en er nog niet aan toe is weer met scheermesjes te gaan jongleren. Ik weet dat niet omdat ze ooit een opmerking in die richting heeft gemaakt. We praten niet zo vaak met elkaar en zien elkaar ook vrij zelden. Ik slaap graag veel en zij is meestal weg.'

'Ook wel eens zo lang als nu?'

Hij dacht na. 'Nee, maar ze is vaak op pad. Ik bedoel dat het niet gek is als ze een week wegblijft. Dus kun je tegen haar zuster zeggen dat er waarschijnlijk niets met haar aan de hand is. Dat ze iets aan het doen is waarover haar brave zuster wel niet geïnformeerd zal willen worden.'

'Hoe weet je dat ze lesbisch is?'

'Ah! Bewijzen. Nu, in de eerste plaats door wat ze leest. Lesbische tijdschriften. Ze koopt die regelmatig. Ik vind ze bij het huisvuil. En door de post die ze krijgt.'

'Wat voor post?'

Zijn glimlach was als een witte streep te midden van wollige stoppels. 'Marlowe, ik doe echt niet mijn uiterste best om die post in te zien. Dat zou immers strafbaar zijn? Maar soms komt de post voor het garage-appartement in mijn brievenbus terecht, omdat de postbode niet weet dat er nog een appartement is. Of misschien zijn die mensen gewoon te lúi om naar de achterkant van het huis te lopen. Veel ervan komt van homogroepen. Hoe vind je mijn speurneus?'

'Na een maand moet je aardig wat post van haar hebben verzameld.'

Hij ging staan, liep naar de keuken en kwam even later terug met een stapel enveloppen met een elastiek eromheen. Hij haalde het elastiek eraf, bekeek elke envelop, hield de stapel nog even vast en gaf hem toen aan mij.

Ik telde. Elf poststukken.

'Niet veel voor een maand,' zei ik.

'Zoals ik al suggereerde, heeft ze niet veel contacten met anderen.'
Ik bekeek de post. Acht briefkaarten en reclamekrantjes, door een computer geadresseerd aan 'de bewoner van dit huis'. De andere drie enveloppen waren aan Kathy Moriarty geadresseerd. Een leek een verzoek te zijn om financiële steun aan een AIDS-fonds. De tweede moest iets soortgelijks zijn en was verzonden door een kliniek in San Francisco.

De derde envelop was wit en drie weken geleden verzonden uit Cambridge, Massachusetts. Getypt adres: *Mevrouw Kathleen R. Moriarty*. Afzender gedrukt in de linker bovenhoek: BOND VAN HOMO'S EN LESBIENNES TEGEN DISCRIMINATIE, MASSACHUSETTS STREET, CAMBRIDGE.

Ik pakte een pen, besefte dat ik geen papier had meegenomen en schreef het adres op een bon van een tankstation die ik in mijn portefeuille vond.

Skidmore bekeek me geamuseerd.

Ik draaide de envelop enige keren om, voornamelijk omwille van hem, en gaf het stapeltje toen aan hem terug.

'Wat ben je daar wijzer van geworden?' vroeg hij.

'Niet veel. Wat kun je me nog meer over haar vertellen?'

'Bruin haar, kort geknipt, groene ogen, soort aardappelgezicht. Ze geeft de voorkeur aan ruimvallende, verstandige kleren.'

'Heeft ze een baan?'

'Niet dat ik weet, maar het zou kunnen.'

'Heeft ze het nooit over een baan gehad?'

'Nee.' Hij geeuwde, wreef over zijn ene knie en toen zijn andere.

'Anders dan schrijfster zijn, bedoel ik.'

'Dat is geen baan, maar een róeping.'

'Heb je wel eens iets van haar hand gelezen?'

'Ja. De eerste paar maanden dat ze hier woonde, hebben we helemaal niet met elkaar gepraat, maar toen we eenmaal hadden ontdekt dat we de muze gemeen hadden, hebben we elkaar het een en ander laten zien en verteld.'

'Wat heeft zij jou laten zien?'

'Haar plakboek.'

'Kun je je herinneren wat erin stond?'

Hij sloeg zijn benen over elkaar en krabde aan een behaarde kuit.

'Hoe noemen jullie dit? Een profielschets maken van de persoon in kwestie?'

'Inderdaad. Wat voor dingen had ze in dat boek geplakt?'

'Alles geven en niets nemen?' Hij zei het zonder wrok.

'Richard, ik weet niets. Daarom ben ik met jou aan het praten.'

'Word ik daardoor een verklikker?'

'Nee, een bron.'

'Aha.'

'Haar plakboek?'

'Ik heb het alleen doorgekeken,' zei hij en geeuwde weer. 'Voornamelijk artikelen die zij had geschreven.'

'Waarover?'

Schouderophalen. 'Ik heb ze niet goed bekeken, te feitelijk, geen verbeelding.'

'Zou ik dat plakboek kunnen bekijken?'

'Hoe zou dat nu mogelijk zijn?'

'Misschien heb jij een sleutel van haar appartement.'

Hij bracht een hand naar zijn mond, deed alsof hij geschokt was. 'Marlowe, nemen we het niet zo nauw met de privacy?'

'Als jij er nu bij blijft als ik het doorkijk?'

'Blijft een strafbaar feit, Phil.'

'Luister.' Ik boog me naar voren en deed mijn uiterste best mijn stem onheilspellend te laten klinken. 'Dit is heel serieus. Ze kan in gevaar verkeren.'

Hij deed zijn mond dicht en ik wist dat hij weer een geestige opmerking wilde maken. Die blokkeerde ik door mijn hand op te steken. 'Richard, ik meen het.'

Zijn mond ging dicht en bleef enige tijd gesloten. Ik staarde hem strak aan. Hij wreef over zijn ellebogen en knieën en zei: 'Je meent het echt serieus.'

'Heel serieus.'

'Dit heeft niets te maken met incasseren?'

'Incasseren?'

'Het incasseren van geld. Ze heeft me verteld dat ze veel geld van haar zuster had geleend en daar nog niets van had terugbetaald. Dat haar zwager daar erg boos over was geworden. Hij is een soort financieel type.'

'Meneer Robbins is een jurist en hij en zijn vrouw maken zich inderdaad zorgen over die uitstaande schuld van Kathy. Maar daar gaat het nu niet meer om. Ze is al te lang weg, Richard.'

Hij wreef nog even en zei: 'Toen u zei dat u voor haar zuster werkte, dacht ik dat u geld kwam halen.'

'Dat is niet zo, Richard. Haar zuster maakt zich zorgen over haar, botsende culturen of niet, en dat doe ik ook. Ik kan je niet meer vertellen, maar meneer Sturgis heeft deze zaak hoge prioriteit gegeven.'

Hij maakte zijn paardestaart los en schudde zijn haar. Het was dik en glanzend, als dat van een fotomodel, en waaierde uit om zijn gezicht. Ik hoorde zijn nek kraken toen hij zijn hoofd boog en bleef schudden. Toen hij opkeek, zat er wat haar in zijn mond. Hij kauwde erop en keek nadenkend.

'Je wilt er alleen naar kijken?' zei hij en trok het haar uit zijn mond.

'Ja, Richard, en jij kunt daar elke seconde bij blijven.'

'Oké, waarom ook niet? In het ergste geval ontdekt ze het en wordt boos, waarna ik haar zal vragen op zoek te gaan naar een goedkoper appartement.'

Hij ging staan, rekte zich uit en schudde nogmaals zijn haar los. 'Blijf waar je bent, Phil.'

Weer een gang naar de keuken. Hij kwam te snel terug om erg ver weg geweest te kunnen zijn en had een aantekenboek bij zich met losse bladen en een oranje kaft.

'Had ze het aan jou gegeven?' vroeg ik.

'Hmmm. Ze is vergeten het weer mee te nemen nadat ze het aan mij had gegeven om het te bekijken. Toen dat tot me doordrong, was ze al vertrokken. Ik heb het opgeborgen en ze heeft me er nooit meer naar gevraagd. We zijn het beiden vergeten. Wat betekent dat het waarschijnlijk niet zo belangrijk voor haar is. Die verklaring zal ik geven als ze pissig wordt.'

Hij ging weer op het krukje zitten, sloeg het aantekenboek open en bladerde het door. Hij hield zijn schat nog even vast, net zoals hij dat met de post had gedaan. Toen gaf hij het aan mij.

Ik maakte het open. Het bevatte een bladzijde of vijftig, zwart papier in doorschijnend plastic. Kranteknipsels van artikelen van haar hand aan beide zijden. Een flap aan de binnenkant van de kaft. Ik stak mijn hand erin. Leeg.

De artikelen waren chronologisch gerangschikt. De eerste dateerden van vijftien jaar her en waren gehaald uit *The Daily Collegian* van de Cal State Fresno. Een tiental artikelen, geschreven gedurende een periode van zeven jaar, uit de *Fresno Bee*. Daarna artikelen uit de *Manchester Union Leader* en de *Boston Globe*. Uit de data kon ik opmaken dat Kathy Moriarty bij elke krant in New England slechts ongeveer een jaar was gebleven.

Ik begon weer bij het begin en bekeek de inhoud van elk artikel. Over het algemeen plaatselijk nieuws: gemeenteraadsvergaderingen en artikelen over bekende personen. Pas tijdens het jaar dat Moriarty voor de *Globe* werkte, werd iets van speurderszin duidelijk. Een serie over de vervuiling van de haven van Boston, een ander over wreedheden jegens dieren, begaan door een farmacologisch bedrijf in Worcester, niet bijzonder diepgaand.

Als laatste zag ik een recensie die in de *Hartford Courant* was verschenen over haar boek, *De slechte aarde*. Kleine uitgever. Hoge cijfers voor enthousiasme, lage voor documentatie.

Ik controleerde de achterflap. Haalde daar enige opgevouwen artikelen uit. Skidmore keek naar zijn tenen en had het niet gezien. Ik vouwde ze open en begon te lezen.

Vijf opiniërende artikelen, geschreven in het vorige jaar, uit een krant die *The GALA Banner* heette, met als ondertitel: 'De maandelijkse nieuwsbrief van de Bond van homo's en lesbiennes tegen de discriminatie, Cambridge, Mass.'

Vermelding van Káte Moriarty, als free-lance medewerkster. Deze essays getuigden van woede. Tegen de mannelijke overheersing, de AIDS-plaag, de penis als wapen. Een artikel over identiteit en huwelijksverachting, met een kranteknipsel erbij.

Skidmore geeuwde. 'Bijna klaar?'

'Een seconde nog.'

Ik las het knipsel. Opnieuw uit de *Globe*, drie jaar oud. Een kort artikel, zoals kranten dat wel gebruiken om de tweede pagina op te vullen.

DOOD VAN ARTS IN VERBAND GEBRACHT MET OVERDOSIS

(CAMBRIDGE) De dood van een post-doctoraal-studente aan Harvards psychiatrische faculteit lijkt het gevolg te zijn van een overdosis aan barbituraten, per ongeluk of expres ingenomen. Het lichaam van de zevenendertigjarige Eileen Wagner is deze morgen aangetroffen in haar kantoor op de psychiatrische afdeling van het Beth Israel Hospital aan Brookline Avenue. Ze moet ergens in de nacht zijn overleden. De politie weigerde dieper in te gaan op de vraag hoe men tot die conclusie is gekomen en volstond met de mededeling dat dokter Wagner 'persoonlijke problemen' had gehad. Dokter Wagner, die was afgestudeerd aan Yale, had haar opleiding tot kinderpsychiater voltooid aan Western Pediatric Medical Center in Los Angeles. Ze heeft enige jaren in het buitenland voor de Wereld Gezondsheids Organisatie gewerkt, voordat ze vorig jaar naar Harvard kwam om zich te specialiseren in de kinderpsychiatrie.

Ik keek naar Skidmore. Zijn ogen waren dicht. Ik stopte het artikel in mijn zak, deed het plakboek dicht en zei: 'Bedankt, Richard. Mag ik nu haar appartement bekijken?'

Zijn ogen gingen open.

'Om helemaal zeker te kunnen zijn,' zei ik.

'Waarvan?'

'Dat ze daar niet is. Gewond of dood.'

'Ze is er echt niet, Marlowe,' zei hij met een bezorgdheid die ik als verfrissend ervoer. 'Beslist niet.'

'Hoe kun je daar zo zeker van zijn?'

'Ik heb haar een maand geleden zien wegrijden. In een witte Datsun. Je zult het kenteken wel kunnen achterhalen, denk ik zo.'

'Stel dat ze zonder die auto is teruggekomen? Dat kan je zijn ontgaan. Je hebt zelf gezegd dat jullie elkaar niet zoveel zien.'

'Nee. Dat zou te gek zijn.' Hij schudde zijn hoofd.

'Richard, zullen we toch maar even gaan kijken? Je kunt erbij blijven, net als daarnet.'

Hij wreef in zijn ogen. Staarde me aan. Stond op.

Ik liep achter hem aan een kleine, donkere keuken in, waar hij een sleutelbos uit een berg troep viste en een achterdeur opende. We liepen door de achtertuin die te klein was om in te kunnen hinkelen, naar een dubbele garage. De deuren waren ouderwets scharnierend. In beide een deur van een normaal formaat. Garage-appartementen. Letterlijk.

Skidmore zei: 'Deze is het.' Hij nam me mee naar het linkse appartement. De deur-in-de-deur was stevig op slot.

'Het is strafbaar om je garage te verbouwen,' zei hij. 'Marlowe, je zult me toch niet verraden?'

'Zeker niet.'

Glimlachend was hij met de sleutels in de weer. Toen hield hij daar opeens mee op en keek ernstig.

'Wat is er?'

'Zou het niet stinken als ze... Je begrijpt me wel.'

'Dat hangt er van af, Richard. Zoiets kun je nooit van tevoren zeggen.'

Weer een glimlach. Beverig. Hij had nu moeite met de sleutels.

'Naar één ding ben ik nieuwsgierig,' zei ik. 'Waarom heb je me binnengelaten wanneer je dacht dat ik bij Kathy geld kwam halen?'

'Eenvoudige vraag. Omdat je geschikt materiaal kunt opleveren.'

Kathy Moriarty's thuis was een kamer van zes bij zes meter die nog steeds naar auto's stonk. Op de grond lagen linoleumtegels, de muren waren wit. Weinig meubilair. Een tweepersoonsmatras op de grond, laken gekreukt bij het voeteneinde, zweetvlekken op de matras. Houten nachtkastje, ronde witte tafel van formica, drie metalen stoelen met plastic kussentjes met een geel Hawaï-motief.

In een van de verste hoeken een elektrische kookplaat op een metalen standaard, in de andere een watercloset dat niet groter was dan dat in een vliegtuig. Boven de kookplaat één enkele plank met een paar potten en pannen en andere keukenspullen. Verder een primitieve klerenkast met voornamelijk spijkerbroeken en shirtjes, die aan een horizontale stang van PVC hingen.

Kathy Moriarty had het geld van haar zuster niet uitgegeven aan binnenhuisarchitectuur. Ik had er een vermoeden van waar het geld wel voor was gebruikt.

'Mijn hemel,' zei Skidmore. De huid onder de baardstoppels was wit en met een hand graaide hij in zijn haar.

'Wat is er?'

'Er is hier iemand geweest, of ze is ertussenuit geknepen.'

'Waarom zeg je dat?'

Hij zwaaide met zijn handen door de lucht, opeens geagiteerd. De jongen die zijn aandacht niet lang bij één ding kon houden en zijn best deed om duidelijk te zijn.

'Zo zag het er niet uit toen ze hier was. Ze had bagage. Veel koffers, een rugzak. Een grote hutkoffer die ze als lage tafel gebruikte.' Hij keek om zich heen en wees. 'Daar. Er lag een grote stapel boeken op. Stond vlak naast de matras.'

'Wat voor boeken?'

'Dat weet ik niet. Heb ik nooit naar gekeken. Maar één ding weet ik zeker: zo zag het er hier niet uit.'

'Wanneer ben je hier voor het laatst geweest?'

De hand op zijn hoofd pakte een pluk haar vast. 'Vlak voordat ik haar heb zien wegrijden. Wanneer was dat? Vijf weken geleden? Zes? Ik weet het niet meer. Het was avond. Ik kwam haar de post brengen en ze zat met haar voeten op die hutkoffer. Die was er toen dus nog. Vijf of zes weken geleden.'

'Heb je er enig idee van wat er in die hutkoffer zat?'

'Nee. Hij kan leeg zijn geweest. Maar waarom zou iemand een lege hutkoffer meenemen? Dus zat er waarschijnlijk wel wat in. Maar waarom heeft ze verder al haar spullen hier gelaten wanneer ze van plan was niet meer terug te komen?'

'Goede vraag, Richard.'

'Heel eigenaardig.'

We liepen naar binnen. Hij bleef staan en ik begon rondjes te draaien. Toen zag ik iets op de grond naast de matras. Een stukje schuimrubber. Nog meer schuimrubber. Ik boog me voorover en streek met

mijn hand langs de rand van de matras. Er kwam nog meer schuim-
rubber op de grond terecht. Mijn vingers zochten en vonden het gat.
Rechte snede, nauwelijks te zien, ook niet van dichtbij.
'Wat zie je?' vroeg Skidmore.
'De matras is opengesneden.'
'Mijn hemel.' Hij bewoog zijn hoofd van links naar rechts, waardoor
zijn haren wapperden.
Hij bleef staan terwijl ik op mijn knieën ging zitten en in de matras
keek. Niets. Ik keek om me heen. Niets.
'Wat is er?' vroeg Skidmore.
'Is die matras van jou of van haar?'
'Van haar. Wat is er aan de hand?'
'Iemand lijkt nieuwsgierig te zijn geweest. Of misschien had ze iets
in de matras verstopt. Had ze een televisie of een stereo-installatie?'
'Alleen een radio. Die is ook weg. Maar dit is geen inbraak geweest,
hè?'
'Moeilijk te zeggen.'
'Jij vermoedt iets vervelends. Daarom ben je hierheen gekomen. Heb
ik gelijk of niet?'
'Ik weet nog niet voldoende om ook maar iets te kunnen vermoeden.
Weet jij iets van haar af waardoor jíj het idee hebt dat dit geen zuivere
koffie is?'
'Nee,' zei hij luid en gespannen. 'Ze was een eenzame lesbienne, die
het gezelschap van anderen meed. Ik weet niet wat je nog meer van
me verwacht te horen!'
'Niets, Richard,' zei ik. 'Je hebt me geweldig geholpen. Dank voor
het beschikbaar stellen van je tijd.'
'Graag gedaan. Kan ik nu afsluiten? Ik moet een slotenmaker bellen
om dit slot te laten veranderen.'
We liepen de garage uit. Hij wees op de oprit en zei: 'Zo kom je terug
bij je auto.'
Ik bedankte hem nogmaals en wenste hem succes met zijn essay over
een privé-detective.
'Dat zal ik niet schrijven,' zei hij en liep het huis in.

33

De eerste telefooncel die ik zag, bevond zich in het winkelcentrum
aan Santa Monica Boulevard. Het winkelcentrum was splinternieuw
— lege etalages, alles pas geteerd. Maar de telefooncel was al wel in
gebruik genomen. Kauwgum en peuken op de grond. De gids was

van zijn ketting getrokken.

Ik belde Inlichtingen en vroeg naar het telefoonnummer in Boston van *The GALA Banner*. Die had geen telefoonnummer, maar de Bond wel. Dat draaide ik.

Een man nam op. 'GALA.' Ik hoorde stemmen op de achtergrond.

'Ik zou graag met iemand willen spreken die voor de *Banner* werkt.'

'Advertentie-afdeling of redactie?'

'Redactie. Iemand die Kathy, Kate Moriarty kent.'

'Kate werkt hier niet meer.'

'Dat weet ik. Ze woont in L.A. en daar bel ik vandaan.'

Stilte. 'Waar gaat het over?'

'Ik ben een kennis van Kate en ze is al meer dan een maand spoorloos verdwenen. Haar familie maakt zich zorgen, en ik ook. Ik dacht dat iemand in Boston ons misschien wijzer zou kunnen maken.'

'Ze is niet hier, als u dat bedoelt.'

'Ik zou echt graag met iemand willen spreken die haar kent.'

Weer een stilte. 'Ik zal uw naam en telefoonnummer noteren.'

Ik gaf hem beide en zei: 'U zult verbonden worden met een telefoniste van de dienst die voor me opneemt. Ik ben klinisch psycholoog. Dat kunt u natrekken in het jaarboek van de Vereniging van Amerikaanse psychologen. U kunt ook professor Seth Fiacre bellen, die is verbonden aan de psychologische faculteit van de universiteit van Boston. Ik zou graag zo snel mogelijk iets van u horen.'

'Zo snel zal dat misschien niet gaan,' zei hij. 'U zult moeten spreken met de hoofdredacteur van de *Banner*. Ze heet Bridget McWilliams en ze is voor de rest van de dag de stad uit.'

'Waar kan ik haar bereiken?'

'Die informatie mag ik niet doorgeven.'

'Probeert u haar alstublieft te bereiken. Zeg haar dat Kathy's veiligheid op het spel kan staan.' Toen hij daar niet op reageerde, zei ik nog: 'Noemt u ook maar de naam Eileen Wagner.'

'Wagner,' herhaalde hij en ik hoorde een pen krassen.

Ik was vergeten dat Seth Fiacre naar Boston was verhuisd tot ik aan hem had gedacht als referentie. De sociaal-psycholoog was vorig jaar bij de UCLA vertrokken en naar het oosten gegaan toen hem een professoraat was aangeboden met als leeropdracht groepsprocessen. Seth had zich gespecialiseerd in sekten en culten waarbij een groep door één persoon wordt beheerst. Het professoraat was hem aangeboden kort nadat hij de hersenspoeling ongedaan had gemaakt bij een zestienjarig meisje dat was gered uit de klauwen van een neo-Hindoe-sekte die in ondergrondse bunkers in Nieuw-Mexico huisde.

Ik belde weer Inlichtingen, kreeg het telefoonnummer van de faculteit psychologie, draaide dat en hoorde van de receptioniste dat het kantoor van professor Fiacre was ondergebracht in het centrum voor toegepaste sociale wetenschappen. De receptioniste daar noteerde mijn naam en vroeg me te wachten. Enige seconden later hoorde ik de stem van Seth.

'Alex! Dat is lang geleden.'

'Hallo, Seth. Hoe is Boston?'

'Geweldig. Een echte stad. Was er na mijn afstuderen geruime tijd niet meer geweest. Soort thuiskomst voor me. Prettig. Hoe is het met jou? Wil jij iets gaan doceren?'

'Nog niet.

'Het is moeilijk om terug te keren wanneer je eenmaal de werkelijke wereld hebt betreden.'

'Wat dat ook moge betekenen,' zei ik.

Hij lachte. 'Ik vergat dat ik met een clinicus sprak. Wat doe jij de laatste tijd?'

'Ik geef van tijd tot tijd adviezen aan de rechtbank en probeer een monografie te schrijven.'

'Klinkt bewonderenswaardig veelzijdig. Wat kan ik voor je doen? Weer zo'n sekte van ware gelovigen die nader bekeken moet worden? Zal ik met genoegen doen. De laatste keer dat ik jou gegevens heb verstrekt, heb ik daar twee resumés over kunnen schrijven, plus een artikel in *JSPS*.'

'Dat artikel kan ik me herinneren. Heette het niet ''De handoplegging''?'

'Er zijn heel wat stakkers die zich zo in de maling laten nemen. Wie zijn ditmaal de gekken?'

'Dit heeft niets met een cultus te maken. Wel zou ik graag wat informatie willen hebben over een collega. Een ex-faculteitslid van jouw alma mater.'

'Harvard? Over wie gaat het?'

'Leo Gabney. En echtgenote.'

'Doctor Produktief? Ja, ik meen me te herinneren dat ik heb gehoord dat hij ergens bij jou in de buurt is gaan wonen.'

'Weet je iets van hem af?'

'Niet persoonlijk, maar bekend is hij natuurlijk wel. Ik kan me herinneren dat ik me voor een bepaald college heb moeten verdiepen in alles wat hij had geschreven. Die man was een fabriek. Ik heb hem vaak vervloekt omdat hij zoveel gegevens vermeldde, waarvan de meeste, moet ik toegeven, zeer solide waren. Hij zal nu een jaar of vijfenzestig, zeventig zijn. Beetje oud om nog streken uit te halen.

Waarom wil je meer over hem weten?'

'Hij is iets jonger. Een jaar of zestig. En nog lang niet rijp voor de lijmfabriek. Hij en zijn vrouw hebben een kliniek in San Labrador, waar ze zich specialiseren in het behandelen van fobieën van rijke mensen.' Ik vertelde hem wat de Gabney's als honorarium vroegen.

'Wat deprimerend,' reageerde hij. 'Ik dacht dat ik met mijn professoraat een aardige cent verdiende, maar nu heb jij mij het gevoel gegeven weer arm te zijn.' Hij herhaalde de getallen hardop en zei toen: 'Nu ja... Wat wil je over hen weten en waarom?'

'Ze hebben de moeder van een van mijn patiënten behandeld en er zijn een paar vreemde dingen gebeurd. Ik kan je dat niet vertellen, Seth. Sorry, maar dat zul je wel kunnen begrijpen.'

'Natuurlijk. Je bent geïnteresseerd in de geschiedenis van zijn libido en aanverwante zaken. In de tijd toen hij nog aan Harvard was verbonden.'

'Ja, en ik vraag me af of er ook sprake is geweest van financiële indiscreties.'

'O? Nu ben ik echt geïntrigeerd.'

'Als je kunt achterhalen waarom ze uit Boston zijn vertrokken en wat ze daar het laatste jaar hebben gedaan, zou ik je echt heel dankbaar zijn.'

'Ik zal doen wat ik kan, hoewel de mensen hier niet graag over geld praten, omdat ze er allemaal zo dol op zijn. Verder is het ook nog eens zo dat de mensen van Harvard het zich niet altijd verwaardigen met de rest van ons te spreken.'

'Ook niet met alumni?'

'Ook niet met alumni wanneer ze te ver ten zuiden van Cambridge afdwalen. Maar ik zal eens in het potje roeren en kijken wat er naar boven komt. Hoe heet de echtgenote?'

'Ursula Cunningham. Nu noemt ze zich Gabney-Cunningham. Artspsychiater, voor een deel opgeleid door de echtgenoot. Ze heeft op de medische faculteit gewerkt, afdeling psychiatrie.'

'Alex, dat maakt het er niet makkelijker op want de medische faculteit is een wereld op zich. De enige die ik daar ken, is de kinderarts van mijn eigen kind.'

'Seth, alles wat je te weten kunt komen, is welkom.'

'En natuurlijk zo snel mogelijk.'

'Hoe sneller hoe beter.'

'Behalve wanneer het gaat om wijn, kaas en vleselijke genoegens. Oké, ik zal zien wat ik kan doen. Alex, denk er eens over om me een keer te komen opzoeken. Dan kunnen we ons bij Legal Seafoods ongegeneerd volproppen met kreeft.'

Als laatste belde ik Milo. Ik verwachtte te worden verbonden met het antwoordapparaat, maar Rick nam op met een 'Dokter Silverman' dat gehaast klonk.

'Rick, je spreekt weer met Alex.'

'Alex, ik moet naar de kliniek. Busongeluk. We kampen met een personeelstekort. Milo is in Pasadena. Heeft de hele morgen getelefoneerd en is een uurtje geleden vertrokken.'

'Dank je, Rick. Tot ziens.'

'Alex, ik wil je nog bedanken omdat je hem dat werk hebt gegeven. Hij was behoorlijk depressief. Het nietsdoen. Ik heb geprobeerd hem ertoe over te halen iets te gaan doen, maar ik boekte daar weinig succes mee, tot jij met die opdracht kwam. Dus hartelijk bedankt.'

'Ik heb het niet uit liefdadigheid gedaan, Rick. Hij was hier het meest geschikt voor.'

'Dat weet ik en dat weet jij. De truc was hèm daarvan te overtuigen.'

Het was druk op de weg en daardoor duurde de rit naar San Labrador vrij lang. Ik bracht de tijd zoet met na te denken over mogelijke verbanden tussen Massachusetts en Californië.

De hekken aan Sussex Knoll waren dicht. Ik sprak via de intercom met Madeleine en werd binnengelaten. Milo's Fiat stond niet voor het huis, evenmin als Ricks Porsche. Wel zag ik een kersrode Jaguar XJS.

Voordat ik bij de deur was, werd die door een vrouw geopend. Een meter zestig, midden in de veertig, een paar pondjes te veel, zonder dat dat stoorde. Haar gezicht was daarentegen mager en rechthoekig en werd omlijst door zwarte krullen. Haar ogen hadden dezelfde kleur, waren groot en rond. De wimpers vol. Ze had een zachtroze jurk aan die prima zou hebben gepast bij een picknick van Renoir. Ze stak een arm uit, waardoor armbanden rinkelden.

'Doctor Delaware? Ik ben Susan LaFamiglia.'

We gaven elkaar een hand. De hare leek klein en zacht, tot ze de mijne stevig drukte. Ze had zich uitgebreid en goed opgemaakt. Aan de helft van haar vingers prijkten ringen. Op haar boezem een streng zwarte parels. Als die echt waren, waren ze meer waard dan de Jaguar.

'Prettig kennis met u te maken,' zei ze. 'Ik zou graag met u willen spreken over ons beider cliënte. Niet nu meteen, omdat ik nog midden in een gesprek met haar zit en probeer haar financiën te ontrafelen. Zou het u over een paar dagen schikken?'

'Natuurlijk, mits Melissa het ermee eens is.'

'Ze heeft er al toestemming voor gegeven. Ik heb het desbetreffende

formulier... Bent u gekomen voor een sessie met haar?'
'Nee. Ik wilde alleen even kijken hoe het met haar ging.'
'Gegeven de omstandigheden goed, lijkt het. Het heeft me verbaasd hoeveel ze voor iemand van haar leeftijd van financiën afweet. Maar het is duidelijk dat ik haar niet echt goed ken.'
'Ze is een ingewikkelde jongedame,' zei ik. 'Is Sturgis, een detective, nog langsgeweest?'
'Milo? Die is hier inderdaad geweest, maar net vertrokken naar het restaurant van de stiefvader. De politie is hier geweest om Melissa te vragen naar de dood van die McCloskey. Ik heb gezegd dat ze nog niet wist dat hij dood was en dat ik het absoluut niet toestond dat ze met haar spraken. Milo heeft die mensen voorgesteld met de stiefvader te gaan praten. Dat heeft enige voeten in de aarde gehad, maar uiteindelijk zijn ze ermee akkoord gegaan.'
Haar glimlach maakte duidelijk dat dat succes haar niet had verbaasd.

Het parkeerterrein van de Tankard stond zo vol met auto's dat het leek alsof het restaurant normaal geopend was. Ramps Mercedes, Noels Toyota, de bruine Chevrolet Monte Carlo, Milo's Fiat en een donkerblauwe Buick sedan die ik ook al eerder had gezien.
Milo's ingehuurde hulpkracht was nergens te zien. Ofwel niet aan het werk, of verdomd goed.
Toen ik uit de Seville stapte, zag ik iemand aan de achterkant naar buiten komen en over het terrein rennen.
Bethel Drucker in een witte blouse, een donkere short en platte sandalen. Het blonde haar los en wapperend, borsten op en neer zwoegend. Even later zat ze achter het stuur van de bruine Chevrolet, gaf veel gas, reed achteruit en racete toen naar de boulevard. Zonder te stoppen draaide ze aan het einde van de oprit naar rechts en racete verder. Ik probeerde een glimp van haar gezicht op te vangen, maar zag alleen het weerkaatste felwitte zonlicht.
Net toen het geluid van de motor minder duidelijk hoorbaar werd, ging de voordeur van de Tankard open en kwam een verward en bang ogende Noel naar buiten.
'Je moeder is die kant opgegaan,' zei ik. Meteen keek hij naar mij. Ik liep naar hem toe. 'Wat is er gebeurd?'
'Dat weet ik niet. Er zijn agenten gekomen, die met Don wilden praten. Ik was in de keuken aan het lezen. Mam is koffie gaan brengen en toen ze terugkwam, leek ze erg van streek. Ik vroeg haar wat er aan de hand was, maar ze gaf me geen antwoord en toen zag ik haar weggaan.'

'Heb je er enig idee van wat die agenten tegen Don hebben gezegd?'
'Nee. Zoals ik al zei, was ik in de keuken. Ik wilde haar vragen wat er aan de hand was, maar ze ging weg zonder iets te hebben gezegd.'
Hij keek de boulevard af. 'Dat is niets voor haar...'
Hij liet zijn hoofd hangen, verloren. Donker, knap en verloren... Een soort James Dean. Mijn hoofdhuid tintelde.
'Heb je er geen idee van waar ze naar toe kan zijn gegaan?' vroeg ik.
'Wie zal het zeggen? Ze vindt autorijden prettig, omdat ze hier de hele dag vastzit. Maar gewoonlijk zegt ze wel tegen me waar ze naar toe gaat en hoe laat ze terugkomt.'
'Ze zal wel gespannen zijn, nu het restaurant wordt gesloten. Dat geeft onzekerheid.'
'Ze is bàng,' zei hij. 'Tot nu toe is de Tankard haar leven geweest. Ik heb tegen haar gezegd dat ze in het ergste geval, wanneer Don niet heropent, makkelijk ergens anders een baan kan vinden. Maar zij zei dat het nooit meer hetzelfde zou zijn, omdat...' Hij hield een hand boven zijn ogen en keek de boulevard nog eens af.
'Waarom, Noel?'
'Hè?' Hij keek geschrokken.
'Je moeder zei dat het nooit hetzelfde zou zijn omdat...'
'Onbelangrijk,' zei hij boos.
'Noel...'
'Onbelangrijk,' herhaalde hij. 'Ik moet weg.'
Uit de zak van zijn spijkerbroek haalde hij een sleutelring, rende naar de Celica en reed weg.
Ik liep, diep in gedachten verzonken, naar de voordeur van de Tankard. Het bord met GEEN BRUNCH was vervangen door een andere mededeling. TOT NADER BERICHT GESLOTEN.
Milo zat op een kruk bij de bar, met een kop koffie in zijn hand. Don Ramp zat op een van de banken langs de muur, met een fles Wild Turkey, een glas en een koffiekop binnen handbereik. Bij de rand van de tafel nog twee koffiekoppen. Ramp had hetzelfde witte overhemd aan als bij de dam. Hij leek net te zijn teruggekeerd van een reis naar de hel.
Inspecteur Chickering en agent Skopek stonden bij hem. Chickering rookte een sigaar. Skopek keek alsof hij dat ook graag had willen doen.
Toen de inspecteur mij zag, draaide hij zich om en fronste zijn wenkbrauwen. Skopek deed hetzelfde. Milo dronk koffie. Ramp deed niets.
'Hallo, inspecteur,' zei ik.

'Meneer Delaware.' Chickering bewoog zijn pols en er viel as in een asbak die vlak bij Ramps fles stond. Twee derde van de bourbon was op.

Ik liep naar de bar en ging naast Milo zitten. Hij trok zijn wenkbrauwen op en gaf me een glimlachje.

Chickering draaide zich weer om naar Ramp. 'Oké, Don. Dit lijkt me wel voldoende.'

Als Ramp reageerde, zag ik dat niet.

Chickering pakte een koffiekop en nam een slok. Hij likte zijn lippen af en kwam naar de bar. Skopek kwam achter hem aan, maar bewaarde enige afstand.

Chickering zei: 'Meneer Delaware, ik heb voor mijn goede vrienden in Los Angeles enige vragen gesteld over wat er precies is gebeurd met wijlen meneer McCloskey. Hebt u aan de huidige poel van onwetendheid nog iets toe te voegen?'

'Niets, inspecteur.'

'Oké,' zei hij en nam nog een slok koffie. Toen was de kop leeg. Hij strekte zijn arm, zonder om te kijken. Skopek pakte de kop van hem aan en zette hem terug op het tafeltje van Ramp. 'Meneer Delaware, wat mij betreft is dit een toetje na de maaltijd. Maar ik moet hoffelijk blijven jegens de mensen in L.A. Nu heb ik u ernaar gevraagd en zijn we klaar.'

Ik knikte.

'Hoe gaat het verder met die kleine Melissa?' vroeg hij.

'Prima.'

'Goed.' Pauze. Rookkringels. 'Hebt u er enig idee van wie dat huishouden gaat draaien?'

'Nee.'

'Wij zijn er net geweest en er was een jurist met dat meisje aan het praten. Een vrouw. Kantoor in het westen van L.A. Ik weet niet hoeveel ervaring ze heeft met dit deel van de stad.'

Ik haalde mijn schouders op.

'Glenn Anger is een goeie vent,' zei hij. 'Is hier opgegroeid. Ken hem al jaren.'

Ik zei niets.

'Nu, ik moet er weer eens vandoor. Nooit een saai moment,' zei hij. Tegen Ramp: 'Pas goed op jezelf, Don. Bel me als je iets nodig hebt. Er zijn heel wat mensen die dolgraag weer een T-bone willen ruiken, of een gegrillde biefstuk of een F.M. uit New York.'

Hij gaf Ramp een knipoog. Ramp bewoog zich niet.

Nadat Chickering en Skopek waren vertrokken, zei ik: 'Een F.M.?'

'Een *filet mignon*,' zei Milo. 'Net voordat jij hier arriveerde, hebben we gezellig over vlees zitten praten. De inspecteur is een kenner. Koopt biefstuk uit Omaha, voorverpakt.'

Ik keek naar Ramp, die zich nog altijd niet had bewogen. 'Heeft hij zich in die discussie gemengd?' vroeg ik heel zacht.

'Nee, hij heeft niets anders gedaan dan bourbon drinken.'

'Nyquist?'

'Niets van gehoord. Maar niemand is ook echt naar hem op zoek.'

'Waarom heeft Los Angeles Chickering hierheen gestuurd?'

'Om geen mensen uit San Labrador tegen de haren in te strijken en toch te kunnen zeggen dat ze hun werk hebben gedaan.'

'Had Chickering nog iets nieuws te melden over McCloskey?'

Hij schudde zijn hoofd.

'Hoe reageerde Ramp toen hij het hoorde?'

'Staarde naar Chickering en nam toen een grote slok Turkey.'

'Geen verbazing omdat McCloskey dood was?'

'Misschien een beetje. Moeilijk te zeggen. Bij hem registreert nauwelijks iets. Niet iemand die tegen een stootje kan.'

'Tenzij dit toneelspel is.'

Milo haalde zijn schouders op, pakte de koffiekop, keek ernaar, zette hem neer. 'Don, kan ik nog iets voor je doen?'

Stilte. Toen schudde Ramp langzaam zijn hoofd.

'Heb je nog de gelegenheid gehad om naar Hollywood te gaan?' vroeg Milo.

'Ja. Laten we buiten praten.'

We liepen naar het parkeerterrein.

'Is dat mannetje van jou ergens in de buurt?' vroeg ik.

'Vakgeheim.' Hij glimlachte. 'Op dit moment niet, maar geloof me als ik je zeg dat het geen enkel verschil zou uitmaken.'

Ik vertelde hem wat ik te weten was gekomen over Kathy Moriarty en Eileen Wagner.

'Oké. Jouw theorie ten aanzien van de Gabney's begint er steeds beter uit te zien. Ze hebben waarschijnlijk in Boston iets gedaan dat niet door de beugel kon, zijn betrapt en naar het westen verhuisd om de oude praktijk voor te zetten.'

'Het gaat verder dan dat,' zei ik. 'Eileen Wagner heeft Melissa naar mij verwezen. Een paar jaar later sterft zij in Boston, vertrèkken de Gabney's uit Boston en zijn even later Gína aan het behandelen.'

'Stond er iets in dat kranteknipsel van Moriarty dat zinspeelde op de mogelijkheid dat Wagners dood geen zelfmoord was?'

Ik gaf hem het artikel.

Hij las het en zei: 'Klinkt niet alsof iemand er een grondig onderzoek naar heeft ingesteld. Als er iets niet pluis bleek te zijn, zou Moriarty

378

dat artikel dan niet hebben meegenomen?'

'Waarschijnlijk wel, maar toch moet er een verband zijn. Iets dat Moriarty meende te weten. Wagner studeerde psychiatrie aan Harvard toen de Gabney's daar nog waren. Ze is waarschijnlijk met hen in contact gekomen. Kathy Moriarty was in alle drie geïnteresseerd, en ze kenden Gina ook alle drie.'

'Jij hebt Wagner ontmoet. Is je toen iets eigenaardigs opgevallen?'

'Nee. Niet dat ik haar heb geanalyseerd. We hebben tien minuten met elkaar gesproken, elf jaar geleden.'

'Heb je enige reden om aan haar ethiek te twijfelen?'

'Geen enkele. Hoezo?'

'Ik vroeg het me gewoon af. Als haar ethiek goed was, zal ze met niemand specifiek over Gina gesproken hebben, nietwaar? Niet eens met een collega.'

'Klopt.'

'Hoe kunnen de Gabney's dan van haar iets over Gina hebben gehoord?'

'Misschien hebben ze ook niets specifieks over haar gehoord. Het is mogelijk dat Wagner in algemene termen over Gina's geval heeft gesproken toen ze eenmaal wist dat de Gabney's zich specialiseerden in het behandelen van fobieën. Een medische bespreking zou niet onethisch zijn geweest.'

'Een ríjke fobie,' zei Milo.

'Wonend als een prinses in een kasteel,' zei ik. 'Wagner heeft iets dergelijks gezegd. Zij was onder de indruk van de rijkdom van Gina. Het kan zijn dat ze er met een of beide Gabney's over heeft gesproken. Toen het voor de Gabney's tijd werd om naar groenere weiden te verhuizen, hebben ze zich dat misschien herinnerd en voor San Labrador gekozen. Daarna heeft Melissa hen gebeld en konden ze met Gina aan de slag.'

'Toeval?'

'Milo, het is een heel kleine stad. Toch begrijp ik nog steeds niet waarom Kathy Moriarty dat artikel over de zelfmoord van Wagner in haar plakboek had.'

'Misschien was Wagner een van Moriarty's bronnen. Over de zwendel van de Gabney's.'

'En misschien is Wagner daarom gestorven.'

'Dat is een grote sprong. Als ik terug ben, zal ik er eens wat dieper op ingaan. Ik kan Suzy ook vragen dat te doen. Wat een vrouw! Als de Gabney's Gina financieel aan het uitkleden zijn geweest, is zij degene die dat kan achterhalen. De Cassatt zou een goed beginpunt zijn. Als die overdracht niet legaal is geschied, zal zij als een bloedhond verder gaan.'

'Als je terug bent waar vandaan?'

'Sacramento. Suzy heeft me opgedragen daarheen te gaan. Douse schijnt kort geleden problemen te hebben gehad met de Orde van Advocaten, maar die mensen willen er door de telefoon niet over praten en eisen ook dat ik de juiste papieren bij me heb wanneer ik naar hen toe kom. Ik vertrek om tien over zes vanaf Burbank en zij heeft toegezegd alles morgenochtend naar me te faxen. Om één uur heb ik een gesprek met een paar bankiers en om half vier met die Orde. Ze heeft me verzekerd dat ze daarna nog het een en ander voor me te doen heeft.'

'Strak schema.'

'De dame is niet op luie mensen gesteld. Verder nog iets?'

'Ja,' zei ik. 'Heeft Bethel gehoord wat Chickering Ramp over McCloskey heeft verteld?'

'Ze was koffie aan het inschenken. Hoezo?'

Ik vertelde hem over het haastige vertrek van de serveerster. 'Milo, het kan zijn dat alles haar gewoon te gortig werd. Ik heb Noel even later gesproken en die zei dat ze zich zorgen maakte over haar baan. Misschien kon ze het bericht van nog een sterfgeval niet aan. Toch denk ik dat ze vooral heeft gereageerd op het feit dat McClòskey dood was. Omdat ik denk dat McCloskey Noels vader was.'

De verbaasde uitdrukking op zijn gezicht deed me goed. Ik voelde me als een joch dat zijn vader eindelijk bij het schaken heeft verslagen.

'Over sprongen gesproken! Waar haal je dàt idee vandaan?'

'Mijn trillende antenne. Ik heb het eindelijk uitgevogeld. Het had niets te maken met Noels gedrag, wel met zijn úiterlijk. Een paar minuten geleden zag ik het opeens. Hij was van streek vanwege zijn moeder, liet zijn hoofd hangen en keek even verslagen als McCloskey op de foto die bij zijn arrestatie is genomen. Als je het eenmaal ziet, is de gelijkenis heel opvallend. Noel is klein, donker, knap. McCloskey was dat ook.'

'Vroeger, ja.'

'Inderdaad. Iemand die hem niet van vroeger kende, zou het nooit hebben gezien.'

'Vroeger,' zei hij en liep het restaurant weer in.

'Kom op, Don.' Milo legde een vinger onder Ramps kin.

Ramp keek hem wazig aan.

'Oké, Don, ik ken dit gevoel. Spreken is net zoiets als een niersteen uitplassen. Niet praten. Alleen met je ogen knipperen. Eén keer als het ja is, twee keer als het nee is. Is Noel Drucker de zoon van McCloskey?'

Geen enkele reactie. Toen vormden droge lippen het woord ja, gevolgd door een sissend gefluister.

'Weet Noel het?'

Ramp schudde zijn hoofd en liet dat toen naar de tafel zakken. Op zijn nek waren puisten verschenen en hij rook als een berenkooi in de dierentuin.

'Noel en Joel,' zei Milo. 'Houdt Bethel van dichten of zo?'

Ramp keek op. De huid van zijn gezicht had de samenstelling en de kleur van oude custardpudding en zijn snor zat vol huidschilfers.

Hij zei: 'Noel omdat... ze kon niet...' Hij schudde zijn hoofd en wilde het opnieuw naar de tafel laten zakken.

Milo hield hem overeind. 'Wat kon ze niet, Don?'

Ramp staarde hem met natte ogen aan. 'Ze kon niet... Ze kènde Joel... hoe het woord... eruitzag... Vandaar Noel... Drie letters hetzelfde... onthouden.'

Hij keek naar de fles bourbon, zuchtte, deed zijn ogen dicht.

'Kon ze niet lezen?' vroeg ik. 'Heeft ze hem Noel genoemd omdat die naam op Joel leek en ze iets wilde hebben waar ze zich een beeld van kon vormen?'

Knikje.

'Is ze nog steeds analfabeet?'

Vage knik. 'Heeft geprobeerd... Kon niet...'

'Hoe heeft ze dan haar werk kunnen doen? Bestellingen opnemen, de rekening opmaken?' vroeg ik

Onverstaanbare geluiden uit Ramps mond.

Milo zei: 'Houd verdomme op met dat gepruttel.'

Ramp tilde zijn hoofd iets op. 'Geheugen. Ze kende alles uit haar hoofd, het hele menu. Als we een specialiteit hebben, oefenen we die.'

'En het schrijven van de rekeningen?'

'Ik...' Uitgeputte blik.

'Dat doet u,' zei ik. 'U zorgt voor háár. Net zoals vroeger in de studio. Wat was ze? Een plattelandsmeisje dat naar het westen was gekomen om een ster te worden?'

'Appalachia. Hill... billy,' zei Ramp.

'Arm meisje uit de rimboe,' zei ik. 'U wist dat ze nooit een ster zou worden, vooral omdat ze niet kon lezen. Hebt u haar geholpen dat geheim enige tijd te bewaren?'

Knikje. 'Joel...'

'Heeft het verraden?'

Hij knikte, boerde en liet zijn hoofd slap hangen. 'Wilde foto's van haar hebben.'

'Hij heeft ervoor gezorgd dat de studio het contract met haar annuleerde, zodat hij haar als model in dienst kon nemen.'
Knikje.
'Hoe heeft ze haar rijbewijs gehaald?' vroeg Milo.
'Alle schriftelijke examens... uit haar hoofd geleerd.'
'Moet ze lang over hebben gedaan.'
Ramp knikte en veegde met de rug van zijn hand zijn neus af. Toen liet hij zijn hoofd weer op de tafel rusten. Ditmaal greep Milo niet in.
'Hebben zij en McCloskey al deze jaren contact gehouden?' vroeg ik.
Ramps hoofd schoot met een verbazingwekkende snelheid omhoog. 'Nee. Ze haatte... het... niet wat ze wilde.'
'Wat wilde ze niet?'
'De baby. Noel. Ze houdt van hem, maar...'
'Maar wat?'
Smekende blik.
'Maar wat?'
'Verkrachting.'
'Joel heeft haar zwanger gemaakt door haar te verkrachten?'
Knikje. 'Telkens weer.'
'Wat telkens weer, Don?' vroeg Milo.
'Verkrachting.'
'Verkrachtte hij haar telkens weer?'
Knikje.
'Waarom heb je haar dáár niet tegen in bescherming genomen?' vroeg Milo.
Ramp begon te snikken. De tranen kwamen terecht in zijn snor en vormden druppels in de vette haartjes.
Hij wilde iets zeggen, leek te stikken.
Milo legde een vinger onder Ramps kin. Gebruikte een servet om het gezicht van de huilende man te deppen.
'Wat is er, Don?' vroeg hij zacht.
'Iedereen,' zei Ramp en de tranen stroomden nu over zijn wangen.
'Iedereen verkrachtte haar?'
Snik. 'Had haar... Ze is niet...' Bracht met moeite zijn hand omhoog, tikte tegen zijn hoofd.
'Ze is niet slim en daar maakte iedereen misbruik van,' zei Milo.
Knikje. Tranen.
'Iederéén, Don?'
De ogen van Ramp gingen dicht en er drupte spuug uit een van zijn mondhoeken.

Milo zei: 'Oké, Don.' Toen legde hij Ramps hoofd weer op de tafel. Ik liep achter Milo aan naar de bar. We gingen zitten en keken enige tijd naar Ramp. Hij begon te snurken.

'De wilde groep van de studio,' zei ik. 'Het domme, analfabetische meisje met wie iedereen kon spelen.'

'Hoe kun jij dat weten?'

'Ik kan het opmaken uit de manier waarop Noel daarnet deed. We hadden het over zijn moeder. Hij vertelde dat ze had gezegd dat ergens anders werken niet hetzelfde zou zijn. Toen wilde hij dat nader uitleggen, maar zag daar opeens van af. Toen ik doorvroeg, werd hij boos en vertrok. Dat vond ik ongewoon. Hij is een jongen die zijn emoties onder controle houdt, dat móet kunnen. Typerend voor iemand die moet opgroeien met een ouder die aan drugs of alcohol verslaafd is. Dus wist ik dat zijn woede door iets belangrijks werd ingegeven. Toen Ramp begon te praten, pasten de stukjes van de legpuzzel in elkaar.'

'Analfabeet,' zei Milo. 'Al die jaren zo leven, zonder te weten wanneer iemand haar zou verraden. Ramp heeft haar en het kind uit schuldgevoel onder zijn hoede genomen.'

'Of uit medelijden. Of beide. Ik denk dat hij echt een heel aardige vent is.'

'Ja,' zei Milo, terwijl hij naar Ramp keek en zijn hoofd schudde.

Ik zei: 'Dat verklaart de bereidheid van Bethel om als serveerster te werken terwijl Ramp en Gina als vorsten leefden. Ze was eraan gewend een voetveeg te zijn. Kon niet acteren, ging veel drugs gebruiken en God weet wat nog meer. Poseerde voor foto's die niet in modebladen gepubliceerd zullen zijn. Haar figuur is niet direct geschikt voor *Vogue*. Milo, daardoor ga je jezelf niet hoogachten. Ze zal wel denken dat Ramp haar al meer heeft gegeven dan ze verdiende. Nu bestaat het gevaar dat ze ook dat weinige nog zal kwijtraken.'

Hij streek met een hand over zijn gezicht.

'Wat is er?' vroeg ik.

'Als McCloskey Bethel heeft verraden en haar toen heeft verkracht, verbaast het me dat ze gek werd toen ze hoorde dat hij dood was.'

'Misschien heeft ze het ondanks alles toch als een verlies ervaren. Misschien voelde ze nog iets positiefs voor hem. Omdat hij haar Noel had gegeven.'

Milo draaide zich om. Ramp snurkte luider.

'Oké,' zei Milo. 'Stel dat ze meer dan íets positiefs voor hem voelde. Stel dat zij en McCloskey wel contact hebben gehouden? Gedeelde smart is halve smart. Een gemeenschappelijke vijand.'

'Gina?'

'Ze kunnen haar beiden hebben gehaat. McCloskey om de reden waarom hij haar destijds al haatte, wat die dan ook geweest moge zijn, Bethel uit jaloezie. Stel dat de rol van underdog haar nu eens niet zo gelukkig maakte? Stel dat de relatie door een ander ingrediënt werd verzoet. Geld, chantage?'

'Chantage met wat?'

'Wie zal het zeggen? Gina behoorde tot een wilde groep.'

'Je zei zelf dat je over haar niets negatiefs hebt kunnen ontdekken.'

'Misschien is het haar beter dan de anderen gelukt dat stil te houden, waardoor haar geheim nog waardevoller werd. Heb jij niet gezegd dat geheimen hier schering en inslag lijken te zijn? Stel dat McCloskey en Bethel dat ook hebben ingezien. Als McCloskey en Bethel samen onder een smerig hoedje hebben gespeeld, is het níet verbazingwekkend dat ze ervandoor is gegaan zodra ze hoorde dat hij dood was.'

'Joel en Bethel, Noel en Melissa,' zei ik. 'Te afschuwelijk om over na te denken. Ik hoop dat je het mis hebt.'

'Dat weet ik. Ik blijf met mogelijkheden komen, maar wij hebben het scenario niet geschreven. We zijn het alleen aan het bestuderen.'

Hij keek nog steeds gekweld.

'Stel dat Noel McCloskey heeft overreden,' zei ik. 'Hij was de eerste aan wie ik moest denken toen ik hoorde dat het moordwapen een auto was geweest. Hij is dol op auto's en kan bij alle wagens van Gina komen. Denk je dat we al die garages open moeten maken om te zien of een van die oude modellen soms schade aan de voorkant heeft opgelopen?'

'Zonde van onze tijd. Een van die auto's zou hij nooit hebben gebruikt. Veel te opvallend.'

'Niemand in Azuza heeft Gina's Rolls naar die dam zien rijden.'

'Dat weten we niet. De sheriff heeft het als een ongeluk afgedaan. Er is niet van deur tot deur informatie ingewonnen.'

'Oké, laten we dan eens aannemen dat Noel een van de andere wagens heeft gebruikt. Een zwart vrachtwagentje bijvoorbeeld, zoals ze dat hadden in de tijd toen ik Melissa behandelde. Oude Caddy, Fleetwood uit 1962. Zij noemde het een Cadillac Knockabout. Ze zullen nu ook wel zo'n soort wagen hebben. Je kunt moeilijk met een Duesenberg boodschappen gaan doen. Die moet ergens op die drie hectaren verstopt zijn, of in een van de garages. Misschien is McCloskey overreden met een gestolen wagen. Noel kan volgens mij elke auto zonder contactsleutel aan de praat krijgen.'

'Van te mooi om waar te zijn tot jeugdige delinquent?'

'Dingen kunnen inderdaad veranderen.'

Milo draaide zich weer om naar de bar.

'De perfecte Amerikaanse zoon rijdt zijn vader dood. Het zal een lange therapie vergen om dat te kunnen verwerken.'

Ik reageerde niet.

Aan de andere kant van de ruimte snurkte Ramp heel luid en snakte toen naar adem. Zijn hoofd kwam omhoog, ging weer omlaag, rolde naar opzij.

'Het zou een goed idee zijn hem bij zijn positieven te brengen en te kijken wat we verder nog uit hem kunnen peuteren,' zei Milo. 'En ook om af te wachten en te zien of die Bethel terugkomt.'

Hij keek op zijn horloge. 'Ik moet naar het vliegveld. Kun jij hier blijven? Ik zal contact met je opnemen zodra ik in het hotel ben. Zullen we zeggen voor negenen?'

'En die makker van jou dan? Kan die het wachten hier niet overnemen?'

'Nee. Die laat zich niet zien. Deel van de afspraak.'

'Geen sociaal type?'

'Iets dergelijks.'

'Oké,' zei ik. 'Ik was toch al van plan een tijdje met de telefoon te gaan spelen om in Boston nog het een en ander na te trekken. Wat doe ik als Bethel terug is?'

'Haar hier houden en alles uit haar lospeuteren wat er los te peuteren valt.'

'Van welke techniek moet ik me bedienen?'

Hij ging staan, trok zijn broek op, knoopte zijn jasje dicht en gaf me een klap op mijn schouder.

'Gebruik je charme, je academische graad, regelrechte leugens. Waar je je ook maar het prettigst bij voelt.'

34

Ramp sliep nu diep. Ik pakte de fles, het glas en de koffiekop van zijn tafeltje, zette die op het aanrechtje van de bar en dimde de lichten. Ik belde de dienst. Geen telefoontjes uit Boston binnengekomen. Alleen enige zakelijke aangelegenheden, die ik binnen een halfuurtje had afgehandeld.

Om half vijf rinkelde de telefoon. Iemand die wilde weten wanneer de Tankard zijn deuren weer opende. Ik zei dat dat zo spoedig mogelijk zou gebeuren, legde de hoorn op de haak en voelde me een bureaucraat. Het eerste uur daarna stelde ik heel wat mensen teleur die een tafeltje wilden reserveren voor het diner.

Om half zes kreeg ik het koud en stelde de thermostaat van de air-conditioning bij. Ik trok een tafellaken van een van de tafels af en drapeerde dat over Ramps schouders. Hij bleef doezelen. De grote ontsnapping. Hij had meer met Melissa gemeen dan zij beiden zelf ooit zouden weten.

Om tien over half zes liep ik naar de keuken van het restaurant en maakte voor mezelf een broodje klaar met rosbief en koolsla. De koffie was koud, dus nam ik een Coke. Dat alles nam ik mee terug naar de bar en at het op, terwijl ik naar de slapende Ramp keek. Toen belde ik het huis dat hij eens zijn thuis had genoemd.

Madeleine nam op. Ik vroeg of Susan LaFamiglia er nog was.

'*Oui*, een moment.'

Een seconde later had ik de juriste aan de lijn. 'Hallo, doctor Delaware. Wat is er aan de hand?'

'Hoe is het met Melissa?'

'Daar wilde ik u over spreken.'

'Hoe is het nu met haar?'

'Ik heb haar ertoe kunnen bewegen iets te eten en ik neem aan dat dat een goed teken is. Wat kunt u me vertellen over haar psychische status?'

'In welk opzicht?'

'Geestelijke stabiliteit. Zaken als déze kunnen heel gemeen worden. Ziet u haar als iemand die zich in een rechtszaal staande kan houden, zonder in te storten?'

'Het is geen kwestie van instorten. Wel van een cumulatief stress-niveau. Haar stemmingen hebben de neiging op en neer te gaan. Soms is ze doodmoe, soms trekt ze zich terug, soms krijgt ze een aanval van woede. Gestabiliseerd is ze nog niet. Als ik u was, zou ik haar een tijdje in de gaten houden en pas aan een proces beginnen wanneer ze weer echt tot rust is gekomen.'

'Op en neer? Iets als manische depressiviteit?'

'Nee, psychotisch is het totaal niet. Het is eigenlijk vrij logisch, gezien het feit dat ze in een emotionele achtbaan heeft gezeten.'

'Hoelang denkt u dat het zal duren voordat ze weer tot rust is gekomen?'

'Dat is moeilijk te zeggen. U kunt met haar praten over de te volgen strategie, het intellectuele deel daarvan. Maar vermijdt u voorlopig alstublieft alles wat tot een confrontatie zou kunnen leiden.'

'Weet u dat het me verbaast dat ze zo agressief is? Nu haar moeder pas een paar dagen dood is, zou ik meer verdriet hebben verwacht.'

'Het kan verband houden met iets dat ze jaren geleden tijdens de therapie heeft geleerd. Angst omzetten in woede, om het gevoel te krijgen de zaak beter onder controle te hebben.'

'O. Dus u bent bereid haar gezond te verklaren?'

'Zoals ik al zei, zou ik haar op dit moment niet graag aan zware spanningen blootgesteld zien, maar ik verwacht dat het op den duur weer prima met haar zal gaan. Ze is beslist niet psychotisch.'

'Oké. Goed. Bent u bereid dat voor een rechtbank te verklaren? Het kan namelijk zijn dat deze zaak gaat scharnieren rond de kwestie van geestelijke competentie.'

'Ook wanneer de andere partij zich heeft beziggehouden met strafbare activiteiten?'

'Als dat zo blijkt te zijn, hebben we mazzel. Ik ben al in die richting aan het zoeken, zoals Milo u zeker zal hebben verteld. Jim Douse heeft net een heel dure echtscheidingsprocedure achter de rug en ik weet zeker dat hij te veel aandelen heeft gekocht voor hem privé. Verder wordt gefluisterd dat hij problemen heeft met de Orde van Advocaten, maar het kan zijn dat dat gerucht alleen de wereld in is geholpen door de advocaten van zijn ex-vrouw. Dus moet ik me aan alle kanten indekken en voorlopig uitgaan van de veronderstelling dat Douse en de bankier als heiligen hebben gehandeld. Ook als dat niet zo is, kan er zo met de boeken zijn geknoeid dat bedrog op grote schaal moeilijk aan te tonen is. Ik heb voortdurend met filmstudio's te maken en hun boekhouders hebben zich daarin gespecialiseerd. Déze zaak zal beslist onaangenaam worden, omdat het om zoveel geld en bezittingen gaat. Het kan jaren gaan duren en ik moet weten of mijn cliënte solide is.'

'Voor iemand van haar leeftijd is ze dat beslist, maar dat betekent niet dat ze onkwetsbaar is.'

'Solide is voor mij voldoende. Ze komt weer terug. Wilt u haar nog spreken?'

'Graag.'

Een hartslag later: 'Hallo, meneer Delaware.'

'Hallo. Hoe is het met je?'

'Prima. Ik vroeg me af of u en ik een keer met elkaar konden praten.'

'Natuurlijk. Zeg maar wanneer.'

'Ik ben nu met Susan aan het werk en begin een beetje moe te worden. Zou morgen u schikken?'

'Prima. Tien uur?'

'Uitstekend. Dank u, meneer Delaware. Het spijt me als ik... moeilijk ben geweest.'

'Dat ben je niet geweest, Melissa.'

'Ik ben alleen... Ik dacht niet aan... mijn moeder. Ik denk dat ik het wilde ontkennen door al dat slapen. Ik weet het niet. Nu kan ik niets

anders doen dan aan haar denken. Kan er niet mee ophouden. Haar nooit meer te zien... haar gezicht... weten dat ze nooit meer...'
Tranen. Lange stilte.
'Ik ben er voor je, Melissa.'
'Het zal nooit meer hetzelfde zijn,' zei ze. Toen verbrak ze de verbinding.

Tien voor half zeven, nog steeds geen teken van Bethel of Noel. Ik belde mijn dienst, kreeg te horen dat professor 'Sam Ficker' had gebeld en een telefoonnummer in Boston had doorgegeven.
Dat draaide ik en kreeg een jong kind aan de lijn.
'Hallo?'
'Professor Fiacre, alsjeblieft.'
'Mijn pappa is niet thuis.'
'Weet je waar hij is?'
Een volwassen stem. 'Huis van de familie Fiacre. Met wie spreek ik?'
'Met Alex Delaware. Professor Fiacre heeft me gebeld.'
'U spreekt met de babysitter. Seth zei dat u misschien zou bellen. Ik zal u het nummer geven waar u hem kunt bereiken.'
Ik schreef het op, bedankte haar, gaf haar het nummer van de Tankard, verbrak de verbinding en draaide het nummer dat zij me had gegeven.
'Legal Seafoods, Kendall Square,' zei een mannenstem.
'Ik probeer professor Fiacre te bereiken. Hij is bij u aan het dineren.'
'Wilt u de naam even spellen?'
Dat deed ik.
'Een ogenblikje.'
Er verstreek een minuut. Nog eens drie minuten. Ramp leek wakker te worden. Met veel moeite ging hij rechtop zitten, veegde zijn gezicht af met een vieze mouw, knipperde met zijn ogen, keek om zich heen en staarde mij aan.
Geen directe herkenning. Hij deed zijn ogen dicht, trok het tafellaken om zich heen en leek weer weg te doezelen.
Seth kwam aan de telefoon. 'Alex?'
'Hallo, Seth. Sorry dat ik je tijdens het diner stoor.'
'Perfecte timing. We zitten net tussen twee gangen in. Ik heb niet veel kunnen achterhalen over de Gabney's, behalve dan dat ze niet geheel vrijwillig zijn vertrokken. Het kan zijn dat ze iets hebben gedaan dat niet door de beugel kon, maar ik heb niet kunnen uitvinden wat dat was.'
'Hebben ze het verzoek gekregen Harvard te verlaten?'
'Niet officieel. Geen procedure in werking gesteld, voor zover mij

nu bekend is. De mensen met wie ik heb gesproken weigerden in
details te treden. Ze hebben een einde gemaakt aan hun dienstbetrek-
king en zijn vertrokken en degene die iets wist, is er niet verder op
doorgegaan. Wat dat iets is, weet ik niet.'

'Heb je iets naders kunnen ontdekken over de patiënten die zij hebben behandeld?'

'Mensen die aan een fobie leden. Meer weet ik niet. Sorry.'

'Ik waardeer het dat je het hebt geprobeerd.'

'Ik heb via Psych Abstracts en Medline gepoogd te achterhalen wat
voor werk ze nu precies deden. Niet veel, zo bleek. Zij heeft nooit
iets gepubliceerd. Tot vier jaar geleden deed Leo dat nog wel. Daarna
hield dat opeens op. Geen experimenten meer, geen klinische studies,
alleen een paar essays die weinig beroering hebben veroorzaakt en
nooit zouden zijn gepubliceerd wanneer hij niet Leo Gabney had geheten.'

'Waar gingen die essays over?'

'Filosofische kwesties: de vrije wil, het belang van het nemen van
persoonlijke verantwoordelijkheid. Levendige aanvallen op het de-
terminisme. Schreef dat elk gedrag kan worden veranderd, gegeven
een juiste identificatie van samenkomende stimulansen en verster-
kers. Etcetera, etcetera.'

'Klinkt niet al te controversieel.'

'Misschien komt het door de ouderdom.'

'Wat?'

'Filosofisch worden en de echte wetenschap laten voor wat die is. Ik
heb andere kerels in hun menopauze hetzelfde zien doen. Ik zal tegen
mijn studenten zeggen dat ze me moeten doodschieten wanneer ik
me zo ga gedragen.'

We spraken nog enige minuten over onbelangrijke zaken, namen
toen afscheid. Ik belde The GALA Banner. Een antwoordapparaat
deelde me mee dat het kantoor van de krant gesloten was. Geen piep
waarna ik een boodschap kon inspreken. Via Inlichtingen probeerde
ik het privé-nummer te krijgen van Bridget McWilliams. Er stond
een B.L. McWilliams geregistreerd aan Cedar in Roxbury, maar de
stem die opnam was mannelijk, slaperig, met een Caribisch accent,
en hij was er zeker van dat hij geen familielid had dat Bridget heette.
Om tien over half zeven was ik meer dan twee uur alleen met Ramp
in het restaurant en ik begon dat te haten. Achter de bar vond ik wat
schrijfpapier en een draagbare radio. KKGO draaide geen jazz meer,
dus nam ik genoegen met soft rock. Ik bleef nadenken over verbanden die me op dat moment nog ontgingen.

Zeven uur. Strepen op het papier. Nog altijd geen teken van leven van Bethel of Noel. Ik besloot te blijven tot Milo Sacramento had bereikt, hem dan direct te bellen en te zeggen dat ik mijn opdracht neerlegde. Ik wilde naar huis, om naar de eitjes van de vissen te kijken, misschien ook Robin te bellen... Ik belde de dienst weer, liet een boodschap achter voor Milo, voor het geval hij zou opbellen naar mijn huisadres.

'Er is een telefoontje voor u binnengekomen.'

'Van wie?'

'Iemand die Sally Etheridge heet.'

'Heeft ze gezegd waar het over ging?'

'Ze heeft alleen haar naam en telefoonnummer doorgegeven. Buiten de stad. Kengetal zes-een-zeven. Is dat Boston?'

'Ja,' zei ik. 'Geef me het nummer maar.'

'Is het belangrijk?'

'Misschien wel.'

'Ja?' Een vrouwenstem. Muziek op de achtergrond. Ik zette mijn radio uit. De muziek aan de andere kant van de lijn kreeg vorm: rhythm and blues, veel blazers. James Brown, wellicht.

'Mevrouw Etheridge?'

'Ja.'

'U spreekt met Alex Delaware uit Los Angeles.'

Stilte. 'Ik vroeg me al af of u terug zou bellen.' Schor en zwoel, zuidelijk accent.

'Wat kan ik voor u doen?'

'Dat weet ik niet.'

'Heeft Bridget McWilliams u mijn nummer gegeven?'

'Bingo,' zei ze.

'Bent u een verslaggeefster van de *Banner*?'

'Neen. Ik ben elektricien, meneer. Het enige dat ik doe, is stroomonderbrekers interviewen.'

'Maar u kent Kathy, Kate Moriarty?'

'Wat komen die vragen vreselijk snel,' zei ze.

Ze sprak langzaam, met opzet. Kleine lach aan het einde van de zin. Ik meende te horen dat ze alcohol had gedronken. Maar misschien speelden mijn zintuigen een spel met me nu ik zo lang in het gezelschap van Ramp had moeten verkeren.

'Kate is al meer dan een maand weg,' zei ik. 'Haar familie...'

'Ja, ja, dat liedje ken ik al. Heb ik van Bridge gehoord. Zegt u maar tegen de familie dat ze zich geen zorgen moeten maken. Kate verdwijnt vaak. Dat is een gewoonte van haar.'

'Het zou wel eens niets met een gewoonte te maken kunnen hebben.'

'Denkt u dat?'
'Ja.'
'Nu, daar hebt u recht op.'
'Als u zich geen zorgen maakt, waarom hebt u dan de moeite genomen mij op te bellen?'
Pauze. 'Goede vraag... Ik ken u niet eens. Dus waarom zeggen we elkaar nu niet direct gedag?'
'Wacht u daar alstublieft nog even mee.'
'Mijn hemel, wat beleefd!' Lach. 'Oké. Ik geef u één minuut.'
'Ik ben psycholoog. Bij de boodschap voor Bridget had ik al gemeld hoe dat kon...'
'Heb ik ook allemaal gehoord. U bent dus een zieleknijper. Sorry, maar ik vind dat geen echt troostrijke gedachte.'
'U hebt slechte ervaringen met zieleknijpers?'
Stilte. 'Ik vind mezelf prima zoals ik ben.'
Ik zei: 'Eileen Wagner. Dat is de reden waarom u hebt gebeld.'
Lange stilte. Even dacht ik dat ze van de telefoon weggelopen was.
Toen: 'Hebt u Eileen gekend?'
'Ik heb haar ontmoet toen ze hier werkte als kinderarts. Ze heeft een patiënt naar mij verwezen, maar toen ik weer contact met haar wilde opnemen om dat te bespreken, belde ze me niet terug. Ik neem aan dat ze toen de stad verlaten had, naar het buitenland was vertrokken.'
'Kan.'
'Waren zij en Kate vriendinnen?
Gelach. 'Nee.'
'Maar Kate was wel geïnteresseerd in de dood van Eileen. Ik heb er een kranteknipsel over gevonden, in haar plakboek. Uit de *Boston Globe*. Werkte Kate in die tijd als free-lancer voor de *Globe*?'
'Dat weet ik niet,' zei ze hard. 'Wat zou het mij verdomme kunnen schelen wat zij verdomme aan het doen was en voor wie ze verdomme werkte?'
Het was nu duidelijk dat ze had gedronken.
Weer een stilte.
'Het spijt me als dit u van streek maakt,' zei ik.
'Echt waar?'
'Ja.'
'Waarom?'
Op zo'n vraag was ik niet voorbereid. Voordat ik er een antwoord op had gevonden, zei ze: 'U kent me helemaal niet. Waarom zou het u dan verdomme iets kunnen schelen hoe ik me voel?'
'Oké,' zei ik. 'Ik heb niet speciaal met u te doen. Macht der gewoonte. Ik maak mensen graag gelukkig, misschien als onderdeel van een

ego-trip. Ben ik voor opgeleid. Net als Eileen dat was.'

Gelach. Op de achtergrond smeekte James Brown om iets. Liefde of genade.

Vier maten James Brown.

'Mevrouw Etheridge?'

Geen reactie.

'Sally?'

'Ja, ik ben er nog. God weet waarom.'

'Vertel me eens over Eileen?'

Acht maten. Ik wachtte gespannen af.

Uiteindelijk zei ze: 'Ik heb niets te vertellen. Het was een verspilling van alles. Een verspilling, verdomme.'

'Waarom heeft ze het gedaan, Sally?'

'Waarom denkt u? Omdat ze niet wilde zijn wat ze was, na al dat...'

'Na al dat?'

'Na àl die tijd, verdomme! Het urenlange geouwehoer. Met psychiaters, begeleiders, wat al niet meer. Ik dacht dat we al die verdomde onzin achter ons hadden gelaten. Ik dacht verdomme dat ze gelukkig was. Ik dacht verdomme dat ze er verdomd zeker van was dat het goed was dat God in Haar oneindige genade haar zo had geschapen. Moge God haar verdoemen!'

'Misschien heeft iemand het tegenovergestelde tegen haar gezegd. Misschien heeft iemand geprobeerd haar te veranderen.'

Tien maten van Brown. Ik herinnerde me de titel van de song: 'Baby Please Don't Go'.

'Misschien. Ik weet het verdomme ook niet,' zei ze.

'Sally, Kate Moriarty dacht het ook. Ze heeft iets ontdekt over die therapeuten van Eileen, nietwaar? Daarom is ze helemaal naar Californië gegaan.'

'Ik weet het niet,' herhaalde ze. 'Ik weet het niet. Het enige dat zíj ooit heeft gedaan, was vragen stellen. Ze praatte nooit veel over wat ze deed, hoewel ik wel verplicht was met haar te praten, omdat ze een lesbienne was.'

'Hoe is ze met jou in contact gekomen?'

'Via GALA. Ik heb de elektriciteit in dat verdomde kantoor aangelegd. Heb mijn mond opengedaan en haar over Eileen verteld. Ze lichtte op als een kerstboom. Opeens waren we wapenzusters. Maar ze praatte nooit, stelde alleen vragen. Ze had al die regels. Waar ze over kon praten en waar ze niet over kon praten. Ik dacht dat we... Maar zij... O, verdomme! Ik wil hier niets meer mee te maken hebben. Het heeft verdomme al te lang geduurd en ik weiger het nog eens te moeten doormaken. Dus vergeet het verdomme maar en bàrst!'

Stilte. Geen muziek.

Ik wachtte even, belde terug. In-gesprek-toon. Probeerde het vijf minuten later nog eens. Zelfde resultaat.

Ik bleef zitten en probeerde de stukjes van de legpuzzel in elkaar te passen. Zag dingen in een ander licht. In een andere context waardoor alles opeens wel begrijpelijk werd.

Tijd om een ander nummer te bellen.

Ander kengetal.

Deze persoon stond in de gids. Alleen de achternaam en eerste initiaal. Ik schreef het nummer op, draaide het, wachtte tot het toestel vijf keer had gerinkeld, tot iemand opnam en 'Hallo' zei.

Ik legde de hoorn direct op de haak. Er kwam geen frisse lucht meer naar binnen via de air-conditioner, maar de ruimte leek nog kouder te zijn geworden. Nadat ik een tweede tafellaken om Ramps schouders had gedrapeerd, ging ik weg.

35

Vijf minuten om de Thomas Guide te bestuderen. Twee uur rijden over hoofdweg nummer 101, in noordelijke richting.

Halverwege de rit viel de schemering in. Toen ik Santa Barbara had bereikt, was de lucht zwart. Ik nam de 154 in de buurt van Goleta, vond met enige moeite de San Marcospas en reed door de bergen naar het Cachumameer.

Het lokaliseren van de plek die ik zocht, was moeilijker. In dit gebied allemaal ranches, zonder straatlantarens, andere lampen of reclameborden. De eerste keer reed ik te ver door, omdat ik niet had gemerkt dat ik al in de stad Ballard was. Ik draaide om, reed langzaam. Ondanks aandachtig kijken en hard remmen miste ik de afslag opnieuw. Maar in het licht van mijn koplampen zag ik een houten bord net lang genoeg om de mededeling erop tot me te laten doordringen.

INCENTIVE RANCH
PRIVÉ-DOMEIN

Ik doofde mijn koplampen, reed achteruit en stak mijn hoofd naar buiten. Het was hier koeler. Een briesje dat naar stof en droog gras rook. Het bord was met de hand gemaakt: spijkerkoppen in grenehout, zacht wiegend boven een vierkant houten hek. Het hek was vrij laag. Horizontale planken in een houten frame. Misschien een meter vijftig hoog, dicht.

Ik liet de motor van de Seville draaien, stapte uit en liep naar het hek. Dat verschoof iets toen ik ertegen duwde, maar het ging niet open. Na een paar vergeefse pogingen lukte het me een voet tussen een van de planken te krijgen. Ik trok mezelf omhoog, voelde aan de andere kant van het hek. Metalen grendel, groot hangslot. Verderop een smalle, onverharde weg tussen zo te zien hoge bomen. Bergen op de achtergrond, scherp en zwart als de hoed van een heks. Ik liep terug naar de auto en reed zo'n honderd meter verder naar een plaats waar de berm werd overschaduwd door bomen. Struiken, in feite, die uit de berghelling leken te groeien en boven het asfalt hingen. Geen plaats om de auto echt te verbergen, maar wel voldoende camouflage om een toevallige ontdekking vrijwel onmogelijk te maken.

Ik sloot de auto af en liep terug naar het hek, waar ik binnen de kortste keren overheen was geklommen.

De weg was hobbelig, vol losse steentjes. In het donker stapte ik meerdere keren fout en landde op mijn handpalmen. Toen ik dichter bij de hoge bomen was, rook ik pijnbomenhout. Mijn gezicht begon te kriebelen. Onzichtbare insekten deden zich te goed aan mijn vlees. De bomen stonden dicht bij elkaar, maar het waren er slechts weinig. Even later was ik op open, onbeschut terrein. Vlak, grijs verlicht door een zwakke maansikkel. Ik bleef staan, luisterde. Hoorde het bloed gonzen in mijn oren. Geleidelijk aan kon ik details waarnemen. Een veld met de afmetingen van een stadion, zes bomen erop geplant, zonder duidelijk patroon. Spotjes met een laag voltage onderaan sommige stammen.

Mijn neus ging weer aan het werk. Citrusgeur, zo sterk dat ik de zomerse limonade bijna kon proeven. De insekten kwamen er niet van onder de indruk en hielden het bij het rode vlees.

Ik zette voorzichtig een stap. Tien stappen, twintig. Door de bladeren van de bomen heen zag ik vaag witte rechthoeken. De rechthoeken werden ramen. Ik wist dat er een muur bij moest horen en mijn geest had zich er al een beeld van gevormd voordat ik die echt zag.

Een huis. Bescheiden afmetingen. Eén verdieping. Laag dak. Drie ramen verlicht, niets erdoor te zien. Gordijnen dicht.

Een typisch Californische ranch. Stil. Landelijk.

Zo vredig dat ik aan mijn vermoeden begon te twijfelen. Maar te veel stukjes van de legpuzzel pasten in elkaar...

Ik zocht naar meer details.

Zag het voertuig dat ik zocht.

Links van het huis een omheinde kraal.

Daarachter schuren. Ik liep erheen, hoorde paarden hinniken en snuiven, vulde mijn neus met het aroma van oude hooi en mest.

De geluiden van de paarden werden luider. Ik lokaliseerde de plaats waar ze vandaan kwamen: stallen, recht achter de kraal. Daarachter een groot gebouw dat geen ramen leek te hebben. Verder naar rechts een kleiner gebouw.

Ook daar licht. Een rechthoek. Een enkel raam.

Ik liep verder. De paarden steigerden. Maakten meer herrie. Zo te horen waren er slechts een paar, maar lawaai maken konden ze. Hoeven sloegen tegen zacht hout. Ik meende de aarde te voelen beven, maar dat kon ook komen omdat mijn benen trilden.

De paarden maakten nog meer herrie, begonnen kennelijk te schuimbekken. Vanaf de kant van het kleinste gebouw hoorde ik gekraak en een klik. Ik drukte me tegen de omheining van de kraal aan, zag een streep licht op het terrein komen toen de voordeur werd geopend. Een hordeur piepte en iemand kwam naar buiten.

De paarden bleven hinniken.

'Bek houden!' riep een diepe stem.

Opeens stilte.

Degene die had geschreeuwd, bleef nog even staan en liep toen weer naar binnen. De streep licht werd heel smal, maar verdween niet volledig. Ik bleef staan, luisterend naar de hijgende paarden. Voelde dingen met veel poten over mijn handen en gezicht lopen.

Toen werd de deur weer helemaal gesloten. Ik sloeg tegen mijn wangen en wachtte nog enige minuten voordat ik verder ging.

In de stallen jammerden de paarden van frustratie. Ik rende erlangs, trapte steentjes weg, vervloekte mijn leren schoenen.

Ik bleef bij de deur van de schuur staan. Hoorde geluiden uit het kleine gebouw, die niet van paarden afkomstig waren. Het kleine raam zette de grond in een vage gloed. Langzaam liep ik die kant op, vlak langs de muur.

Stap voor stap. De geluiden werden herkenbaar.

Menselijk.

Een menselijk duet.

Een stem sprak, de andere neuriede. Nee. Kreunde.

Ik stond nu tegen de voorgevel van het kleine gebouw aan, drukte me tegen het ruwe hout, kon van de geluiden nog altijd geen woorden maken.

De eerste stem klonk nijdig.

Gaf bevelen.

De tweede stem protesteerde.

Opeens een merkwaardig geluid met een hoge frequentie, als dat van een televisie.

Nog meer gekreun. Luider.

Iemand die zich verzette en daardoor moest lijden.

Ik rende naar het raam, hurkte neer onder de vensterbank tot mijn knieën er zeer van deden, kwam langzaam omhoog en probeerde naar binnen te kijken.

Ik zag alleen vaag een beweging, veranderingen van lichtsterkte omdat een vorm zich bewoog.

Binnen hielden de gekwelde geluiden aan.

Ik liep naar de deur, trok de hordeur open en schrok toen die kraakte.

De geluiden hielden aan.

Verroeste deurknop, half los. Geklingel van metaal. Ik pakte hem met beide handen vast om daar een einde aan te maken. Draaide langzaam. Duwde.

Twee centimeter om doorheen te kijken. Dat deed ik, met snel kloppend hart. Wat ik zag deed mijn hart nog sneller slaan.

Mijn hand duwde de deur open.

De kamer was lang, smal en gelambrizeerd met nephout dat de kleur had van de as van een sigaret. Zwart zeil op de grond. Licht van twee goedkoop ogende hanglampen, bij beide uiteinden van de ruimte. Droge hitte, de geur van rook.

Twee oude witte kappersstoelen waren in het midden op de vloer vastgeschroefd, een meter van elkaar vandaan, de rugleuningen iets achterover.

De eerste stoel was leeg. In de tweede zat een vrouw, in ziekenhuiskleding, om enkels, polsen, middel en borstkas brede leren riemen. Haar hoofd was op bepaalde plaatsen kaalgeschoren, waardoor een primitief schaakbord was ontstaan. Elektroden waren op die plaatsen op haar schedel bevestigd, net als op haar armen en de binnenkant van haar dijbenen. Daar vandaan liepen draden naar een grote oranje kabel die over de vloer naar een grijzen metalen doos leidde, met naalden en meters. Sommige naalden trilden.

Bij de achterzijde van de doos stak iets uit. Glanzend als chroom, poten op wielen.

Een tweede kabel verbond de doos met een apparaat dat op een grijsmetalen tafel stond. Papieren trommel en mechanische arm. De arm hield meerdere mechanische pennen vast. Lijnen op de trommel, die langzaam ronddraaide. Naast het apparaat enige amberkleurige reageerbuisjes en een witte plastic inhaler.

Recht tegenover de vrouw een televisietoestel met een groot scherm. Een close-up van een vrouwenborst, de tepel met de afmetingen van een appel, op dat scherm. Het beeld veranderde. Close-up van een gezicht. Een schaamheuvel. Terug naar de tepel.

Een man stond naast het televisiescherm, met een zwarte afstandsbediening in zijn ene hand en een grotere, grijze in zijn andere. Hij kauwde op kauwgum. Zijn ogen gloeiden van triomf, maar keken hevig geschrokken toen hij mij zag.

De vrouw in de stoel was Ursula Cunningham-Gabney. Haar ogen waren rood, gezwollen en groot van doodsangst. Ze was gekneveld met een blauwe halsdoek.

De man was een jaar of zestig, met een dikke bos wit haar en een klein, rond gezicht. Hij droeg een zwart sweatshirt op een blauwe spijkerbroek en had werklaarzen aan. Die laarzen zaten onder de opgedroogde modder. Zijn ogen werden groot en knipperden.

Zijn vrouw probeerde te gillen. Door de halsdoek die in haar mond was geprapt, was dat nauwelijks hoorbaar.

Hij keek niet één keer haar kant op.

Ik liep naar hem toe.

Hij schudde zijn hoofd en drukte op een knop van de grijze afstandsbediening. Het geluid met de hoge frequentie, dat ik al eerder had gehoord, vulde de ruimte, schril als dat van een vogel die werd geslacht. De naald op een van de meters bewoog heftig. Ursula kromp ineen. De vinger van haar man hield de knop ingedrukt. Hij leek helemaal niet op haar te letten, alleen op mij, terwijl hij langzaam achteruitliep.

Ik werd duizelig van afschuw. Ik dwong mezelf goed bij mijn positieven te komen en deed een stap naar voren.

Gabney's basstem zei: 'Blijven staan, verdomme.' Hij drukte op een andere knop. Het hoge geluid werd een gil. Een andere meter kwam in beweging. De kamer rook naar verbrande toast. Ursula schudde haar hoofd, gromde, alsof ze werd gewurgd. Vingers en tenen kromden zich aan de uiteinden van vastgebonden ledematen. Haar torso kwam los van de stoel. Alleen de riemen leken wegvliegen te voorkomen. De aderen in haar nek zwollen op, haar kaken werden vaneen gedwongen, de lap vloog haar mond uit, gevolgd door een geluidloze schreeuw. Haar lichaam was rigide, de huid zilverachtig wit, behalve de lippen, die blauw werden.

Ik verzette me tegen een gevoel van misselijkheid en paniek. Gabney was verder van me vandaan gedanst, half verborgen achter de grote grijze doos, de vinger nog steeds op de grijze afstandsbediening.

Ik liep naar de kappersstoel.

Gabney zei: 'Ga je gang. Vlees is een uitstekende geleider. Ik zal het voltage verhogen en jullie beiden gaar koken.'

Ik bleef staan. Ursula was als een zoutzak in de stoel gezakt. Piepende, fluitende geluiden kwamen uit haar geopende mond. Ze bewoog haar hoofd van links naar rechts, zweetdruppels vlogen door de lucht, haar borst zwoegde, ze hijgde tussen grotesk opgezwollen lippen door. Haar benen ontspanden zich het laatst, weken iets vaneen. De elektroden ertussen waren bevestigd aan een soort maandverband.

Ik draaide mijn hoofd, zoekend naar Gabney.

Vanachter de grijze doos zei hij: 'Ga zitten, verder naar achteren. Nog verder. Zo is het goed. En laat je handen zien. Prima.'

Hij kwam weer te voorschijn, bleker, een arm rustend op de bovenhoek van het als chroom glanzende ding. Keek even naar de reusachtige borst.

Ik vroeg me af of hij iemand had die hem hielp en zei: 'Wat een onderneming. Zal één man moeilijk allemaal aankunnen.'

'Ga me niet bevoogdend toespreken, onbeschoft stuk ellende. Alles is beheersbaar, mits de juiste variabelen maar onder controle zijn. Nee, blijven zitten, want anders zal ik nog meer aversie opwekkende middelen moeten gebruiken.'

'Dat is duidelijk,' zei ik.

Zijn vingers dansten boven de knoppen van de grijze afstandsbediening, maar raakten die niet aan.

'Is beheersing, controle, het voornaamste doel?' vroeg ik.

'Jij noemt jezelf een academicus. Streef je dan niet hetzelfde doel na?'

Voordat ik kon antwoorden, schudde hij walgend zijn hoofd. 'Definiëren, voorspellen en onder controle houden. Waarom zou je anders moeite doen?'

'Hoe verzoen je dat met je idee over de vrije wil?'

Hij glimlachte. 'Wat gewetensvol dat je die kleine verhandelingen van me hebt gelezen. Als je ook maar half zo slim was als je denkt te zijn, zou je zien dat de vrije wil hier in ruime mate aanwezig is. Het gaat juist om die vrije wil, het herstel daarvan.' Blik op de apparaten. 'Iemand die geketend is door een defect in zijn persoonlijkheid kan nooit vrij zíjn.'

Ursula kreunde.

Hij fronste zijn wenkbrauwen.

'Waar is Gina?' vroeg ik.

Hij negeerde me. Zei gedurende een schijnbaar zeer lange tijd niets. Keek naar de grond.

Trok aan het verchroomde ding, zodat dat voor de helft zichtbaar werd. Bed op wielen. Hoge, getraliede zijkanten. Een kinderbedje op volwassenen-formaat, zoals ze die in verpleegtehuizen gebruiken.

Gina Ramp achter de tralies. Inert. Ogen gesloten. Slapend of bewusteloos of... Ik zag haar borstkas op en neer gaan. Zag haar plaatselijk kaalgeschoren schedel. Ook aan haar waren kabels bevestigd. 'Luister goed, idioot,' zei Gabney. 'Ik ga daarheen, om die doek te pakken. Maar mijn vinger blijft bij de knop van het hoogste voltage. Als je je beweegt, zal die dierbare *Gina* van je verbranden. Vijftien seconden op dit niveau heeft de dood tot gevolg. Onherstelbaar hersenletsel heeft heel wat minder tijd nodig.'

Hij raakte even een knop aan, waardoor het uitgestrekte lichaam schokte.

'Ik kom niet in beweging,' zei ik.

Hij hield me in de gaten terwijl hij naast de stoel van zijn vrouw door zijn knieën zakte, de doek pakte, ging staan, er een prop van maakte en die weer in haar mond stopte. Ze hoestte en maakte verstikte geluiden, maar verzette zich er niet tegen. Op de zoom van de witte jurk stond EIGENDOM MASS. GENERAL.

'Ontspan, je, lieveling,' zei hij. Met de zwarte afstandsbediening zette hij de televisie uit. Hij ging voor het scherm staan en zond haar een blik toe die ik niet in één bepaalde categorie kon onderbrengen: dominerend, minachtend, geil en een klein beetje liefhebbend, wat me nog het misselijkst maakte. Ik keek naar Gina, die zich nog altijd niet had bewogen.

'Maak je over háár geen zorgen,' zei Gabney. 'Ze blijft nog een tijdje buiten westen. Chloraalhydraat, de bekende Mickey Finn. Ze reageert er goed op. Gezien haar geschiedenis en zwakke constitutie heb ik haar met fluwelen handschoenen aangepakt.'

'Wat ben je toch een geweldige vent.'

'Onderbreek me niet nog een keer,' zei hij, luider, en drukte op een knop, waardoor de kamer begon te gillen en Gina's lichaam op en neer wipte als een lappenpop. Aan haar gezicht was niet te zien dat ze zich van pijn bewust was, maar haar lippen weken vaneen in een stijve grimas, waardoor de huid aan de slechte kant van haar gezicht eerst strak kwam te staan en toen een en al rimpels werd.

Toen het geluid was weggestorven, zei Gabney: 'Nog iets meer daarvan en dan zal al die fraaie plastische chirurgie voor niets zijn geweest.'

'Houd ermee op,' zei ik.

'Houd jij op met jammeren. Dit is de laatste keer dat ik je waarschuw. Goed begrepen?'

Ik knikte.

Ik rook de geur van verbrande toast heel sterk.

Gabney staarde me nadenkend aan.

'Dit is een probleem,' zei hij en tikte tegen de grijze afstandsbediening.

'Wat is een probleem?'

'Waarom ben jij je hier in vredesnaam mee gaan bemoeien? Hoe heb je dit ontdekt?'

'Het ene leidde zo'n beetje naar het andere.'

'Zo'n beetje. Gewoon een losse keten van gebeurtenissen? Zomaar willekeurig aan het wroeten geweest?'

Ik keek naar de apparaten.

Hij keek woester. 'Ga me niet beoordelen. Heb daar verdomme het lef niet toe! Dit is een behandeling en jij hebt de privacy geschonden.'

Ik zei niets.

'Heb je er ook maar enig idee van waar ik het over heb?'

'Seksuele herconditionering,' zei ik. 'Je probeert de seksuele geaardheid van je vrouw een andere kant op te sturen.'

'Briljant. Jij kunt beschrijven wat je ziet. Net als een eerstejaars student psychologie dat al in het tweede deel van het eerste semester kan.'

Hij staarde me aan, tikte met een laars op de grond.

'Wat ontgaat me dan?' vroeg ik.

'Wat je ontgaat?' Droge lach. 'Alles. De kern, de *raison d'être*, de klinische grondgedachte, verdomme.'

'Jij helpt haar om normaal te worden.'

'En dat vind jij niet de moeite waard?'

Voordat ik iets kon zeggen, schudde hij zijn hoofd en vloekte. Toen spande de arm zich die de afstandsbediening vast had die een schok kon toedienen. In een reflex keek ik naar het grijze plastic. Ik besefte dat ik was gaan zweten. Wachtte op het hoge gegil en de pijn die daarop onvermijdelijk zou volgen.

Gabney liet zijn hand zakken, glimlachend. 'Empathische conditionering. Zo snel al! Mijn hemel, wat heb jij een teer hart. Zielig voor je patiënten!' De glimlach maakte plaats voor een gezichtsuitdrukking van pure minachting. 'Nu, wat jij denkt doet er verdomme helemaal geen bal toe.'

Hij bleef naar mij kijken en liep behoedzaam naar Ursula. Met de zwarte afstandsbediening tilde hij de ziekenhuiskleren op, liet haar dijen zien en zei: 'Perfect.'

'Met uitzondering dan van die blauwe plekken.'

'Die kunnen genezen. Soms is creativiteit op zijn plaats.'

'Creativiteit?' herhaalde ik. 'Interessante omschrijving van een marteling.'

Hij ging recht voor me staan, net buiten het bereik van mijn armen.

Vingers tikten op de knoppen, licht. Ik hoorde weer geluiden met een hoge frequentie, zag de staccato-beweging van de lichamen van beide vrouwen.

'Ben je nu met opzet stòm?' vroeg hij.

Ik haalde mijn schouders op.

'Màrtelen impliceert de bedoeling iemand kwáád te doen. Ik dien aversie opwekkende stimulansen toe om haar wijzer te maken. Die aversie opwekkende stimulansen zijn heel sterk. Alleen iemand met zaagsel in zijn kop zou vraagtekens zetten achter het nut ervan. Dit is evenmin een marteling als een vaccinatie, of een spoedoperatie.'

Uit Ursula's geknevelde mond kwam het geluid dat een muis maakt wanneer zo'n dier in een hoek is gedreven.

'Alleen de aloude leercurve aan het versnellen, prof?' vroeg ik.

Gabney nam me aandachtig op, drukte snel op een paar knoppen van de grijze afstandsbediening, waardoor beide vrouwen verkrampten.

Ik dwong mezelf onaangedaan te kijken.

'Is er iets amusants?' vroeg hij.

'Je praat over behandelen, maar je gebruikt die schokken om je woede te ventileren. Betekent dat geen breuk in de keten van stimulans en reactie? En waarom dien je Gina schokken toe wanneer je alleen Ursula wilt veranderen? Zij fungeert slechts als stimulans, nietwaar?'

'Hou je bek,' zei hij.

'Seksuele herconditionering. Dat heeft men in de jaren zeventig geprobeerd, maar het is kort daarna in diskrediet geraakt.'

'Primitief geknoei, in methodologisch opzicht al even primitief. Hoewel het zich had kunnen ontwikkelen tot iets dat de moeite waard was wanneer die homofiele agitators hun standpunt niet iedereen de strot door hadden geduwd. Waar was toen de vrije wil gebleven?'

Ik haalde weer mijn schouders op.

Hij zei: 'Ik denk niet dat je geest in staat is zich voldoende open te stellen om de feiten in zich te kunnen opnemen, maar ik zal je er toch een paar geven. Ik houd van mijn vrouw. Ze róept die liefde bij me òp en daar zal ik haar altijd dankbaar voor zijn. Ze is een opmerkelijke vrouw, de eerste van haar familie die de middelbare school heeft afgemaakt. Toen ik haar leerde kennen, besefte ik al hoe bijzonder ze was. Het vuur van binnen... ze leek wel lichtgévend. Dus heb ik me niet laten afschrikken door haar... probleem. Integendeel. Het was een uitdaging. Zij was het eens met mijn diagnose en met mijn behandelingsplan. Wat we hebben bereikt – samen – is met volledig wederzijds goedvinden geschied.'

'Je hebt haar opgelapt,' zei ik.

'Idioot, doe niet net alsof ik een soort veearts ben, verdomme. We hebben samengewerkt om haar probleem op te lossen. Als dat geen therapie is, wat is het dan wel? En van de resultaten van ons werk kunnen miljoenen vrouwen profiteren. Het plan op zich was eenvoudig. Positieve versterking wanneer er sprake is van heteroseksuele opwinding, straf als gevolg van blootstelling aan homo-erotisch materiaal. Toch was het een immense uitdaging dat in de praktijk te brengen, het idee aan te passen aan de vrouwelijke fysiologie. Bij een man kan de mate van opwinding moeiteloos worden vastgesteld. Je kunt de zwelling meten door middel van een plethysmograaf. Vrouwen zijn... heimelijker gebouwd. Ons idee was aanvankelijk een soort mini-plethysmograaf te ontwerpen voor de clitoris, maar dat bleek onpraktisch. Ik zal niet nader in details treden. Zíj is met het idee gekomen van die intravaginale vochtigheidsmeter die ze nu zo mooi draagt. Door middel van een juiste analyse van afgescheiden vloeistoffen zijn we in staat geweest bio-elektrische veranderingen met bewust seksuele opwinding te correleren. De potentiële mogelijkheden daarvan zijn fantastisch. Vergeleken met wat wij hebben gedaan, zijn Masters en Johnson op de muur van een grot aan het schilderen.'

'Fantastisch,' zei ik. 'Jammer dat het geen succes is geworden.'

'Het is wel een succes geweest. Jarenlang.'

'Niet bij Eileen Wagner.'

Hij streelde Ursula nogmaals en liep toen naar mij terug. 'Dat wàs een vergissing. Een vergissing van mijn vrouw. Een slechte keuze van de patiënte. Wagner was pathetisch, een koe, een weekhartige, weldoende koe. Zo lopen er zo veel rond binnen de wereld van de psychologie en de psychiatrie.'

'Als je zo weinig achting voor haar had, waarom heb je haar in Harvard dan aangenomen als je onderzoeksassistente?'

Hij schudde zijn hoofd, lachte. 'Dat heb ik niet gedaan. Ik zou haar naar de verpléégstersopleiding hebben gestuurd. Ze heeft een maand meegedraaid in de praktijk van mijn vrouw. Ronden maken, didactische sessies, klinische supervisie. Mijn vrouw hoorde van haar seksuele pathologie en wilde haar helpen. Zoals ìk mijn vróúw had geholpen. Ik was er van het begin af aan tegen, had het gevoel dat die koe niet geschikt was voor onze techniek. Te weinig gemotiveerd, geen wilskracht. Haar zwaarlijvigheid alleen al had haar voor onze behandelingsmethode moeten diskwalificeren. Maar mijn vrouw was te aardig en ik heb toegegeven.'

'Was ze na Ursula je eerste geval?'

'Ze was onze eerste patiënte. Helaas. En zoals ik al had voorspeld, ging het slecht met haar. Dat zegt overigens helemaal niets over onze techniek.'

Hij keek even scherp naar zijn vrouw. Ik meende een vinger zich te zien spannen.

'Ik ben geneigd zelfmoord een heel armzalige respons te noemen,' zei ik.

'Zelfmoord?' Zijn glimlach was traag, bijna lui. Hij schudde zijn hoofd. 'Goed onthouden! De koe was niet in staat ook maar íets zelf te doen.'

Gesmoorde geluiden van Ursula.

Gabney zei: 'Sorry, lieveling. Dat heb ik je, geloof ik, nooit verteld.'

'Harvard dacht dat het zelfmoord was,' zei ik. 'Op de een of andere manier heeft de medische faculteit achterhaald wat voor onderzoek je aan het doen was en je toen verzocht te vertrekken.'

'Op de een of andere manier,' herhaalde hij en de glimlach verdween. 'Die koe schreef. Door tranen gevlekte liefdesbrieven die nooit werden verstuurd, maar in een bureaulade waren opgeborgen. Walgelijk.'

Hij liep weer naar zijn vrouw en streelde haar wang. Kuste een kaalgeschoren plek op haar hoofd. Haar ogen waren dichtgeknepen, ze deed geen poging haar hoofd af te wenden.

'Liefdesbrieven aan jou, schatje,' zei hij. 'Weekhartig, onsamenhangend, nauwelijks bewijsmateriaal. Maar ik had vijanden op de faculteit en die zijn toen als beesten op me af gesprongen. Ik had kunnen vechten. Harvard had me echter niets meer te bieden. De universiteit is echt niet zo goed als wordt beweerd. Het was duidelijk tijd om te verhuizen.'

'Naar Californië,' zei ik. 'San Labrador. Zal je vrouw wel hebben voorgesteld. Laten we voor klinische mogelijkheden naar het westen gaan.'

Mogelijkheden die waren ontstaan door het contact tussen Ursula en Eileen Wagner. Sessies achter gesloten deuren, die therapeutisch waren geworden, zoals dat bij het begeleiden van assistenten vaak gebeurt.

Eileen had gesproken over haar verleden. Haar behoeften. Het seksuele conflict waardoor ze van de kindergeneeskunde was overgestapt naar de psychiatrie.

Ze moest hebben verteld over haar ervaringen, jaren geleden, met een mooie, rijke vrouw die aan pleinvrees leed. Een verwoeste prinses in een perzikkleurig kasteel, kreupel gemaakt door een angst die geleidelijk aan haar dochter ook was gaan beheersen. Een opmerkelijk meisje dat zelf had opgebeld om hulp te vragen...

Ik herinnerde me een gesprek van elf jaar geleden.

Ze is heel erg mooi. Ondanks het feit dat een deel van haar gezicht vol littekens zit... Lief. Op een kwetsbare manier.

U lijkt tijdens dat korte bezoek veel aan de weet te zijn gekomen.

Een blos op de wangen van Eileen. *Je doet je best.*

Haar verlegenheid toen een raadsel, maar nu zo duidelijk.

Het was niet alleen een kwestie van een kort huisbezoek geweest. Het was niet bij een medisch consult gebleven.

Melissa had iets buitengewoons aangevoeld, zonder het volledig te begrijpen. *Zij is een vriendin van mijn moeder. Ze vindt mijn moeder aardig.*

Jacob Dutchy had het ook geweten, had met nadruk verklaard dat Gina me niet wilde ontmoeten omdat ze een generische angst voor artsen had.

Ik had daar vraagtekens achter gezet. *Toch heeft ze dokter Wagner ontvangen.*

Ja. Dat was... een verrassing en verrassingen kan ze niet goed aan.

Wilt u zeggen dat het gesprek met dokter Wagner bij haar een negatieve reactie heeft opgeroepen?

Laat ik volstaan met te zeggen dat het moeilijk voor haar was.

Zou ze minder problemen hebben met een therapeute?

Nee, absoluut niet. Dat is het helemaal niet.

Gina en Eileen...

De neiging waartegen zij beiden zo lang hadden gevochten. Verlangens waarmee Gina had afgerekend door te trouwen met een in lichamelijk opzicht groteske man die voor haar een vaderrol had gespeeld. Het tweede huwelijk met een biseksuele man, een oude vriend met een eigen geheim, die een kameraad voor haar kon zijn. Een relatie die berustte op wederzijdse verdraagzaamheid, terwijl naar buiten het beeld van een gelukkig huwelijk in stand kon worden gehouden.

Nadat Eileen te veel gevechten had verloren, had ze gekozen voor een andere strategie, net als zo veel andere intelligente, maar getormenteerde mensen: de bestudering van de geest.

Kinderpsychiatrie, om terug te gaan naar de wortel van alles.

Harvard, omdat dat de beste universiteit was.

Harvard en een geliefde uit het arbeidersmilieu. Een vrouwelijke electricien die geen geduld had voor het blootleggen van de ziel.

Toen meedraaien met Ursula. De kwaadwillende goden moeten er hartelijk om hebben gelachen.

Gesprekken.

Bekentenissen.

Pijn en hartstocht en verwarring. Iemand die bereid was te luisteren naar alle dingen waarover Sally Etheridge nooit iets wilde horen.

Ursula had het aangehoord. En was zelf veranderd.

Had dat verborgen door voor arts te spelen.

Een gedrags-nachtmerrie die werkelijkheid was geworden. De kwaadwillende goden buiten zichzelf van vreugde.

Een falende behandeling. Van het ergste soort.

Vaarwel Boston.

Tijd om te verhuizen.

Californië, op zoek naar de prinses.

Op zoek naar het idéé van de prinses. Rijke mensen met fobieën die Ursula kon genezen.

Voor arts spelen.

Hoge honoraria.

Alles in orde.

Dan belt het kind. Opnieuw.

'Mogelijkheden,' zei Gabney. 'Ja, zo heeft ze het in feite wel gesteld. Een zakelijke beslissing. Ik gaf zèlf de voorkeur aan Florida, minder duur en de lucht veel aangenamer. Maar zíj is blijven aandringen op Californië. Omdat ik niet wist wat ze echt van plan was, heb ik toegegeven. En als ik toegeef, gaat er iets mis.'

Hij keek naar Gina, met een van woede vertrokken gezicht. De wild om zich heen slaande, de geest verschroeiende woede van een man die niet kan krijgen waar hij zo intens naar verlangt.

Vanwege een andere vrouw.

De ultieme belediging aan het adres van het zwakke fenomeen dat mannelijkheid wordt genoemd.

Opeens wist ik zeker dat Joel McCloskey zich ook beledigd moest hebben gevoeld omdat hij aan de dijk was gezet door een andere vrouw.

Smerige grap.

Slechte grap. Zich in zijn door drugs week geworden geest ingravend als een spirochaete.

Afgewezen, die afwijzing als een etterende wond. De haat voor homoseksuelen...

Daarmee afrekenen door Gina's schoonheid te verwoesten, het criminele vrouwzijn weg te vagen.

Te laf om het zelf te doen. Te laf om zijn beweegredenen in de openbaarheid te brengen, uit angst om wat dat over hem te zeggen had.

Had Gina ooit begrepen waarom ze zo had moeten lijden?

Gabney uitte een laag, boos geluid. Staarde naar Gina. Toen naar zijn vrouw.

'Ik heb haar nooit bedrogen, maar zij besloot de regels te wijzigen. Dat hebben zíj béiden gedaan.'

'Wanneer ben je dat gaan vermoeden?'

'Kort na het begin van de behandeling van háár. Niets bijzonders, alleen nuances. Subtiele veranderingen die een man met minder kennis – of die het minder kon schelen – misschien niet eens waren opgevallen. Ze bracht meer tijd met haar door dan met alle andere patiënten. Extra sessies waren uit klinisch oogpunt bekeken niet nodig. Ze wilde er nooit over spreken en vertoonde een eigenaardige vorm van verzèt wanneer ik aandrong. Verder kwam ze niet meer naar de ranch, terwijl ze hier vroeger regelmatig was. Ondanks de allergieën. Ze nam medicijnen in en tolereerde de pollen om vredige weekends met mij samen te kunnen doorbrengen. Aan dat alles kwam een einde zodra zíj in ons leven was verschenen.' Hij glimlachte. 'Dit is de eerste keer dat ze hier sinds die tijd weer is. Al die stomme excuses om in de stad te kunnen blijven. Ze dacht dat ik het niet doorhad, maar ik wist verdomd goed wat er gaande was. Ik wilde harde gegevens, om verdere leugens uit te sluiten. Dus heb ik wat veranderd aan de intercom op ons kantoor, zodat ik hen kon afluisteren. Ik heb hen plannen horen maken.' Het ronde gezicht trilde.

'Plannen waarvoor?'

'Om weg te gaan.' Hij drukte zijn vrije hand tegen zijn gezicht, alsof hij het verdriet weg wilde strijken. 'Samen.'

Reusachtige vooruitgang...

Melissa die de waarheid vermoedde. Zich terzijde geschoven voelde door de bezitterigheid van Ursula...

'Mijn vrouw was al erg ver gezonken,' zei Gabney. 'Ze had van haar een kùnstwerk aangenomen, een uitzonderlijk waardevolle ets. Als dat geen inbreuk is op de ethiek die zich op geen enkele manier laat excuseren, weet ik niet wat het dan verdomme wel zou zijn. Dat ben je toch zeker wel met me eens?'

Ik knikte.

'Er is ook geld van hand tot hand gegaan,' zei hij. 'Voor háár betekent geld niets, omdat ze een verwend kreng is dat alles heeft kunnen krijgen wat haar hartje begeerde. Maar mijn vrouw raakte erdoor gecorrumpeerd. Ze komt uit een arme familie. Ondanks alles wat ze heeft bereikt, maken mooie dingen nog steeds indruk op haar. In dat opzicht is ze net een kind. Dat heeft dat kreng begrepen.'

Hij wees op Gina. 'Ze heeft haar regelmatig geld gegeven. Heel veel geld. Een geheime bankrekening. Ze noemden het hun appeltje voor de dorst. Giechelend als stomme schoolmeisjes. Giechelend en plannen makend om zich aan hun verantwoordelijkheden te onttrekken en als hoeren op een of ander eiland feest te gaan vieren. Het is pervers, maar ook zo doodzonde. Mijn vrouw had een briljante toekomst voor zich. Dat kreng heeft haar verleid en geprobeerd alles teniet te doen. Ik moest wel tussenbeide komen. Dat loeder zou haar hebben verwoest.'

Hij drukte op een knop van de afstandsbediening. Gina schoot omhoog. Ursula keek toe en maakte jammerende geluidjes.

'Houd je mond, lieveling, want anders zal ik haar synapsen nu meteen grillen en kan dat ellendige behandelingsplan verder barsten,' zei Gabney.

Er stroomden tranen over Ursula's wangen. Ze zweeg en bewoog zich niet.

'Als dit je van streek maakt, lieveling, moet je ook zo realistisch zijn om er jezelf de schuld van te geven.'

Zijn vinger ging eindelijk omhoog. 'Als ik egoïstisch was, zou ik haar eenvoudigweg hebben gedood,' zei hij tegen mij. 'Maar ik wilde haar waardeloze, verspilde leven enige betekenis geven. Dus heb ik besloten... haar bij mij in de leer te laten komen. Als stimulans, zoals jij zo diepzinnig hebt geconstateerd.'

'*In vivo*-conditionering,' zei ik. 'Plus een thuisbioscoop.'

'Wetenschap in de werkelijke wereld.'

'Dus heb je haar ontvoerd.'

'Nee, nee, ze is hier uit eigen vrije wil gekomen.'

'Als de patiënte die naar de behandelend arts ging.'

'Inderdaad.' Hij glimlachte breeduit, voldaan. 'Ik heb haar 's morgens opgebeld om haar te zeggen dat het schema was gewijzigd. In plaats van de groepstherapie zou ze een sessie van een uur krijgen, met mij. Ursula was ziek en ik zou haar vervangen. Ik zei tegen haar dat we die dag een bijzondere stap verder zouden komen en daar haar geliefde therapeute Ursula mee konden verrassen. Ik gaf haar de opdracht met haar auto tot buiten het hek te rijden en me op een bepaald tijdstip twee straten verderop op te pikken. Ik zei met nadruk dat ze de Rolls moest nemen, vertelde haar iets over het belang van constante stimulansen. Natuurlijk had ik voor die auto gekozen omdat die getinte ruiten heeft. Ze kwam precies op tijd. Ik liet haar doorschuiven naar de plaats naast de bestuurder en ging achter het stuur zitten. Ze vroeg me waar we heen gingen. Daar gaf ik geen antwoord op. Dat riep zichtbare symptomen van angst op. Ze was in de verste verte nog niet toe aan het leven met zo'n onzekerheid. Ze herhaalde haar vraag. Weer zei ik niets en bleef rijden. Ze werd zenuwachtig en begon snel te ademen: prodromale tekenen. Toen ik snel over de hoofdweg reed, kreeg ze een echte aanval. Ik gaf haar een inhaler waarmee ik had geknoeid, waar ik chloraalhydraat in had gedaan. Ik heb haar opdracht gegeven diep adem te halen. Dat deed ze en toen was ze direct bewusteloos. Dat was mooi. Ik reed ruim tachtig kilometer per uur, om ongelukken te kunnen voorkomen wanneer ze volledig over haar toeren zou raken. Toen ze bewusteloos was, was ze heel prettig gezelschap. Ik reed naar de dam, waar mijn Land Rover stond te wachten. Daar zette ik haar in de Rover en duwde de opvallende roestbak in het water.'

'Moet voor één man behoorlijk inspannend zijn geweest.'

'Wat je bedoelt te zeggen is dat het inspannend is voor een man van mijn leeftijd. Maar ik heb een uitstekende conditie. Ik leef een gezond leven en kan vervulling vinden voor mijn creativiteit.'

'De auto is niet gezonken,' zei ik. 'Hij is blijven haken aan een uitstekend stuk ijzer.'

Hij zei niets, bewoog zich niet.

'Slechte planning voor iemand die zo precies is als jij. Hoe ben je naar San Labrador teruggekomen als de Land Rover daar stond?'

'Aha,' zei hij. 'Je kunt kennelijk wel een klein beetje redeneren. Ja, je hebt gelijk. Ik had hulp. Een Mexicaan, die vroeger hier op de ranch voor me heeft gewerkt. Toen we nog meer paarden hadden. Toen mijn vrouw nog reed.'

Tegen Ursula: 'Kun je je Cleofais nog herinneren, lieveling?'

Ursula deed haar ogen stevig dicht. Onder de oogleden vandaan kwam vocht.

Gabney zei: 'Die Cleofais — wat een naam, hè — was een grote, stevige jongen. Weinig hersens, geen gezond verstand. In feite een lastdier op twee voeten. Ik stond eigenlijk op het punt hem te ontslaan, omdat we nog maar een paar paarden hadden en geldverspilling zinloos is. Maar hij kreeg van mij nog één keer de kans om zich nuttig te maken bij het overbrengen van mevrouw Ramp. Hij heeft mij afgezet in Pasadena en is toen met de Rover naar de dam gegaan om daar te wachten. Híj was degene die de Rolls het water in heeft geduwd. Maar daarbij heeft hij dus een fout gemaakt, vanwege dat stuk ijzer.'

'Zo'n fout kan iedereen makkelijk maken.'

'Niet wanneer hij voorzichtig was geweest.'

'Waarom heb ik het gevoel dat hij in de toekomst geen fouten meer zal maken?' vroeg ik.

'Ja, waarom?' Een overdreven onschuldige blik.

Ursula kreunde.

'Houd daarmee op!' zei Gabney. 'Bespaar me die dramatiek. Je hebt hem nooit aardig gevonden. Je noemde hem een stomme illegale

Mexicaanse gastarbeider en drong er voortdurend bij mij op aan hem te ontslaan. Nu heb je dus je zin gekregen.'

Ursula schudde zwak haar hoofd en hing als een zoutzak in de stoel. 'Waar ben je met mevrouw Ramp naar toe gegaan toen de Rolls in het water was geduwd?' vroeg ik.

'Ik ben een uitgebreid autoritje gaan maken. Door het Angeles Crest Forest, over de kleine wegen. Highway 39 genomen tot Mount Waterman, de 2 naar Mountain High, de 138 naar Palmdale, de 14 naar Saugus, de 126 naar Santa Paula en toen regelrecht door naar de 101 en de ranch. Een omweg, maar wel een aantrekkelijke route.'

'Zoiets hebben ze in Florida niet,' zei ik.

'Inderdaad.'

'Waarom de dam?'

'Het is een landelijke plek, verhoudingsgewijs dicht bij de kliniek. Maar tegelijkertijd ook afgelegen. Er komt nooit iemand. Dat weet ik, omdat ik er meerdere keren ben geweest. Om paarden te verkopen die mijn vrouw niet langer wilde berijden.'

'Dat is alles?'

'Welke reden zou ik er nog meer voor moeten hebben gehad?'

'Ik zou mijn hoofd eronder durven te verwedden dat je de klinische aantekeningen van je vrouw hebt bekeken en wist dat mevrouw Ramp niet van water hield.'

Hij glimlachte.

'Ik kan begrijpen dat je voor de Rolls hebt gekozen vanwege die getinte ramen. Maar was het niet riskant? Zo'n opvallende auto? Iemand had hem kunnen zien.'

'Wat zou zo'n persoon in dat geval hebben gezien? Een auto waarvan kon worden nagegaan dat hij van háár was. Dan zou men hebben aangenomen dat een geestelijk zieke vrouw daarheen was gereden, een ongeluk had gekregen of zelfmoord had gepleegd. En dat is ook exact zo gebeurd.'

'Dat is waar,' zei ik en probeerde nadenkend te kijken.

'Delaware, ik heb àlles goed doordacht. Als Cleofais was gezien, zouden we naar een andere plek zijn gegaan. Ik had er al verschillende uitgezocht. Ik maakte me zelfs geen zorgen over de onwaarschijnlijke mogelijkheid dat we zouden worden aangehouden door de politie. Dan zou ik hebben uitgelegd dat ik psychotherapeut was, met een patiënte die een anxietas-aanval had gekregen en het bewustzijn had verloren, en mijn papieren hebben laten zien om dat te onderschrijven. Als ze bij bewustzijn was gekomen, had ze mijn verhaal bevestigd, omdat ze zich verder niets zou hebben herinnerd. Is dat niet fraai?'

'Ja,' zei ik, waardoor hij me meteen heel onderzoekend aankeek. 'Ondanks die omweg had je alle tijd om haar hier te installeren, te wachten op een telefoontje van je vrouw met de mededeling dat ze niet verschenen was voor de groepstherapie, bezorgdheid voor te wenden en terug te rijden naar Pasadena om je in de kliniek te laten zien.'

'Waar ik het niet geheel onverdeelde genoegen had om jou te ontmoeten.'

'Waarbij je hebt geprobeerd te achterhalen hoeveel ik over mevrouw Ramp wist.'

'Waarom zou ik anders de moeite hebben genomen met jou te praten? Even heb je me echt bezorgd gemaakt door die opmerking dat zíj plannen had om aan een nieuw leven te beginnen. Toen besefte ik dat je alleen maar aan het zwetsen was en niets belangrijks wist.'

'Wanneer heeft je vrouw ontdekt wat je had gedaan?'

'Toen ze in die stoel wakker werd.'

Ik herinnerde me hoe snel Ursula de kliniek had verlaten en zei: 'Wat heb je tegen haar gezegd om haar hierheen te halen?'

'Ik heb haar opgebeld en net gedaan of ik ziek was. Ik heb haar gesmeekt hierheen te komen om me te verzorgen. Als brave echtgenote is ze toen onmiddellijk gekomen.'

'Hoe ben je van plan haar afwezigheid tegenover haar patiënten te verklaren?'

'Een zware griep. Ik zal haar taken overnemen en dat zal heus geen klachten opleveren.'

'Twee patiënten uit de groep zijn weg, en nu de therapeute ook. Het zou wel eens niet zo makkelijk kunnen zijn die patiënten, gegeven hun ziektebeeld, gerust te stellen.'

'Twee? Ah!' Een begrijpend glimlachje. 'Die leuke juffrouw Kathleen, onze onversaagde verslaggeefster. Hoe heb je dat achterhaald?'

Ik zei niets, omdat ik niet wist of Kathy Moriarty nog in leven of dood was.

'Als je denkt dat je haar kunt helpen door een antwoord op die vraag te ontwijken, kun je dat vergeten,' zei hij met een bredere glimlach. 'Aardige juffrouw Kathleen zal geen artikelen meer kunnen schrijven, die vervelende vermannelijkte lesbienne. De arrogantie om te denken dat een zo ingewikkelde fobie als pleinvrees in mijn aanwezigheid kan worden gesimuleerd! Toen ik haar daarmee confronteerde, probeerde ze zich erdoorheen te bluffen met dreigementen en beschuldigingen. Ze zat daar in die stoel,' zei hij en wees op de stoel

van Ursula. 'Daarna heeft ze me geholpen mijn techniek te verfij-
nen.'
'Waar is ze nu?' vroeg ik, al wist ik het antwoord op die vraag al.
'In de koude, koude grond, naast Cleofais. Waarschijnlijk de eerste
keer dat ze zo intiem met een man is geweest.'
'Alle losse draden weggewerkt,' zei ik. 'Heel fraai.'
'Drijf niet de spot met me.'
'Het is niet mijn bedoeling de spot met je te drijven. Integendeel. Ik
had een heel groot respect voor jouw werk. Ik heb al je publikaties
gelezen: over het vermijden van schokken, het onder controle houden
van frustratie, over schema's om mensen door middel van angst bepaalde dingen aan te leren. Dit is alleen...'
Hij staarde me lange tijd aan.
'Je bent toch niet aan het proberen me in de maling te nemen?'
'Nee. Maar als ik dat wel deed, wat dan nog? Wat zou ik jou kunnen
aandoen?'
'Dat is waar,' zei hij en boog zijn vingers. 'Vijftien seconden zijn
voldoende om een einde aan haar leven te maken en je zou het niet
kunnen verdragen daar getuige van te zijn. Bovendien heb ik andere
speeltjes die je nog niet eens hebt gezien.'
'Aan dat laatste twijfel ik geen seconde. Evenmin aan het feit dat je
jezelf ervan hebt overtuigd dat je die rustig kunt gebruiken. Om wetenschappelijke redenen. Iemand vernietigen om haar te redden.'
'Niemand wordt vernietigd.'
'Hoe zit het dan met Gina?'
'Zíj stelde toch al weinig voor. Kijk eens naar de manier waarop ze
leefde. Ze was egoïstisch en corrupt en liet zich niet in met anderen.
Niemand had iets aan haar. Door haar te gebruiken, heb ik haar
leven nog enige zin gegeven.'
'Ik wist niet dat ze daar behoefte aan had.'
'Dan weet je dat nú, idioot. Het leven bestaat uit transacties. Is geen
wollige, theologische fantasie. De wereld wordt leeggezogen. Bron-
nen zijn eindig. Alleen diegenen die nuttig zijn, zullen in leven blij-
ven.'
'Wie bepaalt wat nuttig is?'
'Diegenen die de stimuli in de hand hebben.'
'Je zou je kunnen afvragen of je je bewust bent van je ware motiva-
ties, ondanks al dat verheven getheoretiseer,' zei ik.
Zijn mondhoeken gingen omhoog. 'Bied jij je aan als mijn therapeut?'
Ik schudde mijn hoofd. 'Absoluut niet. Daar heb ik totaal geen trek
in.'

Zijn lippen werden snel op elkaar geklemd.

'Vrouwen,' zei ik. 'De manier waarop ze je hebben teleurgesteld. Het gevecht om de voogdij met je eerste vrouw, de manier waarop haar drankgebruik de brand heeft veroorzaakt waardoor je zoon om het leven is gekomen. De eerste keer dat we elkaar ontmoetten, had je het over een tweede vrouw, voor Ursula. Ik heb toen niet gehoord hoe zij was, maar ik heb het stellige idee dat zij ook de moeite niet waard was.'

'Zij stelde inderdaad niets voor, had niets te bieden.'

'Leeft ze nog?'

Hij glimlachte. 'Een tragisch ongeluk. Ze kon niet zo goed zwemmen als ze had gedacht.'

'Water,' zei ik. 'Daar heb je twee keer gebruik van gemaakt. Freud zou zeggen dat het iets met de moederschoot te maken moet hebben.'

'Die Freudiaanse theorieën zijn gezeik.'

'Professor, in dit geval zouden ze nog wel eens precies kunnen kloppen. Misschien heeft dit alles wel niets te maken met de wetenschap of met liefde of al die andere onzin die jij te berde hebt gebracht, maar wel alles met het feit dat je vrouwen haat, hen echt haat en de onbedwingbare behoefte hebt controle over hen uit te oefenen. Dat betekent dat er in je jeugd iets vervelends moet zijn gebeurd, dat je bent verwaarloosd of misbruikt of wat dan ook. Ik denk dat ik wil zeggen dat ik heel graag zou willen weten wat voor een type jóuw moeder was.'

Zijn mond ging open en hij drukte zijn hand op de knop.

Gegil van een apparaat. Een hogere frequentie dan voorheen.

Zijn stem boven het gegil uit, schreeuwend, maar nauwelijks hoorbaar. 'Vijftien seconden.'

Ik wierp me op hem. Hij liep naar achteren, trapte, sloeg met zijn vuisten, gooide de afstandsbediening naar me toe, die mijn neus raakte. Vingers wit op de grijze module. De stank van brandend vlees en haar overweldigend.

Ik trok aan zijn handen, mepte hem in de buik. Hij snakte naar adem en sloeg dubbel. Maar hij bleef de module vasthouden in een ijzeren greep.

Ik moest zijn pols breken voordat hij losliet.

Ik stopte de afstandsbediening in mijn zak, bleef hem in de gaten houden. Hij lag uitgestrekt op de grond, hield zijn gebroken pols vast, huilde.

De vrouwen bleven lange, lange tijd spastische bewegingen maken.

Ik schakelde de apparaten uit, trok de draden los en gebruikte die om zijn armen en benen vast te binden. Toen ik er zeker van was dat hij zich niet meer kon bewegen, ging ik naar de vrouwen toe.

Ik sloot Gabney op in de schuur, nam Gina en Ursula mee naar het huis, legde dekens over hen heen en liet Ursula wat appelsap drinken dat ik in de ijskast had gevonden. Organisch. Zoals alles wat in de goed bevoorrade ijskast stond. Op een keukenplank boeken over overlevingskansen. Geweer in een rek boven de tafel. Zwitsers legermes, een kist vol injectienaalden en capsules met medicijnen. De professor had zich voorbereid.

Ik draaide 911 en belde toen Susan LaFamiglia. Ze herstelde zich opmerkelijk snel na het horen van het afschuwelijke bericht, werd efficiënt, schreef de belangrijkste details op en zei dat zij de rest zou afhandelen.

Het duurde een half uur voordat de ambulance er was, vergezeld van vier wagens van de sheriffs van Santa Barbara County. Tijdens het wachten vond ik de verslagen van Gabney. Dat was geen geweldige prestatie, want hij had zes aantekenboeken op de tafel in de eetkamer laten liggen. Na een paar bladzijden was ik zo misselijk dat ik niet meer verder kon lezen.

De eerste uren daarna sprak ik met grimmig ogende, geüniformeerde mensen. Susan LaFamiglia arriveerde met een jongeman die een olijf-groen kostuum van Hugo Boss droeg, even met de agenten sprak en ervoor zorgde dat ik weg kon. De modieus geklede man bleek een van haar collega's te zijn. Zijn naam ben ik nooit te weten gekomen. Hij reed de Seville terug naar Los Angeles en Susan nam mij mee naar huis in haar Jaguar. Ze stelde me geen vragen en ik viel in slaap, blij dat ik zelf niet hoefde te rijden.

Ik miste de volgende morgen mijn afspraak om tien uur met Melissa, al had ik wel geprobeerd me daaraan te houden. Ik was om zes uur op, keek hoe de babykarpers met de afmetingen van spoelwormen door de vijver zwommen. Om half tien was ik bij Sussex Knoll. Het hek stond open, maar niemand kwam de voordeur opendoen.

Ik zag een van de zoons van Hernandez, die klimop aan het uitdunnen was bij de buitenmuur van het landgoed, en aan hem vroeg ik waar Gina was. In een ziekenhuis in Santa Barbara, zei hij. Nee, hij wist niet welk.

Ik geloofde hem, maar belde desondanks nog eens aan.

Toen ik wegreed, zond hij me een trieste blik toe. Of misschien had hij medelijden met me vanwege mijn gebrek aan vertrouwen.

Ik was net de weg op gedraaid toen ik de bruine Chevrolet vanuit het zuiden zag komen aanrijden. Zo langzaam dat hij stil leek te staan. Ik reed achteruit en wachtte. Toen de wagen de oprit op draaide, stapte ik uit en begroette een angstig kijkende Bethel Drucker.
'Sorry,' zei ze en zette haar auto in zijn achteruit.
'Er is niemand thuis,' zei ik, 'maar ik zou graag even met u willen praten.'
'Er valt niets te bespreken.'
'Waarom bent u dan hier?'
'Dat weet ik niet.' Ze had een eenvoudige bruine jurk aan, nepjuwelen om, weinig make-up op. Haar figuur weigerde zich in te laten dammen. Ik vond het niet langer prettig ernaar te kijken. Het zou enige tijd duren voordat ik daar wel weer genoegen uit kon putten.
'Ik weet het echt niet,' herhaalde ze. Ze hield haar hand op de versnellingspook.
'U wilde hier uw medeleven betuigen. Heel vriendelijk van u,' zei ik. Ze keek me aan alsof ik in een vreemde taal had gesproken. Ik liep naar haar auto en ging naast haar zitten.
'Wat is er?' zei ze.
'Weet u wat er is gebeurd?'
Knikje. 'Dat heeft Noel me verteld.'
'Waar is Noel?'
'Is hier vanmorgen naar toe gereden. Om bij hen te zijn.'
De onuitgesproken woorden: *zoals gebruikelijk*.
'Noel is een geweldige jongen. U hebt hem prima opgevoed.'
Haar gezicht trilde. 'Hij is zo vreselijk intelligent dat ik soms denk dat hij mijn zoon niet kan zijn. Gelukkig kan ik me de pijn van de bevalling nog goed herinneren. Als je hem nu ziet, zou je niet zeggen dat hij zo'n zware baby was. Negen pond. Achtenvijftig centimeter lang. Ze hebben toen tegen me gezegd dat hij football zou gaan spelen. Niemand wist hoe intelligent hij zou worden.'
'Gaat hij naar Harvard?'
'Hij houdt me niet van al zijn plannen op de hoogte. Ik hoop dat u me nu wilt excuseren, want ik moet verder. Ik moet schoonmaken.'
'In de Tankard?'
'De enige plek die ik voorlopig mijn thuis kan noemen.'
'Is Don van plan in de nabije toekomst weer open te gaan?'
Schouderophalen. 'Ook hij houdt me niet op de hoogte van al zijn plannen. Ik wil alleen schoonmaken, voordat alles verder vervuilt.'

'Oké,' zei ik. 'Kan ik u nog één ding vragen? Iets persoonlijks?'
Haar ogen vulden zich met tranen.
'Eén vraag maar.'
'Oké. Wat doet het er ook toe? Praten, dansen, poseren voor foto's.
Iedereen krijgt wat hij of zij van me hebben wil.'
'Ik wist niet dat u fotomodel bent geweest,' loog ik.
'O ja, dat ben ik wel geweest. Ha! Ik was een groot beroemd foto-
model. Met déze dingen!' Ze streek met haar handen over haar bor-
sten en lachte opnieuw. 'Toch was ik best in trek, net als Gina. Soort-
genoten. Maar diegenen die naar mij keken, waren geen dames die
kleren wilden kopen.'
'Heeft Joel die foto's genomen?'
Stilte. Haar handen, die het stuur vasthielden, waren klein en wit.
Aan de ringvinger een goedkope ring met een camee.
'Hij en anderen. Wat doet dat ertoe? Er zijn heel wat foto's van me
genomen. Ik was een stèr. Ook toen ik hoogzwanger was. Sommige
mensen hebben die afwijking, willen graag zwangere vrouwen zien.'
'Voor elk wat wils,' zei ik.
Ze keek me scherp aan, maar haar stem klonk berustend. 'U drijft
de spot met me.'
'Nee,' zei ik vermoeid. 'Dat doe ik niet.'
Ze nam me aandachtig op, raakte haar boezem weer aan.
'U hebt me gisteren zien wegrijden en nu wilt u weten waarom.'
Ik begon te praten, maar ze onderbrak me door een handbeweging.
'Misschien vindt u het dom om van streek te raken over iemand zoals
hij, en aanvankelijk dacht ik er ook zo over. Echt dom. Maar ik ben
eraan gewend dom te zijn. Dus wat doet het ertoe? Misschien lijkt
het in uw ogen wel echt héél dom, omdat u denkt dat hij een stuk
tuig van de richel was, achterlijk. Nee, wacht u even. Laat me dit
afmaken. Hij wàs ook een naarling, geen spoortje vriendelijkheid in
zijn donder. Alles kon hem woedend en gek maken. Hij moest altijd
zijn zin krijgen. Dat zal waarschijnlijk voor een gedeelte door de
drugs zijn gekomen. Hij gebruikte die véél te veel. Maar het kwam
voor een gedeelte ook omdat hij zo wàs. Gemeen. Dus kan ik begrijpen dat u me dom vindt. Maar hij heeft me iets gegéven, terwijl anderen dat nooit hebben gedaan. In elk geval niet in die fase van mijn
leven. Daarná heeft Don me geholpen en als er iets met hem gebeurde, zou ik èrg huilen. Heel wat meer dan ik om ... om die andere heb
gehuild. Maar in die fase van mijn leven was hij de eerste die me íets
gaf. Ook al was dat niet zijn bedoeling geweest en deed hij het omdat
hij niet kon krijgen wat hij echt hebben wilde. Dat dééd er niets toe.
Kunt u dat begrijpen? De jongen is goed opgegroeid, zoals u zelf net

hebt gezegd. Dus heb ik inderdaad een beetje om hem gehuild. Ik ben naar een rustig plekje gereden en heb eens lekker zitten janken. Toen herinnerde ik me wat voor een man hij was geweest en hield het huilen op. Nu ziet u me niet meer huilen. Beantwoordt dat uw vraag?' Ik schudde mijn hoofd. 'Ik was u niet aan het beoordelen. Ik vind het niet fout dat u van streek was.'

'Mijn hemel, wat bent u slim. Waar wilde u dan wel naar vragen?'

'Weet Noel wie zijn vader was?'

Lange stilte.

'Als hij dat niet weet, gaat u het hem dan vertellen?'

'Nee.'

'Ook niet om dat meisje te beschermen?'

'Waartegen?'

'Een relatie met iemand die slecht zaad heeft.'

'Noel is niet slecht.'

Ze begon te huilen en zei: 'Daar gaan de goede voornemens voor het nieuwe jaar!'

Ik gaf haar een zakdoek. Met veel lawaai snoot ze haar neus en zei: 'Dank u.' Even later: 'Ik zou voor geen goud met dat meisje willen ruilen. Met wie van hen dan ook.'

'Ik ook niet. En ik stel geen vragen over Noel om haar te kunnen beschermen.'

'Waarom dan wel?'

'Noem het maar nieuwsgierigheid. Iets anders dat ik graag wil kunnen begrijpen.'

'U bent inderdaad behoorlijk nieuwsgierig. U bemoeit zich met andermans zaken.'

'Sorry, vergeet het verder maar,' zei ik.

'Misschien moet híj tegen háár in bescherming worden genomen.'

'Waarom zegt u dat?'

'Dit alles.' Ze keek door de voorruit naar het grote, perzikkleurige huis. 'Zoiets kan je opvreten. Noel heeft een goed stel hersens, maar je weet het nooit... Denkt u echt dat zij...'

'Wie zal het zeggen? Ze zijn jong en hebben nog veel veranderingen voor de boeg.'

'Omdat ik me er echt niet gerust op voel. Je zou denken dat ik dat alles wel zou willen hebben, maar dat is niet zo. Dit is onecht. Niet de manier waarop echte mensen behoren te leven. Hij is mijn baby. Ik heb hem met veel pijn op de wereld gebracht en ik wil niet dat hij aan dit alles te gronde gaat.'

'Ik begrijp wat u bedoelt en ik hoop dat Melissa ook aan dit alles zal kunnen ontsnappen.'

'Hmmm. Het zal voor haar ook wel niet altijd even prettig zijn geweest.'
'Inderdaad.'
'Hmmm.' Ze wilde haar borsten opnieuw aanraken, maar liet haar
hand zakken.
Ik maakte het portier aan mijn kant open. 'Succes en dank voor uw
tijd.'
'Nee,' zei ze. 'Hij weet het niet. Hij denkt dat ik het ook niet weet.
Ik heb hem verteld dat ik met die man één nacht naar bed ben geweest
en hij gelooft dat echt. Ik... ik heb vroeger dingen gedaan. Ik heb
hem een verhaal verteld dat mij in een niet zo gunstig daglicht plaats-
te, omdat ik niet anders kon. Ik moest doen wat in mijn ogen juist
leek.'
'Natuurlijk,' zei ik en pakte haar hand. 'En het wàs juist. Dat heeft
de ontwikkeling van het joch bewezen.'
'Dat is waar.'
'Ik meende echt wat ik over Noel heb gezegd. Alle lof komt u toe.'
Ze kneep in mijn hand en liet die toen los.
'U lijkt het te menen. Ik zal proberen het te geloven.'

37

Om vier uur kwam Milo bij mij thuis langs. Ik was bezig met mijn
monografie en nam hem mee naar mijn studeerkamer.
'Heel wat vuiligheid over Douse boven tafel gekomen,' zei hij, terwijl
hij met zijn aktentas even door de lucht zwaaide en die toen op mijn
bureau neerzette. 'Niet dat het er veel toe doet.'
'Het kan van belang zijn om het geld dat hij al achterover heeft ge-
drukt, terug te halen,' zei ik.
'Oké. Het werk van een privé-detective kan zijn nut hebben. Hoe
gaat het met jou?'
'Goed.'
'Echt waar?'
'Ja. En met jou?'
'Ik ben nog steeds aan het werk. Mevrouw LaFamiglia is ingenomen
met mijn stijl.'
'Een vrouw met smaak.'
'Weet je zeker dat alles met jou in orde is?'
'Ja. Er zijn babyvisjes in de vijver. Ze hebben het overleefd en groeien
lekker. Ik ben in een prima humeur.'
'Babyvisjès?'

'Wil je ze zien?'

'Zeker.'

We liepen naar de Japanse tuin. Het duurde even voordat hij de kleintjes in het vizier kreeg, maar uiteindelijk lukte hem dat. Hij glimlachte. 'Leuk. Wat voer je ze?'

'Gemalen visvoer.'

'Worden ze niet opgegeten?'

'Sommige wel. De snelste blijven in leven.'

'Aha.'

Hij ging op een steen zitten en liet zijn gezicht door de zon koesteren. 'Nyquist is gisteravond laat bij het restaurant verschenen. Heeft een paar minuten met Don gesproken en is toen weer vertrokken. Het lijkt een definitief afscheid te zijn geweest. Het vrachtwagentje was afgeladen, alsof hij van plan was een lange reis te gaan maken.'

'Heb je dat van dat mannetje van jou gehoord?'

'Alle details. Tot op de seconde nauwkeurig. Ook het tijdstip dat jij daar bent vertrokken. Hij is dol op details. Als ik slim was geweest, had ik hem moeten opdragen jou te volgen.'

'Had hij me kunnen helpen?'

Hij glimlachte. 'Waarschijnlijk niet. We hebben het hier over reuma en emfyseem. Maar hij heeft een verdomd goed handschrift.'

Hij keek naar het papier in mijn typemachine.

'Wat is dat?'

'Mijn artikel over Hale.'

'Alles weer normaal? Wanneer zie je Melissa weer?'

'Je bedoelt of ik haar weer in therapie ga nemen?'

'Ja.'

'Zo snel mogelijk nadat ze is teruggekomen naar L.A. Ik heb haar een uur geleden opgebeld en ze wilde haar moeder nog niet alleen laten. Ik heb ook met de behandelend arts gesproken en die zei dat Gina over ongeveer een week kan worden vervoerd. Daarna zal ze nog lange tijd verzorging behoeven.'

'Jezus! Melissa zal die gesprekken met jou hard nodig hebben. Misschien zou iedereen die hierbij betrokken is, in therapie moeten gaan.'

'Ik heb je een echte gunst bewezen, nietwaar?'

'Dat heb je ook gedaan. Als ik mijn memoires ga schrijven, zal ik aan deze zaak een heel hoofdstuk wijden. LaFamiglia heeft zich al bereid verklaard als mijn agente op te treden.'

'Ze zou waarschijnlijk een goede zijn.'

Hij glimlachte. 'Douse en Anger zullen nu met de billen bloot moeten. Ik heb bijna medelijden met hen. Heb jij kort geleden nog iets gegeten? Zo niet, heb ik best trek in een stevige hap.'

'Ik heb uitgebreid ontbeten, maar er is iets waar ik wel zin in zou hebben.'

'Wat dan wel?'

Dat vertelde ik hem.

Hij zei: 'Christus, krijg jij er dan nooit genoeg van?'

'Ik móet het weten. Omwille van iedereen. Als jij het niet wilt uitzoeken, ga ik het zelf proberen.'

'Jezus.' Toen: 'Oké, vertel me dan alles nog maar eens een keer, zo gedetailleerd mogelijk.'

Dat deed ik.

'Dat is alles? Een telefoon op de grond? Is dat alles wat je weet?'

'Het tijdstip klopt.'

'Oké. Ik moet dat makkelijk kunnen achterhalen. De hamvraag is of het een interlokaal telefoongesprek was.'

'Dat is het wanneer je vanuit San Labrador naar Santa Monica belt. Ik heb de rekening al bekeken.'

'Meneer de detective. Meneer de privé-detective,' zei hij.

Het leek niet wat het was. Een Victoriaans huis in een arbeiderswijk in Santa Monica. Twee verdiepingen. Grote veranda aan de voorkant, met schommels en schommelstoelen. Veel auto's op straat, nog meer op de oprit. Beter onderhouden dan de andere huizen in het blok, ook een fraaiere tuin.

'Kijk eens!' zei ik en wees op een auto die op de oprit stond geparkeerd. Een zwarte Cadillac Fleetwood uit 1962.

Milo bracht de Porsche tot stilstand.

We stapten uit en bekeken de voorbumper van de grote wagen. Diepe deuken, pas in de grondverf gezet.

'Ja, het lijkt te kloppen,' zei Milo.

We liepen de veranda op, gingen door de voordeur naar binnen. Een bel klingelde.

In de hal veel kamerplanten. Een zoete lucht. Te zoet, iets verhullend.

Een donkere, aantrekkelijke vrouw van voor in de twintig kwam naar ons toe. Witte blouse, rode maxi-rok, Europees-Aziatisch, gezonde gelaatskleur. 'Kan ik u ergens mee van dienst zijn?'

Milo vertelde haar wie we wilden zien.

'Bent u familie?'

'Kennissen.'

'Oude kennissen,' zei ik. 'Net als Madeleine de Couer.'

'Madeleine,' zei ze liefdevol. 'Die komt hier om de twee weken. Zo toegewijd. En zo'n goede kokkin. We zijn allemaal stapel op haar boterkoekjes. Laat me eens kijken hoe laat het is. Tien over zes. Het kan zijn dat hij slaapt. Hij slaapt veel, vooral de laatste tijd.'

'Gaat het slechter met hem?'

'In lichamelijk of in geestelijk opzicht?'

'Laten we beginnen met het lichamelijke.'

'Hij gaat wat achteruit, is de ene dag beter dan de andere. Soms kan hij prima lopen, soms kan hij zich niet bewegen. Het is triest hem zo te zien, vooral wanneer je weet wat hem nog te wachten staat. Het is zo'n afschuwelijke ziekte, zeker voor iemand zoals hij, die altijd zo actief is geweest. Eigenlijk zijn alle ziekten afschuwelijk. Alleen vergeet je dat wel eens wanneer je er middenin zit.'

'Ik weet wat u bedoelt. Ik heb met kankerpatiënten gewerkt.'

'Bent u arts?'

'Psycholoog.' Het was prettig de waarheid te kunnen spreken.

'Dat wil ik ook worden. Daarom ben ik hier komen werken.'

'Mooi vak. Succes ermee,' zei ik.

'Dank u. De meeste patiënten van ons hebben kanker. Ik had nog nooit eerder gehoord van de vorm van kanker die hij heeft. Is nog zeldzamer dan Lou Gehrigs variant. In de medische handboeken is er nauwelijks iets over te vinden en ik heb hard moeten blokken om de gewenste informatie te achterhalen.'

'Hoe is het geestelijk met hem?'

Ze glimlachte. 'U weet hoe hij is, maar toch is het prettig hem hier te hebben. Hij maakt voor de anderen maaltijden klaar, vertelt verhalen. Zet hen aan het werk wanneer hij vindt dat ze te lui worden. Hij commandeert het personeel ook van links naar rechts, maar niemand vindt dat erg omdat hij een schat is. Wanneer hij... Wanneer hij die dingen niet meer kan doen, zal dat echt vervelend voor ons allemaal zijn.' Een zucht. 'Zullen we eens gaan kijken of hij wakker is?'

We liepen achter haar aan de trap op, passeerden kamers met elk twee of drie ziekenhuisbedden. Daar lagen oude mannen en vrouwen, die televisie keken, lazen, sliepen, aten of intraveneus werden gevoed. Jonge mensen verzorgden hen, in hun gewone kleren. Het was er heel erg rustig.

Ze bleef staan bij een kamer aan de achterzijde. Kleiner dan de andere. Een enkel bed. Spotprenten uit *Punch* aan de muur, evenals een olieverfschilderij van een jonge, mooie vrouw met een gezicht zonder littekens. 'A.D.' stond in de hoek linksonder.

Alles keurig netjes. De geur van pimentawater, die vocht met de zoete geur in de rest van het gebouw.

Een man zat op de rand van het bed en probeerde een manchetknoop op zijn plaats te krijgen. Gesteven witte manchetten. Marineblauwe das. Blauwe pantalon. Allemaal veel te groot. Hij leek in zijn kleren te verdrinken. Bij het voeteneinde van het bed stonden glanzend gepoetste zwarte halfhoge laarzen. Bij een houten kast waarvan het hout veel glanzender was gewreven dan het goedkope soort verdiende, stonden drie paar identieke laarzen. Naast de schoenen een vierpotig metalen looprek.

Zijn haren waren ingevet en glad gekamd, met een scheiding rechts, spierwit. Zijn gezicht was sterk vermagerd en zijn wangen hingen als die van een buldog.

'Bezoek voor u,' zei de jonge vrouw vrolijk.

De man worstelde met de manchetknoop, kreeg hem eindelijk op zijn plaats en draaide zich toen om naar ons.

Er verscheen even een verbaasde uitdrukking op zijn gezicht. Toen werd hij heel kalm. Alsof hij het ergst denkbare scenario had moeten spelen en dat had overleefd.

Hij deed zijn best naar de jonge vrouw te glimlachen, deed nog harder zijn best om te kunnen zeggen: 'Kom binnen.' Stem even breekbaar als antiek aardewerk.

'Kan ik iets voor u halen, meneer D.?' vroeg de jonge vrouw.

De man schudde van nee. Geen poging tot praten.

Ze vertrok. Milo en ik liepen naar binnen. Ik deed de deur dicht.

'Hallo, meneer Dutchy,' zei ik.

Kort knikje.

'Herinnert u zich me? Alex Delaware. Negen jaar geleden.'

Met knipperende ogen deed hij zijn best om weer te praten. 'Doc...tor.'

'Dit is een vriend van me, Milo Sturgis. Meneer Sturgis, Jacob Dutchy. Een goede vriend van Melissa en haar moeder.'

'Gaat u. Zitten.' Wees op een stoel bij een tafeltje van fraai hout met een leren blad dat deels in beslag werd genomen door een kleedje. Op dat kleedje een theeservies. Een kleedje met hetzelfde patroon dat ik had gezien in een kleine, grijze zitkamer. 'Thee?'

'Nee, dank u.'

'U,' zei hij tegen Milo en het duurde lang voordat elk woord over zijn lippen kwam. 'Lijkt. Een politie. Man.'

'Dat is hij ook,' zei ik. 'Tijdelijk met verlof. Maar hij is hier niet in een officiële hoedanigheid.'

'Hmmm.' Dutchy vouwde zijn handen in zijn schoot en zat daar, afwachtend.

Opeens had ik er spijt van dat ik hierheen was gekomen en dat moest duidelijk aan mijn gezicht te zien zijn. 'Geen zor. Gen. Praten,' zei hij.

'We hoeven er niet over te praten. Beschouwt u dit maar als een gewoon bezoekje,' zei ik.

Halve glimlach rond bloedeloze, heel smalle lippen. 'Praten. Over. Wat dan. Ook.' Toen: 'Hoe?'

'Raadwerk,' zei ik. 'De avond voordat McCloskey werd overreden, zat Madeleine bij het bed van Melissa en ze had de telefoon gebruikt. Ik zag die op de grond staan. Ze heeft u opgebeld om te zeggen dat Gina dood was. Heeft u gevraagd het een en ander te regelen. Weer in uw oude rol te stappen.'

'Nee,' zei hij. 'Dat. Klopt. Niet. Niet zij... Niets.'

'Ik ben het niet met u eens,' zei Milo en haalde uit zijn zak een velletje papier. 'Dit is een lijst van de gesprekken die die nacht zijn gevoerd over de privé-telefoon van Melissa, tot op de minuut nauwkeurig. Binnen één uur drie telefoontjes naar het Pleasant Rest Hospice.'

'Geen be. Wijs. Ze praat. Tegen mij. Al. Tijd.'

'We hebben de auto gezien, meneer,' zei Milo. 'De Cadillac die op uw naam staat. Interessante schade bij de voorbumper. Ik denk wel dat het politielaboratorium daarmee aan de slag kan gaan.'

Dutchy keek naar hem, maar zonder angst. Hij leek de kleren van Milo op hun juiste waarde aan het schatten te zijn. Milo had zich voor zijn doen behoorlijk goed gekleed. Dutchy schortte een definitief oordeel kennelijk op.

'Maakt u zich geen zorgen, meneer Dutchy,' zei Milo. 'We zijn hier niet in een officiële hoedanigheid, zoals meneer Delaware u al heeft gezegd. Niets van wat u zegt, kan tegen u gebruikt worden.'

'Madeleine had. Niets. Te maken. Met...'

'Meneer, als ze er wel iets mee te maken heeft gehad, interesseert ons dat niet. We proberen alleen alle losse draden weg te werken.'

'Ze. Heeft niets. Gedaan.'

'Prima. U hebt het allemaal zelf bedacht,' zei Milo. 'U hebt op uw eentje geopereerd.'

Dutchy glimlachte verbazingwekkend snel en breeduit. 'Net als. Billy. The Kid. Wat. Wilt u. Verder nog. Weten?'

'Hoe hebt u McCloskey de deur uitgelokt?' vroeg Milo. 'Door middel van zijn zoon?'

Dutchy's glimlach trilde en verdween als een zwak radiosignaal. 'On. Eerlijk. Maar. Enige manier.'

'Heeft Noel of Melissa hem gebeld?'

'Nee.' Trillen. 'Nee. Nee, nee. Zweer.'

'Rustig maar. Ik geloof u wel.'

Het duurde een tijdje voordat Dutchy ophield met trillen.

'Wie heeft McCloskey dan gebeld? Ik weet zeker dat u het niet bent geweest,' zei Milo.

'Vrienden.'

'Wat hebben die vrienden tegen hem gezegd?'

'Zoon. In proble. Men. Helpen.' Pauze om op adem te komen. 'Vader. Lijke. Banden.' Dutchy maakte vreselijk langzaam een trekkende beweging.

'Hoe wist u dat hij erin zou tuinen?'

'Nooit. Geweten. Spel. Poker.'

'U hebt hem naar buiten gelokt met dat verhaal over zijn zoon. Toen hebben uw vrienden hem overreden.'

'Nee.' Wees op het gesteven overhemd. 'Ik.'

'U kunt nog steeds rijden?'

'Soms.'

'Hmmm.'

'Ik neem aan dat het stom is te vragen waarom u het hebt gedaan.' Uitgebreid hoofdschudden. 'Nee. Helemaal. Niet.'

Stilte.

Dutchy glimlachte en het lukte hem opnieuw een hand naar de voorkant van zijn overhemd te brengen. 'Vraag.'

Milo rolde met zijn ogen.

'Waarom hebt u het gedaan, meneer Dutchy?' vroeg ik.

Hij ging staan, wankelde, gaf ons met een handgebaar te kennen dat hij onze hulp niet nodig had. Het duurde een volle vijf minuten voordat hij rechtop stond. Dat weet ik, omdat ik naar de secondewijzer van mijn horloge staarde. Nog eens vijf minuten tot hij het looprek had bereikt en daar triomfantelijk op steunde.

Een triomf die het fysieke voorbijging.

'Reden,' zei hij. 'Mijn baan.'

38

'Zo klein,' zei ze. 'Zullen ze in leven blijven?'

'Dit zíjn de overlevenden,' zei ik. 'Het belangrijkste is dat je de volwassen karpers zo goed voedt dat ze de kleintjes niet gaan opeten.'

'Hoe is het u gelukt ze tot voortplanting te bewegen?'

'Ik heb niets gedaan. Het is gewoon gebeurd.'

'U moet toch iets hebben gedaan om het te laten gebeuren?'

'Ik heb het water geleverd.'

Ze glimlachte.

We zaten bij de rand van de vijver. Het was windstil en de waterval fluisterde zacht. Ze had haar blote benen onder haar rok getrokken. Haar vingers speelden met het gras. 'Ik vind het hier prettig. Kunnen we hier elke keer praten?'

'Natuurlijk.'

'Zo vredig,' zei ze. Haar handen lieten het gras los en begonnen elkaar te kneden.

'Hoe gaat het met haar?' vroeg ik.

'Goed, denk ik. Ik blijf wachten tot iets... ik weet het niet... knapt. Tot ze gaat schreeuwen of geestelijk instort. Het lijkt bijna te goed met haar te gaan.'

'Baart je dat zorgen?'

'In zekere zin wel. Ik denk dat ik me het meest zorgen maak over het feit dat ik niet weet wat zij weet. Dat ik er geen idee van heb in hoeverre ze heeft begrepen wat er is gebeurd. Ze zegt dat ze het bewustzijn had verloren en in het ziekenhuis weer bij haar positieven is gekomen, maar...'

'Maar wat?'

'Misschien wil ze mij in bescherming nemen. Of zichzelf. Door het weg te drukken uit haar geheugen.'

'Ik geloof haar,' zei ik. 'Al die tijd dat ik haar heb gezien, was ze bewusteloos, zich totaal niet bewust van haar omgeving.'

'Dokter Levine heeft hetzelfde gezegd... Ik vind hem aardig. Levine. Geeft je het gevoel dat hij alle tijd voor je heeft. Dat wat jij te zeggen hebt, belangrijk is.'

'Daar ben ik blij om.'

'God zij dank heeft ze een goede arts gekregen.' Ze keek me aan, met vochtige ogen. 'Ik weet niet hoe ik u moet bedanken.'

'Dat heb je al gedaan.'

'Het is niet voldoende. Wat u hebt gedaan...' Ze wilde mijn hand pakken, maar trok de hare weer terug.

Ze keek naar de vijver. Bestudeerde het water.

'Ik heb een beslissing genomen,' zei ze. 'Ik blijf een jaar hier en dan zie ik wel verder. Aan één semester uitstel heb ik niet voldoende. Er zijn zoveel dingen die geregeld moeten worden. Ik heb Harvard vanmorgen opgebeld. Vanuit het ziekenhuis, voordat de helikopter er was. Ik heb ze bedankt voor het feit dat ze me uitstel hadden verleend en toen verteld waartoe ik had besloten. Ze zijn bereid me alsnog aan te nemen wanneer mijn cijfergemiddelde aan de UCLA hoog genoeg is.'

'Dat zal het zeker zijn.'

'Dat denk ik ook, mits ik mijn tijd goed indeel. Noel is vertrokken.

Is gisteren afscheid komen nemen.'

'Hoe is dat gegaan?'

'Hij keek een beetje bang, wat me verbaasde. Ik dacht dat hij altijd alles onder controle had. Het was bijna... aandoenlijk. Zijn moeder was met hem mee gekomen. Zij leek ècht zenuwachtig. Ze zal hem heel erg missen.'

'Zijn Noel en jij van plan contact te houden?'

'We hebben afgesproken elkaar te schrijven, maar u weet hoe het kan gaan. Andere woonplaatsen, andere ervaringen. Hij is een echt goede vriend voor me geweest.'

'Inderdaad.'

Kleine, trieste glimlach.

'Wat is er?' vroeg ik.

'Ik weet dat hij méér wil dan dat. Het geeft me het gevoel... Ik weet het niet... Misschien ontmoet hij daar een vrouw die echt de juiste voor hem is.'

Ze boog zich dichter naar het water toe. 'De grote komen in de buurt. Mag ik ze te eten geven?'

Ik gaf haar het voer. Ze gooide een handjevol in het water, ver van de babyvisjes vandaan, en keek toe hoe de volwassen karpers zich uitgebreid te goed deden.

'Ziezo, jongens, daar blijven!' zei ze. 'Mijn hemel, wat een honger-lappen.... Denkt u dat alles met haar echt in orde zal komen? Levine zegt dat ze, mits we geduld hebben, op een gegeven moment weer normaal zal kunnen functioneren. Ik ben daar echter niet zeker van.'

'Waarom twijfel je daaraan?'

'Misschien is hij alleen een optimist.'

Liet dat klinken als een karakterfout.

'Ik heb die man gezien en ben geneigd te zeggen dat hij een realist is.' Ik herinnerde me het gezicht van Gina, omgeven door linnengoed van het ziekenhuis. Plastic buisjes, verderop het gekletter van metaal en glas. Een smalle, bleke hand die in de mijne kneep. Een rust die iets afschrikwekkends had...

Ik zei: 'Melissa, het is al een goed teken dat ze haar verblijf in het ziekenhuis zo goed heeft kunnen verwerken. Dat ze beseft dat ze buitenshuis kan zijn zonder in te storten. Hoe bizar het ook lijkt... dit alles zou voor haar nog wel eens therapeutische waarde kunnen krijgen. Wat niet wil zeggen dat er geen sprake zal zijn van een trauma, of dat het makkelijk voor haar zal zijn.'

'Zou kunnen,' zei ze zo zacht dat ze boven de waterval uit maar net verstaanbaar was. 'Er is zoveel dat ik nog niet begrijp. Zoals waaròm het is gebeurd. Waar komt een dergelijk kwaad vandaan? Ik weet

425

dat hij een psycho... De dingen die hij volgens zeggen heeft gedaan...'
Trillen, kneden. 'Susan zegt dat hij levenslang zal worden opgeslo-
ten. Alleen al vanwege de lijken die ze op zijn ranch hebben gevon-
den. Dat is goed, denk ik. Ik zou het idee van een proces niet kunnen
verdragen. Moeder die met een ander... monster wordt geconfron-
teerd. Maar het lijkt zo... onvoldoende. Er zou meer moeten zijn.'
'Meer straf?'
'Ja. Hij zou moeten lijden.' Ze draaide zich weer naar me toe. 'U
zou er ook moeten zijn, hè? Bij een proces?'
Ik knikte.
'Dus zult u ook wel blij zijn dat er geen proces komt.'
'Het is een ervaring die ik kan missen als kiespijn.'
'Oké, dan is dit de beste oplossing. Ik weet alleen niet... wat iemand
ertoe brengt om zo...' Ze schudde haar hoofd, keek naar de lucht.
Toen weer omlaag. Gekneed. Harder, sneller.
'Waar denk je aan?' vroeg ik.
'Aan háár. Ursula. Levine heeft me verteld dat ze uit het ziekenhuis
is ontslagen en is teruggekeerd naar Boston, naar haar familie. Het
is eigenaardig, het idee dat ze familie heeft. Dat ze iemand nódig
heeft. Ik heb haar altijd gezien als een almachtig persoon.'
Ze trok haar handen uit elkaar, veegde ze af aan het gras.
'Gisteravond heeft ze mijn moeder gebeld. Of mijn moeder heeft
haar gebeld. Ze was aan het opbellen toen ik bij haar kwam. Toen
ik mijn moeder haar naam hoorde noemen, ben ik de kamer uitge-
lopen en naar het cafetaria beneden gegaan.'
'Vind je het vervelend dat ze elkaar hebben gesproken?'
'Ik weet niet wat ze mijn moeder mogelijkerwijs kan bieden. Ze is
zelf een slachtoffer.'
'Misschien niets,' zei ik.
Ze keek me scherp aan. 'Wat betekent dat?'
'Nu ze niet langer als therapeute en patiënte tegenover elkaar staan,
hoeft dat nog niet te betekenen dat ze alle contacten moeten verbre-
ken.'
'Wat zou het handhaven ervan voor nut kunnen hebben?'
'Vriendschap.'
'Vriendschap?'
'Dat vind je vervelend.'
'Nee... Ik... Ja, ik neem haar nog steeds dingen kwálijk. En ik geef
haar ook de schùld van wat er is gebeurd. Ze was de àrts van mijn
moeder. Ze had haar moeten beschèrmen. Maar dat is niet eerlijk
van me, hè? Net als mijn moeder is zij zijn slachtoffer geworden.'
'Om eerlijk of niet eerlijk gaat het nu niet. Jij hebt die gevoelens, en

die zul je moeten verwerken.'

'Ik moet heel wat verwerken.'

'We hebben tijd genoeg.'

Ze keek weer naar het water. 'Ze zijn zo klein. Moeilijk te geloven dat zij in staat zijn...' Ze stak een hand in de emmer en gaf de karpers nog wat eten. Ze staarde naar de kringen die in het wateroppervlak kwamen. Zwaaide haar haren los. Beet op haar lip.

'Gisteren ben ik even naar de Tankard gegaan. Om Don een paar dingen uit het huis te brengen. Er waren veel mensen. Hij had het druk met de klanten, heeft me niet gezien. Ik heb niet gewacht, de spullen gewoon neergezet...' Schouderophalen.

'Probeer niet alles tegelijk te doen.'

'Dat zou ik nu juist heel graag wèl willen doen. Alles afhandelen en dan verder gaan. Afrekenen met hèm, dat monster. Het lijkt onjuist dat hij de rest van zijn leven kan slijten in een schoon, comfortabel ziekenhuis. Dat hij en mijn moeder in wezen in een zelfde situatie verkeren. Ik bedoel... Dat is toch zeker absurd?'

'Hij zal het ziekenhuis niet mogen verlaten. Zij wel.'

'Dat hoop ik.'

'Het zal gebeuren.'

'Tòch lijkt het niet eerlijk. Er zou iets meer moeten zijn. Iets definitiefs. Gerechtigheid. Een éinde. Zoals dat ook met McCloskey is gebeurd. Moge hij branden in de hel. Heeft Milo nog kunnen achterhalen wie hem dood heeft gereden? Mijn aanbod om voor de verdediging van die persoon te betalen, blijft staan.'

'De politie heeft die zaak niet opgelost en het is niet waarschijnlijk dat dat ooit zal gebeuren,' zei ik.

'Prima. Zou in feite ook zonde van de tijd zijn.'

Ze liet nog wat voer in de vijver vallen, wreef haar handen langs elkaar, om ze helemaal schoon te maken. Begon opnieuw te kneden, haar lichaam gespannen. Ze loosde een lange zucht, terwijl ze over haar voorhoofd streek.

Ik wachtte.

'Ik vlieg er elke dag heen om haar te zien,' zei ze. 'En ik blijf me afvragen waarom ze daar is, waarom ze dit moet doormaken. Waarom moet iemand die nooit iets slechts in haar leven heeft gedaan in één leven het slachtoffer worden van twéé monsters? Als er een God bestaat, waarom regelt Hij het dan zo?'

'Goede vraag,' zei ik. 'Mensen hebben vanaf het begin der tijden met verschillende varianten van die vraag geworsteld.'

Ze glimlachte. 'Dat is geen antwoord.'

'Klopt.'

'Ik dacht dat u àlle vragen kon beantwoorden.'
'Bereid je dan maar voor op een afschuwelijke teleurstelling, meisje.'
Haar glimlach werd breder en warmer. Ze boog zich naar voren, hield haar haren met een hand naar achteren, raakte het water met haar andere hand aan.
'U hebt dingen gezien,' zei ze. 'Daar, op die... ranch. Dingen waarover we niet hebben gesproken.'
'Er is nog veel waarover we niet hebben gesproken. Alles op....'
'Ja, ja, dat weet ik. Alles op zijn tijd. Ik zou alleen willen weten wannéér. Ik zou zo'n tijdstip willen vastleggen.'
'Dat is begrijpelijk.'
Ze lachte. 'Nu begint u me alwéér te vertellen dat alles met mij in orde is.'
'Het is de waarheid.'
'Werkelijk?'
'Zeer beslist.'
'Tja, u bent de expert,' zei ze.

JONATHAN KELLERMAN

TIJDBOM

EEN ALEX DELAWARE THRILLER

JONATHAN KELLERMAN

DOORBRAAK

EEN ALEX DELAWARE THRILLER

JONATHAN KELLERMAN

GESMOORD

EEN ALEX DELAWARE THRILLER

JONATHAN
KELLERMAN

DUIVELSDANS

EEN ALEX DELAWARE THRILLER